FÁBULAS
ITALIANAS

ITALO CALVINO

FÁBULAS ITALIANAS

Coletadas na tradição popular durante os últimos cem anos e transcritas a partir de diferentes dialetos

Tradução
Nilson Moulin

7ª reimpressão

Copyright © 1990 Espólio de Italo Calvino, 2002
Proibida a venda em Portugal

Grafia atualizada segundo o Acordo Ortográfico da Língua Portuguesa de 1990, que entrou em vigor no Brasil em 2009.

Título original
Fiabe italiane

Arnoldo Mondadori Editore, 1968 (Seleção feita por Italo Calvino do volume publicado pela Giulio Einaudi Editore, 1956)

Capa
Jeff Fisher

Preparação
Márcia Copola

Revisão
Renato Potenza Rodrigues
José Muniz Jr.

Atualização ortográfica
Verba Editorial

Os personagens e situações desta obra são reais apenas no universo da ficção; não se referem a pessoas e fatos concretos, e sobre eles não emitem opinião.

Dados Internacionais de Catalogação na Publicação (CIP)
(Câmara Brasileira do Livro, SP, Brasil)

Calvino, Italo
  Fábulas italianas: coletadas na tradição popular durante os últimos cem anos e transcritas a partir de diferentes dialetos / Italo Calvino ; tradução Nilson Moulin. — São Paulo : Companhia das Letras, 2006.

  Título original: Fiabe italiane
  ISBN 978-85-359-0948-7

  1. Fábulas — Itália I. Título.

06-8414   CDD-398.210945

Índice para catálogo sistemático:
1. Fábulas : Literatura italiana 398.210945

2021
Todos os direitos desta edição reservados à
EDITORA SCHWARCZ S.A.
Rua Bandeira Paulista, 702, cj. 32
04532-002 — São Paulo — SP
Telefone: (11) 3707-3500
www.companhiadasletras.com.br
www.blogdacompanhia.com.br
facebook.com/companhiadasletras
instagram.com/companhiadasletras
twitter.com/cialetras

SUMÁRIO

• Nota à primeira edição brasileira 7 • Introdução 9 • Agradecimentos 53 • Joãozinho Sem Medo 57 • Corpo Sem Alma 59 • O pastor que não crescia nunca 63 • Nariz de Prata 67 • A barba do conde 72 • A menina vendida com as peras 79 • O príncipe-canário 82 • Os biellenses, gente dura 89 • A linguagem dos animais 90 • As três casinhas 94 • A terra onde não se morre nunca 98 • As três velhas 101 • O príncipe-caranguejo 106 • O menino no saco 110 • A camisa do homem feliz 115 • Uma noite no paraíso 117 • Jesus e são Pedro no Friul 120 • O anel mágico 129 • O braço de morto 135 • A ciência da preguiça 139 • Bela Testa 141 • Luna 145 • O corcunda Sapatim 149 • O Ogro com penas 157 • Belinda e o Monstro 162 • A rainha Marmota 170 • O filho do mercador de Milão 178 • O palácio dos macacos 191 • O palácio encantado 195 • Cabeça de búfala 202 • A filha do Sol 209 • O florentino 214 • O presente do Vento do Norte 217 • A moça-maçã 222 • Salsinha 224 • O Pássaro Bem Verde 230 • Grãozinho e o boi 240 • A água na cestinha 245 • Catorze 248 • João Bem Forte que a quinhentos deu a morte 251 • Galo-cristal 254 • O soldado napolitano 257 • Belmel e Belsol 263 • Chico Pedroso 267 • O amor das três romãs 270 • José Peralta que, quando não arava, tocava flauta 275 • Corcunda, manca e de pescoço torto 278 • A falsa avó 279 • O ofício de Francisquinho 282 • Cric, Croc e Mão de Gancho 286 • A primeira espada e a última vassoura 289 • Os cinco desembestados 294 • Eiro-eiro, burro meu, faça dinheiro 301 • Leombruno 307 • Os três órfãos 316 • O reizinho feito à mão 319 • O rei-serpente 325 • Cola Peixe 333

• Grátula-Bedátula *335* • Desventura *343* • A cobra Pepina *349* • Dono de grãos-de-bico e favas *358* • O sultão com sarna *362* • Alecrina *367* • Diabocoxo *371* • A moça-pomba *374* • Jesus e são Pedro na Sicília *378* • O relógio do barbeiro *385* • A irmã do conde *387* • O casamento de uma rainha com um bandido *392* • Pelo mundo afora *396* • Um navio carregado de... *405* • O filho do rei no galinheiro *411* • A linguagem dos animais e a mulher curiosa *417* • O bezerrinho com chifres de ouro *421* • A velha da horta *426* • A rainhazinha com chifres *429* • Yufá *434* • O homem que roubou aos bandidos *443* • Santo Antônio dá o fogo aos homens *445* • Março e o pastor *447* • Pule no saco! *449* • Notas *457* • Bibliografia *487* • Sobre o autor *491*

NOTA À PRIMEIRA EDIÇÃO BRASILEIRA (1990)

Em 1954, o editor italiano Einaudi decidiu publicar uma antologia de fábulas italianas que pudesse ser comparada às coletâneas francesa e alemã, já clássicas, de Perrault e dos Irmãos Grimm. Encomendou a tarefa de escolher e transcrever os contos a um escritor jovem, mas de grande reputação: Italo Calvino.

Nos anos que se seguiram à publicação do volume, quando já era considerado unanimemente um dos maiores escritores europeus, Calvino lembrou em repetidas ocasiões a importância desse trabalho para a sua formação. A última vez foi no ciclo de aulas que a morte não lhe permitiu ministrar, as *Seis propostas para o próximo milênio*, na conferência dedicada à rapidez.

De fato, o que interessa ao autor, em seu mergulho no mundo da fábula, não é tanto a riqueza das imagens, ou o valor simbólico delas, mas a economia da narração, a capacidade de descrever as situações mais inverossímeis em pouquíssimas frases. Aqui, Calvino encontra uma narração puramente funcional, não descritiva, que luta contra o tempo e contra os obstáculos que ela própria opõe à realização de um desejo (uma princesa, um tesouro). Nas fábulas, observa o escritor nas *Seis propostas*, "a narrativa é um cavalo: um meio de transporte cujo tipo de andadura, trote ou galope, depende do percurso a ser executado".

A prova de que Calvino estava certo, ao interpretar a fábula dessa forma, se encontra em sua obra posterior, na qual o autor se liberou da matriz neo-realista da juventude para inventar um estilo pessoal, construído na base da narrativa popular; mas está também no êxito da obra que Einaudi, com feliz intuição, lhe encomendou. Pois as *Fábulas italianas* realmente se tornaram, como o editor pretendia, um clássico italiano. Mais moderno do que Perrault e Grimm, escrito por um autor que já conhece a psicanálise, a sociologia, a linguística. Mas igualmente popular, igualmente querido.

Lorenzo Mammì

INTRODUÇÃO*

UMA VIAGEM ENTRE AS FÁBULAS

O impulso inicial para produzir este livro surgiu de uma exigência editorial: pretendia-se publicar, ao lado dos grandes livros de contos populares estrangeiros, uma antologia italiana. Mas que texto escolher? Existiria um "Grimm italiano"?

É sabido que os grandes livros de fábulas** italianas nasceram antes dos outros. Já em meados do século XVI, em Veneza, nas *Piacevoli notti* de Straparola, a novela cede espaço à sua mais antiga e rústica irmã, a fábula de maravilhas e de encantos, com um retorno de imaginação entre gótico e oriental, à maneira de Carpaccio, e uma pequena contribuição dialetal na linha da prosa boccaciana. No século XVII, em Nápoles, Giambattista Basile escolhe para suas acrobacias de estilista barroco-dialetal os *cunti*, as fábulas *de' peccerille*** e nos dá um livro, o *Pentameron* (restituído às nossas leituras pela versão de Benedetto Crocel), que é como o sonho de um disforme Shakespeare partenopeu, obcecado por um fascínio pelo horrendo para o qual não há ogros nem bruxas que bastem e por um gosto pela imagem alambicada e grotesca em que o sublime se mistura ao vulgar e ao sujo. E no século XVIII, sempre em Ve-

---

* Esta introdução foi escrita para a edição integral das *Fábulas italianas*, publicadas pela primeira vez em 1956. A presente edição traz cem das duzentas fábulas originalmente apresentadas, e se baseia numa seleção feita pelo autor, doze anos depois. (N. E.)

** Nesta tradução, dentre outras escolhas possíveis — e com plena consciência das implicações de tal opção —, utiliza-se *fábula* com o mesmo sentido de *conto popular*. Veja-se, por exemplo, a tradução espanhola (Madri, Siruela, 1990), na qual o tradutor optou pelo uso de *cuento de hada* e *cuento popular*, tendo mantido, em determinados casos, a forma *fiaba* do texto italiano. Para uma abordagem detalhada da questão, sugere-se consultar *Formas simples*, de A. Jolles (São Paulo, Cultrix, 1976). (N. T.)

*** Dialeto napolitano: conto para crianças. (N. T.)

neza, mas desta vez com a suficiência e ostentação de quem se entrega a um jogo, o desdenhoso e severo Carlo Gozzi possibilita aos contos ganhar o palco, entre as máscaras da *commedia dell'arte*.

Tratava-se, porém, de um divertimento pesado e solene: contudo, a hora da fábula já vinha soando desde os tempos do Rei Sol na corte de Versalhes, onde, nos estertores do *Grand Siècle*, Charles Perrault inventara um gênero e, finalmente, recriara no papel um equivalente rebuscado daquela simplicidade de tom popular por meio da qual a fábula se perpetuara de boca em boca até então. O gênero tornou-se moda, desnaturando-se: aristocratas e *précieuses* passaram a transcrever e a inventar fábulas. Floreada e edulcorada nos 41 volumes do *Cabinet des fées*, a fábula prosperou e morreu na literatura francesa, com o sabor de jogo de fantasia elegante, temperado por simétrica racionalidade cartesiana.

Ressurgiu pesada e truculenta no alvorecer do século XIX, na literatura romântica alemã, como criação anônima do *Volksgeist*, com uma antiguidade ancestral que continha cores de uma Idade Média atemporal, por obra dos Irmãos Grimm. O culto patriótico da poesia popular difundiu-se entre os literatos da Europa; Tommaseo pesquisou os cantos toscanos, corsos, gregos e ilíricos; porém, as *novelline* (como eram chamadas as fábulas entre nós no século XIX) aguardaram em vão que surgisse entre nossos românticos seu descobridor. Educada na escola de Tommaseo, a "condessa camponesa" Caterina Percoto escreveu em dialeto friulano contos e lendas patrióticas e morais, algumas das quais foram coletadas na tradição oral; e do filão dos autores didáticos, conservadores ao modo de Cantù, o sienense Temistocle Gradi (1824-87), em seus "ensaios de leitura"[1] para os jovens do povo, traduziu fábulas para a fala dialetal, visando dar àquelas mentes o pão que considerava menos corruptor.

Foram necessários os diligentes estudiosos de folclore da geração positivista para que se começasse a escrever sob a imposição das avós. Eles acreditavam — com Max Muller — na Índia pátria de cada história e mito humano (quando não de todo o gênero humano), e nas religiões solares, tão complicadas que, para explicar a aurora, inventavam Cinderela e, para a primavera, Branca de Neve. Entretanto, sob o primeiro exemplo dos alemães (Widter e Wolf em Veneza, Hermann Knust em Livorno, o austríaco Schneller na região do Trentino e depois Laura Gonzenbach na Sicília), passaram a reunir *novelline*: Ângelo de Gubernatis na área de Siena, Vittorio Imbriani em Florença, na Campânia e na Lombardia, Domenico Comparetti em Pisa, Giuseppe Pitrè na Sicília, alguns de forma aproximativa e sumária, outros com um escrúpulo que consegue salvar e fazer chegar até nós todo o frescor dessas fábulas. A paixão foi transmitida a um grande número de pesquisadores locais, colecionadores de curiosidades dialetais e de minúcias, que constituíram a rede dos correspondentes das revistas de arquivo folclórico: *Giambattista Basile* de Luigi Molinaro del Chiaro, em Nápoles; *Archivio per lo studio delle tradizioni popolari* de Pitrè, em Palermo; *Rivista delle tradizioni popolari italiane* de De Gubernatis, em Roma. Até mesmo Benedetto Croce, com dezessete anos, ainda ignorando que perseguia um falso conceito, registrava os cantos e lenga-lengas que lhe ditavam as lavadeiras da região do Vômero para o *Basile* de Del Chiaro.

Assim se acumulou, em especial nos últimos trinta anos do século, graças aos nunca suficientemente louvados "demopsicólogos" (como preferiram ser chamados, usando um termo cunhado por Pitrè), uma montanha de narrativas extraídas da boca do povo em vários dialetos. Porém, tratava-se de um patrimônio destinado a ficar imobilizado nas bibliotecas dos especialistas e não a circular em meio ao público. Não surgiu um "Grimm italiano", embora já em 1875 Comparetti houvesse tentado uma antologia geral de várias regiões, publicando, na coleção — dirigida por ele e por D'Ancona — dos *Canti e racconti del popolo italiano*, um volume de *Novelle popolari italiane* e prometendo dois outros, que não saíram.

E o gênero "fábula", enquanto era confinado pelos estudiosos em doutas monografias, não conheceu entre nossos escritores e poetas a moda romântica que percorreu a Europa de Tieck a Puchkin, mas tornou-se domínio dos autores de livros para crianças, tendo por mestre Collodi, que adquirira o gosto pela fábula nos *contes de fées* franceses do século XVIII.[2] Eventualmente, algum escritor ilustre tentou o livro de contos populares para crianças; lembraremos, como excepcional êxito poético, *C'era una volta...* de Capuana, livro de fábulas alimentado, ao mesmo tempo, por fantasias e espírito popular.[3] (Recorde-se que Carducci levou as narrativas de tradições populares às escolas, inserindo nas antologias escolares organizadas por ele[4] algumas *novelline* toscanas de Pitrè e de Nerucci. E que D'Annunzio, no período de seu maior interesse pelo folclore, transcreveu e publicou com sua assinatura, sob a rubrica *Favole ed apologhi* da *Cronaca Bizantina*, algumas *novelline* da região dos Abruzos coletadas por Finamore e De Nino.)[5]

Mas a grande antologia dos contos populares da Itália inteira, que seja também livro de leitura agradável, popular pela destinação e não só pela fonte, ainda não surgiu. Seria possível fazê-la hoje? Poderia nascer com tanto "atraso" em relação às modas literárias e ao entusiasmo científico? Pareceu-nos que talvez só agora existissem as condições para produzir tal livro, dada a enorme quantidade de material disponível e considerando-se o distanciamento de um "problema da fábula" mais candente.

Tendo as coisas chegado a esse ponto, alguém teve a ideia de que eu deveria escrevê-lo.

Para mim era — e disso me apercebia muito bem — um salto no escuro, como pular de um trampolim e mergulhar num mar em que há um século e meio só se atreve a entrar quem é atraído não pelo prazer esportivo de nadar entre ondas insólitas, mas por um apelo do sangue, como para salvar algo que se agita lá no fundo e que, caso contrário, se perderia sem voltar à tona, como o Cola Peixe da lenda. Para os Grimm[6] era a descoberta, em frangalhos, de uma antiga religião da raça, custodiada pela gente do povo, a ser reapresentada no dia glorioso em que, expulso Napoleão, a consciência germânica tornasse a despertar;

para os "indianistas" eram as alegorias dos primeiros arianos que, embasbacados com o sol e a lua, fundavam a evolução religiosa e civil; para os "antropólogos", os obscuros e sanguinários ritos de iniciação dos jovens das tribos, iguais nas florestas do mundo inteiro entre aqueles pais caçadores e ainda hoje entre os selvagens; para os seguidores da "escola fínica" era a descoberta das espécies de coleópteros a serem classificados e enquadrados, reduzidos a uma sigla algébrica de letras e cifras, em seus catálogos — o Type-Index e o Motif-Index — e nas trajetórias das migrações flutuantes entre os países budistas, a Irlanda e o Saara; para os freudianos, um repertório de ambíguos sonhos comuns a todos os homens, roubados ao esquecimento dos avatares e fixados de forma canônica para representar os medos mais elementares. E, para todos os dispersos apaixonados pelas tradições dialetais, a humilde fé num deus desconhecido, agreste e familiar, que se encerra na fala dos camponeses.

Ao contrário, eu mergulhava nesse mundo submarino desprovido de qualquer arpão especializado, desamparado, sem óculos doutrinários, sem carregar nem mesmo aquela bomba de oxigênio que é o entusiasmo — o qual tanto se respira hoje — por tudo o que seja espontâneo e primitivo, por qualquer revelação daquilo que — com uma expressão gramsciana muito bem cunhada — se chama hoje de "mundo subalterno"; porém, exposto a todos os desconfortos que comunica um elemento quase informe, jamais dominado conscientemente até o âmago como aquele da indolente e passiva tradição oral. ("Mas você nem é do Sul!", dizia-me em tom severo um amigo etnólogo.) E, por outro lado, tampouco achava-me protegido pela impermeabilidade da distinção crociana entre o que é poesia enquanto um poeta a torna própria e recria e aquilo que, pelo contrário, recai num limbo objetivo, quase vegetal; pois, além do mais, não consigo distinguir nem por um momento com qual matéria misteriosa me encontro envolvido e fico escutando sempre fascinado e perplexo qualquer hipótese que as diferentes escolas apresentam neste campo, defendendo-me apenas do perigo de que a teorização se sobreponha ao gozo estético que se pode auferir daqueles textos e, por outro lado, evitando exclamar logo "ah!" e "oh!" diante de produtos tão complexos, estratificados e indefiníveis. Em suma, seria o caso de perguntar-me por que aceitara ocupar-me disso, se não fosse por um fato que me ligava às fábulas e que indicarei mais adiante.

Entretanto, começando a trabalhar, ao me dar conta do material existente, ao dividir os tipos das fábulas numa empírica catalogação pessoal que ampliava aos poucos, era paulatinamente atacado por uma espécie de frenesi, uma fome, uma insaciabilidade de versões e de variantes, uma febre comparatista e classificatória. Sentia que ganhava forma em mim aquela paixão do entomólogo que me parecera característica dos estudiosos das *Folklore Fellows Communications* de Helsinque, uma paixão que tendia rapidamente a transformar-se em mania; assim sendo, teria trocado todo Proust por uma nova variante do *"Ciuchino caca-zecchini"* [burrinho caga-moedas de ouro] e tremia de desapontamento se encontrava o episódio do marido que perde a memória abraçando a mãe em vez daquele da Feia Sarracena, e meu olho ganhava — como nos maníacos — monstruosa acuidade, para distinguir ao primeiro olhar no mais áspero texto da Puglia ou do Friul um tipo "Prezzemolina" [Salsinha] de um "Bellinda".

Havia sido capturado, de maneira imprevista, pela natureza tentacular, aracnídea do meu objeto de estudo; e não era esse um modo formal e externo de posse: pelo contrário, colocava-me perante sua propriedade mais secreta — sua infinita variedade e infinita repetição. E, ao mesmo tempo, minha parte lúcida, não corrompida mas somente excitada pela progressão da mania, ia descobrindo que esse fundo fabular popular italiano é de uma riqueza, limpidez, variedade e cumplicidade entre real e irreal que não fica a dever nada aos fabulários mais celebrados dos países germânicos, nórdicos e eslavos, e não só nos casos em que se depara com um extraordinário narrador oral — mais frequentemente uma mulher — ou vai dar numa localidade de sábia técnica narrativa, mas também no que concerne às qualidades genéricas de graça, espírito, síntese do desenho, modo de compor ou fixar na tradição coletiva determinado tipo de conto. Assim, quanto mais afundava em minha imersão, mais diminuía o distanciamento controlado com que mergulhara, e me sentia admirado e feliz com a viagem, e o frenesi catalogatório — maníaco e solitário — era trocado pelo desejo de comunicar aos outros as visões insuspeitas que se abriam a meu olhar.

Agora, a viagem entre as fábulas terminou, o livro está pronto, escrevo este prefácio e já estou fora: conseguirei voltar a pôr o pé no chão? Durante dois anos vivi entre bosques e palácios encantados, com o problema de como observar melhor o rosto da bela desconhecida que se deita todas as noites ao lado do belo cavaleiro, ou na dúvida entre usar o manto que torna invisível ou a patinha de formiga, a pena de águia e a unha de leão que servem para transformar pessoas em animais. E nesses dois anos, pouco a pouco, o mundo ao meu redor ia se adaptando àquele clima, àquela lógica, todo fato se prestava a ser interpretado e resolvido em termos de metamorfoses e encantamentos, e as vidas individuais, subtraídas ao habitual claro-escuro discreto dos estados de ânimo, viam-se às voltas com amores encantados ou perturbadas por magias misteriosas, desaparecimentos instantâneos, transformações monstruosas, colocadas perante escolhas elementares entre justo e injusto, postas à prova em percursos cheios de obstáculos, rumo a felicidades prisioneiras de um assédio de dragões. E igualmente nas vidas dos povos, que então pareciam fixadas num decalque estático e predeterminado, tudo se fazia possível: abismos cheios de serpentes se abriam como riachos de leite, reis considerados justos revelavam-se cruéis perseguidores dos próprios filhos, reinos encantados e mudos despertavam de repente com enorme rumor e espreguiçar de braços e pernas. Logo a seguir me parecia que, da caixa mágica que abrira, saltava fora a lógica perdida que governa o mundo das fábulas, voltando a dominar a terra.

Agora que o livro terminou, posso dizer que não foi uma alucinação, uma espécie de doença profissional. Tratou-se de uma confirmação de algo que já sabia desde o início, aquela coisa indefinida à qual me referia antes, aquela única convicção que me arrastava para a viagem entre as fábulas. E penso que seja isto: as fábulas são verdadeiras.

São, tomadas em conjunto, em sua sempre repetida e variada casuística de vivências humanas, uma explicação geral da vida, nascida em tempos remotos e alimentada pela lenta ruminação das consciências camponesas até nossos dias; são o catálogo do destino que pode caber a um homem e a uma mulher, sobretudo pela parte de vida que justamente é o perfazer-se de um destino: a juventude, do nascimento que tantas vezes carrega consigo um auspício ou uma condenação, ao afastamento da casa, às provas para tornar-se adulto e depois maduro, para confirmar-se como ser humano. E, neste sumário desenho, tudo: a drástica divisão dos vivos em reis e pobres, mas sua paridade substancial; a perseguição do inocente e seu resgate como termos de uma dialética interna a cada vida; o amor encontrado antes de ser conhecido e logo depois sofrimento enquanto bem perdido; a sorte comum de sofrer encantamentos, isto é, ser determinado por forças complexas e desconhecidas, e o esforço para libertar-se e autodeterminar-se como um dever elementar, junto ao de libertar os outros, ou melhor, não poder libertar-se sozinho, o libertar-se libertando; a fidelidade a uma promessa e a pureza de coração como virtudes basilares que conduzem à salvação e ao triunfo; a beleza como sinal de graça, mas que pode estar oculta sob aparências de humilde feiura como um corpo de rã; e sobretudo a substância unitária do todo: homens animais plantas coisas, a infinita possibilidade de metamorfose do que existe.

CRITÉRIOS DO TRABALHO

O método de transcrição dos contos "da boca do povo" tomou forma com a obra dos Irmãos Grimm e foi sendo codificado na segunda metade do século em cânones "científicos", de escrupulosa fidelidade estenográfica ao ditado dialetal do narrador oral. Propriamente "científicos" como hoje se entende os Grimm não foram, ou seja, eles o foram apenas em parte. O estudo dos manuscritos deles confirma aquilo que a simples leitura dos *Kinder-und Hausmärchen* já revela ao olho treinado: que nas páginas ditadas pelas velhotas[7] os Grimm (em especial Wilhelm) contribuíram muito com lavra própria, não só traduzindo grande parte das fábulas a partir dos dialetos alemães, mas também juntando uma variante com outra, narrando de forma diferente onde o dito era demasiado grosseiro, retocando expressões e imagens, dando unidade de estilo às vozes discordantes.

Esta advertência serve para introduzir e justificar (usando como escudo nomes tão famosos e distantes) a natureza híbrida de meu trabalho, que é também "científico" pela metade ou, se quisermos, em três quartos, sendo a quarta parte fruto de arbítrio individual. Científica de fato é a parte do trabalho que fizeram os outros, aqueles folcloristas que, ao longo de um século, puseram pacientemente no papel os textos que me serviram de matéria-prima; e no trabalho deles se insere a minha lavra, comparável como tipo de intervenção à segunda parte da operação levada a cabo pelos Grimm: escolher nessa montanha de narrações, sempre as mesmas (redutíveis a cerca de cinquenta tipos), as versões mais bonitas, originais e raras; traduzi-las dos dialetos em que foram coletadas (ou, nos casos em que, infelizmente, surgiu uma tradução italiana — quase sempre carente do frescor da autenticidade —, experimentar — tarefa espinhosa — narrá-las outra vez, tratando de recriar algo daquele frescor perdido); enriquecer a versão escolhida no estoque das variantes e, quando possível, manter intacto seu caráter, a unidade interna, de modo a torná-la o mais plena e articulada possível; integrar com mão leve de inventor os pontos que parecem elididos ou cortados; manter tudo num registro de italiano não muito pessoal nem excessivamente desbotado e que, na medida do possível, afunde suas raízes no dialeto, sem equívocos nas expressões "cultas", e que seja suficientemente elástico para acolher e incorporar as imagens do dialeto, os contornos de frase mais expressivos e insólitos. Este era meu programa de trabalho, que não sei até que ponto consegui concretizar.

Portanto, como testemunham as notas a cada uma das fábulas, trabalhei em material já reunido, publicado em livros e revistas especializadas ou disponível em manuscritos inéditos de museus e bibliotecas. Não fui recolher pessoalmente as histórias no regaço das velhotas; e não porque não existam mais na Itália "lugares de conservação", mas porque, com todas aquelas coletas dos folcloristas, sobretudo do século XIX, já dispunha de uma grande massa de material no qual trabalhar, e tentativas de coleta original talvez não trouxessem resultados apreciáveis para os objetivos de meu livro. E, além do mais, afinal de contas não é meu campo, é um trabalho que exige que se saiba fazê-lo, exige que se saiba ganhar a confiança do próximo, e eu já iniciaria com a prevenção de que as pessoas têm mais o que fazer do que me contar fábulas. Talvez cada coisa tenha seu tempo; agora, àqueles que não sabem escrever se pede que narrem a própria vida e os pensamentos, como fizeram dois queridos amigos meus, Rocco Scotellaro e Danilo Dolci.

Contudo, hoje deve existir um modo adequado de coletar os contos da boca do povo, um modo moderno, que se valha da maior consciência histórica, social e psicológica que temos agora; e é isso que desejo: que este livro sirva para reanimar um interesse por tais pesquisas na Itália; que, entre nossos estudos de folclore, voltem a ocupar o lugar merecido aqueles sobre a novelística popular; que as lacunas existentes para muitas regiões sejam preenchidas, e que sejam sobretudo pesquisas inteligentes, atualizadas a partir de experiências estrangeiras mais recentes e interessantes efetuadas nesta área.

Orientei meu trabalho em direção a dois objetivos: representar todos os tipos de fábula cuja existência esteja documentada nos dialetos italianos; representar todas as regiões da Itália.

No que concerne à "fábula" propriamente dita — ou seja, o conto mágico e maravilhoso, que em geral fala de reis de países indefinidos —, todos os "tipos" de alguma importância estão representados por uma ou mais versões que me pareceram as mais significativas, as menos esquemáticas e as mais impregnadas pelo espírito dos lugares (explicarei melhor este conceito mais adiante). No livro, encontram-se também lendas religiosas, novelas, fábulas de animais, historietas e anedotas, algumas lendas locais: em resumo, componentes narrativos populares de vários gêneros com os quais me defrontei durante a pesquisa e que me impressionaram por sua beleza.

Utilizei-me muito pouco das lendas locais concernentes às origens de lugares, usos ou lembranças históricas; esse é um campo totalmente diferente daquele da fábula, as narrativas são breves, sem sequência, e os volumes de seus coletores — salvo raríssimas exceções — não apresentam as histórias com as palavras do povo, mas revocam-nas em estilo enfático e nostálgico: em suma, era um material não utilizável para as finalidades de meu trabalho.

Como dialetos italianos considerei os da área linguística italiana, não os da Itália política. Assim tomei em consideração as fábulas da região de Nice e não as de Vale de Aosta,[8] as de Zara e não as do Alto Ádige.

Se de cada fábula prefiro uma versão levantada em determinada localidade ou região, isso não quer absolutamente significar que aquela fábula é *daquela* região. As fábulas, é sabido, são iguais em todos os lugares. Dizer "de onde" é uma fábula não tem muito sentido: até os estudiosos da escola "fínica" ou histórico-geográfica, que orientam suas pesquisas justamente no sentido da determinação da zona de origem de cada tipo de fábula, obtêm resultados bastante incertos, muitas vezes oscilantes entre Ásia e Europa. Mas a circulação internacional — uso as palavras de Vittorio Santoli[9] — "na comunhão não exclui a diversidade", que se exprime "mediante a adoção ou recusa de certos motivos, a predileção por certas espécies, a criação de certas personagens, a atmosfera que envolve a narrativa, as características do estilo que refletem determinada cultura formal". Portanto, chamemos de italianos estes contos populares uma vez que relatados pelo povo na Itália, integrados pela tradição oral em nosso folclore narrativo, e igualmente chamemo-los de venezianos, toscanos ou sicilianos; e, já que a fábula, qualquer que seja sua origem, está sujeita a absorver alguma coisa do lugar onde é narrada — uma paisagem, um costume, uma moralidade, ou então apenas um vago sotaque ou sabor daquela região —, o grau em que se deixaram embeber daquele quê veneziano, toscano ou siciliano é justamente o critério diferencial de minha escolha.

Por meio das notas, ficará bem claro que a designação *Monferrato* ou *Marcas* ou *Terra d'Otranto* [presente na 1ª edição] não significa que aquele conto popular seja *de* Monferrato, *das* Marcas, *de* Otranto, mas somente que para aquela fábula tomei em consideração uma versão de Monferrato ou das Marcas ou da Terra d'Otranto, pois, entre as várias versões à minha disposição, aquela me pareceu não só a mais bela ou mais rica como também a mais bem narrada, e ainda aquela que, colocadas suas raízes num terreno, dali extraiu mais seiva, tornou-se mais monferrina, marquesã, otrantina.

Mas não se pense que versões dotadas de tais requisitos se encontrem em igual medida no material de todas as regiões; é preciso dizer que em muitos dos primeiros folcloristas o impulso para coletar e publicar era nutrido pela paixão "comparatista" própria da cultura literária da época, razão pela qual a tônica recaía sobre o igual em vez de recair sobre o diferente, sobre o testemunho da difusão mundial de um motivo em vez de recair sobre a definição de um acento particular da região, da época e da personalidade de quem narra. As designações geográficas de meu livro são em certos casos de uma evidência absoluta (em muitas delas sicilianas, por exemplo), ao passo que noutros casos parecerão arbitrárias, justificadas apenas pela referência bibliográfica da nota.

Já prevejo muitas das críticas que me esperam. Quem privilegia o texto popular genuíno não me perdoará ter "metido as mãos" e até ter tido a pretensão de "traduzir". Aqueles que, por outro lado, recusam o conceito de "poesia popular" irão me acusar de timidez, falta de liberdade e preguiça, devido a meus escrúpulos de fidelidade e às pretensões de documentação; em suma, por não ter feito, motivado por algum tema popular que me inspirasse em especial, uma obra totalmente minha, como na tradição de nossos novelistas clássicos, ou como as fábulas literárias setecentistas ou românticas, ou então como Andersen.

Não serei insensível a tais expressões de descontentamento, pois nelas ouvirei o eco de minhas próprias insatisfações, que frequentemente me assaltaram durante o trabalho: quantas vezes defrontei-me com uma página vernácula cuja tradução equivalia à morte?; e quantas outras vezes, por outro lado, só encontrava testemunhos tão frágeis de uma fábula que me interrogava se não deveria, para salvá-la, redesenhá-la de alto a baixo com novas imagens e soluções?

Contudo, não poderia impor a meu trabalho um método diferente. Não me detenho no segundo tipo de objeção: as criações bem-sucedidas jamais são programadas. Discuto a primeira objeção, que prevejo venha a ser a fundamental, a da legitimidade de minha intervenção nos textos. É claro que tentar traduzir cantos populares dialetais seria tarefa absurda: lá está o verso, a palavra que conta. A fábula goza da maior traduzibilidade que é privilégio (e, se quisermos, limite) da narrativa; e este livro nasceu com a intenção precisa de tornar acessível a todos os leitores italianos (e estrangeiros) o mundo fantástico contido em textos dialetais de difícil decifração para muitos. As antologias em dialeto — indicarei mais adiante quais dentre elas têm um interesse não meramente especializado — já existem (embora não sejam de fácil localização); desejo que meu livro desperte em alguns leitores a vontade de ir procurá-las e lê-las, e quem sabe, em algum editor, o interesse em reeditá-las.

Portanto, uma tradução pura e simples teria bastado? Recorde-se que as coletâneas das várias regiões foram elaboradas com critérios diversos: Imbriani e Pitrè compilavam e faziam compilar com extrema fidelidade em relação aos matizes, às inserções, às maneiras de dizer, também às palavras incompreensíveis, aos despropósitos saídos da boca do narrador; Comparetti e Visentini publicavam a *novellina* traduzida em italiano, por vezes reduzida a um frio resumo; Gonzenbach e Schneller faziam o mesmo em alemão, Andrews em francês; De Nino narrava as pequenas fábulas dos Abruzos em italiano com um toque de vivacidade literária "popularesca"; Zorzút registra as suas em friulano, com todos os documentos em ordem, porém o corte é literário, um pouco estetizante; em Montale Pistoiense (de onde provém o belíssimo livro de Nerucci), parece que se narra de um modo diferente de todo o restante da Itália: minucioso, verboso, prolixo até... Meu trabalho consistiu em tentar fazer desse material heterogêneo um livro; em tentar compreender e salvar, de fábula em fábula, o "diferente" que provém do modo de narrar do lugar e do acento pessoal do narrador oral, e em eliminar — ou seja, em reduzir à unidade — o "diverso" que se origina na maneira de compilar, na intervenção intermediária do folclorista.

No que se refere às fábulas toscanas, tenho de dar uma explicação à parte. A mesma operação de traduzir as fábulas dos dialetos de toda a Itália (e de reescrever as que encontrei já traduzidas) tive de realizar com as fábulas da Toscana. Pois são dialetos aqueles falados na Toscana, nem mais nem menos que os outros, tão diferentes do italiano quanto os outros, e às vezes mais obscuros; e, se no meu livro não aparece escrito: "Sentu un ciàuru di carni munnana",* tampouco se lê: "Pinto e incoraggito dagli sberci della moglie, a bruzzolo il pescatore ridéccolo al lago".** Certamente foi mais difícil o trabalho com os textos toscanos, aquele cujos resultados são mais discutíveis, aquele em que o confronto com os textos é mais fácil e quase sempre desvantajoso para mim. Além disso, em relação a muitos textos, era obrigado (ao contrário do que tive de fazer com os demais dialetos) a diminuir um grau no tom da linguagem, a descolorir e

---

* Dialeto siciliano: Sinto cheiro de carne humana. (N. T.)
** Dialeto toscano: Pressionado e estimulado pelos gritos de protesto da mulher, o pescador voltou ao lago de madrugada. (N. T.)

enxugar um pouco o vocabulário demasiado rico, pesado e prazeroso; tarefa que executei com tristeza, pensando na eficácia, no refinamento, na harmonia interna daquelas páginas, mas também com a implacável segurança de que cada operação de "renúncia" estilística, de redução ao essencial, é um ato de moralidade literária.

Em resumo, variam de uma fábula para outra a medida e a qualidade de minha intervenção, segundo o que o texto me sugeria. Às vezes, este me impunha tamanho respeito que era obrigado a traduzi-lo tal e qual (certas coisas da Puglia como "Os cinco desembestados", ou da Sicília como "Pelo mundo afora" ou "Desventura", bem como a alegoria "O relógio do barbeiro"). Pelo contrário, outras fábulas constituíam mero ponto de partida para um exercício de estilo (na pequena fábula infantil "O menino no saco", inventei nomes e lenga-lengas; em "Diabocoxo", talvez para evitar a sujeição ao confronto literário com o "Belfagor" de Maquiavel, joguei com algumas grosseiras sugestões do texto; na lenda sarda de santo Antônio, "montei" a narração conforme quis, partindo de pistas da tradição; nas fábulas lígures, sobre frágil vestígio, trabalhei por inventiva própria, supondo um texto dialetal que não possuía etc.). Ocasionalmente, atribuí nome às personagens, em geral anônimas; e isso bastava para provocar uma centelha, passar de um grau a outro na escala da participação poética.

Em meio a tudo isso, apoiava-me no provérbio toscano caro a Nerucci: "La novella nun è bella, se sopra nun ci si rapella", a novela vale por aquilo que nela tece e volta a tecer quem a reproduz, por aquele tanto de novo que a ela se agrega ao passar de boca em boca. Decidi tornar-me, também eu, um elo da anônima cadeia sem fim pela qual as fábulas se perpetuam, elos que não são jamais puros instrumentos, transmissores passivos, mas (e aqui o provérbio e Benedetto Croce se encontram) seus verdadeiros "autores".

AS ANTOLOGIAS FOLCLÓRICAS

O trabalho realizado durante quase um século por folcloristas para documentar a narrativa oral italiana tem uma distribuição geográfica bastante desigual. De algumas regiões encontrei à disposição uma mina de material; de outras, quase nada.[10] Coletâneas abundantes e benfeitas existem sobretudo de duas regiões: Toscana e Sicília.[11]

E é da Toscana e da Sicília que nos chegam as duas antologias mais belas de toda a Itália. Trata-se das *Sessanta novelle popolari montalesi* de Gherardo Nerucci e das *Fiabe, novelle e racconti popolari siciliani* de Giuseppe Pitrè. O primeiro é um livro num bizarro vernáculo do condado pistoiense, apresentado como texto de linguagem e bela leitura; é obra de um escritor. O outro consiste em quatro volumes que contêm, ordenados por gênero, textos em todos os dialetos da Sicília, com grande cuidado em oferecer a documentação mais precisa possível sobre eles, cheios de adendos com "variantes e confrontos", notas lexicais e comparatistas; é obra de um cientista. Ambos representam, por vias diversas, um *optimum* de possível restituição no papel daquela arte especial e volátil que é narrar oralmente. E ambos são — deixando de lado folclore, fidelidade estenográfica, tradição oral etc. — dois belos livros, belos textos quase desconhecidos da literatura italiana, na qual merecem entrar com todos os direitos, como nossos últimos grandes *novellini*.

Os quatro volumes de *Fiabe, novelle e racconti popolari siciliani*[12] contêm trezentas narrações (e cem variantes resumidas sob a forma de notas) de todas as províncias da Sicília (a coletânea em alemão de Gonzenbach limitava-se às regiões jônicas), colocadas no papel por Giuseppe Pitrè (1841-1916), um médico voltado para os estudos de folclore, e pela vasta equipe de coletores dirigida por ele. É claro que nem todos os textos apresentam beleza suficiente para recomendar sua preservação, mas surpreende, sobretudo quem conhece antologias semelhantes, a proporção de peças notáveis, produtos de uma tecelagem narrativa finíssima.

Qual é o segredo da coletânea? É que com ela saímos da abstrata ideia do "povo" narrador e colocamo-nos diante de personalidades de narradoras e narradores bem distintos,[13] quase sempre registrados com nome e sobrenome, idade e profissão, de modo que, com a reprodução das histórias sem tempo nem rosto, podemos desencavar, nas entranhas da rude fala dialetal, algumas descobertas, ou seja, referências a um mundo imaginário mais sofrido, a um ritmo interior, a uma paixão, a uma esperança que se exprimam por meio dessa atitude parafabular. Tal caminho, que encontrou seus primeiros mestres na Itália em Pitrè e Nerucci, entrou depois nos cânones da coletânea "científica" e passou a ser seguido em todas as antologias mais recentes, porém aqui não nos ocupamos do método folclórico: falamos de um espírito especial com que se entende a narrativa oral.

O trabalho de Pitrè data de 1875; em 1881, Verga escreve *I malavoglia*. Foi Cocchiara[14] quem estabeleceu o paralelo entre os dois sicilianos, o poeta e o cientista, que contemporaneamente (o primeiro esboço "siciliano" de Verga é de 1874) apuravam os ouvidos, embora com intenções bem diferentes, para escutar pescadores e comadres, beber nas palavras deles. Como deixar de comparar o catálogo ideal de falas, provérbios e usos que um e outro trataram de organizar, o romancista ordenando-o pelo ritmo interior que lhe é próprio, lírico e coral, o folclorista em um museu bem etiquetado que se desenrola ao longo dos 25 volumes da *Biblioteca delle tradizioni popolari siciliane* (1871-1913), dos 24 anos de sua revista (*Archivio per lo studio delle tradizioni popolari*, 1882-1906), dos dezesseis volumes da coleção *Curiosità popolari tradizionali* e também das salas do museu propriamente dito, aquelas que agora se encontram nos pavilhões da "Favorita" em Palermo? Aquela primeira efetiva entrada em cena do povo, que na literatura italiana ocorre com a linguagem da obra-prima de Verga — o primeiro escritor que se dedica a registrar, quase como um estudioso do folclore, os modos do dialeto —, no folclore acontece com Pitrè — o primeiro folclorista que se propõe a registrar não só motivos tradicionais ou usos linguísticos, mas também a poesia.

Com Pitrè o folclore toma consciência da parte que, no próprio existir de uma tradição de narrativa, ocupa a criação poética de quem narra, aquilo que — diversamente do que ocorre com o canto, fixado de uma vez para sempre em seus versos e rimas, repetido anonimamente nos coros, com uma margem limitada de possíveis variantes individuais — para a fábula deve ser recriado a cada vez, dado que no costume de narrar fábulas quem constitui o centro é a pessoa — excepcional em cada aldeia ou burgo — do contador ou da contadora, com estilo e fascínio próprios. E é por intermédio dessa pessoa que se permuta a sempre renovada ligação da fábula atemporal com o mundo de seus ouvintes, com a história.[15]

Assim, a protagonista da coletânea de Pitrè é uma velha narradora analfabeta, Agatuzza Messia, "costureira de edredons no Borgo (bairro de Palermo) no largo Celso Negro, nº 8" e antiga empregada na casa de Pitrè. Um grande número dos mais belos *cunti* de Pitrè vem de sua boca e minha escolha serviu-se amplamente dela.

Da típica contadora siciliana, Messia possui a narrativa cheia de cores, de natureza, de objetos, convida ao maravilhoso, mas faz com que este nasça frequentemente de um dado realista, de uma representação da condição do povo; e igualmente a linguagem rica de invenção, mas também apoiada no bom-senso dos modos de dizer e dos provérbios. E (característica que já me parece pessoal, escolha sua de conteúdos) está sempre pronta a movimentar personagens femininas ativas, empreendedoras, corajosas, que surgem quase em contraste aberto com a ideia passiva e fechada da mulher que se considera tradicional da Sicília. Pelo contrário — diria eu —, não apresenta uma nota que talvez seja a dominante de grande parte dos *cunti* sicilianos: o sofrimento amoroso, a predileção pelos temas do amor — marido ou mulher — perdido, tema de boa parte da fabulística mediterrânea desde seu mais antigo testemunho escrito, a fábula "grecânica" de "O Amor e Psique" relatada em *O asno de ouro*, de Apuleio (século II d.C.), e até hoje presente nas centenas e centenas de histórias de abraços e desaparições, maridos misteriosos e subterrâneos, esposas invisíveis, reis cavalos ou serpentes que durante a noite se transformam em jovens belíssimos, ou histórias extremamente delicadas entre a fábula, a novela e a balada, como aquele suspiro de melancólica alegria sensual que é "A irmã do conde".

Se a rica imaginação de maravilhas da fábula siciliana se desenrola numa gama restrita de motivos e muitas vezes com um ponto de partida realista (quantas famílias famintas se põem a procurar ervas pelo campo!), a fábula toscana demonstra ser um território aberto aos influxos mais diversos, um fruto mais "culto" e atualizado. Típico "lugar de conservação" não fechado, mas que funcionava como apagador para todas as histórias que percorriam a Itália, devia ser Montale, nas "cercanias" de Pistoia, a cidadezinha do advogado Gherardo Nerucci e de suas *Sessanta novelle popolari montalesi*. Numa delas, um certo "Pietro de Canestrino, operário", oferece-nos, junto com a "Rainha Marmota", o mais ariostesco conto já ditado pela boca de um homem do povo, gerado por não sei qual subproduto da épica quinhentista, não na trama, que em suas grandes linhas é a de uma fábula bastante difusa, tampouco na fantástica geografia, que também se encontrava nos cantares cavaleirescos, mas no modo de narrar, de criar o "maravilhoso" por meio da abundância de descrições de jardins e palácios (bem mais extensas e literárias no texto montalês do que em meu trabalho, muito abreviado, para não afastar-me do tom geral do livro). A descrição do palácio da rainha inclui até uma lista de famosas beldades do passado introduzidas sob a forma de estátua:

> [...] e essas estátuas representavam tantas mulheres famosas, companheiras no trajar mas diferentes no semblante, e eram Lucrécia de Roma, Isabela de Ferrara, Elisabete e Leonora de Mântua, Varisila Veronese, de belo aspecto e feições raras; a sexta, Diana de Regno Morese e Terra Luba, a mais

renomada pela beleza na Espanha, França, Itália, Inglaterra e Áustria e mais sublime pelo sangue real [...],

e assim continua.

O volume das *Sessanta* montaleses apareceu em 1880, depois da publicação de grande parte das mais importantes coletâneas italianas, mas o advogado Gherardo Nerucci (que era um pouco mais velho[16] que os outros folcloristas da geração "científica") começara a coletar fábulas muito cedo, em 1868, e muitas das "sessenta" já haviam sido incluídas nos livros dos colegas: os textos dele estão entre os mais belos das antologias Imbriani e Comparetti. Nerucci não se ocupava de novelística comparada (sua paixão pelos contos populares era de cunho linguístico) e não tinha como os outros a mania dos "confrontos". Porém, já nas notas de Imbriani se verifica como para as montaleses aparecem, mais do que listas de variantes folclóricas, citações de "fontes" literárias. É claro que também em Montale surgem tipos de fábulas obscuras e pré-históricas, como "Cabeça de búfala", que parece clamar por interpretações de um etnólogo; ou então, por outro lado, fábulas com uma feição estranhamente "inventada" e moderna, como "A historieta dos macacos". Contudo, quantas, ao contrário, repetem motivos e tramas de poemetos populares (e que podemos fazer remontar ao período entre os séculos XIV e XVI), e quantas das *Mil e uma noites*! Estas das *Mil e uma noites* são tão fiéis (alterando-se só os ambientes) à tradução setecentista francesa do Galland (ou seja, uma adaptação ao gosto do Ocidente) que devemos excluir que se trate de contribuições antigamente trazidas do Oriente por sabe-se qual via oral. Não há dúvida de que se trata, em vez disso, de casos de "descida" da literatura ao folclore em época não distante da nossa.[17] E, claro, perante um "Paulino de Perúgia", contado por Luisa, viúva de Ginanni, que repete do princípio ao fim a trama do "Andreuccio da Perugia" de Boccaccio — que não foi para Nápoles, mas para "uma aldeia não muito distante" onde "promoviam uma grande feira" —, não creio que nossa *pietas* arcaizante possa esperar ter encontrado o fio da tradição oral em que, em seu tempo, bebera Boccaccio e que continuou a correr por conta própria de boca em boca, e não uma direta "descida" vernácula da mais picaresca novela do *Decameron*.

E assim o nome de Boccaccio nos aproxima de uma definição do espírito com que se contam histórias em Montale Pistoiense.[18] Poder-se-ia dizer que nessa aldeia tenha se estabelecido (ou Nerucci o percebeu deste modo) o nó entre fábula e novela, o momento da passagem entre narrativa de maravilhas mágicas e relato de acontecimentos ou êxitos individuais, isto é, os tipos de narrativa "burguesa": novela ou romance de aventuras, ou então *histoire larmoyante* de mulher perseguida. Consideremos "O filho do mercador de Milão", que pertence a um tipo de fábula muito antiga e obscura: o jovem que extrai de certas aventuras vividas — as mesmas em todos os lugares, nas quais interagem um cão, comida envenenada e pássaros — uma adivinha com versos insensatos e os propõe a uma princesa decifradora de enigmas, o que lhe permite receber a mão dela. Em Montale, o herói não é o predestinado habitual, mas um jovem com iniciativas práticas, disposto a arriscar, que sabe fazer frutificar os proventos e recuperar-se das perdas. Tanto é assim que — comportamento muito estranho para um herói de fábulas —, em vez de casar com a princesa, deixa-a livre de qualquer obrigação em relação a ele em troca de uma vantagem econômica; e isso acontece duas vezes seguidas, a primeira em troca de um objeto mágico (ou melhor, da autorização para obtê-lo) e a segunda, de forma ainda mais prática, em troca de uma renda fixa. A origem sobrenatural das fortunas de Meniquinho passa para segundo plano em vista de sua verdadeira habilidade, que é a de fazer render esses poderes mágicos e saber conservar suas vantagens. Mas a verdadeira, primacial virtude de Meniquinho é outra: a sinceridade, saber despertar confiança nas pessoas; uma virtude de homem de negócios.

Também Nerucci tem uma narradora predileta: chama-se Luisa, viúva de Ginanni. Dentre os contadores de Montale é a que sabe mais fábulas (três quartos da coletânea se devem a ela) e frequentemente sabe representá-las com as imagens mais sugestivas, não existindo grande defasagem entre a sua e as demais vozes da antologia, as de Ferdinando Giovannini, alfaiate, de Giovanni Becheroni, camponês, de Pietro de Canestrino, "operário", e de outros mais. O livro de Nerucci se nos apresenta bastante unitário, uma prova de extraordinário vernáculo dos montaleses ao falar italiano, um toscano duro, mutilado, afiado, mas afinal sem afetações, a não ser pela presunção do dialeto que se propõe como "língua", com efeitos quase paródicos:

> As mulheres, perdido Pedro e roubado aos olhos, pé na estrada a procurar; e, depois de muitos meses, anda que anda chegam elas também a pé dentro do porto de Espanha, e, agasalhadas numa pensão, num barbeiro tosam curto o cabelo e num alfaiate se revestem e aparecem feito homem; depois perguntam ao criado se tinha jeito de arranjar emprego numa casa. Conta o homenzinho: "Tem um ômi bem no jeito procurando gente pra empregá na casa dos otro. Se precisa, daqui um poquim vem cá, 'ceis pode falá cum ele memo". Hora marcada, o homem entrou na pensão e as duas mulheres abriram sua ideia. Diz aquele homem: "Oh! Muita falta faz cozinheiro com criado pro nosso Governador novo da cidade. Vô ponhá adentro bem os dois". Feito o acordo, a filha do sapateiro pegou o lugar de cozinheiro e sua camareira o de criado; mas nem Pedro as reconheceu nem elas descobriram Pedro. (p. 230)

Um vernáculo — recorde-se — reelaborado na página por Nerucci, com a segurança que lhe advinha do perfeito conhecimento,[19] tornado o mais homogêneo possível e o mais representativo dos usos linguísticos locais: enfim, trabalhado pela pena de um escritor, e, portanto, seu livro se apresenta — como dizia — mais como obra de autor do que como volume de pesquisador comparatista, sem notas, tendo apenas a indicação sucinta, sob cada título, de quem narrou a história. Porém, ele sempre soube preservar o tom oral, o característico estilo narrativo montalês: um modo de narrar sem pressa nem economia, cheio de detalhes a ponto de se tornar verboso e prolixo, sem atalhos, sem força de síntese e que tem seu sabor exatamente nesta extraordinária facilidade verbal.

Já disse quão espinhoso foi meu trabalho de transcrição ou de reescritura, aplicado aos textos toscanos, com um balanço marcado por perdas. E justamente nos contos que extraí de Nerucci — pelo fato de serem os mais belos, os que já possuem um "estilo" — é que foi mais duro trabalhar. (Ao passo que, nos textos sicilianos da antologia Pitrè, quanto mais belos eram, melhor eu atuava: traduzindo literal ou livremente, acompanhando o encaminhamento do texto.) Eliminado o léxico dialetal, reabsorvida a prolixidade do narrar que, fora daquele contexto lexical, não teria sabor e destoaria em relação ao estilo do restante do livro, o que fica das minhas reelaborações? Pouco. Assim, a quem quiser ler as verdadeiras fábulas de Montale, só posso remeter para o texto de Nerucci; creio não ter roubado nada da surpresa em saboreá-las.

Toscana[20] e Sicília são — como dizia — as duas regiões privilegiadas pela quantidade e qualidade de fábulas reunidas. Ao lado delas, só um passo atrás, tanto pela coloração de mundos fantásticos que é bem sua e pela abundância e qualidade do material coletado, está Veneza, ou melhor, toda a área dos dialetos vênetos. O nome que conta ali é o de um laborioso pesquisador de tradições dialetais venezianas, Domenico Giuseppe Bernoni, que dedicou algumas de suas várias obras (em 1873, 1875 e 1893) às fábulas.[21] E são fábulas de grande limpidez, com muitas propriedades poéticas; e sempre, não obstante repitam tipos já divulgados, ou até conhecidíssimos, impalpavelmente aí se respira Veneza, seus espaços, sua luz, e são todos de certo modo aquáticos, com mar, canais, viagens, navios ou o levante. Bernoni não registra o nome dos narradores, tampouco sabemos quais foram seus critérios de fidelidade; mas não se sente uma mediação de tipo literário; apenas uma unidade bem-sucedida na tranquilidade do dialeto e na atmosfera que circula pelas várias fábulas; qualidades das quais espero ter mantido algo em minha transcrição daquelas que escolhi.

Que tal atmosfera não seja específica de Bernoni, mas do espírito fabuloso do mundo vêneto marinho, é comprovado pelo fato de que ela pode ser identificada em contos de outras fontes, sejam venezianas, istrianas, dálmatas ou triestinas.[22] Parece-me diferente o espírito das fábulas do Trentino,[23] que pende para o grotesco e o pavoroso, e outras vezes para o sentencioso-moralista. Lugar à parte merece o Friul, onde a lenda parece predominar sobre a fábula e os coletores, desde os primeiros exemplos românticos, movidos por moralismo patriótico e religioso, como Percoto em seus contos dialetais, até a grande e recente (1924-7) antologia de Dolfo Zorzút, tendem a dar ao dialeto um tom evocativo, um corte literário.[24]

Bolonha, em cuja tradição ocorreu uma transfusão de sangue napolitano por via literária (um dos primeiros testemunhos do sucesso do *Pentamerone* de Basile foi — como atesta Croce — "uma elegante edição reduzida em bolonhês, de 1713, graças às duas irmãs Manfredi e às duas Zanotti, com o título de *La ciaqlira dla banzola*"), teve na segunda metade do século XIX uma coletânea boa, abundante, a de Carolina Coronedi-Berti, num dialeto pleno de sabor, em versões ricas e bem narradas, com uma imaginação um pouco alucinada, como num sonho, de ambientes que se abrem sobre conhecidas paisagens de campo. Os nomes de quem narra não são indicados, mas sente-se com frequência uma presença feminina, inclinada ora ao sentimento ora à ousadia brilhante.[25]

A coletânea na qual a fábula se torna pretexto para um divertimento verbal, à base de modos de expressão burlescos e insinuantes, é a romanesca — exuberante e muito lida — de Gigi Zanazzo.[26]

A região dos Abruzos tem duas antologias bastante ricas: os dois volumes de Gennaro Finamore (1836-1923, médico e professor) com textos dialetais de várias aldeias transcritos com grande cuidado glotológico e dos quais transpira às vezes uma veia de poesia suspirosa, como um sonho d'Aligi; e o volume do arqueólogo Antonio de Nino (1836-1907), amigo de D'Annunzio, que, ao contrário, reescreveu em italiano, em versões muito breves, enquadradas por pequenas canções e refrões em dialeto, com intenção de estilo jocoso e pueril: um método espúrio do ponto de vista científico e também no que concerne a meu trabalho, mas o livro é rico em histórias raras, inesperadas (muitas, porém, se originam nas *Mil e uma noites*), curiosas (ver minha "Corcunda, manca e de pescoço torto"), animadas pela ironia, pelo jogo.[27]

Oito *cunti* dentre os mais bem narrados que já vi são aqueles em dialeto da Puglia do livro de Pietro Pellizzari, *Fiabe e canzoni popolari del contado di Maglie in terra d'Otranto*: "tipos" muito conhecidos mas numa linguagem tão espirituosa, com uma recitação tão atraente, um prazer pela deformação grotesca, que parecem histórias nascidas de propósito para aquele tecido estilístico (como o belíssimo *Os cinco desenfreados*, mas cuja trama vamos encontrar, ponto por ponto, em Basile).[28]

Em Palmi di Calabria, Letterio di Francia, o douto autor da história da *Novellistica*, transcreveu uma coletânea (publicada em 1929 e 1931) que apresenta as contraposições mais ricas e precisas que já foram feitas na Itália, e indica os diversos narradores, dentre os quais se distingue uma Annunziata Palermo: uma antologia cheia de curiosos "tipos" e variantes, com uma imaginação densa, colorida, complicada, na qual a lógica do enredo muitas vezes se perdeu e se transmite apenas a lapidação das maravilhas.[29]

Fora dessas regiões "privilegiadas", o material se torna escasso. Existe pouquíssimo do Piemonte,[30] e já basta para dar-nos a ideia de um mundo narrativo com características próprias, razão pela qual os temas de difusão universal adquirem uma sólida concretude que se radica no campo, na aldeia. Pouco da Lombardia,[31] e que nos permite avaliar não uma fantasia particular de narrativa, mas um gosto dominante pela fábula infantil ou pela lenga-lenga, de qualquer modo por um narrar sem grande empenho, "para rir". Pouquíssimo da Ligúria[32] (e para mim era como para quem, girando pelo mundo, passasse em frente à sua casa e encontrasse a porta fechada), mas não por uma aparente aridez poética da índole lígure: o que encontrei confirma uma ideia que trazia — baseada em esparsos indícios subjetivos — sobre um gosto fantástico, com tendências góticas e grotescas. Da região das Marcas encontrei só uma dezena de peças,[33] mas narradas de forma tão alegre e vivaz que fico tentado a incluir também esta entre as regiões "privilegiadas". Não existe quase nada da Úmbria[34] e do Molise.[35] Porém, a lacuna mais grave é a de uma boa coletânea napolitana ou da Campânia;[36] assim, pouco sabemos daquele terreno do qual se alimentou Basile (e, três séculos antes, Boccaccio!). Temos pouco da Lucânia,[37] e parece-me (considerando aqueles apresentados por Comparetti) que os *cunti* sejam aí narrados com grande força romântica e gosto pelas histórias mais complicadas. A Sardenha não possui grandes coletâneas,[38] mas o modo de narrar triste, descarnado, pouco comunicativo, embora sempre com uma lâmina de ironia, parece-me característico da ilha. Pelo contrário, a Córsega apresenta curiosas variantes dos "tipos" difusos no continente, com uma inclinação grotesca e jocosa.[39]

CARACTERÍSTICAS DA FÁBULA ITALIANA

A questão sobre uma pobreza de produção fantástica do povo italiano foi mal colocada por Comparetti, e quase nos mesmos termos repetida por Bartoli e Graf. Foi Ferdinando Neri (num ensaio de 1934,[40] em que o conhecimento atualizado dos problemas se associa à inteligência estética) quem enfrentou a questão e recolocou-a em seus devidos termos.

> O "balanço" das tradições populares é completamente ilusório: a tal ponto os testemunhos são casuais, sobretudo quando se remontam a um período distante; e, ainda que se disponha de documentação segura, os inúmeros confrontos com o folclore de outros países acabam por excluir qualquer possibilidade de uma localização, a não ser pontual e transitória. A lenda passa, adeja, está em todos os caminhos como uma poeira dispersa nas pegadas dos homens.

E, depois de ter esclarecido que no plano do folclore o quesito sobre o caráter mais ou menos pobre das fábulas e das lendas na Itália, em relação a outros países, não tinha sentido, Neri passava a examiná-lo no plano da história do gosto literário (resenhando todo o filão fantástico-popular dos "cantares" até Ariosto).

Então, pode não ter significado falar de "conto popular italiano"? Todo o problema da fábula será remetido a uma antiguidade não apenas pré-histórica, mas igualmente pré-geográfica?

As escolas que estudam as relações entre a fábula e os ritos da sociedade primitiva fornecem resultados surpreendentes. Que as origens da fábula estejam lá me parece fora de dúvida.[41] Porém, dito isso, voltamos a mergulhar numa noite indiferenciada. O nascimento e o desenvolvimento das fábulas foram paralelos e correspondentes em todo o mundo, como pretendem os defensores da "poligênese"? Considerando a complexidade de certos "tipos", pareceria arriscada uma afirmação demasiado incisiva nesse sentido. E todo motivo, todo conjunto narrativo de difusão internacional pode encontrar justificação na etnologia? É claro que não. Aquela espécie de "mosaico" que é o folclore "apresenta numerosas estratificações culturais, combinadas de diferentes maneiras".[42] Eis então que — prescindindo do problema das origens mais remotas — é necessário reconhecer a importância daquela vida em época "histórica" que toda fábula teve, enquanto pura narrativa de passatempo, aquela sequência de viagens de boca em boca, de aldeia em aldeia (tendo muitas vezes como intermediária uma versão escrita, um livro), até difundir-se por toda a área em que a encontramos hoje. Já falei da escola histórico-geográfica ou "fínica", que trata justamente de remontar à forma anterior qualquer narrativa popular e de identificar suas transmigrações mediante a análise de todas as variantes literárias e folclóricas.[43] É sobre os resultados (embora frequentemente, como já indiquei, muito vagos) dos estudos do método fínico que poderia ser levada adiante uma pesquisa sobre a história e as características do conto popular italiano. Mas tal investigação, até os dias de hoje, ainda não foi realizada por ninguém. Por isso, neste campo, tenho de aventurar-me em suposições intuitivas, tendo por base o material que escolhi para ser examinado.[44]

De maneira genérica podemos dizer que a influência do mundo germânico limitou-se às zonas mais setentrionais (isso fica evidente no cotejo com Grimm: os próprios "tipos" se apresentam bem variados na maior parte da Itália), que a corrente dominante é a que vem da França, que a influência do mundo árabe-oriental consolidou-se principalmente no Sul (conforme prova a difusão de "tipos" cuja origem oriental se atesta, uma sedimentação muito mais profunda do que a recente agitação provocada pelo êxito inclusive popular de algumas das *Mil e uma noites* de Galland), que a Toscana, por meio dos cantares e dos poemetos populares — muitas vezes calcados em motivos fabulares —, deve ter exercido entre os séculos XIV e XVI uma função de definição e difusão de "tipos" de maior sucesso. O cantar — recordemos *Liombruno, Gismirante,* a *Istoria di tre giovani disperati e di tre fate*—[45] possui uma história própria, diferente daquela da fábula, mas as duas histórias se cruzam: o cantar extrai da fábula seus motivos e por sua vez contribui para moldá-la em sua forma.

É claro que devemos estar atentos ao "medievalizar" a fábula. A ciência etnológica habituou-nos a despojar a fábula daquele *décor* que lhe dera o gosto romântico e a ver no castelo a cabana das iniciações venatórias, na princesa a ser imolada ao dragão a vítima de um sacrifício agrícola, no mago um sacerdote do clã. E, quanto ao resto, basta uma sumária olhada em qualquer coletânea fiel à tradição oral para entender que o povo (falo, é evidente, de um povo do século XIX, que não conheceu nem as vinhetas de Chiostri nos "livros das fadas" de Salani, nem a *Branca de Neve* de Disney, condição de virgindade que ainda existe em algumas partes da Itália) não "vê" as fábulas com as imagens que nos parecem naturais, habituados desde a infância aos livros ilustrados. As descrições são quase sempre esqueléticas, a terminologia é genérica: nas fábulas italianas não se fala nunca de *castelo*, mas de *palácio*; nunca (ou quase nunca) se diz *príncipe* e *princesa*, mas *filho do rei* e *filha do rei*; as denominações dos seres sobrenaturais como bichos-papões ou bruxas mergulham no mais antigo substrato pagão do lugar e não conhecem uma codificação exata, e isso não só pela diversidade dos dialetos, da *masca* piemontesa à *mamma-draga* siciliana, do *om salbadgh* da Romanha ao *nanni-orcu* da Puglia, mas também pela confusão no próprio âmbito de um dialeto (por exemplo, *mago* e *drago* na Toscana são dois termos confundidos e trocados com frequência).

Todavia, dito isso, a marca medieval sobre o conto popular permanece — e forte. Quantos torneios pela mão das princesas, quantos trabalhos para os cavaleiros, e quantos diabos, quantas contaminações com as tradições sagradas! Portanto, será preciso investigar necessariamente como um dos momentos mais importantes da vida "histórica" das fábulas o da osmose entre fábula e epopeia cavaleiresca, que se pode supor tenha tido um importantíssimo epicentro na França gótica e dali tenha difundido sua influência pela Itália por meio da épica popular. Aquele substrato da fábula pagã e pré-pagã que devia existir em toda parte (e que na época de Apuleio assumia roupagens e onomásticos da mitologia clássica) inteirou-se então das instituições, da ética, da fantasia feudal-cavaleiresca (e da contaminação religiosa cristã-pagã daquele mundo), fundindo-se em algum ponto com a outra onda de sugestões e transfigurações, a de origem oriental, que por sua vez se propagara da região meridional (e com as tradições do período de relações e ameaças mais intensas de sarracenos e turcos; observem nas numerosas histórias marítimas por mim reproduzidas como a geografia arbitrária da fábula é substituída pela noção da divisão do mundo em cristãos e muçulmanos). Se, posteriormente, a fábula vestiu seus motivos com os costumes das diversas sociedades, no Ocidente o feudal foi o último (embora nos defrontemos de vez em quando com trechos de fábula com vestes oitocentistas, por exemplo, a personagem do milorde inglês no Sul da Itália), ao passo que no Oriente triunfou a fábula "burguesa" das aventuras de Aladim ou de Ali Babá.

* * *

Todo este discurso, eu dizia, é apenas um conjunto de não difíceis conjecturas à espera de que surjam estudos sérios para iluminar-nos. As pesquisas da escola fínica por enquanto seguem, uma por uma, as pistas das fábulas, e aproximam-se de alguma precisão nos resultados quando tratam dos "tipos" mais elaborados, aqueles em que é mais reconhecível um prazer de invenção "moderno" ou uma transmissão também por via literária.

Certamente este é o caso de uma das raras fábulas — quem sabe a única —[46] que merece um veredicto de "provável origem italiana": a do amor das três laranjas (como em Gozzi), ou das três cidras (como em Basile), ou das três romãs (como em minha versão):[47] uma fonte de metamorfoses de gosto barroco (ou persa?), que mereceria ser pura invenção de Basile[48] ou de um visionário tecedor de tapetes, uma série de metáforas transformadas em narrativa: a ricota e o sangue, o fruto e a moça, a sarracena que se espelha no poço, a moça na árvore que vira pomba, as gotas de sangue de pomba das quais surge de repente uma árvore, e do fruto — e aqui o círculo se fecha — pula fora a moça. É uma fábula que gostaria de ter tratado com mais consideração, mas entre as inúmeras versões populares que vi não encontrei nenhuma que pudesse chamar de versão-príncipe. Transcrevo duas: uma originária da região dos Abruzos, integrada com outras, para representar a forma mais clássica, e uma lígure, como variante curiosa; porém, devo dizer que Basile aqui não tem rivais e remeto o leitor a seu *cunto* (o último do *Pentamerone*).

Neste ritmo exato, nesta lógica alegre à qual a mais misteriosa história de transformações se submete, me parece identificar uma das características da elaboração popular da fábula na Itália. Observem quanto senso da beleza naquelas comunhões ou metamorfoses de mulher e fruto, de mulher e planta: as duas belíssimas fábulas (irmãs entre si) da "Moça-maçã" (florentina) e da "Alecrina" (Palermo). O segredo reside na aproximação-metáfora: a imagem de frescor da maçã e da moça, ou das peras no fundo do cesto em que é levada a jovem para ser vendida a fim de aumentar o peso, na "Menina vendida com as peras" (monferrina).

A "barbárie" natural da fábula rende-se a uma lei de harmonia. Não existe aqui aquele contínuo e imenso espirrar de sangue dos cruéis Grimm; é raro que a fábula italiana atinja a truculência, e, mesmo se é contínuo o senso da crueldade, da injustiça inclusive desumana, como elemento com o qual sempre temos de nos haver, se os bosques também aqui fazem eco dos prantos de tantas donzelas ou esposas abandonadas com as mãos decepadas, a ferocidade sanguinária jamais é gratuita e a narração não se detém para maltratar a vítima, nem para demonstrar piedade, mas corre rumo à solução reparadora. Solução que compreende a rápida, e aqui sempre impiedosa, justiça sumária do malvado (ou, mais frequentemente, da malvada): a "camisola de piche" da triste tradição das fogueiras para bruxas, e na Sicília "sdirubbata di lu finistruni appinninu, e abbruciata" (jogada pela janela e depois queimada).

Pelo contrário, na fábula italiana perpassa um contínuo e sofrido estremecimento de amor. Falei antes, a propósito dos *cunti* sicilianos, do êxito do gênero "Amor e Psique", que não só na Sicília mas também na Toscana e um pouco por todas as regiões domina grande parte de nossos contos de maravilhas. É o esposo sobrenatural encontrado numa residência subterrânea, do qual não se pode revelar o nome nem o segredo, sob pena de vê-lo escapar; ou o amante evocado com um sortilégio por uma vasilha de leite ou por um pássaro em pleno voo, que um ardil de uma rival invejosa (vidro esmagado na vasilha, alfinetes no balcão onde pousará) enche de feridas e desdém; é o rei-serpente ou rei-porco que no escuro é um jovem belíssimo para a esposa que o respeita e a cera da vela acesa pela curiosidade faz retornar ao âmago do encanto; ou é o monstro de Belinda com a estranha relação sentimental que pouco a pouco se configura entre eles; ou então — quando é o homem que sofre — é a esposa encantada que o procura emudecida todas as noites no palácio desabitado, é a fada de Leombruno de quem não se pode contar vantagem, é a moça-pomba que, se recuperar as asas, foge: histórias diversas mas que falam todas do amor precário, que une dois mundos inconciliáveis, que tem sua prova na ausência; histórias de amantes incognoscíveis, que se encontram de verdade só no momento em que se perdem.

É raro encontrar nas fábulas o esquema para nós mais fácil e elementar de história de amor (a paixão e as agruras para chegar ao casamento talvez só em alguma triste fábula sarda, da aldeia em que se faz amor na janela, se desenvolve tal tema). As inúmeras fábulas de conquista ou liberação de uma princesa tratam sempre de alguém que nunca se viu, uma vítima a ser liberada como prova de valor, um desafio a ser vencido num torneio para alcançar um destino venturoso, ou então fica-se apaixonado por seu retrato, ou só de ouvir o nome dela, ou ainda admirando-a numa gota de sangue sobre uma forma branca de ricota; paixões abstratas ou simbólicas, que têm algo de sortilégio, de maldição. Porém, as paixões mais concretas e sofridas das fábulas não são estas: são aquelas em que primeiro se possui a pessoa amada para vir a conquistá-la só depois.

Sobre o gênero "Amor e Psique", os etnólogos dão interpretações sugestivas:[49] Psique é a moça que vive nas casas em que os jovens são segregados durante o último período de sua iniciação; tem relações com os jovens disfarçados de animais ou então no escuro, pois eles não devem ser vistos por ninguém; portanto, é como se fosse um único jovem invisível a amá-la; terminado o período de iniciação, eles retornam a suas casas, esquecem a jovem que vivia segregada com eles, casam e formam novas famílias. O conto nasce justamente da crise desta instituição: representa um amor nascido durante a iniciação e condenado a ser rompido pelas leis religiosas, e mostra como uma mulher se rebela contra tais leis e encontra o jovem amado. Esquecidos os usos há milênios, a trama da narrativa vive ainda desse espírito, representa ainda todo amor que uma lei ou uma convenção ou uma disparidade trunca ou veta. Por isso, pôde conservar-se da pré-história até hoje, sem congelar em sua organização esquemática a sensualidade que tantas vezes o atravessa, a alegria e o desamparo do misterioso abraço noturno.

Em minhas versões, para as quais tive de considerar as crianças que vão lê-las ou ouvi-las, naturalmente suavizei toda carga deste gênero. Uma necessidade tal já basta para sublinhar a variada destinação da fábula nos diferentes níveis culturais. Essa que estamos habituados a considerar "literatura para crianças", ainda no século XIX (e quem sabe também hoje), em que vivia como costume de tradição oral, não tinha uma destinação de idade: era uma narrativa de maravilhas, expressão plena das necessidades poéticas daquele estágio cultural.

A fábula infantil existe, sim, mas como gênero em si mesmo, negligenciado pelos escritores mais ambiciosos e perpetuado por meio de uma tradição mais humilde, familiar, com características que assim podem ser sintetizadas: tema pavoroso e truculento, detalhes escatológicos ou coprolálicos, versos intercalados à prosa com tendência para a lenga-lenga. Características em grande parte (truculência, torpeza) opostas àquelas que são hoje os requisitos da literatura infantil.

O impulso para o maravilhoso permanece predominante mesmo se confrontado com a intenção moralista. A moral da fábula está sempre implícita, na vitória das virtudes simples das personagens boas e no castigo das perversidades igualmente simples e absolutas dos malvados; quase nunca se insiste nisso de forma sentenciosa ou pedagógica. E talvez a função moral que a narração de fábulas tenha no entendimento popular deva ser buscada não na direção dos conteúdos, mas na própria instituição da fábula, no fato de contá-la e ouvi-la. E isso pode também ser entendido no sentido de um moralismo prudencial e pragmático como parece sugerir a história do "Papagaio", esta fábula que serve de moldura para outras fábulas, as quais Comparetti e Pitrè publicaram no início de suas coletâneas, quase um prólogo. O papagaio, narrando uma história interminável, salva a virtude de uma donzela. Parece uma apologia simbólica da arte de narrar (contra quem lhe reprovasse o caráter profano e hedonístico?): fascinando o ouvinte com sua maravilha arcana, a fábula o inibe de cometer pecados. É uma justificação redutora e conservadora, mas na mesma construção narrativa do "Papagaio" se exprime algo de mais profundo: a inteligência técnica exibida pelo narrador, que aqui é objetivada em sentido humorístico, na paródia das fábulas "que nunca terminam". E para nós aí está sua verdadeira moral: à falta de liberdade da tradição popular, a essa lei não escrita pela qual só se concede ao povo repetir motivos ruminados, sem "criação" verdadeira, o narrador responde com uma espécie de esperteza instintiva: talvez ele próprio acredite fazer apenas variações sobre um tema; mas na realidade acaba por falar-nos daquilo que lhe vai no coração.

A técnica com a qual a fábula é construída se vale tanto do respeito às convenções quanto da liberdade inventiva. Dado o tema, existe um número de passagens obrigatórias para chegar à solução, os "motivos" que se trocam de um "tipo" para outro (o couro de cavalo que a águia carrega, o poço em que se cai para atingir o mundo de baixo, as moças-pombas de quem se roubam as roupas durante o banho, as botas mágicas e o manto tomado aos ladrões, as três nozes para serem esmagadas, a casa dos Ventos onde se pedem informações sobre o caminho etc.); cabe ao narrador organizá-los, mantê-los uns sobre os outros como os tijolos de uma parede, improvisando com agilidade nos pontos mortos (são característicos os modos pelos quais nos vários dialetos se suspende e logo se retoma a narrativa: com um "abbasta" em romanesco, com um "lu cuntu nun metti tempu" em siciliano) e usando como cimento a pequena ou grande arte pessoal, aquilo que lhes agrega quem conta, a cor de seus lugares, de suas fadigas e esperanças, seu "conteúdo".

Acontece que a maior ou menor desenvoltura para mover-se num mundo de fantasia tem também suas razões de experiência histórica (como ao escritor burguês e literato que pretende ser realista ocorre de achar-se pouco inventivo quando relata a vida de operários de uma fábrica); vejamos, por exemplo, os diversos modos como se fala de rei nas fábulas sicilianas e toscanas. Em geral, a corte dos reis dos contos populares é algo de genérico e abstrato, um vago símbolo de potência e de riqueza. Na Sicília, ao contrário, rei, corte, nobreza são instituições bem precisas, concretas, com hierarquia, etiqueta e código moral próprios: um mundo completo e uma terminologia inventada, acerca dos quais essas velhotas analfabetas exibem minuciosa competência: "Stu Re di Spagna avía lu Bracceri di manu manca e lu Bracceri di manu dritta..."; "Fici jittari lu bannu pri concurriri tutti li Baruna, Cavaleri e Profissura..."* E é característica da fábula siciliana que os reis não tomem nenhuma decisão importante sem consultar o Conselho. "Lu Re tocca campana di Cunsigghiu: eco tutti li Cunsigghieri. 'Signuri mei, chi cunsigghiu mi dati?'"; ou então mais rapidamente: "Lu Riuzzu grida: 'Cunsigghiu!' e cci cunta lu statu di li cosi."**

Diversamente, na Toscana, onde as pessoas, embora mais cultas em tantas coisas, jamais conheceram reis, nada disso existe: rei é uma palavra genérica que não implica nenhuma ideia institucional e se limita a designar uma condição abastada; diz-se "aquele rei" como se poderia dizer "aquele senhor" sem associar-lhe nenhuma atribuição real, nem a ideia de uma corte, de uma hierarquia aristocrática, nem mesmo de um estado territorial. Assim, é possível encontrar um rei vizinho de outro rei, que se olham pela janela e vão visitar-se como dois bons burgueses conterrâneos.

---

* Esse rei da Espanha trazia uma pulseira na mão esquerda e outra na direita; Fez publicar editais para que concorressem todos os barões, cavaleiros e professores... (N. T.)

** O rei toca a campainha para convocar o Conselho: eis aqui todos os conselheiros. "Meus senhores, que conselho me podem dar?"; O reizinho grita: "Conselho! Conselho!" e conta-lhes como andam as coisas. (N. T.)

Oposto ao mundo dos reis, há o mundo dos camponeses. O encaminhamento "realista" de muitas fábulas, o dado de partida de uma condição de extrema miséria, de fome, de falta de trabalho é característico de vasto folclore narrativo italiano. Já me referi ao motivo inicial de numerosas fábulas, especialmente meridionais, o do repolho (*cavoliciddaru*): uma família não sabe o que pôr na panela e começam, o pai ou a mãe com as filhas, a percorrer o campo "atrás da sopa"; um repolho maior que os outros, ao ser arrancado, abre passagem para um mundo subterrâneo onde se pode encontrar um marido sobrenatural ou uma bruxa que manterá prisioneira a moça ou um barba-azul antropófago. (Ou então — em especial nas regiões costeiras —, em vez do camponês sem terra nem trabalho, existe um pescador desgraçado, a quem toca um dia encontrar na rede um grande peixe que fala...)

Mas a situação "realista" da miséria não é só um motivo de abertura da fábula, uma espécie de trampolim para o salto no maravilhoso, um elemento de contraste com a realeza e o sobrenatural. Existe a fábula camponesa do princípio ao fim, com o herói coxo, com os poderes mágicos que permanecem apenas como ajuda precária para a força braçal e para a virtude obstinada: são fábulas mais raras e sempre toscas, tradições esparsas, fragmentos de uma epopeia de lavradores que talvez nunca tenha saído do informe e que às vezes toma por empréstimo seus motivos às aventuras cavaleirescas, substituindo as ações e os jogos para obter a mão das princesas por quantidades de terra para remover com o arado ou a enxada. Observe-se o magnífico "Pelo mundo afora" siciliano e, da região dos Abruzos, "José Peralta que, quando não arava, tocava flauta", ou "O presente do Vento do Norte" do Mugello e "Catorze" das Marcas. E, em relação à vida das mulheres, aquela belíssima odisseia de humildes afazeres femininos que é "Desventura" ou o cansaço das costureiras nas "Duas primas" (ambas sicilianas).

Quem sabe o quanto é raro na poesia popular (e não popular) construir um sonho sem refugiar-se na evasão, apreciará estas pontas extremas de uma autoconsciência que não rechaça a invenção de um destino, esta força de realidade que explode inteiramente em fantasia. Melhor lição, poética e moral, as fábulas não poderiam nos dar.

Setembro de 1956
Italo Calvino

NOTAS

1. Temistocle Gradi, *Saggio di letture varie per i giovani*, Turim, 1865; *Proverbi e modi di dire dichiarati con racconti*, Turim, 1869; *La vigilia di Pasqua di Ceppo*, Turim, 1870.
2. Carlo Collodi traduziu em italiano fábulas de Perrault, mme. D'Aulnoy, mme. Leprince de Beaumont (*I racconti delle fate voltati in italiano*, Florença, 1876).
3. Dentre os escritores que se ocuparam, ocasionalmente, de fábulas em livros para jovens, um caso raro de coleta direta e transcrição fiel é o de Antonio Baldini, que, em 1923, publicou *La strada delle meraviglie*, nove fábulas reunidas junto a uma camponesa de Bibbiena.
4. *Letture italiane scelte e annotate a uso delle scuole secondarie inferiori da Giosuè Carducci e dal dott. Ugo Brilli*, Bolonha, Zanichelli, 1889.
5. *Cronaca Bizantina*, a. VI (1886), nn. 2, 4, 5.
6. Não me detenho aqui, a não ser por referências esparsas, na história dos estudos e das interpretações da fábula. Um quadro amplo e documentado da sucessão das várias escolas folclóricas, de seus resultados, de suas polêmicas, o leitor pode encontrar na *Storia del folklore in Europa* de Giuseppe Cocchiara (Turim, Einaudi, 1952), um manual muito útil para qualquer abordagem preliminar a este campo de estudos, para seu enquadramento numa história geral da cultura e para a informação e avaliação do trabalho realizado na Itália, em paralelo aos estudos estrangeiros mais avançados. De modo abreviado, uma história das teorias sobre a fábula encontra-se no primeiro capítulo de *Genesi di leggende*, do mesmo autor (Palermo, Palumbo, 1949). Um manual que oferece o essencial sobre a fábula do ponto de vista do método "fínico" ou "histórico-geográfico" é o de Stith Thompson, *The folktale*, Nova York, The Dryden Press, 1946. Contudo, quem quiser ver exemplificadas as mais sugestivas interpretações dos motivos das fábulas deve ler o volume de V. J. Propp, *Le radici storiache del racconto di fate*, Turim, Einaudi, 1949. (Propp, estudioso soviético, tenta integrar o método e os resultados da "escola antropológica" numa historicização marxista.) [*Adendo de 1968*: Não quis modificar nada dessa introdução escrita em 1956 e que espelha o horizonte cultural daqueles anos, mas desejo apenas recordar que na década seguinte a problemática sobre a fábula renovou-se radicalmente, em

especial graças à redescoberta (nos Estados Unidos e na Europa) de um trabalho precedente de Propp, *Morfologia della fiaba* (tradução italiana: Einaudi, 1967) [tradução bras.: *Morfologia do conto maravilhoso*, Forense Universitária, 1984 (N. T.)], e da multiplicação de estudos morfológicos e semiológicos a que assistimos ultimamente. Lembrarei também que o livro de Thompson que citava como fonte fundamental para minha competência em matéria fabular acha-se agora traduzido em italiano, editora II Saggiatore.]

7. Sabe-se também que só uma parte das fábulas dos Grimm foi coletada da boca do povo (eles recordam sobretudo uma camponesa de uma aldeia próxima de Kassel); muitas foram relatadas por pessoas cultas, como se lembravam de tê-las escutado, na infância, de suas amas.

8. O Vale de Aosta é uma região tão importante em termos folclóricos que fiquei triste por excluí-la. Porém, das coletâneas resulta só um fundo de lendas locais, que em meu livro teriam parecido totalmente destacadas de todo o restante, e os nomes franceses dos lugares, ou mesmo alemães (no vale de Gressoney, muito rico em lendas), teriam acentuado ainda mais essa diferença.

9. Do prefácio do *Indice delle fiabe toscane* de D'Aronco.

10. Neste tópico, apresentarei alguns casos gerais, região por região, baseando-me nas coletâneas que utilizei. Indicações mais precisas de cada livro podem ser encontradas na bibliografia e nas notas de cada fábula.

11. Toscana e Sicília (e depois Piemonte e Toscana-Sicília) foram também — como é sabido — os dois polos das primeiras pesquisas sobre o canto popular italiano. Mas não é possível estender para a fábula os problemas que se colocam para o canto, relacionados a fatos linguísticos e métricos (ver a respeito uma resenha na introdução de Pier Paolo Pasolini a seu *Canzoniere italiano*, antologia da poesia popular, Bolonha, Guanda, 1955).

12. Acrescentem-se aos quatro volumes maiores as outras coletâneas sicilianas que Pitrè publicou antes e depois: *Saggio di fiable e novelle popolari siciliane*, Palermo, 1873: *Nuovo saggio di fiable e novelle popolari siciliane*, Imola, 1873; *Otto fiabe e novelle popolari siciliane*, Bolonha, 1873; *Novelline popolari siciliane raccolte in Palermo*, Palermo, 1873; *Fiabe e leggende siciliane*, Palermo, 1888; *Studi di leggende popolari in Sicilia e nuova raccolta di legende siciliane*, Turim, 1904. Para informações bibliográficas mais preciosas, cf. G. Pitrè, *Bibliografia delle tradizioni popolari d'Italia*, Palermo, 1894, pp. 51-4 (nn. 714-51).

13. Já dos dois volumes de Laura Gonzenbach foram publicados tendo no frontispício os retratos de duas narradoras com roupas típicas da região: Caterina Certo de San Pietro di Monforte (Messina) e Francesca Crialese do Burgo de Catânia. Mas no texto não havia indicações sobre quem narrava cada um dos contos.

14. Cf. O capítulo XX da citada *Storia del folklore in Europa*.

15. Nesta linha desenvolveram-se as pesquisas na União Soviética. Escreve Thompson, no referido volume *The folktale* (pp. 451 ss.): "Os folcloristas russos deram especial atenção às diferenças individuais entre os contadores. Em muitas

de suas coletâneas, as fábulas relatadas por cada narrador estão ordenadas em conjunto, com informações sobre a vida e o ambiente social de cada um. Naturalmente, também os russos reconhecem a importância de suas fábulas para o folclore comparado e em geral chamam a atenção para isso nas notas, mas seu interesse reside nas narrativas populares como elemento da vida social. A pessoa do narrador e suas relações com os amigos e vizinhos são, portanto, de importância fundamental para seus estudiosos". Thompson prossegue resumindo um estudo do expoente mais importante da escola soviética, Mark K. Azadovskij (*Eine Sibirische Mürchenerzäblerin*, FFC, Helsinque, 1926), o qual trata dos grupos de vagabundos ex-deportados para o rio Lena, na Sibéria, que circulam pelas aldeias contando histórias (histórias que conseguem prolongar infinitamente para serem hospedados até a hora do jantar ou de ir para cama) e analisa os vários tipos de narração. Também caberia observar as concepções de Gorki e de Sokolov, expostas por Cocchiara na citada *Storia del folklore in Europa*, pp. 567-72.

16. 1828-1906. Quando estudante, combatera em Curtatone e registrou depois as lembranças deste período.

17. Já incluíra em minha seleção uma das mais sugestivas, *Il figliolo del re di Francia*, contada por Giovanni Becheroni, camponês e não conseguiu perceber que mistério ela encerrava: apresentava motivos iguais a uma história das *Mil e uma noites*, segundo nossa versão filológica de Gabrieli, mas ali era uma narrativa obscura e cheia de lacunas, ao passo que aqui tudo fluía perfeitamente. Depois, fui verificar o texto de Galland e encontrei o conto montalês tal e qual, tanto que tive de renunciar a incluí-lo em meu livro, pois — excetuando-se o vernáculo e os nomes dos lugares — não tinha nada de original.

18. "[...] As migalhas da poética e da técnica do *Decameron* e de seus derivados clássicos serão facilmente reconhecidas nas brilhantes miuçalhas de tardias coletâneas provinciais ou vernáculas, como as de Imbriani e de Nerucci." Emilio Cecchi, no prefácio da 1ª jornada do *Decameron*, Milão, edição da Universale Economica, 1950.

19. Ele era o autor de uma *Saggio sopra i parlari vernacoli della Toscana*: *vernacolo montalese (contado) del solto-dialeto di Pistoia*, Milão, 1865.

20. A Toscana dispõe de um mar de antologias, além daquela que citei (ver *Indice delle fiabe toscane* de Gianfranco d'Aronco, Florença, Olschki, 1953). *Le novelline di Santo Stefano di Calcinaia* (1869), do condato sienense, do indianista e polígrafo Angelo de Gibernatis (1840-1913), apresentam-se em redação não estenográfica e um tanto resumidas. *A novellaja fiorentina* (1871) do patriota e jornalista Vittorio Imbirani (1840-86) dá versões fiéis à narrativa oral e muitas vezes belas, mas — excetuando-se aquelas fornecidas por Nerucci — sem grande brilho. Na coletânea geral das *Novelline popolari italiane* (1875) do helenista, mitólogo e medievalista Domenico Comparetti (1835-1927) existe farto material toscano (de Barga, na província de Lucca, reunidas por Giuseppe Ferraro; do Mugello, coletadas por Rafaello Nocchi; e de Pisa, recolhidas pelo próprio Comparetti, "da boca de uma velha do povo"), de ótima qualidade, embora pou-

co confiável quanto à fidelidade à fala popular. Também Pitrè publicou (1885) um rico volume de *Novelle popolari toscane*, reunidas por seu amigo Giovanni Siciliano em 1876; a ele se acrescentou na "edição nacional" dirigida por Giovanni Gentile (de 1941, infelizmente não editada) um segundo volume contendo outras 25 fábulas toscanas posteriormente publicadas por Pitrè no *Archivio*. Os dois volumes têm o frescor que sabemos ser próprio das coletâneas de Pitrè, e também neles podemos confrontar as características da arte das várias narradoras. Os famosos *Racconti popolari lucchesi* (1889; e em edições paulatinamente enriquecidas até cem relatos) de Idelfonso Nieri não foram abrangidos no material de meu trabalho: primeiro, porque pouco existe ali que possa ser definido como fábula em sentido estrito, constituindo na quase totalidade historietas e anedotas, e, depois, porque devem ser considerados mais obra de literatura criativa do que antologia de folclore. Uma das coletâneas toscanas das mais importantes em termos de quantidade e qualidade — as 130 historietas sienenses reunidas por Ciro Marzocchi — permanece inédita, entre os documentos Camparetti no Museu de Artes e Tradições Populares Italianas de Roma: e é um livro pronto, basta publicá-lo.

21. (Sobre estes textos bem como sobre outros que nomeio sem dar a referência bibliográfica precisa, consulte-se minha bibliografia.) Já antes de Bernoni havia sido publicada uma antologia de fábulas venezianas em alemão: Georg Widter e Adam Wolf, *Volksmärchen aus Venetien, in Jahrbuch für romanische und englische Literatur*, VII, 1-3, Leipzig, 1866. Também Verona teve seu pesquisador diligente: Arrigo Balladoro, que publicou um grande número de brochuras e antologias, mas que continham sobretudo historietas, anedotas e lendas.

22. Pequenas coletâneas restritas mas benfeitas ocupam-se da Ístria (Antonio Ive) e da Dalmácia (Riccardo Forster). Algo mais da Veneza Júlia encontra-se no volume *Fonti vive dei Veneto-Giuliani* de Babudri, da coleção escolar Trevisini; e num livro bastante recente de historietas triestinas de Pinguentini.

23. Os testemunhos, porém, são muitas vezes indiretos: a rica coletânea de Schneller é em alemão; e as pequenas seleções que Nepomuceno Bolognini publicou no *Annuario degli Alpinisti Tridentini* são remodelações com pretensões literárias. Sem maior importância as que aparecem no volume Trevisini de Angelico Prati, *Folklore trentino*.

24. Além dos três volumes de *Sot la nape...* de Zorzút, encontrei algumas fábulas nas *Tradizioni popolari friulane* de Luigi Gortani e na revista udinense *Pagine Friulane* (a. I, 1887). Gianfranco d'Aronco publicou um índice das fábulas friulanas.

25. Pouco mais foi publicado da Emília, difundido pelas revistas (outra coletora foi Carolina Pigorini-Beri). Da Romanha existe uma boa antologia, mas muito pequena, de Bagli. Paolo Toschi em sua *Romagna solatia* da coleção Trevisini transcreve três fábulas coletadas por ele mesmo. Um dos mais ilustres estudiosos vivos da escola fínica, Walter Anderson, operou em São Marinho com um

sistema que não serve para o meu trabalho: pedindo às crianças das escolas que contassem por escrito as fábulas que conheciam; naturalmente são produzidos resumos frouxos, que só têm utilidade para os catalogadores de tipos e motivos.

26. A primeira antologia de fábulas romanescas apareceu em inglês: R. H. Busk, *The folk-lore of Rome*, Londres, 1874. São 94 "entre painéis, exemplos e fragmentos". Outra coletânea do Lácio é a camponesa de Giovanni Targioni-Tozzetti: textos um tanto breves e rudimentares.

27. Nas obras de De Nino, D'Annunzio foi buscar muito de sua documentação sobre a vida e os costumes da região dos Abruzos.

28. Outras seleções da região da Puglia, como as de Gigli e de La Sorsa, são reescritas em italiano e pouco confiáveis.

29. Outra bela e rica antologia de *Racconti popolari calabresi* foi publicada em 1953, a de Raffaele Lombardi Satriani. Muitos *cunti* podem ser encontrados na revista *La Calábria* (a. I, 1888-9).

30. A maior seleção piemontesa encontra-se no volume das *Novelle popolari italiane* de Comparetti: são fábulas do Monferrato, escolhidas entre aquelas que Giuseppe Ferraro (1846-1907) reunira em 1869 em sua aldeia natal, em Carpeneto. O manuscrito de Ferraro (127 narrativas, em texto dialetal e tradução; ricas enquanto conteúdo, pobres enquanto escritura) acha-se no Museu de Artes e Tradições Populares de Roma. Pitrè cita frequentemente as fábulas coletadas por Antonio Airetti em Monteu da Po, manuscrito que estava em seu poder e que ele se propunha a publicar; de fato publicou no *Archivio* apenas uma, "Re Crin". Também no *Archivio* saiu uma historieta turinense publicada por Rua: "O príncipe-canário" da nossa antologia. Na coletânea Trevisini, o volume piemontês, de Clotilde Farinetti, apresenta fábulas sem sabor de originalidade. Existem muitíssimos livros de lendas locais, particularmente para os vales alpinos, sempre pródigos sobretudo nesse tipo de tradições (ver o que eu dizia em relação ao Vale de Aosta).

31. *La novellaja milanese* de Vittorio Imbriani (publicada separadamente em 1872 e depois englobada nas notas à *Novellaja fiorentina* na edição de 1877) apresenta versões dialetais estenografadas, mas são poucas, e ainda toscas e infantis; de pouco me valeram. *Le fiabe mantovane* de Isaia Visentini, ao contrário, são cinquenta, apresentando tipos dos mais variados e com inúmeros argumentos, mas foram publicadas — segundo os critérios de Comparetti, em cuja coleção saiu o volume — em italiano e resumidas. Em Bérgamo, na Biblioteca Cívica, encontrei uma pequena coletânea de boa qualidade nas cartas manuscritas de Antonio Tiraboschi, mas são tipos muito difusos, sem "novidades" interessantes.

32. Os *Contes ligures* de Andrews, um folclorista inglês que morava em Menton, constituem uma seleção bem rica (64 peças, mas resumidas em francês) que concerne sobretudo à Riviera da região de Nice (Menton, Roquebrune, Sospel), com apenas vinte textos da Riviera italiana e de Gênova. Na coleção Trevisini, o volume *Terra e vita di Liguria* de Amedeo Pescio, no que diz respeito às fábulas, praticamente se limitou a retraduzir Andrews em genovês. Não

conheço outras publicações lígures neste campo. Um inventivo escritor e ilustrador para crianças, Antonio Rubino, narrou em jornais para jovens e em livros muitas lendas de sua terra, Baiardo, no interior da região de San Remo.

33. As Marcas (e sobretudo a zona de Jesi) tiveram um ótimo pesquisador em Antonio Gianandrea, ao qual se devem as duas publicações de Comparetti, as sete publicadas por ele próprio no opúsculo *Novelle e fiabe marchigiane* e as duas publicadas por Gargiolli num opúsculo para matrimônio. Material diferente pode ser encontrado numa série (1896) de um semanário de Ascoli Piceno, *Vita popolare marchigiana*, dirigido por Alighiero Castelli. Pouco existe de interessante no volume da coleção Trevisini *Dolce terra di Marca* de Guido Vitaletti.

34. A Úmbria é a única região que não está representada em meu livro. Parecerá absurdo para quem recordar certas joias da poesia popular úmbria, especialmente sacra; mas em nosso campo não encontrei nada de aproveitável. Stanislao Prato acrescentou numerosas variantes úmbrias a suas *Quatro novelline popolari livornesi*; mas se trata de resumos raquíticos e variantes pouco dignas de tipos muito melhor representados em outras regiões. O mesmo se pode dizer de *La novellina dei gatti nell'Umbria*, uma conferência de folclore comparado que Gerolamo Donati publicou em Perúgia em 1887; talvez possam ser encontrados os manuscritos das treze historietas que Donati recolheu no Trasimeno, segundo ele próprio informa. Dentre os manuscritos de Comparetti no Museu de Roma, encontrei uma pequena coletânea de cinco fábulas úmbrias, mas eram textos demasiado rudimentares.

35. A muito bem elaborada bibliografia molisense de Alberto M. Cirese ("Saggi di cultura meridionale", I, *Gli studi di tradizioni popolari nel Molise, Profilo storico e saggio di bibliografia*, Roma, De Luca, 1955) traz pouquíssimos verbetes concernentes aos contos populares, e, dentre eles, a maior parte inclui apólogos ou fábulas (como aquelas escolhidas por mim) ou legendas religiosas, dispersas em números da *Rivista delle tradizioni popolari italiane*, no pequeno volume de um escritor em dialeto, Eugenio Cirese (*Tempo d'allora*, Campobasso, 1939), e num número da revista La Lapa (Roma, jun. 1955). Algumas fábulas, cujos textos, porém, são de má qualidade, encontram-se no volume de Oreste Conti e naquele — não localizável — de Berengario Amorosa (*Riccia nella storia e nel folklore*, Casalbordino, 1903).

36. Os *XII conti pomiglianesi* de Imbriani e os *XVI conti in dialetto d'Avellino* de Gaetano Amalfi oferecem-nos textos em dialeto, mas com poucos recursos narrativos. Melhores, porém pertencentes a "tipos" hiperconhecidos, os 24 *cunti* de Benevento incluídos na antologia de Francesco Corazzini. Mas as coisas mais interessantes encontram-se na revista de Luigi Molinaro del Chiaro, *Giambattista Basile*, que se publicou em Nápoles a partir de 1883.

37. Os onze *cunti* da Basilicata publicados no livro de Comparetti (excetuando-se um, os demais em italiano) haviam sido coletados em Spinoso e em Tito (Potenza) por Raffaello Bonori, e os manuscritos podem ser encontrados

no Museu de Roma. Outras onze histórias e fábulas estão no texto de L. la Rocca, *Pisticci e i suoi canti*.

38. *As Novelline popolari sarde* de Mango, que saíram na coleção das "Curiosidades" de Pitrè, são 26, incluindo fábulas, lendas e anedotas, com breve e pobre dicção campidanense, mas por vezes — nessa sua pobreza — sugestiva. A Sardenha possui uma das raras coletâneas de lendas locais, superstições e tradições de boa qualidade (a do linguista Gino Bottiglioni), tendo sido feita com critérios científicos, isto é, com textos transcritos da expressão oral dos camponeses nos vários dialetos (infelizmente prejudicada pela grafia fonética), textos muito belos, que também utilizei embora, como disse, geralmente não consiga trabalhar com esse tipo de material. No *Archivio* de Pitrè, Guarnerio publicou uma ampla antologia sarda, a qual, todavia, não continha nada que despertasse grande interesse. Comparetti reunira vasto material sardo, por intermédio de uma rede de coletores que talvez tivesse como referência Ettore Pais; com os manuscritos atualmente no Museu de Roma haveria elementos para fazer uma coletânea sarda bastante relevante.

39. A maior antologia de fábulas corsas é em francês, a de Orsoli, e não nos dá a ideia do modo de narrar, mas apenas dos "tipos" relatados. Encontrei alguma coisa também num livro em dialeto corso, mas que tendia para o "literário": o do reverendo Carlotti.

40. *Fiabe*, na *Nuova Antologia* de 16 de abril de 1934; reeditado em *Storia e poesia*, Turim, 1936.

41 Cf. sobretudo o último capítulo do volume citado de Propp. Confrontando os contos populares russos com os testemunhos dos etnólogos sobre os povos selvagens, Propp chega à conclusão de que o nascimento de muitos dos contos populares que chegaram até nós ocorreu no momento da passagem da sociedade dos clãs, baseada na caça, para as primeiras comunidades centradas na agricultura; ou seja, quando os ritos de iniciação caíram em desuso e os relatos secretos que os acompanhavam começaram a ser narrados sem mais nenhuma relação com as instituições e funções práticas aos quais estavam ligados, perderam todo o significado religioso e tornaram-se histórias de maravilha, crueldade e medo.

42. São palavras de Antonio Gramsci (pp. 216 e 221 de *Letteratura e vita nazionale*, Turim, 1950) destacadas por Vittorio Santoli no ensaio "Tre osservazioni su Gramsci e il folclore" (in *Società*, a. VII, 1951, n. 3).

43. O método fínico me parece indispensável para fornecer os pressupostos de qualquer pesquisa interpretativa, histórica ou estética sobre a fábula, pois trata de precisar a área e o período histórico em que determinado "tipo" ou "motivo" é identificável. Não vai além disso, nem seria necessário. Mas creio que tais limites (negligenciar tanto as pesquisas etnológicas quanto as avaliações estéticas e também uma verdadeira dialética histórica) justifiquem também as objeções "de método" que lhe apontam as várias escolas adversárias. (Cf. o primeiro capítulo citado de *Genesi di leggende* de Cocchiara, pp. 33-7.)

44. Uma obra rica em dados interessantes inclusive para nosso estudo, embora diga respeito ao sucesso da "novela" na literatura italiana, é o volume *No-*

vellistica de Letterio di Francia (v. I, *Dalle origini al Bandello*, Milão, 1924) na "Storia dei generi letterari italiani" Vallardi.

45. Cf. a bela coletânea *Fiore di leggende*, cantares antigos editados e organizados por Ezio Levi, primeira série, cantares lendários, Bari, Laterza, 1914.

46. Falo das *fábulas*; em relação às *lendas*, mais ligadas aos lugares, ocorre com mais frequência — porém não tanto quanto se possa acreditar — poder dizer: "É italiana"; e igualmente em relação às *novelas*, para as quais é mais fácil determinar uma data de origem numa época histórica.

47. Cf. o citado *The folktale* de Thompson, p. 94. O "tipo" é bastante difundido só na Itália, Espanha, Portugal, Grécia, e também na Hungria e Turquia, jamais tendo sido coletado nos países do Norte ("exceto na Noruega, onde o ouviram de uma italiana vendedora de frutas"). Foi localizado na Pérsia e na Índia, mas com tão pouca frequência que não permite supor uma origem oriental. Até aqui Thompson: mas este discurso vale para a fábula em seu conjunto — dentre os motivos singulares existem alguns muito difundidos (e com profundas ligações nos ritos pré-históricos, caso do herói que retorna para casa sozinho enquanto a mulher se perde pelo caminho; cf. o citado Propp. p. 210).

48. E talvez tenha sido: não existem testemunhos precedentes.

49. Cf. o capítulo IV do referido volume de Propp.

AGRADECIMENTOS

Esta obra tornou-se possível graças à ajuda iluminada e generosa de alguns insignes estudiosos, a quem dirijo meu agradecimento mais profundo: em primeiro lugar, ao professor Giuseppe Cocchiara, da Universidade de Palermo, diretor do Museu Etnográfico G. Pitrè, que me orientou no trabalho e colocou à minha disposição a rica biblioteca do museu; ao professor Paolo Toschi, da Universidade de Roma, que me deu preciosas indicações bibliográficas e me permitiu usufruir dos livros e manuscritos do Museu de Tradições Populares Italianas dirigido por ele; finalmente, ao professor Giuseppe Vidossi, de Turim, que se revelou guia competentíssimo e mina inesgotável em conselhos e indicações tanto no campo da novelística popular quanto no da dialetologia.

FÁBULAS
ITALIANAS

JOÃOZINHO SEM MEDO

Era uma vez um menino chamado Joãozinho Sem Medo, pois não tinha medo de nada. Andava pelo mundo e foi parar em uma hospedaria, onde pediu abrigo.

— Aqui não tem lugar — disse o dono —, mas, se você não tem medo, posso mandá-lo para um palácio.

— Por que eu sentiria medo?

— Porque *ali a gente sente*, e ninguém saiu de lá a não ser morto. De manhã, a Companhia leva o caixão para carregar quem teve a coragem de passar a noite lá.

Imaginem Joãozinho! Levou um candeeiro, uma garrafa, uma linguiça, e lá se foi.

À meia-noite, comia sentado à mesa quando ouviu uma voz saindo da chaminé:

— Jogo?

E Joãozinho respondeu:

— Jogue logo!

Da chaminé desceu uma perna de homem. Joãozinho bebeu um copo de vinho.

Depois a voz tornou a perguntar:

— Jogo?

E Joãozinho:

— Jogue logo!

E desceu outra perna de homem. Joãozinho mordeu a linguiça.

— Jogo?

— Jogue logo!

E desceu um braço. Joãozinho começou a assoviar.

— Jogo?

— Jogue logo!

Outro braço.

— Jogo?

— Jogue!

E caiu um corpo que se colou nas pernas e nos braços, ficando de pé um homem sem cabeça.

— Jogo?

— Jogue!

Caiu a cabeça e pulou em cima do corpo. Era um homenzarrão gigantesco, e Joãozinho levantou o copo dizendo:

— À saúde!

O homenzarrão disse:

— Pegue o candeeiro e venha.

Joãozinho pegou o candeeiro, mas não se mexeu.

— Passe na frente! — disse Joãozinho.

— Você! — disse o homem.

— Você! — disse Joãozinho.

Então o homem se adiantou e de sala em sala atravessou o palácio, com Joãozinho atrás, iluminando. Debaixo de uma escadaria havia uma portinhola.

— Abra! — disse o homem a Joãozinho.

E Joãozinho:

— Abra você!

E o homem abriu com um empurrão. Havia uma escada em caracol.

— Desça — disse o homem.

— Primeiro você — disse Joãozinho.

Desceram a um subterrâneo, e o homem indicou uma laje no chão.

— Levante!

— Levante você! — disse Joãozinho, e o homem a ergueu como se fosse uma pedrinha.

Embaixo havia três tigelas cheias de moedas de ouro.

— Leve para cima! — disse o homem.

— Leve para cima você! — disse Joãozinho. E o homem levou uma de cada vez para cima.

Quando foram de novo para a sala da chaminé, o homem disse:

— Joãozinho, quebrou-se o encanto! — Arrancou-se uma perna, que saiu esperneando pela chaminé. — Destas tigelas

uma é sua. — Arrancou-se um braço, que trepou pela chaminé.
— Outra é para a Companhia que virá buscá-lo pensando que você está morto. — Arrancou-se também o outro braço, que acompanhou o primeiro. — A terceira é para o primeiro pobre que passar. — Arrancou-se outra perna e ele ficou sentado no chão. — Pode ficar com o palácio também. — Arrancou-se o corpo e ficou só a cabeça no chão. — Porque se perdeu para sempre a estirpe dos proprietários deste palácio. — E a cabeça se ergueu e subiu pelo buraco da chaminé.

Assim que o céu clareou, ouviu-se um canto: *Miserere mei, miserere mei*, e era a Companhia com o caixão que vinha recolher Joãozinho morto. E o veem na janela, fumando cachimbo.

Joãozinho Sem Medo ficou rico com aquelas moedas de ouro e morou feliz no palácio. Até que um dia aconteceu que, virando-se, viu sua sombra e levou um susto tão grande que morreu.

CORPO SEM ALMA

Havia uma viúva com um filho que se chamava Joanorzim. Aos treze anos ele queria sair pelo mundo para fazer fortuna. Sua mãe lhe disse:

— O que você quer fazer pelo mundo afora? Não vê que é pequeno ainda? Quando for capaz de derrubar com um pontapé aquele pinheiro atrás da casa, então pode partir.

Desde aquele dia, todas as manhãs, assim que se levantava, Joanorzim tomava impulso e pulava de pés juntos contra o tronco do pinheiro. A árvore nem se mexia e ele caía estendido no chão. Erguia-se, sacudia a terra e voltava para seu cantinho.

Finalmente, uma bela manhã pulou contra a árvore com todas as suas forças e a árvore foi se inclinando, se inclinando, as raízes saíram da terra e ela se deixou abater. Joanorzim correu para chamar a mãe, que veio ver, observou bem e disse:

— Agora, meu filho, você pode ir para onde quiser.

Joanorzim se despediu e se pôs a caminho.

Depois de andar durante dias chegou a uma cidade. O rei daquela cidade tinha um cavalo chamado Rondó que ninguém era capaz de montar. Todos os que experimentavam no primeiro momento tinham a impressão de ter conseguido, mas depois caíam. Joanorzim ficou por ali olhando, e percebeu que o cavalo tinha medo da própria sombra. Ofereceu-se então para domar Rondó. Aproximou-se dele na estrebaria, chamou-o, acariciou-o e depois, de repente, pulou na sela e o levou para fora, mantendo-lhe o focinho contra o sol. O cavalo não via a sombra e não se assustava; Joanorzim o apertou com os joelhos, puxou a rédea e partiu a galope. Após um quarto de hora estava domado, obediente como um cordeiro; mas só se deixava montar por Joanorzim.

A partir daquele dia, o rei contratou Joanorzim e lhe queria tanto bem que os outros empregados começaram a se roer de inveja. E se puseram a pensar como poderiam se desembaraçar dele.

É importante saber que aquele rei tinha uma filha que anos antes fora sequestrada pelo mago Corpo Sem Alma, e ninguém sabia mais dela. Os servos foram dizer ao rei que Joanorzim se vangloriara em público de que iria libertá-la. O rei mandou chamá-lo; Joanorzim caiu das nuvens e afirmou que não sabia de nada. Mas o rei, que, só de pensar que alguém pudesse brincar com aquele assunto, perdia o brilho dos olhos, disse-lhe:

— Ou você a liberta ou mando cortar a sua cabeça!

Joanorzim, visto que não havia jeito de se fazer ouvir, pediu uma espada enferrujada que mantinham pendurada numa parede, selou Rondó e partiu. Ao atravessar um bosque, viu um leão que lhe fez sinal de parar. Joanorzim tinha certo receio do leão, mas nem pensava em fugir; assim, desceu da sela e lhe perguntou o que desejava.

— Joanorzim — disse o leão —, aqui somos quatro: eu, um cão, uma águia e uma formiga; temos este burro morto para dividir; você tem a espada, faça a divisão e entregue uma parte para cada um!

Joanorzim cortou a cabeça do burro e a entregou à formiga:
— Tome, pois vai lhe servir de casa e dentro encontrará quanta comida quiser. — A seguir cortou as patas e as entregou ao cachorro: — Aqui você tem para morder até enjoar! — Arrancou as tripas e as deu para a águia: — Isso é para você, até dá para levar pro alto das árvores onde vier a pousar!

Todo o resto ofereceu ao leão, que era o maior dos quatro e a ele cabia mais. Voltou a montar e estava para retomar o caminho quando ouviu que o chamavam. "Ai", pensou, "não fiz a divisão com justiça!" O leão, porém, disse-lhe:

— Você foi um bom juiz e nos serviu bem. O que podemos lhe dar em sinal de reconhecimento? Eis uma de minhas garras; quando a usar, você se tornará o leão mais feroz que existe no mundo.

E o cão:
— Aqui está um dos meus bigodes; quando o puser sob o nariz, você se tornará o cão mais veloz que já se viu.

E a águia:
— Eis uma pena de minhas asas; poderá se tornar a maior e mais forte águia a voar nos céus.

E a formiga:
— E eu lhe dou uma de minhas patinhas, e quando a usar você se tornará uma formiguinha, mas tão pequena, tão miudinha que não será visível nem com lentes de aumento.

Joanorzim pegou todos os presentes, agradeceu aos quatro animais e partiu. Ainda não sabia se acreditava ou não nas virtudes das oferendas, porque era possível que estivessem zombando dele. Mas, tão logo se viu longe da vista deles, parou e fez a prova. Tornou-se leão, cão, águia, formiga, e depois formiga, águia, cão, leão, e depois águia, formiga, leão, cão, e depois cão, formiga, leão, águia, e se convenceu de que funcionava bem. Todo contente, retomou o caminho.

Depois de um bosque, havia um lago, e sobre o lago um castelo. Era o castelo do mago Corpo Sem Alma. Joanorzim se transformou em águia e voou até o peitoril de uma janela fechada. Depois se transformou em formiga e penetrou no aposento através de uma fresta. Era um belo quarto, e sob um baldaquim dormia a filha do rei. Joanorzim, sempre formiga, começou a passear numa das bochechas dela até que a moça despertou. Então Joanorzim tirou a pata de formiga e a filha do rei se viu de repente ao lado de um belo jovem.

— Não tenha medo — disse ele fazendo sinal para ela se calar —, vim libertá-la! É preciso que você saiba do mago como se faz para matá-lo.

Quando o mago voltou, Joanorzim se transformou de novo em formiga. A filha do rei acolheu o mago com mil dengos, fez com que se sentasse a seus pés, fez com que pousasse a cabeça em seus joelhos. E começou a lhe dizer:

— Meu caro mago, sei que você é um corpo sem alma e, portanto, não pode morrer. Mas sempre tenho medo de que descubram onde você esconde a alma e consigam matá-lo, por isso estou preocupada.

Então o mago lhe respondeu:

— A você posso contar, já que está presa aqui dentro e não pode me trair. Para acabar comigo seria necessário um leão tão forte que matasse o leão negro que está no bosque; morto o leão, de sua barriga sairá um cão negro tão veloz que para alcançá-lo seria preciso o cão mais veloz do mundo. Morto o cão negro, de seu ventre sairá uma águia negra que não sei qual águia ousaria desafiá-la. Mas, se também a águia negra fosse morta, seria preciso retirar-lhe do ventre um ovo negro, e este ovo, quebrá-lo na minha testa para que minha alma voasse e eu morresse. Parece-lhe fácil? Parece-lhe o caso de ficar preocupada?

Joanorzim, com suas orelhinhas de formiga, tudo ouvia, e com seus passinhos saiu da fresta, voltando para o peitoril da janela. Ali, transmutou-se outra vez em águia e voou para o bosque. No bosque, transformou-se em leão e começou a circular entre as plantas até encontrar o leão negro. O leão negro se lançou sobre ele, mas Joanorzim era o leão mais forte do mundo e o destroçou. (No castelo, o mago sentiu a cabeça girar.) Aberta a barriga do leão, pulou fora um cão negro velocíssimo, mas Joanorzim se transformou no cão mais veloz do mundo e o alcançou, e rolaram juntos, mordendo-se, até que o cão negro ficou morto no chão. (No castelo, o mago teve de ir para a cama.) Aberta a barriga do cão, escapou uma águia negra, mas Joanorzim se transformou na maior águia do mundo e juntas começaram a girar pelos ares, trocando bicadas e golpes de garras, até que a águia negra fechou as asas e caiu no chão. (No castelo, o mago tinha uma febre de cavalo e estava encolhido debaixo das cobertas.)

Joanorzim, homem outra vez, abriu a barriga da águia e ali encontrou o ovo negro. Foi ao castelo e o entregou à filha do rei toda contente.

— Mas como você conseguiu? — ela lhe perguntou.
— Foi simples — respondeu Joanorzim. — Agora é sua vez.
A filha do rei foi ao quarto do mago.
— Como está?
— Ai, pobre de mim, alguém me traiu...
— Trouxe-lhe uma tigela de sopa. Tome.
O mago se sentou na cama e se inclinou para tomar a sopa.
— Espere um pouco que abro um ovo e ponho na sopa, para ficar mais substanciosa.

E, assim dizendo, a filha do rei lhe quebrou o ovo negro na testa. O mago Corpo Sem Alma morreu na mesma hora.

Para imensa alegria de todos, Joanorzim devolveu ao rei sua filha, e o rei logo lhe concedeu a moça como esposa.

O PASTOR QUE NÃO CRESCIA NUNCA

Era uma vez um pastor baixinho e despeitado. A caminho do pasto, viu passar uma criadora de galinhas com uma cesta de ovos na cabeça; jogou uma pedra na cesta e quebrou todos os ovos de um só golpe. A pobre mulher, fula de raiva, gritou-lhe:

— Que você não possa mais crescer, até encontrar a bela Marcianita das três maçãs que cantam!

Daquele momento em diante, o pastorzinho começou a ficar magro e triste, e, quanto mais sua mãe cuidava e tratava bem dele, mais triste ele ficava. Disse-lhe sua mãe:

— O que aconteceu? Alguém jogou praga em você?

E ele lhe contou sobre a provocação à moça das galinhas e o que ela lhe dissera: "Que você não possa mais crescer, até encontrar a bela Marcianita das três maçãs que cantam".

— Então — disse-lhe sua mãe —, não tem jeito: você deve partir em busca dessa bela Marcianita.

O pastor se pôs a caminho. Chegou a uma ponte onde havia uma mulher pequenina que se balançava numa casca de noz.

— Quem vem lá?

— Um amigo.

— Levante um pouco minhas pálpebras, assim vejo quem você é.

— Sou alguém que busca a bela Marcianita das três maçãs que cantam: sabe alguma coisa sobre ela?

— Não, mas pegue esta pedra que lhe será útil.

O pastor passou por outra ponte onde havia outra mulher pequenina que tomava banho numa casca de ovo.

— Quem vem lá?

— Um amigo.

— Levante um pouco minhas pálpebras, assim vejo quem você é.

— Sou alguém que busca a bela Marcianita das três maçãs que cantam: tem informações sobre ela?

— Não, mas leve este pente de marfim que lhe será útil.

O pastor o colocou no bolso e passou por um riacho onde havia um homem que ensacava neblina, e também a ele perguntou sobre a bela Marcianita. O homem lhe disse que não sabia de nada, porém lhe ofereceu um saco de neblina que haveria de ajudá-lo.

Depois passou por um moinho, e o moleiro era uma raposa que falava. Essa raposa disse:

— Sim, sei quem é a bela Marcianita, mas será difícil você encontrá-la. Siga adiante até encontrar uma casa com a porta aberta, entre, vai ver uma gaiola de cristal com muitos sininhos e dentro da gaiola estão as maçãs que cantam. Você tem que pegar a gaiola, mas tome cuidado porque ao lado dela há uma velha que, se tem os olhos abertos, dorme e, se tem os olhos fechados, vigia.

O pastor partiu; encontrou a velha com os olhos fechados e percebeu que estava acordada.

— Lindo jovem — disse a velha —, olhe a minha cabeça e veja se tenho piolhos.

O pastor olhou e, enquanto lhe catava os piolhos, a velha abriu os olhos e ele se convenceu de que ela adormecera. Então, rápido, pegou a gaiola de cristal e fugiu. Mas os sinos da gaiola tocaram, a velha acordou e mandou cem cavalos atrás dele. O pastor, sentindo que os cavalos estavam a ponto de alcançá-lo, deixou cair a pedra que trazia no bolso. Ela se transformou numa montanha cheia de rochas e precipícios e os cavalos quebraram as pernas.

Sem cavalos, os cavaleiros voltaram à casa da velha, e ela mandou duzentos cavalos. Quando o pastor se viu de novo a ponto de ser alcançado, jogou fora o pente de marfim: o pente virou uma montanha inteiramente lisa, e os cavalos escorregaram e se mataram todos.

Então a velha mandou trezentos cavalos atrás dele, mas o pastor abriu o saco de neblina e ficou tudo escuro atrás dele, e os cavalos se extraviaram. Entretanto, o pastor sentia sede e, não tendo nada para beber, pegou uma das três maçãs da gaiola e a cortou. Ouviu uma vozinha que disse:

— Corte-me devagar, senão me machuca.

O pastor cortou com cuidado, comeu meia maçã e a outra metade guardou no bolso. Assim, chegou a um poço próximo de sua casa; enfiou a mão no bolso para comer o que restava da maçã e encontrou uma mulher bem miudinha.

— Sou a bela Marcianita — disse —, e como bolinhos. Arranje um para mim porque estou morrendo de fome.

O poço era do tipo fechado, daqueles que têm uma janelinha no meio, e o pastor colocou a mulher na janelinha e lhe pediu que o esperasse, pois haveria de lhe trazer um bolinho.

Costumava pegar água naquele poço uma empregada que era conhecida como Horrenda Escrava. Apareceu Horrenda Escrava, viu a bela mulher pequenina na janelinha do poço e disse:

— Você que é tão pequenina é tão linda, e eu que sou grande sou feia. — Teve um ataque de raiva e a jogou no poço.

Quando o pastor voltou, não encontrou a bela Marcianita e ficou desesperado.

A mãe do pastor também pegava água naquele poço, e um dia encontrou um peixe no balde. Levou o peixe para casa e o fritou. Comeram-no e jogaram as espinhas pela janela. No lugar em que caíram as espinhas cresceu uma árvore, e ficou tão grande que uma sombra escurecia a casa. Então o pastor cortou a árvore e amontoou uma enorme quantidade de lenha que levou para casa. Nesse meio-tempo, sua mãe morrera e ele passara a viver sozinho, cada vez menor e mais magro porque não podia mais crescer. Todos os dias ia pastorear e voltava para casa à noite. Ora, qual não foi seu espanto ao encontrar os pratos e as panelas que deixara sujos de manhã completamente limpos; e não entendia quem os lavava. Então se escondeu atrás da porta para ver quem era: viu uma bela jovem, minúscula, que saía do monte de lenha e lavava os pratos, as panelas, as colheres, varria o chão, arrumava a cama para ele; depois, abria o armário, pegava um bolinho e o comia.

O pastor saiu de trás da porta e disse:

— Quem é você? Como conseguiu entrar?

— Sou a bela Marcianita — disse a moça. — Aquela que você encontrou no bolso no lugar da metade da maçã; a Horrenda Escrava me atirou no poço e me transformei em peixe, depois me transformei em espinhas de peixe jogadas pela janela, de espinhas de peixe me transformei em semente de árvore, e depois em árvore que crescia sem parar, e depois em tocos de lenha divididos ao meio para serem queimados, e a cada dia, quando você não está, volto a ser a bela Marcianita.

Tendo reencontrado a bela Marcianita, o pequeno pastor começou a crescer, crescer, e a bela Marcianita crescia junto com ele. Até que ele se tornou um lindo rapaz e casou com a bela Marcianita. Fizeram um grande banquete; eu estava debaixo da mesa, jogaram-me um osso que me acertou no nariz e ali ficou.

NARIZ DE PRATA

Havia uma lavadeira que tinha ficado viúva com três filhas. As quatro trabalhavam com afinco, lavando roupa a mais não poder, porém continuavam a passar fome. Um dia a filha mais velha disse à mãe:

— Nem que tivesse que trabalhar para o Diabo, quero ir embora de casa.

— Não fale assim, minha filha — disse a mãe. — Você não sabe o que pode lhe acontecer.

Não passaram muitos dias e na casa delas se apresentou um senhor vestido de preto, todo sério, e com o nariz de prata.

— Sei que tem três filhas — disse à mãe. — Permitiria que uma viesse trabalhar comigo?

A mãe logo teria permitido, mas havia aquele nariz de prata que não lhe agradava. Chamou num canto a filha mais velha e lhe disse:

— Cuidado, pois neste mundo não existem homens com nariz de prata: fique atenta, se for com ele pode se arrepender.

A filha, que não via a hora de ir embora de casa, partiu assim mesmo com aquele homem. Andaram muito, por bosques e montanhas, e num certo ponto, à distância, viu-se um grande clarão, como de um incêndio.

— O que é aquilo? — perguntou a moça, começando a ficar um tanto apreensiva.

— É minha casa. Estamos indo para lá — informou Nariz de Prata.

A moça prosseguiu e já não conseguia conter um tremor. Chegaram a um grande palácio, e Nariz de Prata lhe mostrou todos os aposentos, um mais lindo que o outro, e lhe dava as chaves de cada um. Chegando à porta do último aposento, Nariz de Prata lhe deu a chave, mas avisou:

— Não abra esta porta por razão nenhuma, caso contrário há de se arrepender! Você é senhora de tudo o mais, mas deste aposento não!

A moça pensou: "Aí tem coisa!", e prometeu a si mesma abrir aquela porta assim que Nariz de Prata a deixasse sozinha. À noite, dormia em seu quartinho, quando Nariz de Prata entrou furtivamente, aproximou-se da cama e lhe colocou uma rosa entre os cabelos. E, silencioso como chegara, foi-se embora.

Na manhã seguinte, Nariz de Prata foi cuidar de seus negócios, e a moça, tendo ficado sozinha em casa com todas as chaves, correu logo a abrir a porta proibida. Assim que abriu a porta, saíram línguas de fogo e de fumaça, e no meio do fogo e da fumaça estava repleto de almas danadas que ardiam. Entendeu então que Nariz de Prata era o Diabo e aquele aposento era o Inferno. Deu um grito, fechou rápido a porta, escapou o mais depressa que pôde daquele aposento infernal, mas uma língua de fogo lhe chamuscara a rosa que levava entre os cabelos.

Nariz de Prata voltou para casa e viu a rosa chamuscada.

— Ah, foi assim que me obedeceu! — disse. Agarrou-a, abriu a porta do Inferno e arremessou a moça entre as chamas.

No dia seguinte, retornou à casa da viúva.

— Sua filha está muito bem comigo, mas o trabalho é tanto que ela precisa de ajuda. Sua segunda filha não poderia vir também?

E assim Nariz de Prata voltou com a outra irmã. Mostrou a casa também a ela, deu todas as chaves e igualmente lhe disse que poderia abrir todos os aposentos, exceto o último.

— Imagine! — disse a moça —, por que haveria de abri-lo? Que me interessam seus negócios?

À noite, quando ela foi para a cama, Nariz de Prata se aproximou pé ante pé de sua cama e lhe colocou um cravo entre os cabelos.

Na manhã seguinte, logo que Nariz de Prata saiu, a primeira coisa que a moça fez foi abrir a porta proibida. Fumaça, chamas, urros de condenados, e em meio ao fogo reconheceu sua irmã.

— Minha irmã — gritou-lhe —, me livre deste Inferno!

Mas a moça estava a ponto de desmaiar; fechou a porta rápido e fugiu, sem saber onde se esconder, pois agora estava certa de que Nariz de Prata era o Diabo e ela estava nas mãos dele, não havia escapatória. Nariz de Prata regressou e, antes de mais nada, olhou para a cabeça dela: viu o cravo murcho e, sem lhe dizer uma palavra, agarrou-a e a arremessou também no Inferno.

No dia seguinte, vestido de grande senhor como de hábito, tornou a apresentar-se na casa da lavadeira.

— O trabalho não acaba lá em casa, duas moças não bastam: a terceira não poderia vir também?

E assim voltou com a terceira irmã, que se chamava Lúcia e era a mais esperta de todas. Mostrou-lhe a casa e fez as recomendações habituais; e, enquanto ela dormia, também lhe colocou uma flor entre os cabelos: um jasmim. De manhã, quando Lúcia levantou, foi logo se pentear e, ao se olhar no espelho, viu o jasmim. "Vejam só", disse consigo mesma, "Nariz de Prata me pôs um jasmim. Que lembrança simpática! Vou colocá-lo na água", e deixou num copo. Quando acabou de se pentear, já que estava sozinha na casa, pensou: "Agora vamos cuidar daquela porta misteriosa".

Assim que abriu a porta, uma labareda a envolveu, e viu tanta gente ardendo e, no meio de todos, sua irmã mais velha e depois sua segunda irmã.

— Lúcia! Lúcia! — gritaram —, tire-nos daqui! Salve-nos!

Lúcia tratou primeiro de fechar bem a porta e, a seguir, pensou como poderia salvar as irmãs.

Quando o Diabo voltou, Lúcia tinha recolocado o jasmim

nos cabelos e fingia não ter descoberto nada. Nariz de Prata olhou o jasmim.

— Oh, está fresco — disse.

— Claro, por que não deveria estar fresco? Quem é que usa flores secas na cabeça?

— Nada, falava por falar — disse Nariz de Prata. — Você parece ser uma moça esperta, se continuar assim vai dar tudo certo. Está contente?

— Sim, sinto-me bem aqui, mas me sentiria melhor ainda se não tivesse uma preocupação.

— Que preocupação?

— Quando saí de casa, minha mãe não estava muito bem. E agora não tenho notícias dela.

— Se é só isso — disse o Diabo —, dou um pulo até lá e trago notícias.

— Obrigada, é muita bondade sua. Se puder passar por lá amanhã, preparo um saco com um pouco de roupa suja, assim, se minha mãe estiver bem, entregue a ela para lavar. Será que não vai pesar?

— Imagine — disse o Diabo. — Posso carregar qualquer peso.

Assim que o Diabo saiu, Lúcia abriu a porta do Inferno, tirou a irmã mais velha e a fechou num saco.

— Fique quieta aí, Carlota — disse-lhe. — Agora, o Diabo em pessoa vai levá-la de volta para casa. Porém, se você pressentir que ele vai pousar o saco, é preciso que lhe diga: "Estou vendo! Estou vendo!".

Quando Nariz de Prata apareceu, Lúcia lhe disse:

— Aqui está o saco de roupa para lavar. Será que vai levá-lo mesmo até minha mãe?

— Não confia em mim? — perguntou o Diabo.

— É claro que confio, ainda mais porque tenho uma virtude: posso ver à distância e, se tentar pousar o saco em algum lugar, hei de ver.

O Diabo disse:

— Ora, vejam só! — Mas pouco acreditava naquela história

de ver à distância. Pôs o saco nas costas. — Como pesa esta roupa suja! — falou.

— Desconfiado! — disse a moça. — Há quantos anos não mandava nada para lavar?

Nariz de Prata seguiu seu rumo. Mas, chegando ao meio do caminho, pensou: "Será possível? Mas quero ver se essa moça, com a desculpa de mandar a roupa para lavar, não está esvaziando minha casa", e preparou-se para pousar o saco e abri-lo.

— Estou vendo! Estou vendo! — gritou logo a irmã de dentro do saco.

"Diabo, é verdade! Vê de longe", disse Nariz de Prata com os seus botões e, recolocando o saco nas costas, foi direto para a casa da mãe de Lúcia.

— Sua filha lhe manda esta roupa para lavar e quer saber como está passando...

Logo que se viu sozinha, a lavadeira abriu o saco, e imaginem sua satisfação ao reencontrar a filha mais velha. Depois de uma semana, Lúcia voltou a bancar a melancólica com Nariz de Prata e a lhe dizer que desejava ter notícias da mãe.

E o mandou à sua casa com outro saco de roupa suja. Assim, Nariz de Prata carregou a segunda irmã e não conseguiu olhar dentro do saco porque ouviu gritar:

— Estou vendo! Estou vendo!

A lavadeira, que já sabia que Nariz de Prata era o Diabo, estava com muito medo de vê-lo de volta, pois pensava que lhe pediria a roupa lavada, mas Nariz de Prata pousou o novo saco e disse:

— Volto outro dia para pegar a roupa lavada. Com este saco pesado quebrei a espinha e quero voltar para casa bem leve.

Quando ele foi embora, a lavadeira, cheia de angústia, abriu o saco e abraçou a segunda filha. Porém, começou a ficar ainda mais preocupada com Lúcia, que agora estava sozinha nas mãos do Diabo.

O que fez Lúcia? Dali a pouco, voltou à carga com aquela história das notícias da mãe. O Diabo já estava cansado de carregar sacos de roupa suja, mas aquela moça era tão obediente que ele gostava dela. Na noite anterior, Lúcia disse que estava com tanta dor de cabeça que ia cedo para a cama.

— Vou deixar o saco preparado e assim, de manhã, mesmo que não me sinta bem e não me levante, poderá apanhá-lo.

Bem, é preciso saber que Lúcia havia feito uma boneca de trapos do tamanho dela. Colocou-a na cama, embaixo das cobertas, cortou as tranças e as costurou na cabeça da boneca, assim parecia que era ela que estava dormindo. E correu a se fechar no saco.

De manhã, o Diabo viu a moça na cama, tapada pelas cobertas, e se pôs a caminho com o saco nas costas. "Hoje está doente", disse consigo mesmo. "Não vai prestar atenção. É o momento certo para ver se é mesmo apenas roupa suja." Pousou depressa o saco no chão e tratou de abri-lo.

— Estou vendo! Estou vendo! — gritou Lúcia.

"Caramba! Exatamente a voz dela, como se estivesse aqui! É melhor não provocar essa moça." Tornou a pôr o saco nas costas e o levou para a lavadeira.

— Passarei depois para levar tudo — disse apressado —, agora tenho que voltar para casa, pois Lúcia está doente.

Assim, a família se viu de novo reunida e, como Lúcia trouxera muito dinheiro do Diabo, podiam viver felizes e contentes. Puseram uma cruz na frente da porta, e assim o Diabo não ousou mais se aproximar.

A BARBA DO CONDE

Pocapaglia era uma aldeia tão íngreme, no alto de uma colina com flancos tão escarpados, que os habitantes, para não perder os ovos que, apenas postos, rolariam pelos bosques, penduravam um saquinho no rabo das galinhas.

Isso quer dizer que os pocapaglienses não eram tontos como se dizia, e que o provérbio

Em Pocapaglia são paspalhões
Assoviam os burros, zurram os patrões.

era uma maledicência das aldeias vizinhas, que implicavam com os pocapaglienses só pelo fato de serem gente tranquila, de não gostarem de brigar com ninguém.

— Sim, sim — era tudo o que respondiam os pocapaglienses —, esperem que Masino volte e hão de ver quem zurra mais, os de baixo ou os de cima.

Masino era o mais esperto dentre os pocapaglienses e o mais querido de toda a aldeia. Não era mais forte do que os outros, pelo contrário, à primeira vista não se dava um tostão por ele, porém era astuto desde que nasceu. Sua mãe, assim que ele nasceu, vendo-o tão pequeno, para mantê-lo vivo e fazê-lo encorpar um pouco, lhe dera um banho de vinho quente. Seu pai, para aquecer o vinho, pusera no recipiente em que este se encontrava uma ferradura vermelha como o fogo. Assim, Masino recebera através da pele a sabedoria que existe no vinho e a resistência que existe no ferro. Após esse banho, a fim de refrescá-lo, sua mãe o colocara para ninar na casca de uma castanha ainda verde que, sendo amarga, dá inteligência.

Naqueles tempos, enquanto os pocapaglienses aguardavam o retorno de Masino, o qual, desde que se alistara como soldado e partira, não tinha voltado à aldeia e agora talvez estivesse pelos lados da África, começaram a suceder fatos misteriosos em Pocapaglia. Todas as tardes acontecia que bois e vacas que regressavam do pasto na planície eram roubados pela Masca* Marcial.

A Masca Marcial se emboscara nos bosques no pé da colina e bastava um sopro seu para carregar um boi. Os camponeses,

---

* *Masca* ou *Mascra* nos dialetos piemonteses equivale a bruxa.

ao ouvi-la sussurrar nas moitas após o pôr do sol, batiam os dentes e caíam desmaiados, tanto que se dizia:

> *A Masca Marcial*
> *Rouba os bois do curral*
> *Olha com o olho torto*
> *E te derruba feito morto.*

À noite, os camponeses começaram a acender grandes fogueiras para que a Masca Marcial não se atrevesse a sair dos matagais. Porém, a Masca se aproximava sem se deixar notar pelo camponês que, sozinho, montava guarda aos animais próximo à fogueira, derrubava-o com um sopro, e de manhã, ao acordar, ele não encontrava mais nem vacas nem bois, e os companheiros o ouviam chorar, desesperar-se e dar murros na cabeça. Então, saíam todos pelos bosques à procura de vestígios dos animais, mas só encontravam tufos de cabelo, grampos e pegadas deixadas ao acaso pela Masca Marcial.

As coisas continuaram assim durante meses, e as vacas, sempre trancadas no curral, iam ficando tão magras que, para lavá-las, já não se usava uma escova, mas um ancinho que passasse entre as costelas. Ninguém ousava mais levar os animais para o pasto, ninguém ousava mais entrar no bosque, e os cogumelos porcinos do mato, como ninguém os colhia, tornavam-se grandes como guarda-chuvas.

A Masca Marcial não ia roubar nas outras aldeias, pois sabia que gente tranquila e sem vontade de brigar como a de Pocapaglia não havia em lugar nenhum, e todas as noites aqueles pobres camponeses acendiam uma fogueira na praça da aldeia, mulheres e crianças se fechavam em casa e os homens se reuniam ao redor do fogo coçando a cabeça e se lamentando. Coça e se lamenta hoje, coça e se lamenta amanhã, os camponeses decidiram que era preciso falar com o conde e pedir ajuda.

O conde morava na parte mais alta da aldeia, num casarão redondo, cercado por uma muralha toda espetada com cacos de vidro. E num domingo de manhã, todos juntos, chegaram de chapéu na mão, bateram, as portas se abriram, entraram no pátio em frente à casa redonda do conde, cheia de balaustradas e de janelas com grades. Ao redor do pátio estavam sentados os soldados do conde, que alisavam os bigodes com óleo para fazê-los brilhar e olhavam feio para os camponeses. E no fundo do pátio, numa cadeira de veludo, estava o conde, com a enorme barba negra que quatro soldados com quatro pentes desembaraçavam de alto a baixo.

O mais velho dos camponeses tomou coragem e disse:

— Senhor conde, nós nos atrevemos a vir até o senhor para contar-lhe a nossa desgraça: todos os animais, quando vão ao bosque, são roubados pela Masca Marcial. — E assim, entre suspiros e lamentos, com os outros camponeses que concordavam com a cabeça, contou-lhe toda a vida deles dominada pelo medo.

O conde ficou mudo.

— E nós viemos aqui — acrescentou o velho — para ousar pedir um conselho a Vossa Senhoria.

O conde continuou mudo.

— E viemos aqui — acrescentou — para ousar pedir a Vossa Senhoria a graça de vir em nosso socorro, pois se nos conceder uma escolta de soldados poderemos levar outra vez ao pasto os nossos animais.

O conde sacudiu a cabeça.

— Se concedo os soldados — disse —, tenho que conceder também o capitão...

Os camponeses escutavam com um fio de esperança.

— Mas, se me faltar o capitão — fez o conde —, então, de noite, com quem hei de jogar tômbola?

Os camponeses se puseram de joelhos:

— Ajude-nos, senhor conde, por piedade!

Ao redor, os soldados bocejavam e untavam os bigodes.

O conde sacudiu a cabeça de novo e disse:

Sou o conde e conto por três
E se com a Masca jamais cruzei
Garanto que Mascas não existem.

Ouvindo tais palavras, os soldados, sempre bocejando, pegaram os fuzis e com passo lento carregaram contra os camponeses com baionetas caladas, até liberar o pátio.

De volta à praça, desanimados, os camponeses já não sabiam o que fazer. Porém, o mais velho, o que se dirigira ao conde, disse:

— O jeito é fazer Masino vir!

Assim, escreveram uma carta para Masino e a mandaram para a África. E certa noite, quando estavam reunidos como sempre em volta da fogueira da praça, Masino reapareceu. Imaginem as festas, os abraços, as jarras de vinho quente com especiarias! E:

— Por onde andou?
— O que viu?
— Se soubesse como somos desgraçados!

Masino deixou que eles contassem primeiro e depois começou ele a contar:

— Na África vi canibais que, não podendo comer homens, comiam cigarras; no deserto vi um louco que para obter água deixara que as unhas crescessem doze metros; no mar vi um peixe com um sapato e uma pantufa que pretendia ser rei dos demais, pois nenhum outro peixe tinha sapatos nem pantufas; na Sicília vi uma mulher que tinha setenta filhos e só uma panela; em Nápoles vi pessoas que caminhavam mesmo estando paradas porque as conversas dos outros as empurravam para diante; vi gente que prefere o negro, vi gente que prefere o branco, vi gente que pesa cem quilos, e gente da espessura de uma folha, vi tanta gente medrosa, porém jamais como em Pocapaglia.

Os camponeses baixaram a cabeça, cheios de vergonha, pois Masino, chamando-os de medrosos, tocara no ponto fraco. Mas Masino não queria brigar com seus conterrâneos. Exigiu que lhe contassem todos os detalhes da história da Masca e então disse:

— Agora, faço três perguntas e depois, quando soar meia-noite, irei pegar a Masca e a trarei aqui.

— Pergunte! Pergunte! — disseram todos.

— A primeira pergunta é para o barbeiro. Quantos vieram até você este mês?

E o barbeiro respondeu:

Barbas longas e barbas sebosas,
Barbas curtas e barbas horrorosas,
Cabelos macios e cabelos de vassoura,
Todos cortou a minha tesoura.

— E agora para você, sapateiro, quantos levaram os tamancos para consertar, este mês?

— Ai de mim — disse o sapateiro,

Fazia tamancos de couro e madeira,
Bem costurados fileira por fileira,
Fazia sapatos de cobra e de seda,
Mas não há mais dinheiro e não faço nada.

— Terceira pergunta para você, cordoeiro: quantas cordas vendeu este mês?

E o cordoeiro:

Cordas torcidas, cordas fiadas,
Cordas de palha em tiras e entrelaçadas,
De vime e barbante, cordas para poço,
Finas como agulha, grossas feito braço,
Moles feito gordura, fortes como o aço,
Este mês não sobrou um pedaço.

— Já é suficiente — disse Masino e se acocorou junto ao fogo. — Agora, vou dormir duas horas porque estou cansado. Acordem-me à meia-noite e então agarrarei a Masca. — Cobriu o rosto com o chapéu e adormeceu.

Os camponeses ficaram quietos até meia-noite, chegando a prender a respiração com medo de acordá-lo. À meia-noite, Masino se mexeu, bocejou, bebeu um copo de vinho quente, cuspiu três vezes no fogo, ergueu-se sem encarar nenhum dos que estavam em volta dele e tomou o caminho do bosque.

Os camponeses ficaram esperando, observando o fogo que se transformava em brasas, e as brasas que se tornavam cinza, e a cinza que ficava preta, até que Masino voltou. E quem é que Masino arrastava, puxando pela barba? O conde, o conde que chorava, dava pontapés e pedia piedade.

— Eis a Masca! — gritou Masino. E logo a seguir: — Onde é que vocês puseram o vinho quente?

O conde, perante os olhos arregalados de todos os aldeões, tratou de ficar o menor que podia; sentou-se no chão, encolhido como uma mosca com frio.

— Não podia ser um de vocês — explicou Masino —, porque todos foram ao barbeiro e não têm cabelos para perder nas moitas; e depois havia aquelas pegadas de sapatos grandes e pesados e vocês andam descalços. E não podia ser um espírito, pois não teria necessidade de comprar tanta corda para amarrar os animais roubados e sumir com eles. Mas onde é que está o vinho quente?

O conde, trêmulo, tentava esconder-se na barba que Masino despenteara e arrancara para tirá-lo do meio das moitas.

— E como é que nos fazia desmaiar com o olhar? — perguntou um camponês.

— Dava-lhes uma paulada na cabeça com um bastão coberto de trapos, assim vocês só ouviam um sopro pelo ar, não lhes deixava marca e os fazia acordar com a cabeça pesada.

— E os grampos que perdia? — perguntou um outro.

— Serviam-lhe para prender a barba na cabeça, como os cabelos das mulheres.

Os camponeses estavam ouvindo em silêncio, mas, quando Masino disse: "E agora, o que desejam fazer com ele?", explodiu uma tempestade de gritos:

— Vamos queimá-lo! Vamos arrancar a pele dele! Vamos amarrá-lo num pau como espantalho! Vamos colocá-lo num barril e fazê-lo rodar! Vamos enfiá-lo num saco com seis gatos e seis cães!

— Piedade! — gemia o conde com um fio de voz.
— Façam assim. — disse Masino —, ele vai devolver os animais e limpar os currais. E, visto que gostou de passear pelos bosques à noite, que seja condenado a continuar a passear por lá todas as noites e a juntar feixes de lenha para vocês. E digam às crianças que não apanhem os grampos que encontrarem no chão, pois pertencem à Masca Marcial, que não seria capaz de manter em ordem o cabelo e a barba.

E assim foi feito. Depois Masino saiu pelo mundo afora e em suas viagens teve de fazer uma guerra depois da outra, tão longas que surgiu o provérbio:

> *Ó soldadinho de guerra,*
> *Come mal, dorme na terra,*
> *Enfia a pólvora no canhão,*
> *Bim-bom-bão!*

A MENINA VENDIDA COM AS PERAS

Era uma vez um homem que tinha uma pereira que produzia quatro cestos de peras por ano. Em certo ano, aconteceu que só conseguiu três cestos e meio, e era preciso levar quatro para o rei. Não sabendo como completar o quarto cesto, colocou dentro dele a menor de suas filhas e cobriu-a de peras e folhas.

Os cestos foram levados até a despensa do rei, e a menina rolou junto com as peras e se escondeu. Estava ali, na despensa, e, não tendo outra coisa para comer, mordiscava as peras. Passado algum tempo, os empregados se deram conta de que a provisão de peras diminuía e encontraram também os talos. Disseram:

— Deve haver um rato ou uma toupeira que come as peras: precisamos verificar. — E mexendo entre as varas de vime encontraram a menina.

Perguntaram-lhe:

— O que faz aqui? Venha conosco, poderá trabalhar na cozinha do rei.

Chamaram-na de Perinha, e Perinha era uma menina tão dedicada que em pouco tempo sabia fazer o serviço melhor que as criadas do rei, e era tão graciosa que todos a adoravam. Também o filho do rei, que tinha a mesma idade que ela, estava sempre junto com Perinha, e entre eles nasceu uma grande simpatia.

Na mesma medida em que a menina crescia, crescia a inveja das criadas; aguentaram caladas algum tempo, depois começaram a pôr veneno. Assim, puseram-se a dizer que Perinha se gabava de poder tomar o tesouro das bruxas. O boato chegou aos ouvidos do rei, que chamou a menina e lhe disse:

— É verdade que você se gabou de poder tomar o tesouro das bruxas?

Perinha disse:

— Claro que não é verdade, Sagrada Coroa; não sei de nada.

Mas o rei insistiu:

— Sabe sim e palavra empenhada é palavra mantida. — E a expulsou do palácio até que voltasse com o tesouro.

Anda que anda, desceu a noite. Perinha encontrou uma macieira e não parou. Encontrou um pessegueiro e não parou. Encontrou uma pereira, acomodou-se entre os ramos e adormeceu.

De manhã, no pé da árvore havia uma velhinha.

— O que está fazendo aí em cima, bela criatura? — perguntou-lhe a velhota.

E Perinha contou a dificuldade em que se achava. A velhinha lhe disse:

— Pegue estas três libras de banha, estas três libras de pão e estas três libras de sorgo e vá em frente.

Perinha lhe agradeceu muito e seguiu pelo caminho.

Chegou a um lugar onde havia um forno. E havia três mulheres que arrancavam os cabelos e com os cabelos varriam o forno. Perinha lhes deu as três libras de sorgo e elas começaram a varrer o forno com o sorgo e a deixaram passar.

Anda que anda, chegou a um lugar onde havia três mastins que latiam e pulavam em cima das pessoas. Perinha lhes jogou as três libras de pão e a deixaram passar.

Anda que anda, chegou a um rio de água vermelha feito sangue e não sabia como atravessá-lo. Mas a velhota tinha lhe dito que dissesse:

> *Torrentinha, linda torrentinha,*
> *Se não estivesse apressadinha*
> *Bem que beberia de canequinha.*

Perante tais palavras a água se retirou e a deixou passar.

Para além daquele rio, Perinha viu um dos palácios mais bonitos e maiores dentre todos os que existiam no mundo. Porém, a porta se abria e se fechava tão rápido que ninguém podia entrar. Então, Perinha untou os gonzos com as três libras de banha e a porta começou a se abrir e se fechar suavemente.

Tendo entrado no palácio, Perinha viu a arca do tesouro em cima de uma mesinha. Pegou-a e se preparou para sair, quando a pequena arca se pôs a falar.

— Porta, acabe com ela, porta, acabe com ela! — dizia a pequena arca.

E a porta respondia:

— Não, não acabo com ela, pois há muito ninguém me untava e ela me untou.

Perinha chegou ao rio e a pequena arca dizia:

— Rio, afogue-a, rio, afogue-a!

E o rio respondia:

— Não, não a afogo, pois me chamou de torrentinha linda torrentinha.

Chegou perto dos cães, e a pequena arca:

— Cães, comam-na, cães, comam-na!

E os cães:

— Não, não a comemos, pois nos deu três libras de pão.

Passou pelo forno:

— Forno, queime-a, forno, queime-a!

E as mulheres:

— Não, não a queimamos, pois nos deu três libras de sorgo e assim economizamos nossos cabelos.

Logo que chegou perto de casa, Perinha, curiosa como todas as meninas, quis ver o que havia na pequena arca. Abriu-a e pulou fora uma galinha com pintinhos de ouro. Corriam tão rápido que era impossível pegá-los. Perinha se pôs a correr atrás deles. Passou pela macieira e não os encontrou, passou pelo pessegueiro e não os encontrou, passou pela pereira e lá estava a velhinha com uma vareta na mão cuidando da galinha com os pintinhos de ouro.

— Xô, xô — fez a velhota, e a galinha com os pintinhos de ouro entrou de novo na pequena arca.

Ao voltar para casa, Perinha foi acolhida pelo filho do rei.

— Quando meu pai perguntar o que quer como prêmio, indique aquele caixote cheio de carvão que está na adega.

Na entrada do palácio real, estavam as criadas, o rei e todos os cortesãos, e Perinha entregou ao rei a galinha com os pintinhos de ouro.

— Peça o que quiser — disse o rei — que lhe darei.

E Perinha respondeu:

— O caixote de carvão que está na adega.

Deram-lhe o caixote de carvão, ela o abriu e pulou fora o filho do rei que se escondera lá dentro. Então o rei ficou contente de que Perinha desposasse seu filho.

O PRÍNCIPE-CANÁRIO

Era uma vez um rei que tinha uma filha. A mãe dessa filha morrera e a madrasta sentia ciúmes da filha e sempre falava mal dela para o rei. A moça vivia a desculpar-se e a desesperar-se; porém, a madrasta tanto falou e tanto fez que o rei, embora afeiçoado à filha, acabou dando razão à rainha: e disse-lhe de expulsá-la de casa. Contudo, devia colocá-la num lugar onde se instalasse bem, pois não admitiria que fosse maltratada.

— Quanto a isso — disse a madrasta —, fique tranquilo, não pense mais no caso. — E mandou encerrar a moça num castelo no meio do bosque. Destacou um grupo de damas da corte e as mandou para lá a fim de fazer companhia a ela, com a recomendação de que não a deixassem sair nem aproximar-se da janela. Naturalmente lhes pagava salários da casa real. A moça recebeu um aposento bem montado, podendo beber e comer tudo o que quisesse: só não podia sair. Todavia, as damas, bem pagas como eram, com tanto tempo livre, ficavam por conta própria e nem se preocupavam com ela.

De vez em quando o rei perguntava à mulher:

— E nossa filha, como vai? O que faz de bom?

E a rainha, para mostrar que se interessava por ela, foi visitá-la. No castelo, assim que desceu da carruagem, as damas correram todas ao seu encontro, dizendo-lhe que ficasse tranquila, que a moça estava muito bem e era muito feliz. A rainha subiu um momento até o quarto da moça.

— E então, está realmente bem? Não lhe falta nada, não é? Está com uma bela cor, vejo que a aparência é boa. Mantenha-se alegre, hein? Até a próxima! — E foi embora. Ao rei disse que jamais vira sua filha tão contente.

Contudo, a princesa, sempre sozinha naquele aposento, com as damas de companhia que nem olhavam para ela, passava os dias tristemente debruçada na janela. Debruçava-se com os braços apoiados no balcão e teria feito um calo nos cotovelos se não tivesse se lembrado de colocar uma almofada embaixo deles. A janela dava para o bosque e a princesa, durante o dia inteiro, só via os cimos das árvores, as nuvens e a trilha dos caçadores. Por ali um dia passou o filho de um rei. Perseguia um javali e, passando perto daquele castelo que sabia estar desabitado havia muito tempo, admirou-se ao ver sinais de vida: panos estendidos entre as ameias, fumaça nas chaminés, vidraças abertas. Observava tudo, quando descobriu, numa janela de cima, uma bela moça debruçada, e sorriu para ela. A moça também viu o príncipe, vestido de amarelo e com polainas de caçador e espingarda, que olhava para cima e sorria para ela, e ela também sorriu para ele. Ficaram assim uma hora, olhando-se e rindo, e também fazendo gestos e reverências, pois a distância que os separava não permitia outras comunicações.

No dia seguinte, aquele filho de rei vestido de amarelo, com a desculpa de ir caçar, estava lá de novo, e ficaram se olhando por duas horas; e aquela vez, além de sorrisos, gestos e reverências, puseram também uma das mãos no coração e acenaram lenços durante um bom tempo. No terceiro dia, o príncipe ficou três horas e chegaram a se mandar um beijo na ponta dos dedos. No quarto dia, estava lá como sempre, quando, de trás de uma árvore, apareceu uma bruxa e começou a zombar:

— Uah! Uah! Uah!

— Quem é você? De que está rindo? — disse energicamente o príncipe.

— Onde é que já se viu dois namorados tão estúpidos a ponto de ficarem tão distantes!

— Se soubesse como fazer para alcançá-la, avozinha! — disse o príncipe.

— Acho os dois simpáticos — disse a bruxa — e vou ajudá-los.

E, indo bater à porta do castelo, deu às damas de companhia um velho livraço ressequido e besuntado, dizendo que era um presente para a princesa, para que se distraísse lendo. As damas logo o levaram para a moça, que imediatamente o abriu e leu: "Este é um livro mágico. Se virar as páginas no sentido certo, o homem se transforma em pássaro e, se virar as páginas ao contrário, o pássaro se transforma de novo em homem".

A moça correu até a janela, pousou o livro no balcão e começou a virar as páginas às pressas enquanto observava o jovem vestido de amarelo, em pé no meio da trilha, e eis que, de jovem vestido de amarelo que era, mexia os braços, agitava as asas e se transformara num canário; o canário alçava voo, e eis que já era dono das alturas, acima das árvores, eis que se dirigia a ela e pousava na almofada do balcão. A princesa não resistiu à tentação de pegar aquele belo canário na palma da mão e beijá-lo, depois se lembrou de que era um jovem e se envergonhou, a seguir se lembrou disso de novo e já não se envergonhou, mas não via a hora de transformá-lo num jovem como antes. Retomou o livro, folheou-o ao contrário, e eis que o canário arrepiava as penas amarelas, agitava as asas, mexia os braços e era outra vez o rapaz vestido de amarelo com os trajes de caçador que se ajoelhava aos pés dela, dizendo-lhe:

— Eu te amo!

Depois que declararam todo o seu amor, já era noite. Lentamente, a princesa começou a virar as páginas do livro. O jovem, olhando-a nos olhos, transformou-se outra vez em canário, pousou no balcão, depois nas telhas do beiral, entregou-se ao vento e desceu voando em grandes círculos, indo parar num ramo de árvore baixo. Então ela virou as páginas ao contrário, o canário voltou a ser príncipe, o príncipe pulou para o chão, chamou os cães com um assovio, mandou um beijo em direção à janela e se afastou pela trilha.

E, assim, todos os dias o livro era folheado para fazer o príncipe voar até a janela no alto da torre, folheado de novo para devolver-lhe forma humana, depois folheado outra vez para fazê-lo voar e folheado de novo para que pudesse voltar para casa. Os dois jovens nunca tinham sido tão felizes.

Um dia, a rainha foi visitar a enteada. Passeou pelo aposento, dizendo sempre:

— Você está bem, não? Acho que está um pouco magra, mas não é nada sério, não é verdade? Você nunca esteve tão bem, não?

Entretanto, certificava-se de que tudo estava sob controle: abriu a janela, olhou para fora e na trilha lá embaixo viu o príncipe vestido de amarelo que se aproximava com seus cães. "Se essa dengosa acha que pode bancar a sedutora na janela, vou lhe dar uma lição", pensou. Pediu-lhe que fosse preparar um copo de água com açúcar; a seguir, arrancou cinco ou seis alfinetes do penteado e os espetou na almofada, de modo que ficassem com as pontas para cima, mas sem serem notados. "Assim vai aprender a ficar debruçada no balcão!" A moça voltou com a água com açúcar, e ela disse:

— Hum, passou a sede, beba você, queridinha! Tenho que voltar para perto de seu pai. Não está precisando de nada, não é? Então, adeus. — E foi embora.

Logo que a carruagem da rainha se afastou, a moça virou rápido as páginas do livro, o príncipe se transformou em canário, voou até a janela e lançou-se como uma flecha na almofada. Imediatamente se ouviu um agudo trinado de dor. As penas amarelas haviam se tingido de sangue, o canário enfiara os alfinetes no peito. Ergueu-se com um desesperado bater de asas, confiou-se ao vento, mergulhou num esvoaçar incerto e pousou no chão com as asas abertas. Assustada, sem perceber o que acontecera exatamente, a princesa virou depressa as folhas ao contrário, esperando que, se lhe devolvesse a forma humana, os ferimentos desapareceriam. Porém, ai, ai, ai, o príncipe ressurgiu jorrando sangue de profundas feridas que lhe dilaceravam no peito a roupa amarela e assim jazia de bruços, cercado por seus cães.

O ulular dos cães atraiu os caçadores, que o socorreram e o carregaram numa liteira de galhos, sem que pudesse ao menos alçar os olhos para a janela de sua amada, ainda aterrorizada de dor e espanto.

Conduzido ao seu palácio, o príncipe não dava sinais de recuperação e os médicos não eram capazes de confortá-lo. As feridas não cicatrizavam e continuavam a doer. O rei, seu pai, espalhou cartazes por todos os cantos, prometendo tesouros a quem soubesse como curá-lo; mas ninguém se apresentava.

Entretanto, a princesa se consumia por não poder chegar perto do amado. Começou a cortar os lençóis em tiras finas e a amarrá-las de modo a fazer uma corda comprida, e com essa corda, certa noite, escapou da altíssima torre. Saiu andando pela trilha dos caçadores. Mas, entre a escuridão de breu e os uivos dos lobos, achou que era melhor esperar o amanhecer e, tendo encontrado um velho carvalho com o tronco oco, entrou e se acomodou lá dentro, adormecendo logo, cansada como estava. Despertou quando ainda era noite alta: parecia-lhe ter ouvido um assovio. Apurou os ouvidos e escutou outro assovio, depois um terceiro e um quarto. E distinguiu quatro chamas de vela que se aproximavam. Eram quatro bruxas, que vinham dos quatro cantos do mundo e haviam marcado encontro embaixo daquela árvore. De uma fenda do tronco, a princesa, sem ser vista, espiava as quatro velhas com as velas nas mãos, que se faziam grandes festas e zombavam:

— Uah! Uah! Uah!

Acenderam uma fogueira junto à árvore e se sentaram para se aquecer e assar alguns morceguinhos para o jantar. Depois de terem comido bastante, começaram a se perguntar o que tinham visto de interessante pelo mundo.

— Vi o sultão dos turcos que comprou vinte mulheres novas.

— Vi o imperador dos chineses que deixou crescer o rabo de cavalo até alcançar três metros.

— Vi o rei dos canibais que comeu o camareiro por engano.

— Vi o rei daqui de perto que tem o filho doente e ninguém sabe a cura porque só eu sei.

— E qual é? — perguntaram as outras bruxas.

— No aposento dele há um taco solto, basta erguer o taco e se encontra uma ampola, na ampola há um unguento que faria desaparecer todas as feridas dele.

De dentro da árvore, a princesa estava para dar um grito de alegria: teve de morder um dedo para ficar quieta. As bruxas já tinham dito tudo o que tinham para se dizer e tomaram cada uma o seu caminho. A princesa pulou fora da árvore e, ao amanhecer, pôs-se a andar em direção à cidade. Na primeira loja de coisas usadas, comprou uma velha roupa de médico e uns óculos, e foi bater no palácio real. Os serviçais, vendo aquele doutorzinho mal-ajambrado, não queriam deixá-lo entrar, mas o rei disse:

— De qualquer jeito, não há de fazer mal ao meu pobre filho, que pior do que está não pode ficar. Deixem tentar também este.

O falso médico pediu que o deixassem sozinho com o doente, o que lhe foi concedido.

Quando chegou à cabeceira do amado, que gemia inconsciente em sua cama, a princesa queria explodir em lágrimas e cobri-lo de beijos, mas se conteve, pois devia executar rápido as prescrições da bruxa. Pôs-se a andar de um lado para o outro até encontrar um taco solto. Levantou-o e encontrou uma pequena ampola cheia de unguento. Com esse unguento, pôs-se a esfregar as feridas do príncipe, e bastava passar a mão cheia de unguento em cima da ferida que esta desaparecia. Toda contente, chamou o rei, e o rei viu o filho sem feridas, com o rosto cheio de cores, que dormia tranquilo.

— Peça o que quiser, doutor — disse o rei —, todas as riquezas do tesouro do Estado são para o senhor.

— Não quero dinheiro — disse o médico —, dê-me apenas o escudo do príncipe com o brasão da família, a bandeira do príncipe e sua jaqueta amarela, aquela perfurada e cheia de sangue. — Tendo recebido os três objetos, foi embora.

Após três dias, o filho do rei saiu de novo para caçar. Passou sob o castelo no meio do bosque, mas nem levantou os olhos para a janela da princesa. Ela pegou logo o livro, folheou-o, e o príncipe, mesmo contrariado, foi obrigado a se transformar em canário. Voou até o aposento e a princesa o fez se transformar de novo em homem.

— Deixe-me ir embora — disse ele —, não lhe basta ter me ferido com seus alfinetes e ter me causado tanto sofrimento? — De fato o príncipe perdera todo o amor pela moça, pensando que fosse ela a causadora da sua desgraça.

A moça estava a ponto de desmaiar.

— Mas eu o salvei! Fui eu quem o curou!

— Não é verdade — disse o príncipe. — Fui salvo por um médico forasteiro, que não pediu outra recompensa além do meu brasão, da minha bandeira e da minha jaqueta ensanguentada!

— Eis o seu brasão, eis a sua bandeira e eis a sua jaqueta! Era eu aquele médico! Os alfinetes foram uma crueldade da minha madrasta!

O príncipe, atordoado, olhou-a nos olhos por um momento. Jamais lhe parecera tão linda. Caiu a seus pés, pedindo-lhe perdão e declarando toda a sua gratidão e o seu amor.

Na mesma noite, disse ao pai que queria casar com a moça do castelo do bosque.

— Você só pode desposar a filha de um rei ou de um imperador — disse o pai.

— Desposo a mulher que me salvou a vida.

E prepararam as núpcias, convidando todos os reis e as rainhas da região. Veio também o rei, pai da princesa, sem saber de nada. Quando viu adiantar-se a noiva, exclamou:

— Minha filha!

— Como? — disse o rei dono da casa. — A noiva de meu filho é sua filha? E por que não nos disse?

— Porque — disse a noiva — não me considero mais filha de um homem que me deixou ser aprisionada por minha madrasta. — E apontou o indicador para a rainha.

O pai, ao ouvir todas as desgraças da filha, foi tomado de pena por ela e de desdém pela sua pérfida mulher. E nem esperou voltar para casa para mandar prendê-la. E, assim, o casamento foi celebrado com satisfação e alegria por todos, exceto por aquela desgraçada.

OS BIELLENSES, GENTE DURA

Certo dia, um camponês descia para Biella. O tempo estava tão feio que quase não dava para andar pela estrada. Mas o camponês tinha um compromisso importante e continuava a caminhar de cabeça baixa, enfrentando a chuva e a tempestade.

Encontrou um velho que lhe disse:

— Bom dia! Aonde vai, bom homem, com tanta pressa?

— Para Biella — disse o camponês sem se deter.

— Poderia dizer ao menos: "se Deus quiser".

O camponês parou, encarou o velho e contestou:

— Se Deus quiser, vou para Biella; e, se Deus não quiser, vou do mesmo jeito.

Ora, aconteceu que aquele velho era o Senhor.

— Então, você irá para Biella dentro de sete anos — disse-lhe. — Nesse ínterim, dê um mergulho naquele pântano e fique por lá sete anos.

E o camponês se transformou em rã de um só golpe, deu um salto e sumiu no pântano.

Passaram-se sete anos. O camponês saiu do pântano, virou homem, enfiou o chapéu na cabeça e retomou a estrada para o mercado.

Após alguns passos, eis de novo aquele velho.

— Aonde é que vai, bom homem?

— Para Biella.

— Poderia dizer: "se Deus quiser".

— Se Deus quiser, melhor; caso contrário, já conheço as regras, e posso ir sozinho para o pântano.

E não houve jeito de arrancar nem mais uma palavra dele.

A LINGUAGEM DOS ANIMAIS

Um rico comerciante tinha um filho chamado Babu, esperto e com muita vontade de aprender. O pai o deixou sob os cuidados de um professor muito sábio, para que lhe ensinasse todas as línguas.

Concluídos os estudos, Babu voltou para casa e, certa tarde, passeava com o pai pelo jardim. Numa árvore, os pássaros gritavam: um chilreio ensurdecedor.

— Estes passarinhos estouram meus tímpanos todas as tardes — disse o comerciante tapando os ouvidos.

E Babu:

— Quer que lhe explique o que estão dizendo?

O pai olhou para ele admirado.

— Como pretende saber o que dizem os pássaros? Será que você é um adivinho?

— Não, mas o professor me ensinou a linguagem de todos os animais.

— Ah, estou vendo que apliquei bem o meu dinheiro! — disse o pai. — O que terá entendido aquele professor? Eu queria que lhe ensinasse as línguas que falam os homens, não as dos animais!

— As línguas dos animais são mais difíceis, e o professor quis começar por elas.

O cão corria ao encontro deles latindo. E Babu:

— Quer que lhe explique o que ele está dizendo?

— Não! Pare de me aborrecer com sua linguagem dos animais! Quanto dinheiro desperdiçado!

Passeavam ao longo de um fosso, e as rãs coaxavam.

— Só faltavam as rãs para me alegrar... — resmungava o pai.

— Pai, quer que lhe explique... — começou Babu.

— Vá para o diabo você e quem lhe ensinou!

E o pai, furioso por ter jogado dinheiro fora na educação do filho e com a ideia de que tal conhecimento da linguagem animal fosse uma espécie de bruxaria, chamou dois empregados e disse o que deveriam fazer no dia seguinte.

De manhã, Babu foi despertado, um dos empregados o fez subir na carruagem e se sentou ao lado dele; o outro, instalado no lugar do cocheiro, açoitou os cavalos e partiram a galope. Babu não sabia nada daquela viagem, mas notou que o criado que estava ao seu lado tinha os olhos tristes e inchados.

— Aonde vamos? — perguntou-lhe. — Por que está tão triste? — Mas o criado permanecia em silêncio.

Então os cavalos se puseram a relinchar, e Babu entendeu o que diziam:

— Triste viagem é esta, levamos o patrãozinho para a morte.

E o outro respondia:

— Cruel foi a ordem de seu pai.

— Então, vocês receberam ordem de meu pai para acabar comigo? — disse Babu aos criados.

Os criados estremeceram:

— Como é que soube? — perguntaram.

— Os cavalos me contaram — disse Babu. — Então me matem logo. Por que me fazer sofrer esperando?

— Não temos coragem para tanto — disseram os criados.

— Procuramos um meio de salvá-lo.

Nisso, o cão os alcançou, latindo, pois perseguia a carruagem desde a partida. E Babu compreendeu que dizia:

— Para salvar meu patrãozinho, daria a minha vida!

— Se meu pai é cruel — disse Babu —, também existem criaturas fiéis; vocês, meus caros criados, e este cão que se diz disposto a dar a vida por mim.

— Então — disseram os criados —, vamos matar o cão e levar o coração dele para o patrão. O senhor, patrãozinho, fuja.

Babu abraçou os empregados e o cão fiel, e partiu para o desconhecido. À noite, chegou a uma casa e pediu pousada aos camponeses. Estavam jantando quando, do pátio, vieram os latidos do cão. Babu ficou escutando à janela, depois disse:

— Apressem-se, mandem as mulheres e os filhos para a cama, e vocês se armem até os dentes e fiquem alerta. À meia-noite, vai aparecer um bando de malandros para assaltá-los.

Os camponeses pensaram que ele tinha enlouquecido.

— Mas como é que sabe? Quem lhe disse?

— Soube por intermédio do cão que latia para avisá-los. Pobre animal, se não fosse por mim, teria desperdiçado o fôlego. Se me ouvirem, estão salvos.

Os camponeses, com os fuzis, ficaram de tocaia atrás de uma sebe. As mulheres e os filhos se fecharam em casa. À meia-noite, ouviu-se um assovio, depois outro e mais outro; em seguida, gente se movendo. Da sebe partiu uma descarga de chumbo. Os ladrões se lançaram em fuga; dois ficaram estendidos na lama, com as facas na mão.

Foram feitos muitos elogios a Babu, e os camponeses queriam que permanecesse ali, mas ele se despediu e continuou sua viagem.

Anda que anda e, à noite, chega a outra casa de camponeses. Está em dúvida se bate ou não à porta, quando ouve um coaxar de rãs no fosso. Fica atento; discutiam:

— Vá, jogue a hóstia! Para mim! Para mim! Se não passarem a hóstia para mim, não jogo mais! Você não a segura e acaba rachando! Nós a conservamos inteira por tantos anos!

Aproxima-se e observa: as rãs jogavam bola com uma hóstia consagrada. Babu fez o sinal da cruz.

— Já são seis anos que está aqui no fosso! — disse uma rã.

— Desde que a filha do camponês foi tentada pelo demônio e, em vez de fazer a comunhão, escondeu a hóstia no bolso; e depois, voltando da igreja, jogou-a aqui no fosso.

Babu bateu à porta. Convidaram-no para jantar. Falando com o camponês, ficou sabendo que ele tinha uma filha, sofrendo de uma doença havia seis anos, mas que nenhum médico sabia qual era, e agora ela estava no fim da vida.

— É claro! — disse Babu. — É punição divina. Há seis anos, jogou no fosso a hóstia consagrada. É preciso procurar essa hóstia e depois fazê-la comungar devotamente; então ficará curada.

O camponês estremeceu.

— Mas quem lhe contou tudo isso?

— As rãs — disse Babu.

O camponês, mesmo sem entender, procurou no fosso, encontrou a hóstia, fez com que a filha comungasse e ela se curou. Não sabiam como recompensar Babu, mas ele não quis nada, despediu-se e retomou seu caminho.

Num dia de intenso calor, encontrou dois homens que descansavam à sombra de uma castanheira. Deitou-se ao lado deles e pediu se podia lhes fazer companhia. Começaram a conversar:

— Vocês dois vão para onde?

— Vamos para Roma. Não soube que o papa morreu e vão eleger o novo papa?

Entretanto, nos ramos da castanheira pousou um bando de pássaros.

— Estes passarinhos também estão indo para Roma — disse Babu.

— E como é que sabe? — perguntaram os dois.

— Entendo a linguagem deles — disse Babu. Apurou os ouvidos depois: — Sabem o que dizem?

— O quê?

— Dizem que um de nós três será eleito papa.

Naquele tempo, para eleger o papa, libertava-se uma pomba para que voasse pela praça de São Pedro cheia de gente. O homem em cuja cabeça a pomba pousasse devia ser eleito papa. Os três chegaram à praça apinhada de gente e se perderam no meio da multidão. A pomba voou, voou e pousou na cabeça de Babu.

Em meio a cantos e gritos de alegria foi erguido num trono e vestido com roupas preciosas. Levantou-se para dar a bênção e no silêncio que se fizera na praça se ouviu um grito. Um velho caíra por terra como morto. O novo papa acorreu e no velho reconheceu seu pai. O remorso o matara e mal tivera tempo de pedir perdão ao filho, antes de expirar entre seus braços.

Babu o perdoou e foi um dos melhores papas que a Igreja teve.

AS TRÊS CASINHAS

Ao morrer, uma pobre mulher chamou as três filhas e falou assim:

— Minhas filhas, dentro em pouco estarei morta e vocês vão ficar sozinhas no mundo. Quando eu não estiver mais aqui, façam assim: procurem seus tios e peçam que construam uma casa para cada uma. Queiram-se bem. Adeus. — E expirou. As três moças saíram chorando.

Puseram-se a caminho e encontraram um tio, fabricante de esteiras. Catarina, a mais velha, disse:

— Tio, nossa mãe morreu; o senhor, que é tão bom, faça uma casinha de esteiras para mim.

E o tio, fabricante de esteiras, fez a casinha de esteiras para ela.

As outras duas irmãs seguiram em frente e encontraram um tio, marceneiro. Disse Júlia, a do meio:

— Tio, nossa mãe morreu; o senhor, que é tão bom, faça uma casinha de madeira para mim.

E o tio, marceneiro, fez a casinha de madeira para ela.

Restou só Marieta, a caçula, e seguindo o seu caminho encontrou um tio, ferreiro.

— Tio — disse-lhe —, mamãe morreu; o senhor, que é tão bom, faça uma casinha de ferro para mim.

E o tio, ferreiro, fez a casinha de ferro para ela.

À noite, apareceu o lobo. Foi à casinha de Catarina e bateu à porta. Catarina perguntou:

— Quem é?

— Sou um pobre pintinho, todo molhado; abra para mim por caridade.

— Vá embora; você é o lobo e quer me devorar.

O lobo deu um empurrão nas esteiras, entrou e devorou Catarina de uma só vez.

No dia seguinte, as duas irmãs foram visitar Catarina. Encontraram as esteiras arrancadas e a casinha vazia.

— Oh, coitadas de nós! — disseram. — Certamente o lobo engoliu nossa irmã mais velha.

Ao anoitecer, reapareceu o lobo e foi à casa de Júlia. Bateu, e ela:

— Quem é?

— Sou um pintinho desgarrado, dê-me abrigo por piedade.

— Não, você é o lobo e quer me devorar como fez com minha irmã.

O lobo deu um empurrão na casinha de madeira, escancarou a porta e Júlia sumiu na goela dele.

De manhã, Marieta vai visitar Júlia, não a encontra e diz com seus botões: "O lobo a devorou! Pobre de mim, fiquei sozinha neste mundo".

À noite, o lobo foi à casinha de Marieta.
— Quem é?
— Sou um pobre pintinho gelado de frio, estou lhe implorando, deixe-me entrar.
— Vá embora, pois é o lobo e, do mesmo modo como devorou minhas irmãs, quer me devorar.

O lobo dá um empurrão na porta, mas a porta era feita de ferro como toda a casa e o lobo quebra um ombro. Urrando de dor, corre até o ferreiro.
— Conserte o meu ombro — disse-lhe.
— Conserto o ferro, não os ossos — disse o ferreiro.
— Acontece que arrebentei os ossos com o ferro, portanto é você quem deve me consertar — disse o lobo.

Então o ferreiro pegou o martelo e os pregos e lhe consertou o ombro.

O lobo voltou à casa de Marieta e se pôs a falar bem perto da porta:
— Escute, Marietinha, por sua culpa quebrei um ombro, mas gosto de você assim mesmo. Se sair comigo amanhã cedo, vamos colher grãos-de-bico num campo aqui perto.

Marieta respondeu:
— Sim, sim. Venha me buscar.

Mas, esperta como era, percebera que o lobo queria apenas fazê-la sair de casa para devorá-la. Por isso, no dia seguinte, levantou-se antes da aurora, foi ao campo de grãos-de-bico e colheu um avental cheio. Voltou para casa, pôs os grãos-de-bico para cozinhar e jogou as cascas pela janela. Às nove, apareceu o lobo.

— Marietinha, linda, venha comigo colher grãos-de-bico.
— Não, não vou de jeito nenhum, tonto: já colhi os grãos-de-bico, olhe embaixo da janela e verá as cascas, cheire a fumaça que sai pela chaminé e sentirá o odor, a você só resta lamber os beiços.

O lobo estava danado de raiva, mas disse:
— Não faz mal, amanhã cedo venho buscá-la às nove e iremos colher tremoços.

— Sim, sim — disse Marieta —, eu o espero às nove.

Porém, levantou-se cedo outra vez, foi ao campo de tremoços, colheu um avental cheio deles e os levou para cozinhar. Quando o lobo veio buscá-la, mostrou-lhe as cascas fora da janela.

O lobo jurava vingança consigo mesmo, mas a ela disse:

— Espertinha, hein, me enganou! Mas continuo gostando muito de você! Amanhã, você deve vir comigo a um campo que eu conheço. Lá vamos encontrar abóboras que são uma maravilha e faremos uma bela refeição.

— Mas é claro que vou — disse Marieta.

No dia seguinte correu ao campo das abóboras antes do amanhecer, porém dessa vez o lobo não esperou as nove; e correu também ao campo das abóboras para devorar Marieta de uma só vez.

Assim que Marieta viu o lobo ao longe, não sabendo para onde fugir, fez um buraco numa grande abóbora e se escondeu lá dentro. O lobo, que sentia cheiro de cristão, fareja as abóboras, mexe e remexe, e não a encontra. Pensou então: "Já deve ter voltado para casa. Vou me fartar de abóboras sozinho", e começou a comer abóboras desbragadamente.

Marieta tremia ao sentir que o lobo se aproximava de sua abóbora, imaginando que a comeria com ela dentro. Mas quando chegou a vez da abóbora de Marieta o lobo já estava saciado.

— Esta, que é tão grande — disse —, vou levá-la de presente para Marieta, para fazer com que se torne minha amiga. — Abocanhou a abóbora e segurando-a entre os dentes correu até a casinha de ferro e a jogou pela janela.

— Minha Marietinha! — disse. — Olhe que lindo presente eu lhe trouxe.

Marietinha, já em segurança em sua casa, pulou fora da abóbora, fechou a janela e por trás da vidraça provocou o lobo com os dedos em forma de chifre.

— Obrigada, amigo lobo — disse-lhe —, eu estava escondida na abóbora e você me trouxe até em casa.

Ao ouvir isso, o lobo começou a bater a cabeça contra as pedras.

À noite, nevava. Marieta se aquecia junto à lareira, quando ouviu um barulho no tubo da chaminé. "É o lobo que vem me devorar", pensou. Pegou um caldeirão cheio de água e o colocou no fogo para ferver. Devagar, devagarinho, o lobo desce pela chaminé, dá um salto pensando que está saltando em cima da moça, mas cai na água fervendo e morre. Assim, a esperta Marieta se livrou do inimigo e viveu tranquila por toda a sua vida.

A TERRA ONDE NÃO SE MORRE NUNCA

Certo dia, um jovem disse:
— Não me agrada muito esta história de que um dia todos devem morrer: quero procurar a terra onde não se morre nunca.

Despede-se do pai, da mãe, dos tios e primos, e parte. Anda dias, anda meses, e a todos os que encontrava perguntava se sabiam lhe ensinar o caminho do lugar onde não se morre nunca: mas ninguém sabia. Um dia encontrou um velho, com uma barba branca até o peito, que empurrava uma carriola cheia de pedras. Perguntou-lhe:

— Sabe me indicar onde é o lugar em que não se morre nunca?

— Não quer morrer? Fique comigo. Enquanto eu não tiver terminado de transportar com a minha carriola toda aquela montanha, pedra por pedra, você não há de morrer.

— E quanto tempo vai levar para desmanchá-la?
— Vou levar cem anos.
— E depois deverei morrer?
— Não há outro jeito.
— Não, este não é o lugar para mim: quero ir a um lugar onde não se morra nunca.

Cumprimenta o velho e segue em frente. Anda que anda, e

chega a um bosque tão grande que parecia sem fim. Havia um velho com uma barba até o umbigo que cortava galhos com uma podadeira. O jovem lhe perguntou:

— Por favor, um lugar onde não se morra nunca, sabe me dizer onde é?

— Fique comigo — disse-lhe o velho. — Enquanto eu não tiver cortado o bosque inteiro com a minha podadeira, você não há de morrer.

— E quanto tempo vai levar?

— Hum! Duzentos anos.

— E depois deverei morrer do mesmo jeito?

— Certamente. Não lhe basta?

— Não, este não é o lugar para mim: vou em busca de um lugar onde não se morra nunca.

Despediram-se, e o jovem seguiu adiante. Depois de alguns meses, chegou à beira-mar. Havia um velho com a barba até os joelhos, que observava um pato beber água do mar.

— Por favor, conhece o lugar onde não se morre nunca?

— Se tem medo de morrer, fique comigo. Olhe: enquanto este pato não tiver enxugado o mar com seu bico, você não há de morrer.

— E quanto tempo vai levar?

— Cerca de trezentos anos.

— E depois será preciso que eu morra?

— E o que pretende? Quantos anos mais gostaria de viver?

— Não: tampouco este lugar serve para mim; tenho que ir para onde não se morre nunca.

Retomou o caminho. Uma noite chegou a um palácio magnífico. Bateu, e quem abriu foi um velho com a barba até os pés:

— O que deseja, bom jovem?

— Estou à procura do lugar onde não se morre nunca.

— Então acertou. Este é o lugar onde não se morre nunca. Enquanto ficar aqui comigo, esteja seguro de que não morrerá.

— Finalmente! Andei um bocado! Este é exatamente o lugar que procurava. Mas e o senhor? Está contente de que eu esteja aqui?

— Claro que sim, muito contente: vai me fazer companhia.

Assim o jovem se estabeleceu no palácio com aquele velho e levava vida de senhor. Passavam os anos e ninguém se apercebia: anos, anos e anos. Um dia o jovem disse ao velho:

— Puxa vida, junto com o senhor a gente se sente realmente bem, mas gostaria de ir ver como andam meus parentes.

— Mas que parentes você quer ir ver? A esta altura estão todos mortos há muito tempo.

— Bem, que quer que lhe diga? Tenho vontade de rever minha terra natal, e quem sabe não encontro os filhos dos filhos dos meus parentes.

— Se está mesmo decidido, vou lhe ensinar como deve fazer. Vá até a estrebaria, pegue meu cavalo branco, que possui a virtude de andar como o vento, mas lembre-se de não descer jamais da sela, por nenhuma razão, pois, se descer, morrerá no mesmo instante.

— Fique tranquilo, não desmonto: tenho muito medo de morrer!

Foi à estrebaria, preparou o cavalo branco, montou e lançou-se com a força do vento. Passa no lugar em que encontrara o velho com o pato: onde antes ficava o mar agora havia um grande prado. De um lado havia uma pilha de ossos: eram os ossos do velho. "Veja só", disse o jovem consigo mesmo, "fiz bem em seguir adiante; se tivesse ficado com esse aí a esta hora também eu estaria morto!"

Continuou seu caminho. Onde existia aquele grande bosque que um velho devia cortar com a podadeira, agora havia um descampado: não se via mais nem uma árvore. "Também junto com este aqui", pensou o jovem, "já estaria morto há um bom tempo!"

Passou pelo lugar onde existia aquela enorme montanha que um velho devia desmanchar pedra por pedra: agora havia uma planície achatada como um bilhar.

— Com este aqui já estaria mais do que morto!

Anda que anda, e chega à terra natal, mas esta mudara tanto que não a reconhecia mais. Procura sua casa, mas não existia mais nem mesmo a rua. Pergunta pelos seus, porém ninguém jamais ouvira seu sobrenome. Ficou mal. "É melhor que regresse logo", disse para si mesmo.

Virou o cavalo e tomou o caminho de volta. Não estava nem mesmo na metade do caminho quando encontrou um carreteiro, que conduzia uma carroça cheia de sapatos velhos, puxada por um boi.

— Senhor, faça uma caridade! — disse o carreteiro. — Desça um momento e me ajude a levantar esta roda, que saiu fora da trilha.

— Tenho pressa, não posso descer da sela — disse o jovem.

— Conceda-me esta graça, veja que estou sozinho, a noite vem chegando...

O jovem se apiedou dele e desmontou. Ainda estava com um pé no estribo e outro no chão quando o carreteiro o agarrou por um braço e disse:

— Ah! finalmente o peguei! Sabe quem sou? Sou a Morte! Está vendo todos aqueles sapatos furados ali na carroça? São todos os que me fez gastar para correr atrás de você. Agora consegui! Todos têm que acabar nas minhas mãos, não há escapatória!

E ao pobre jovem, também a ele só restou morrer.

AS TRÊS VELHAS

Era uma vez três irmãs, todas as três jovens: uma tinha sessenta e sete anos, a outra setenta e cinco e a terceira noventa e quatro. E essas moças possuíam uma casa com um belo balcão, e este balcão tinha um buraco no meio, para ver as pessoas que passavam pela rua. A de noventa e quatro anos viu passar um lindo jovem; depressa, pegou seu lencinho mais fino e perfumado e, enquanto o jovem passava sob o balcão, deixou-o cair. O jovem recolheu o lencinho, sentiu aquele odor suave e pensou:

"Deve ser de uma belíssima donzela". Deu alguns passos, voltou e tocou a campainha da casa. Uma das três irmãs veio abrir e o jovem lhe perguntou:

— Por favor, nesta casa reside uma moça?

— Sim, senhor, e não é só uma!

— Faça-me um favor: gostaria de ver a que perdeu este lenço.

— Não, sabe, não é permitido — respondeu ela —, nesta casa é costume não se poder ver a mulher antes do casamento.

O jovem já se deixara envolver, imaginando a beleza daquela moça, e disse:

— Não faz diferença. Casarei com ela mesmo sem vê-la. Agora vou ter com minha mãe para lhe dizer que encontrei uma belíssima jovem e quero desposá-la.

Foi para casa e contou tudo à sua mãe, que lhe disse:

— Querido filho, pense bem no que faz, cuidado para não ser enganado. Antes de fazer uma coisa dessas é preciso pensar bem.

E ele:

— Para mim dá no mesmo. Palavra de rei não volta atrás.

— Pois aquele jovem era um rei.

Volta à casa da noiva, toca a campainha e sobe.

Aparece a mesma velha e ele lhe pergunta:

— Só uma coisa, a senhora é a avó dela?

— Sim, sim: a avó dela.

— Já que é avó dela, faça-me este favor: mostre-me pelo menos um dedo daquela moça.

— Por enquanto não. É preciso que venha amanhã.

O jovem se despediu e foi embora. Assim que ele saiu, as velhas fabricaram um dedo falso, com um dedo de luva e uma unha postiça. Entretanto, roído pelo desejo de ver aquele dedo, ele não conseguiu dormir à noite. Amanheceu, vestiu-se, correu até a casa.

— Senhora — disse à velha —, estou aqui: vim para ver o dedo de minha noiva.

— Sim, sim — disse ela —, já, já. Poderá vê-lo por este buraco da porta.

E a noiva exibiu o dedo falso pela fechadura. O jovem viu que era um belíssimo dedo; deu-lhe um beijo e colocou nele um anel de diamantes. Depois, loucamente apaixonado, disse à velha:

— Vovó, fique sabendo que desejo casar o mais rápido possível, não posso mais esperar.

E ela:

— Amanhã mesmo, se quiser.

— Muito bem! Caso amanhã, palavra de rei!

Ricos como eram, podiam providenciar as núpcias de um dia para o outro, já que não lhes faltava nada; e no dia seguinte a noiva se preparava com a ajuda das duas irmãzinhas. O rei chegou e disse:

— Vovó, estou aqui.

— Espere aqui um momento, que já vamos trazê-la.

E as duas velhas vieram conduzindo a terceira pelo braço, coberta por sete véus.

— Lembre-se bem — disseram ao noivo —, até chegar ao quarto nupcial, não é permitido vê-la.

Foram à igreja e casaram-se. Depois o rei queria que participassem de um banquete, mas as velhas não permitiram.

— Sabe, a noiva não está habituada a estas coisas.

E o rei teve de calar-se. Não via a hora que chegasse a noite, para ficar sozinho com a esposa. Mas as velhas acompanharam a mulher até o quarto e não o deixaram entrar porque tinham de despi-la e colocá-la na cama. Finalmente ele entrou, sempre com as duas velhas atrás, e a esposa estava debaixo das cobertas. Ele se despiu e as velhas foram embora levando o candeeiro. Mas ele trouxera uma vela no bolso, acendeu-a e quem encontrou pela frente? Uma velha decrépita e enrugada!

A princípio, ficou imóvel e sem palavras devido ao susto; depois, foi tomado de uma raiva tão grande, que agarrou a mulher com violência, levantou-a e a fez voar pela janela.

Sob a janela havia a pérgola de uma vinha. A velha arrebentou a pérgola e ficou pendurada num pau pela fímbria da camisola.

Naquela noite, três fadas passeavam pelos jardins: passando

sob a pérgola, viram a velha balançando. Diante de tal espetáculo inesperado, todas as três fadas explodiram em risos, tanto que no final sentiam a barriga doer. Mas, quando pararam de rir, uma delas disse:

— Agora que rimos tanto às suas custas, temos que lhe dar uma recompensa.

E uma das fadas adiantou-se:

— Claro que vamos lhe dar. Ordeno, ordeno que você se torne a mais bela jovem que se possa ver com dois olhos.

— Ordeno, ordeno — disse outra fada — que você tenha um belíssimo marido que a ame e proteja.

— Ordeno, ordeno — disse a terceira — que você seja uma grande senhora por toda a vida.

E as três fadas foram embora.

Assim que clareou, o rei despertou e se lembrou de tudo. Para certificar-se de que tudo não havia passado de um sonho terrível, abriu as janelas para ver aquele monstro que havia jogado lá embaixo na noite anterior. E eis que vê, apoiada na pérgola da vinha, uma belíssima jovem. Pôs as mãos na cabeça.

— Coitado de mim, o que fiz!

Não sabia como fazer para trazê-la para cima; por fim, pegou um lençol da cama, jogou-lhe uma ponta para que pudesse se agarrar e a puxou para o aposento. E quando a teve ao seu lado, feliz e ao mesmo tempo cheio de remorsos, começou a lhe pedir perdão. A esposa o perdoou e assim passaram a entender-se muito bem.

Depois de algum tempo ouviu bater.

— É a vovó — disse o rei. — Entre, entre!

A velha entrou e viu na cama, no lugar da irmã de noventa e quatro anos, aquela belíssima jovem. E essa belíssima jovem, como se não houvesse acontecido nada, disse-lhe:

— Clementina, traga o café para mim.

A velha tapou a boca com uma das mãos para sufocar um grito de espanto; controlou-se e levou o café para ela. Mas, assim que o rei saiu para tratar de seus negócios, correu até a mulher e lhe perguntou:

— Mas como é que você se tornou assim tão jovem?

E a mulher:

— Silêncio, silêncio, por caridade! Se soubesse o que fiz! Deixei que me aplainassem!

— Aplainassem! Conte-me, conte-me logo! Quem fez isso? Pois quero que me aplainem.

— O marceneiro!

A velha voou até o marceneiro.

— Marceneiro, poderia me dar uma aplainada?

E o marceneiro:

— Oh, por Deus! Certo que a senhora é magra como uma tábua, mas, se eu a aplainar, vai direto para o outro mundo.

— Não pense nisso, senhor.

— Como: não penso? E depois que eu a tiver matado?

— Não pense nisso. Dou-lhe uma moeda de ouro.

Quando ouviu dizer "ouro", o marceneiro mudou de ideia. Pegou a moeda e disse:

— Deite-se aqui no banco que a aplaino quantas vezes quiser. — E começou aplainar uma bochecha.

A velha deu um berro.

— Como é que é? Se gritar, não fazemos nada.

Ela se virou para o outro lado, e o marceneiro lhe aplainou a outra bochecha. A velha não gritou mais: já estava morta.

Da outra nunca se soube que fim levou. Se foi sufocada, degolada, morta em sua cama ou quem sabe onde: não se pode saber.

E a mulher ficou sozinha em casa com o jovem rei, e foram felizes para sempre.

O PRÍNCIPE-CARANGUEJO

Era uma vez um pescador que não conseguia nunca pescar o suficiente para comprar polenta para sua família. Um dia, ao puxar as redes, sentiu um peso impossível de levantar, puxa que puxa, e era um caranguejo tão grande que dois olhos não bastavam para vê-lo inteiro.

— Puxa, que pescaria eu fiz desta vez! Quem sabe com isso poderei comprar a polenta para as minhas crianças!

Voltou para casa com o caranguejo nas costas e disse à mulher para pôr a panela no fogo, pois voltaria com a polenta. E foi levar o caranguejo ao palácio do rei.

— Excelsa Majestade — disse ao rei —, vim ver se me concede a graça de comprar este caranguejo. Minha mulher pôs a panela no fogo, mas não tenho o dinheiro para comprar a polenta.

O rei respondeu:

— Mas o que espera que eu faça com um caranguejo? Não poderia oferecê-lo a outra pessoa?

Naquele instante, entrou a filha do rei:

— Oh, que lindo caranguejo, que lindo caranguejo! Paizinho, compre-o para mim, compre-o para mim, suplico-lhe. Vamos colocá-lo no aquário junto com os peixes cabeçudos e dourados.

Essa filha do rei era apaixonada por peixes e ficava horas sentada à beira do aquário no jardim, observando os dourados e cabeçudos nadar. O pai só tinha olhos para ela e a contentou. O pescador colocou o caranguejo no aquário e recebeu uma bolsa de moedas de ouro que bastava para dar polenta aos filhos durante um mês.

A princesa não se cansava de observar aquele caranguejo e não se afastava mais do aquário. Aprendera tudo sobre ele, os hábitos que tinha, e sabia até que de meio-dia até as três desaparecia e não se sabia onde ia parar. Certo dia, a filha do rei estava ali a contemplar seu caranguejo, quando ouviu tocar a campainha. Debruçou-se na sacada e viu um pobre vagabundo que pedia esmola. Jogou-lhe uma bolsa com moedas de ouro, mas o vagabundo não foi ágil para apanhá-la no ar e ela caiu num fosso. O vagabundo desceu no fosso para procurá-la, mergulhou e se pôs a nadar. O fosso tinha comunicação com o aquário do rei através de um canal subterrâneo que continuava até não se sabe onde. Continuando a nadar debaixo d'água, o vagabundo foi dar numa bela banheira, no meio de uma grande sala subterrânea forrada de cortinas e com uma mesa posta. O vagabundo saiu da banheira e se escondeu atrás das cortinas. Ao meio-dia em ponto, do centro da banheira emergiu uma fada sentada nas costas de um caranguejo. A fada e o caranguejo pularam para a sala, a fada tocou o caranguejo com sua varinha, e da casca do caranguejo saiu um belo jovem. O jovem se sentou à mesa, a fada bateu a varinha, e nos pratos surgiram alimentos e nas garrafas, vinho. Depois que o jovem comeu e bebeu, retornou à casca do caranguejo, a fada o tocou com a varinha e o caranguejo a recolocou na garupa, submergiu na banheira e desapareceu com ela sob a água.

Então o vagabundo saiu de trás das cortinas, mergulhou também na banheira e nadou até desembocar no aquário do rei. A filha do rei estava lá observando seus peixes, viu aflorar a cabeça do vagabundo e disse:

— Oh, o que está fazendo aqui?

— Silêncio, patroazinha — disse o vagabundo —, tenho uma coisa maravilhosa para lhe contar. — Saiu e lhe contou tudo.

— Agora entendo aonde vai o caranguejo de meio-dia às três! — disse a filha do rei. — Bem, amanhã ao meio-dia, iremos juntos para verificar.

Assim, no dia seguinte, nadando pelo canal subterrâneo, do aquário chegaram à sala e se esconderam ambos atrás das cortinas. E eis que, ao meio-dia, aparece a fada na garupa do caranguejo. A fada bate a varinha e da casca do caranguejo sai o belo jovem e vai almoçar. À princesa, se o caranguejo lhe agradava, o jovem saído do caranguejo lhe agradava ainda mais, e ela logo se apaixonou.

E, notando que a casca do caranguejo, vazia, encontrava-se perto dela, enfiou-se lá dentro, sem que ninguém a visse.

Quando o jovem voltou a entrar na casca do caranguejo, encontrou lá dentro aquela bela moça.

— O que fez? — perguntou-lhe baixinho —, se a fada perceber, acaba com os dois.

— Mas eu quero livrá-lo do encanto! — disse-lhe, também baixinho, a filha do rei. — Ensine-me o que devo fazer.

— Não é possível — disse o jovem. — Para libertar-me seria necessário uma moça que me amasse e estivesse pronta a morrer por mim.

A princesa disse:

— Sou eu essa moça!

Enquanto se desenrolava este diálogo no interior da casca do caranguejo, a fada se sentara na garupa, e o jovem, manobrando as patas do caranguejo como de hábito, transportava-a pelas vias subterrâneas rumo ao mar aberto, sem que ela suspeitasse que junto dele estava escondida a filha do rei. Tendo deixado a fada e voltando a nadar rumo ao aquário, o príncipe — pois se tratava de um príncipe — explicava à amada, apertadinhos dentro da casca do caranguejo, o que deveria fazer para libertá-lo:

— Você tem que andar até uma rocha à beira-mar e se pôr a tocar e cantar. A fada é louca por música e sairá do mar para ouvi-la e lhe dirá: "Toque, bela jovem, gosto tanto". E você responderá: "Claro que toco, basta que a senhora me dê a flor que traz na cabeça". Quando tiver aquela flor entre as mãos, ficarei livre, pois aquela flor é a minha vida.

Entretanto, o caranguejo voltara para o aquário e deixou a filha do rei sair da casca.

O vagabundo retornara a nado por sua conta, e, não tendo mais encontrado a princesa, chegou a pensar que se metera numa grande confusão, mas a jovem reapareceu fora do aquário e lhe agradeceu e o recompensou generosamente. A seguir, disse ao pai que desejava aprender música e canto. O rei, que a satisfazia em tudo, mandou chamar os maiores músicos e cantores para lhe dar aulas.

Assim que aprendeu, a filha comunicou ao rei:

— Papai, quero tocar violino numa rocha à beira-mar.

— Numa rocha à beira-mar? Enlouqueceu?

Mas, como de costume, atendeu ao pedido dela e a deixou ir com suas oito damas de companhia vestidas de branco. Para prevenir qualquer perigo, ordenou que uma tropa armada a seguisse a distância.

Sentada numa rocha, com as oito damas de companhia vestidas de branco, sobre oito rochas ao seu redor, a filha do rei tocava violino. E das ondas emergiu a fada.

— Como toca bem! — disse-lhe. — Toque, toque, pois me agrada tanto.

A filha do rei lhe disse:

— Claro que toco, basta que a senhora me dê de presente a flor que traz na cabeça, porque sou louca por flores.

— Será sua se for capaz de ir buscá-la onde eu a jogar.

— Hei de ir. — E se pôs a tocar e cantar. Quando terminou, disse: — Agora, me dê a flor.

— Ei-la — disse a fada e a lançou ao mar, o mais longe que podia.

A princesa a viu flutuar entre as ondas, mergulhou e se pôs a nadar.

— Patroazinha, patroazinha! Socorro, socorro! — gritaram as oito damas de companhia, eretas sobre as rochas com os véus brancos ao vento. Mas a princesa nadava, nadava, desaparecia entre as ondas e voltava à tona, e já duvidava de poder alcançar a flor quando uma onda a entregou em suas mãos.

Naquele momento, ouviu uma voz debaixo dela que dizia:

— Devolveu-me a vida e será minha esposa. Não tenha medo: estou embaixo de você e a transportarei até a praia. Mas não diga nada a ninguém, nem a seu pai. Tenho que ir avisar meus pais e dentro de vinte e quatro horas virei pedir sua mão.

— Sim, sim, entendi. — E nada mais acrescentou, pois estava sem fôlego, enquanto o caranguejo a transportava em direção à praia.

Assim, de volta a casa, a princesa disse ao rei que se divertira muito e nada mais.

No dia seguinte, às três horas, ouve-se um rufar de tambores, um som agudo de trompas, uma pateada de cavalos: apresenta-se um mordomo dizendo que o filho de seu rei pede audiência.

O príncipe pediu formalmente a mão da princesa ao rei e depois contou toda a história. O rei não gostou muito por ter ficado alheio a tudo; chamou a filha, e ela apareceu correndo e se atirou nos braços do príncipe:

— Este é meu noivo, este é meu noivo!

E o rei compreendeu que só lhe restava combinar o casamento o mais rápido possível.

O MENINO NO SACO

Pedrinho Pedrão era um menino muito alto que estava indo para a escola. No caminho da escola havia um pomar com uma pereira, e Pedrinho Pedrão subiu para comer as peras. A bruxa Bruxonilda passou debaixo da pereira e disse:

> *Pedrinho Pedrão, dê-me uma pera*
> *Com sua branca mãozinha,*
> *Pois só de vê-la, sou sincera,*
> *De água fica minha boca cheinha!*

Pedrinho Pedrão pensou: "Essa aí fica com a boca cheinha de água porque deseja comer a mim, e não às peras", e não queria descer da árvore. Colheu uma pera e a jogou para a bruxa Bruxonilda. Mas a pera caiu no chão, exatamente onde uma vaca tinha passado e deixado uma lembrança.

A bruxa Bruxonilda repetiu:

> *Pedrinho Pedrão, dê-me uma pera*
> *Com sua branca mãozinha,*
> *Pois só de vê-la, sou sincera,*
> *De água fica minha boca cheinha!*

Mas Pedrinho Pedrão não desceu e jogou outra pera, e a pera caiu no chão, exatamente onde um cavalo tinha passado e deixado um laguinho.

A bruxa Bruxonilda repetiu sua cantilena e Pedrinho Pedrão achou que era melhor satisfazê-la. Desceu e lhe entregou uma pera. A bruxa Bruxonilda abriu o saco, mas, em vez de enfiar a pera nele, enfiou Pedrinho Pedrão, amarrou o saco e o colocou nas costas.

Tendo andado uma parte do caminho, a bruxa Bruxonilda teve de parar para uma pequena necessidade: pousou o saco e se escondeu atrás de uma moita. Entretanto, Pedrinho Pedrão, com seus dentinhos de rato, roera a corda que amarrava o saco, pulou fora, meteu no saco uma grande pedra e fugiu. A bruxa Bruxonilda voltou a pegar o saco e o colocou nas costas.

> *Ai de mim, Pedrinho Pedrão*
> *É pesado como um tijolão!*

disse e foi para casa. A porta estava fechada e a bruxa Bruxonilda chamou sua filha:

> *Margarida Margaridão,*
> *Venha abrir o portão*
> *E prepare o caldeirão*
> *Pra cozinhar Pedrinho Pedrão.*

Margarida Margaridão abriu e em seguida pôs no fogo um caldeirão cheio de água. Assim que a água ferveu, a bruxa Bruxonilda esvaziou o saco lá dentro. "Plaft!", fez a pedra e furou o caldeirão; a água se espalhou e queimou as pernas de bruxa Bruxonilda.

> *Santa mãe, o que tem a ver:*
> *Colocar pedra pra ferver?*

disse Margarida Margaridão. E a bruxa Bruxonilda, pulando por causa da queimadura:

> *Filhinha, acenda de novo o fogo,*
> *Vou e volto num só fôlego.*

Mudou de roupa, pôs uma peruca loura e foi-se embora com o saco.

Pedrinho Pedrão, em vez de ir para a escola, voltara para a pereira. A bruxa Bruxonilda tornou a passar, disfarçada, esperando não ser reconhecida, e lhe disse:

> *Pedrinho Pedrão, dê-me uma pera*
> *Com sua branca mãozinha,*
> *Pois só de vê-la, sou sincera,*
> *De água fica minha boca cheinha!*

Mas Pedrinho Pedrão a reconhecera muito bem e evitava descer:

> *Não dou peras pra nenhuma bruxa*
> *Senão me põe no saco e me puxa.*

E a bruxa Bruxonilda o tranquilizou:

> *Sou sincera, sem eira nem beira,*
> *Aqui cheguei de manhãzinha,*
> *Pedrinho Pedrão, dê-me uma pera*
> *Com sua branca mãozinha.*

E tanto falou e tanto fez que Pedrinho Pedrão se convenceu e desceu para lhe dar uma pera. A bruxa Bruxonilda o enfiou logo no saco.

Tendo chegado àquela moita, de novo precisou fazer uma paradinha, mas desta vez o saco estava tão bem amarrado que Pedrinho Pedrão não podia escapar. Então o rapaz se pôs a imitar uma codorna. Passou um caçador com um cão à procura de codornas, encontrou o saco e o abriu. Pedrinho Pedrão pulou fora e suplicou ao caçador que pusesse o cão em seu lugar no saco.

Quando a bruxa Bruxonilda voltou e pegou o saco, o cão não fazia outra coisa senão se agitar e latir, e a bruxa Bruxonilda dizia:

> *Pedrinho Pedrão, não tem jeito, não,*
> *Só lhe resta pular e latir como um cão.*

Chegou à porta e chamou a filha:

> *Margarida Margaridão,*
> *Venha abrir o portão*
> *E prepare o caldeirão*
> *Pra cozinhar Pedrinho Pedrão.*

Mas, quando ia virar o saco na água fervendo, o cão furioso saltou fora, mordeu-lhe a barriga da perna e começou a dilacerar galinhas.

> *Santa mãe, que caso bizarro,*
> *Pra jantar, cozinhar cachorro.*

disse Margarida Margaridão. E a bruxa Bruxonilda:

> *Filhinha, acenda de novo o fogo,*
> *Vou e volto num só fôlego.*

Mudou de roupa, pôs uma peruca ruiva e voltou à pereira; e tanto falou e tanto fez que Pedrinho Pedrão se deixou agarrar de novo. Desta vez não parou em lugar nenhum e levou o saco direto para casa, onde sua filha a esperava na porta.

— Pegue-o e o tranque no galinheiro — disse-lhe —, e amanhã cedo, enquanto eu estiver fora, faça-o picadinho com batatas.

Na manhã seguinte, Margarida Margaridão apanhou um facão e uma travessa e abriu uma janelinha do galinheiro.

*Pedrinho Pedrão, por favor, depressa,
Enfie a cabeça nesta travessa.*

E ele:

Como? Mostre-me como se faz.

Margarida Margaridão pôs o pescoço na travessa e Pedrinho Pedrão pegou o facão, cortou-lhe a cabeça e pôs para fritar na frigideira. Chegou a bruxa Bruxonilda e exclamou:

*Margaridão, minha filha faceira,
Quem a jogou aí na frigideira?*

— Eu! — respondeu Pedrinho Pedrão do cano da chaminé.
— Como é que conseguiu subir até aí? — perguntou a bruxa Bruxonilda.
— Coloquei uma panela sobre a outra e subi em cima.

Então a bruxa Bruxonilda tentou fazer uma escada de panelas para subir e agarrá-lo, mas, no meio do caminho, furou as panelas, caiu no fogo e se queimou até o último pedacinho.

A CAMISA DO HOMEM FELIZ

Um rei tinha um filho único e gostava dele como da luz dos próprios olhos. Mas o príncipe estava sempre descontente. Passava dias inteiros debruçado na sacada a olhar para longe.

— Mas o que lhe falta? — perguntava-lhe o rei. — O que é que você tem?

— Não sei, meu pai, nem eu mesmo sei.

— Está apaixonado? Se quer uma moça qualquer, diga-me e será sua esposa, seja ela a filha do rei mais poderoso da terra ou a mais pobre das camponesas!

— Não, papai, não estou apaixonado.

E o rei tentava distraí-lo de todas as formas! Teatros, bailes, música, cantos; mas nada adiantava, e a cada dia desapareciam do rosto do príncipe as nuances do vermelho.

O rei publicou um edital, e de todas as partes do mundo vieram as pessoas mais instruídas: filósofos, doutores e professores. Mostrou-lhes o príncipe e pediu conselhos. Eles se retiraram para pensar e voltaram à presença do rei.

— Majestade, pensamos, lemos as estrelas; eis o que deve fazer. Procure um homem que seja feliz, mas feliz em tudo e por tudo, e troque a camisa de seu filho com a dele.

Naquele mesmo dia, o rei mandou os embaixadores mundo afora a fim de procurar o homem feliz.

Levaram-lhe um padre.

— O senhor é feliz? — perguntou-lhe o rei.

— Sim, Majestade!

— Muito bem. Ficaria contente em se tornar o meu bispo?

— Quem me dera, Majestade!

— Rua! Fora daqui! Procuro um homem feliz e contente com a sua condição; e não um que deseja estar melhor do que está.

E o rei ficou esperando outro. Havia um rei seu vizinho, disseram-lhe, que era feliz e contente de fato: tinha uma esposa bonita e boa, um monte de filhos, vencera todos os inimigos na guerra, e seu país estava em paz. Imediatamente, cheio de esperança, o rei mandou que os embaixadores fossem lhe pedir a camisa.

O rei vizinho recebeu os embaixadores e:

— Sim, sim, não me falta nada, porém é pena que, quando a gente tem tantas coisas, tenha que morrer e deixar tudo! Com tal pensamento, sofro tanto que não durmo à noite!

E os embaixadores acharam melhor ir embora.

Para desafogar seu desespero, o rei foi caçar. Atirou numa lebre e pensava tê-la atingido, mas a lebre, mancando, fugiu. O rei a perseguiu e afastou-se do séquito. No meio dos campos, ouviu uma voz de homem cantando a *falulella*.* O rei parou: "Quem canta assim só pode ser feliz!", e seguindo o canto entrou numa vinha, vendo, entre as fileiras, um jovem que cantava podando as videiras.

— Bom dia, Majestade — cumprimentou o jovem. — Tão cedo e já pelos campos?

— Bendito seja você, quer que o leve comigo para a capital? Será meu amigo.

— Ai, ai, ai, Majestade, não, não mesmo, obrigado. Não trocaria de lugar nem com o papa.

— Mas por que você, um rapaz tão forte...

— Eu lhe digo que não. Estou contente assim e basta.

"Finalmente um homem feliz!", pensou o rei.

— Escute, jovem, deve me fazer um favor.

— Se puder, de todo o coração, Majestade.

— Espere um momento. — E o rei, que não cabia mais em si de alegria, correu em busca de seu séquito: — Venham! Venham! Meu filho está salvo. — E os conduz até o jovem. — Bendito jovem — diz —, dar-lhe-ei tudo o que quiser! Mas me dê, me dê...

— O que, Majestade?

— Meu filho está à beira da morte! Só você pode salvá-lo.

---

* Dialeto friulano: "cantilena comum aos camponeses, sem significado, e com a qual costumam fechar as estrofes de suas canções" (Pirona).

Venha aqui, espere! — E o segura, começa a desabotoar-lhe o casaco. De repente, estaca, tombam-lhe os braços.

O homem feliz não tinha camisa.

UMA NOITE NO PARAÍSO

Era uma vez dois grandes amigos que, de tanto que se queriam, haviam feito um juramento: quem casasse primeiro deveria chamar o outro para padrinho, mesmo que se encontrasse no fim do mundo.

Depois de algum tempo, um dos amigos morre. O outro, devendo casar, não sabia como fazer e pediu conselhos ao confessor.

— Negócio complicado — disse o pároco —, você deve manter a sua palavra. Convide-o mesmo estando morto. Vá até o túmulo e diga o que tem a dizer. Ele decidirá se vem ou não.

O jovem foi até o túmulo e disse:

— Amigo, chegou o momento; vem para ser meu padrinho!

Abriu-se a terra e pulou fora o amigo.

— Claro que vou, tenho que manter a promessa, pois se não a mantiver não sei quanto tempo terei que ficar no purgatório.

Vão para casa e depois à igreja para o matrimônio. A seguir veio o banquete de núpcias e o jovem morto começou a contar histórias de todo tipo, mas não dizia uma palavra sobre o que vira no outro mundo. O noivo não via a hora de lhe fazer umas perguntas, mas não tomava coragem. No final do banquete, o morto se levanta e diz:

— Amigo, já que lhe fiz este favor, você tem que me acompanhar um pouquinho.

— Claro, por que não? Porém, espere, só um momentinho, pois é a primeira noite com minha esposa...

— Certamente, como quiser!

O marido deu um beijo na mulher.

— Vou sair um instante e volto logo. — E saiu com o morto.
Falando de tudo um pouco, chegaram ao túmulo. Abraçaram-se. O vivo pensou: "Se não lhe perguntar agora, não pergunto nunca mais", tomou coragem e lhe disse:

— Escute, queria lhe perguntar uma coisa, a você que está morto: do outro lado, como funciona?

— Não posso dizer nada — respondeu o morto. — Se quiser saber, venha você também ao Paraíso.

O túmulo se abriu, e o vivo seguiu o morto. E logo se encontravam no Paraíso. O morto o levou para ver um belo palácio de cristal com portas de ouro, cheio de anjos que tocavam e faziam dançar os beatos, e são Pedro, que tocava contrabaixo. O vivo estava de boca aberta e quem sabe quanto tempo teria ficado ali se não tivesse de ver todo o resto.

— Agora, vamos a outro lugar! — disse-lhe o morto, e o levou a um jardim onde as árvores, em vez de folhas, tinham pássaros de todas as cores que cantavam. — Vamos em frente, o que faz aí encantado? — E o levou a um prado onde os anjos dançavam, alegres e suaves como namorados. — Agora vou levá-lo para ver uma estrela!

Não se cansaria nunca de admirar as estrelas; os rios, em vez de água, eram de vinho e a terra era de queijo.

De repente, caiu em si:

— Ouça, compadre, já faz algumas horas que estou aqui em cima. Tenho que voltar para minha esposa, que deve estar preocupada.

— Já está cansado?

— Cansado? Sim, se pudesse...

— E muito mais haveria para descobrir!

— Tenho certeza, mas é melhor eu voltar.

— Como preferir. — E o morto o acompanhou até o túmulo e depois sumiu.

O vivo saiu do túmulo e não reconhecia mais o cemitério. Estava todo cheio de monumentos, estátuas, árvores altas. Sai do cemitério e, no lugar daquelas casinhas de pedra meio improvisadas, vê grandes palácios e bondes, automóveis, aviões.

"Onde é que vim parar? Terei errado o caminho? Mas como está vestida esta gente!"

Pergunta a um velhinho:

— Cavalheiro, esta aldeia é...?

— Sim, é esse o nome desta cidade.

— Bem, não sei por que, não consigo me situar. Saberia me dizer onde fica a casa daquele que se casou ontem?

— Ontem? Estranho, trabalho como sacristão e posso garantir que ontem ninguém se casou!

— Como? Eu me casei! — E lhe contou que acompanhara ao Paraíso um padrinho seu que morrera.

— Você está sonhando — disse o velho. — Essa é uma velha história que contam: do marido que acompanhou o padrinho até o túmulo e não voltou; e a mulher morreu de desgosto.

— Não, senhor, o marido sou eu!

— Ouça, a única solução é que vá conversar com nosso bispo.

— Bispo? Mas aqui na aldeia só existe um pároco.

— Nada disso. Há muitos anos que temos um bispo. — E o levou até o bispo.

O bispo, quando o jovem lhe contou o que lhe acontecera, lembrou-se de uma história que ouvira quando rapaz. Pegou os livros, começou a folheá-los: há trinta anos, não; cinquenta anos, não; cem, não; duzentos, não. E continuava a folhear. No final, numa folha toda rasgada e gordurosa, encontra justamente aqueles nomes.

— Aconteceu há trezentos anos. O jovem desapareceu no cemitério e a mulher dele morreu de desgosto. Leia aqui se não acredita!

— Mas sou eu.

— E você esteve no outro mundo? Conte-me, conte-me como é!

Porém, o jovem ficou amarelo como a morte e caiu. Morreu assim, sem poder contar nada do que vira.

JESUS E SÃO PEDRO NO FRIUL

E COMO SÃO PEDRO ACOMPANHOU O SENHOR

Era uma vez um pobre homem que se chamava Pedro e trabalhava como pescador. Uma noite voltou para casa cansado, sem ter pescado nada, e a mulher não havia lhe preparado o jantar.

— Andei por toda parte, o dia inteiro, mas não encontrei nada — disse-lhe —, e dinheiro não temos.

— E como é que vou dormir sem jantar? Rápido, invente alguma coisa para comer!

— Aqui não há nada, Pedro. Se quer mesmo, vamos àquele campo, onde há bons pés de couve, e arranquemos alguns.

— Mas eu não quero bancar o ladrão!

— Então vamos fazer jejum.

— Couves, você disse? Mas e se nos pegam? Os dois juntos...

— Tem razão: para não dar na vista, vai cada um por um lado.

Pedro se decidiu e se dirigiram ao campo, ele por um caminho e a mulher por outro. No caminho, Pedro encontrou um homem louro com olhos cinzentos, que estava sentado num marco de pedra. "O que será que faz por aqui este forasteiro?", pensou Pedro, e lhe perguntou:

— Cavalheiro! O que faz de interessante?

— Estou aqui para ensinar os homens a não praticar o mal... — disse o forasteiro.

"Oh, parece dirigido exatamente a mim", pensou Pedro.

— ...e, se fizeram algum mal, para levá-los a fazer penitência... — acrescentou o forasteiro.

Pedro não gostou do discurso: cortou a conversa e continuou seu caminho. Mas as palavras do forasteiro continuavam a se agitar em sua mente. Tendo chegado ao campo, viu uma sombra de mulher que se movia. "A proprietária! A proprietária! Fujamos!", e Pedro fugiu correndo, disparando entre renques, fossos e sebes. Correu para casa, sempre pensando naquelas palavras: "levá-los a fazer penitência", e assim que chegou pegou o cabo da vassoura e espancou as costas da sua mulher.

— Ah, queria que me tornasse ladrão! Ah, cadela! Ah, canalha!

— Piedade, Pedro, perdoe-me! — gritava a mulher. — Não pude pegar nada: chegou o proprietário e tive que fugir.

— E a proprietária me fez fugir! Cadela! Canalha! Fazer me tornar um ladrão! Mas eu não quero mais ficar com você, quero fazer penitência eu também.

E saiu correndo pela estrada, até que encontrou o forasteiro e lhe contou tudo.

— Sim, Pedro, fez bem em vir ao meu encontro — disse o forasteiro. — Fique sabendo que você não viu a proprietária nem sua mulher viu o proprietário, e sim que vocês estavam sozinhos, assustaram-se um ao outro, e suas consciências pesadas não deixaram que se reconhecessem. Venha comigo, será meu primeiro amigo e meu braço direito: eu sou o Senhor.

O CORAÇÃO DA LEBRE

Certa vez o Senhor e são Pedro passavam por um campo quando do meio dos renques pulou uma lebre e tropeçou nos pés do Senhor.

— Rápido, Pedro! Abra o saco e a enfie lá dentro.
Pedro a colocou no saco e disse:

— Faz tanto tempo que não comemos, Senhor: com esta vamos fazer um assado.

— Muito bem, Pedro! Esta noite faremos um bom jantar. Você, que é bom cozinheiro, vai preparar a lebre.

Chegaram a uma aldeia, viram a *frasca** numa porta e entraram.

— Boa noite, senhor taberneiro.
— Boa noite, cavalheiros.

---

* Insígnia dos taberneiros.

— Traga-nos meia garrafa de vinho — disse o Senhor. — Enquanto isso, Pedro, vá cozinhar a lebre.

São Pedro, esperto como é, pega um facão, amola-o com a podadeira que levava consigo, tira o couro da lebre, corta-a nas juntas, e depois a joga numa frigideira. Enquanto cozinhava, fica com água na boca: "Como está gorda! E que cheiro bom! Feita para mim! Vou provar e ver se está boa! Ah, está boa! O coração já está cozido: será que não posso comê-lo eu, com esta casca de pão? Imaginem se o Senhor vai perceber!". Dito e feito, tira o coração com o garfo e o come. Depois chama:

— Senhor, a lebre está cozida! Levo-a para a mesa?

— Já está cozida? Traga-a, traga-a.

Pedro, segurando a frigideira com uma das mãos e limpando a gordura do bigode com a outra, volta para onde está o Senhor. Serve metade da lebre no prato do Senhor e metade no seu, e se põem a comer. Mas o Senhor começa a procurar alguma coisa no prato.

— Diga, Pedro, e o coração, onde está?

— Ah, Senhor, não sei, não vi. Talvez fosse uma lebre sem coração... No meu prato também não está...

— É, deve ser isso — diz o Senhor, sorri e continua a comer. Mas Pedro não consegue engolir nem um pedaço.

— Vamos, Pedro, por que está tão resmungão? Será que o coração foi parar no seu estômago?

— Eu, Senhor?

— Eh, não o culpo. Coma, coma.

— Não consigo, Senhor, tenho uma espécie de caroço aqui. Vou beber um gole de vinho.

À noite, Pedro não conseguia pregar olhos. Ao amanhecer tinha acabado de dormir, quando o Senhor o despertou porque deviam se pôr a caminho para chegar à cidade antes do meio--dia. E Pedro se levantou, sempre pensando naquele coração e no Senhor, que talvez soubesse de tudo.

Na cidade, só veem caras sérias, olhos baixos, nenhum aviso de bailes e de festas como há sempre nas cidades. "O que está acontecendo aqui?", pergunta-se são Pedro, e o Senhor lhe diz:

— Pedro, pergunte a alguém.

Pedro pergunta a um soldado, e ele lhe diz baixinho que a filha do rei está tão doente que os médicos já a desenganaram e o rei prometeu uma bolsa de napoleões àquele que a curar.

O Senhor diz a Pedro:

— Ouça, Pedro, quero que você ganhe aquela bolsa de napoleões. Vá ao palácio e diga que é um grande doutor. Quando estiver sozinho no quarto da filha do rei, pegue sua podadeira e corte a cabeça dela. Ponha a cabeça num lugar fresco e, depois de uma hora, retire-a, volte a colocá-la no corpo dela e a filha do rei estará curada.

Pedro vai direto até o rei e pede que o deixe por uma hora a sós no quarto da filha. Assim que se vê sozinho com ela, pega a podadeira e dá um golpe: a cabeça se destaca, a cama inteira se enche de sangue. Pedro coloca a cabeça num balde de água e se senta para esperar que passe uma hora.

Decorrida a hora, "Tum! Tum! Tum!": batem à porta.

— Aguardem um momento! — responde Pedro; pega a cabeça, torna a colocá-la no corpo, mas nada! Não funciona. Começa a ficar com medo.

Batem do lado de fora. "Tum! Tum! Tum!"

— Abra, doutor! — É a voz do rei.

"O que vou fazer", diz Pedro. "O que vou fazer?"

Plaft! Deitam a porta abaixo. Entra o rei e vê todo aquele sangue.

— O que fez, canalha? Assassinou minha filha? Vai pagar na forca! Guardas! Amarrem-no e levem-no para a forca!

— Majestade, perdão, misericórdia!

— Fora, marche!

"Só o Senhor pode me salvar!", pensa Pedro, arrastado pela cidade entre os soldados; e justo naquele momento, no meio da multidão, vê o Senhor.

— Salve-me, salve-me, Senhor!

— Para onde levam este homem? — diz o Senhor aos soldados.

— Para a forca.

— O que fez ele?
— Ainda pergunta o que ele fez? Matou a filha do rei!
— Não é verdade, deixem-no, ou melhor, levem-no até o rei para receber a bolsa de napoleões. A filha do rei está sã e salva.

Os soldados voltam para ver se é verdade. E, chegando ao palácio real, encontram a princesa na sacada toda contente e o rei que vem ao encontro de Pedro e lhe entrega a bolsa de napoleões.

Pedro, velho como é, naquele momento se sente tão forte que levanta a bolsa como uma pluma, coloca-a nas costas e vai até a encruzilhada onde o Senhor o espera.

— Viu, Pedro?
— Bem, Senhor, depois não vá dizer que não sirvo para nada!
— Passe-me o dinheiro e vamos dividi-lo como de costume.

Pedro pousa a bolsa, e o Senhor começa a fazer os montes.
— Cinco para mim, cinco para você, cinco para o outro...
— E assim continua. — Cinco para mim, cinco para você, cinco para o outro...

Pedro o observa durante alguns momentos, depois lhe pergunta:
— Mas, Senhor, somos apenas dois! Por que fazer três montes?
— Eh, Pedro! — E o Senhor continua: — Este para mim, este para você, este para o outro...
— E quem é o outro?
— É aquele que comeu o coração...
— Senhor, Senhor — diz Pedro depressa —, fui eu que o comi.
— Caiu na armadilha. Você errou, Pedro, e o medo que lhe fiz passar é o seu castigo. Eu o perdoo, mas não o faça de novo.

E Pedro prometeu...

A HOSPITALIDADE

Certa noite, Jesus e são Pedro, depois de muito andar pelos caminhos da montanha, chegaram à casa de uma mulher e pediram pousada para aquela noite. A mulher os examinou da cabeça aos pés e disse:

— Não quero saber de vagabundos!
— Pelo amor de Deus, senhora!
Mas a mulher lhes bateu a porta na cara.

Pedro, irritadiço como sempre, deu uma olhada ao Senhor como lhe dizendo que sabia o que merecia aquela mulher. Porém, o Senhor, sem lhe dar atenção, seguiu adiante e entrou em outra casa, mais pobre, negra de fuligem, onde uma mulherzinha estava fiando junto ao fogo.

— Senhora, poderia nos fazer a caridade de nos deixar dormir aqui esta noite? Andamos tanto que não conseguimos mais mover as pernas.

— Claro! Seja como Deus quiser! Entrem, cavalheiros. E aonde querem ir, a esta hora, que está mais escuro que na boca de um lobo? Farei o que puder; venham para cá, acomodem-se junto ao fogo. Aposto que estão com fome também.

— É, acertou em cheio — disse Pedro.

A mulherzinha, que se chamava dona Catín, pôs quatro gravetos no fogo e começou a preparar o jantar: sopa e feijões novos, que provocaram êxtase em Pedro, e algumas maçãs, que mantinha penduradas nas traves do teto. Depois, levou-os para dormir no feno.

— Abençoada mulher! — disse Pedro, deitando-se feliz.

De manhã cedo, ao se despedirem de dona Catín, o Senhor disse: — Senhora, aquilo que começar a fazer esta manhã há de continuar a fazer pelo resto do dia. — E foram embora.

A mulherzinha se pôs logo a tecer e teceu, teceu o dia inteiro. A lançadeira ia e vinha na trama, e a casa se enchia de tecido, tecido que saía pela porta, pelas janelas, chegava até as telhas. À noite, a comadre Joana veio visitar dona Catín. A comadre Joana era a mesma que havia batido a porta na cara de Jesus e de são Pedro. Ao ver todo aquele tecido, não dá sossego a dona Catín até que esta lhe conte tudo. Quando soube que os dois forasteiros que expulsara tinham dado aquele presente à vizinha, mordeu os dedos de raiva e perguntou:

— Sabe se tinham a intenção de passar por aqui de novo, os forasteiros?

— Creio que sim; disseram que iam só até o vale.

— Então, se voltarem, mande-os bater à minha porta, suplico-lhe, pois talvez também me concedam uma graça semelhante.

— Com prazer, comadre.

E na noite seguinte, quando os dois peregrinos tornaram a se apresentar à sua porta, dona Catín falou:

— Para ser franca, esta noite estou um pouco atrapalhada; mas vão até aquela casa lá embaixo, da minha comadre Joana, que ela vai se desdobrar em quatro para contentá-los.

Pedro, que tinha boa memória, torceu um pouco o nariz e queria dizer tudo o que pensava da comadre Joana; mas o Senhor lhe fez sinal para se manter calado, e dirigiram-se à casa. A mulher veio ao encontro deles com muitas saudações:

— Oh, boa noite! Os senhores fizeram boa viagem? Entrem, entrem: somos gente pobre mas de bom coração. Querem se aquecer junto ao fogo? Vou preparar o jantar...

Assim, entre tantas saudações, o Senhor e são Pedro comeram e dormiram na casa da comadre Joana e, de manhã, prepararam-se para sair, com a mulher continuando a fazer mesuras.

— Senhora — disse o Senhor —, aquilo que começar a fazer esta manhã há de continuar a fazer pelo resto do dia. — E foram embora.

"Vou lhes mostrar como se faz!", disse consigo mesma a comadre, arregaçando as mangas. "Quero tecer o dobro de tecido de dona Catín." Mas antes de se sentar ao tear, para não ser obrigada a interromper mais tarde, pensou em ir até a estrumeira fazer suas necessidades. Começa, mas, por mais pressa que tivesse, não conseguia acabar. "Essa é boa! O que está acontecendo comigo? Como é que não acabo... O que me terá feito mal? Com os diabos! Mas será que..."

Depois de meia hora tentou sair de lá e se sentar ao tear. Qual nada! Teve de voltar à estrumeira correndo. E assim passou o dia inteiro. Tudo menos tecido! Foi um milagre não ter transbordado o rio Tagliamento.

O TRIGO SARRACENO

Ao cair do sol, três viajantes suados, acalorados, empoeirados entraram numa aldeia. Nos pátios, estavam terminando de bater o trigo e pelo ar ainda voavam montes de cascas.

— Ó de casa! — disseram os três para uma mulher que estava tirando as cascas.

A mulher, que era uma viúva, mandou-os entrar, deu-lhes de comer e os deixou dormir no feno, com a condição de que no dia seguinte a ajudassem a bater o trigo. Os viajantes, que eram o Senhor, são João e são Pedro, foram dormir no depósito de feno. Ao despontar do dia, Pedro ouviu o galo cantar e disse:

— Vamos, apressemo-nos em nos levantar, pois comemos e é justo que se trabalhe.

— Durma e fique quieto — respondeu o Senhor, e são Pedro se virou para o outro lado.

Tinham acabado de pegar no sono outra vez, quando apareceu a viúva com uma vara na mão e:

— Como é? Pensavam que iam ficar na moleza até o dia do Juízo? Depois de terem comido e bebido à minha custa? — Deu uma paulada nas costas de Pedro e foi embora furiosa.

— Viram como eu tinha razão? — disse Pedro esfregando as costas. — Coragem, vamos trabalhar, senão esta desgraçada nos dá uma surra.

E o Senhor, de novo:

— Durma e fique quieto.

— Belo conselho: mas, se ela voltar, quem leva sou eu!

— Se tem tanto medo de uma mulher — disse o Senhor —, troque de lugar com João.

Mudaram de lugar e todos os três voltaram a dormir.

A viúva reapareceu encolerizada, com a vara.

— Como, ainda estão dormindo? — E, para não ser injusta, desta vez deu uma bordoada no do meio: que era de novo Pedro!

— Sempre eu! — gemia Pedro.

E o Senhor, para tranquilizá-lo, trocou de lugar com ele.
— Assim você fica mais protegido. Durma e fique quieto.
Voltou a viúva e:
— Agora é sua vez! — E largou outra paulada em Pedro, que desta vez pulou para fora do feno.
— O Senhor pode dizer o que quiser, mas aqui eu não fico.
— E correu para o pátio a fim de pegar a debulhadora e trabalhar o mais longe que pudesse daquele diabo de mulher.

Em seguida chegaram o Senhor e são João, pegaram as debulhadoras eles também, mas o Senhor disse:
— Tragam-me um tição aceso. — E, fazendo sinal aos outros para que ficassem quietos, pôs fogo nos quatro cantos do terreiro. Num instante se fez uma grande labareda que envolveu os feixes de espigas. Quando se apagou, pensavam ver só cinzas: ao contrário, toda a forragem estava do lado direito, toda a palha do lado esquerdo, o cascabulho esvoaçando e o trigo no meio, tudo fora das espigas, completamente limpo, como se já estivesse separado e peneirado. A batedura estava feita, sem um movimento sequer da debulhadora.

Os três nem esperaram por agradecimentos; saíram do pátio e foram embora. Mas a viúva, em vez de se arrepender de sua prepotência e de se contentar com aquela debulha sem cansaço, manda esvaziar o terreiro, pesar e carregar o frumento, e manda trazer para o terreiro outro carregamento de feixes de espigas. Assim que os homens desamarraram os feixes de espigas, a viúva também pegou um tição e pôs fogo no terreiro. Porém, desta vez as chamas queimaram a valer, e o trigo ardia estalando como bolinhos na panela.

A viúva, com as mãos na cabeça, correu até as imediações da aldeia para alcançar os três viajantes. Assim que os viu, ajoelhou-se e contou sua desgraça. O Senhor, visto que ela se arrependera seriamente, disse a Pedro:
— Vá, salve o que puder e lhe ensine que se deve pagar o mal com o bem.

São Pedro chegou ao pátio e fez o sinal da cruz: a chama se apagou e o trigo chamuscado se juntou num monte. Preto como estava, deformado, arrebentado, não parecia mais frumento; contudo, graças à bênção de são Pedro, ainda estava cheio de farinha, e aqueles grãozinhos escuros, miúdos, pontiagudos foram o primeiro trigo sarraceno que se viu na face da terra.

O ANEL MÁGICO

Um jovem pobre disse à sua mãe:
— Mãe, vou sair pelo mundo; aqui na aldeia todos me consideram menos que uma castanha seca, não poderei criar nada. Quero fazer fortuna, e então também para você, mãe, virão dias mais felizes.

Disse isso e se foi. Chegou a uma cidade e, enquanto caminhava pelas ruas, viu uma velhinha que subia por um beco íngreme e arquejava sob o peso de dois grandes baldes cheios de água que carregava nas extremidades de uma vara. Aproximou-se e lhe disse:
— Deixe que eu carregue a água, a senhora não aguenta com o peso.

Pegou os baldes, acompanhou-a até sua casinha, subiu as escadas e pousou os baldes na cozinha. Era uma cozinha cheia de gatos e cães que se amontoavam ao redor da velhinha, fazendo-lhe festas e ronronando.
— O que posso lhe dar como recompensa? — perguntou a velhinha.
— Não quero nada — disse ele. — Fiz isso só para lhe agradar.
— Espere — disse a velhinha; saiu e voltou com um anel. Era um anelzinho ordinário; enfiou-o no dedo dele e lhe disse:
— Saiba que este é um anel precioso; toda vez que o girar e lhe ordenar o que quiser, aquilo que quiser acontecerá. Cuidado para não perdê-lo, pois seria sua ruína. E, para ficar mais segu-

ra de que não o perderá, dou-lhe também um dos meus cães e um dos meus gatos, que o seguirão por toda a parte. São animais maravilhosos e, se não for hoje, amanhã lhe serão úteis.

O jovem lhe agradeceu muito e foi embora, mas não ligou nem um pouco para o que lhe dissera a velha, pois não acreditava sequer numa palavra. "Conversa de velha", disse consigo mesmo, e nem ao menos pensou em dar uma volta no anel para experimentar. Saiu da cidade com o cão e o gato trotando ao seu lado; gostava muito de animais e estava contente de tê-los com ele: brincava com eles e os fazia correr e saltar. E assim, correndo e saltando, entrou numa floresta. Veio a noite, e ele teve de se abrigar sob uma árvore; o cão e o gato se deitaram perto dele. Mas não conseguia dormir, porque estava com muita fome. Então se lembrou do anel que trazia no dedo. "Não custa nada tentar", pensou; girou o anel e disse:

— Quero comida e bebida!

Nem acabara de falar e apareceu diante dele uma mesa posta com toda espécie de alimentos e bebidas, e com três cadeiras. Sentou-se e amarrou um guardanapo no pescoço; fez o cão e o gato se sentarem nas outras cadeiras, amarrou um guardanapo também no pescoço deles e se puxaram a comer todos os três com muito gosto. Agora acreditava no anelzinho.

Terminado o jantar, deitou-se no chão e se pôs a pensar em quantas coisas boas poderia fazer doravante. Só teria o embaraço da escolha: ora pensava em pedir montes de ouro e de prata, ora preferia carruagens e cavalos, ora terras e castelos, e assim um desejo derrubava o outro. "Assim fico louco", disse consigo por fim, quando não aguentava mais devanear, "tantas vezes ouvi dizer que as pessoas perdem a cabeça quando fazem fortuna, mas quero manter a minha no lugar. Portanto, por hoje basta; amanhã pensarei nisso." Deitou-se de lado e adormeceu profundamente. O cão se agachou aos pés dele, o gato próximo à cabeça, e o velaram.

Quando ele despertou, o sol já brilhava através dos cimos verdes das árvores, soprava um pouco de vento, os passarinhos cantavam e passara todo o cansaço dele. Pensou em pedir um cavalo ao anel, mas a floresta estava tão bonita que preferiu andar a pé; pensou em pedir uma refeição, mas havia morangos tão bons entre as moitas que se contentou com eles; pensou em pedir uma bebida, mas ali havia uma fonte tão límpida que preferiu beber com a mão em concha. E assim, através de prados e campos, chegou a um grande palácio; na janela estava debruçada uma moça belíssima que, ao ver aquele jovem vindo alegre com as mãos no bolso, seguido por um cão e um gato, deu-lhe um lindo sorriso. Ele ergueu os olhos e, se conservava o anel, já perdera o coração. "Agora, sim, é o caso de usar o anel", disse consigo mesmo. Girou-o e falou:

— Ordeno que defronte daquele palácio surja outro palácio ainda mais belo, com tudo o que é necessário.

E num piscar de olhos o palácio já estava ali, maior e mais bonito que o outro, e lá dentro estava ele, como se sempre tivesse vivido ali, e o cão estava em sua casinha, e o gato lambia as patinhas perto do fogo. O jovem foi até a janela, abriu-a e se achava justamente em frente à janela da moça belíssima. Trocaram sorrisos, suspiraram, e o jovem compreendeu que chegara o momento de ir pedir a mão dela. Ela ficou feliz, os pais também, e depois de poucos dias se deram as núpcias.

Na primeira noite em que estiveram juntos, depois dos beijos, abraços e carícias, ela saltou da cama e disse:

— Diga-me como seu palácio surgiu de repente como um cogumelo.

Ele estava em dúvida se contava ou não; depois pensou: "É minha mulher e para a mulher não se guarda segredo". E lhe contou a história do anel. Depois, muito felizes, adormeceram.

Mas, enquanto ele dormia, a mulher, devagarinho, tirou-lhe o anel do dedo. A seguir se levantou, chamou todos os criados e:

— Rápido, saiam deste palácio e voltemos para a casa de meus pais! — Quando chegou na casa dos pais, girou o anel e disse: — Ordeno que o palácio de meu marido seja colocado no pico mais alto e íngreme daquela montanha!

O palácio desapareceu como se jamais tivesse existido. Ela observou a montanha, e ele tinha ido de fato parar lá no pico.

O jovem acordou de manhã, não encontrou a esposa ao seu lado, foi abrir a janela e viu o vazio. Observou melhor e viu despenhadeiros profundos bem ao fundo e, ao redor, montanhas com neve. Tratou de tocar o anel, e ele não estava; chamou os criados, mas ninguém respondeu. Em vez deles, acorreram o cão e o gato, que tinham ficado lá, pois contara à esposa sobre o anel mas não sobre os dois animais. No início não entendia nada, depois, pouco a pouco compreendeu que sua mulher havia sido uma infame traidora e como se desenrolara toda aquela história; mas não era um grande consolo. Tratou de verificar se podia descer da montanha, mas as portas e as janelas davam todas para o pico sobre os despenhadeiros. Os víveres no palácio seriam suficientes apenas para poucos dias, e lhe sobreveio o pensamento terrível de que acabaria morrendo de fome.

Quando o cão e o gato viram seu dono tão triste, aproximaram-se, e o cão disse:

— Não se desespere ainda, patrão: eu e o gato havemos de encontrar um caminho para descer entre as rochas e, uma vez lá embaixo, recuperaremos o anel.

— Queridos animaizinhos — disse o jovem —, vocês constituem minha única esperança, caso contrário, prefiro me atirar nas rochas a morrer de fome.

O cão e o gato saíram, penduraram-se, pularam pelos barrancos e picos e conseguiram descer a montanha. Na planície, era preciso atravessar um rio: então o cão pôs o gato nas costas e nadou até a outra margem. Chegaram ao palácio da mulher traidora quando já era noite; todos dormiam um sono profundo. Entraram bem devagar pela gateira do portão; e o gato disse ao cão:

— Agora você fica aqui de guarda; vou ver o que dá para fazer.

Quietinho, subiu as escadas até a porta do quarto em que dormia a traidora, mas a porta estava trancada e ele não podia entrar. Enquanto refletia sobre o que poderia fazer, passou um rato. O gato o agarrou. Era um ratão grande e forte, que começou a suplicar ao gato que o deixasse viver.

— Muito bem — disse o gato —, mas você tem que roer esta porta para que eu possa entrar.

O rato começou logo a roer; rói que rói, gastaram-se os dentes, mas o buraco ainda estava tão pequeno que nem o gato e nem mesmo o rato poderiam passar por ali.

Então o gato disse:

— Você tem filhos?

— Claro que tenho! Sete ou oito, um mais esperto que o outro.

— Vá depressa pegar um deles — disse o gato — e, se não voltar, irei buscá-lo onde estiver para comê-lo.

O rato saiu correndo e voltou pouco depois com um ratinho.

— Escute, pequeno — disse o gato —, se é esperto, salve a vida de seu pai. Entre no quarto desta mulher, suba na cama e tire o anel que ela traz no dedo.

O ratinho correu para dentro, mas voltou logo, muito desgostoso.

— Não tem anéis no dedo — disse.

O gato não desanimou.

— Quer dizer que está com ele na boca — disse. — Entre de novo, agite o rabo no nariz dela, ela vai espirrar e, espirrando, abrirá a boca, o anel vai saltar fora, você o pega rápido e o traz depressa para cá.

Tudo aconteceu conforme o gato dissera; pouco depois o ratinho chegou com o anel. O gato apanhou o anel e desceu a escada aos pulos.

— O anel está com você? — perguntou o cão.

— Claro que sim — disse o gato.

Escaparam pelo portão e sumiram; mas por dentro o cão se mordia de ciúmes, pois quem recuperara o anel fora o gato.

Chegaram ao rio. O cão disse:

— Se me der o anel, levo-o para a outra margem.

Mas o gato não aceitou e se puseram a discutir. Enquanto discutiam, o gato deixou escapar o anel. O anel caiu na água; na água havia um peixe que o engoliu. O cão imediatamente agarrou o peixe entre os dentes e assim o anel ficou com ele. Levou o gato para a outra margem, mas não fizeram as pazes e, sempre brigando, chegaram até o dono.

— Trouxeram o anel? — perguntou ele bastante ansioso.

O cão cuspiu o peixe, o peixe cuspiu o anel, mas o gato disse:

— Não é verdade que foi ele quem o trouxe, fui eu que peguei o anel e o cão o roubou de mim.

E o cão:

— Mas, se eu não pegasse o peixe, o anel estaria perdido.

Então o jovem se pôs a acariciar os dois e disse:

— Meus queridos, não discutam tanto, vocês dois são caros e preciosos para mim. — E, durante meia hora, com uma das mãos acariciou o cão e com a outra, o gato, até que os dois animais voltaram a ser amigos como antes.

Andou com eles pelo palácio; girou o anel no dedo e disse:

— Ordeno que meu palácio esteja lá embaixo, onde está o da minha esposa traidora, e que minha esposa traidora e todo o seu palácio venham cá para cima, onde estou agora.

E os dois palácios voaram pelos ares e trocaram de lugar: o seu embaixo, no meio da planície, e o dela naqueles cimos agudos, com ela dentro, gritando como uma águia.

O jovem trouxe a mãe e lhe deu a velhice feliz que lhe prometera. O cão e o gato ficaram com ele, sempre com suas briguinhas, mas em geral se entendiam bem. E o anel? O anel, ele o usou algumas vezes, mas não muito, pois pensava com razão: "Não é bom que o homem tenha com tanta facilidade tudo aquilo que pode desejar".

Quanto à sua mulher, quando escalaram a montanha encontraram-na morta de fome, seca como um palito. Foi um fim cruel, mas ela não merecia outro melhor.

O BRAÇO DE MORTO

Numa aldeia, havia o costume de que, quando morria um irmão, a irmã devia velá-lo durante três noites, perto do túmulo no cemitério, e, quando morria uma irmã, cabia ao irmão velá--la. Morreu uma moça, e seu irmão, que era um moço grande e forte, e não tinha medo de nada, foi ao cemitério para velá-la.

Ao soar meia-noite, três mortos saíram dos túmulos e lhe perguntaram:

— Quer jogar conosco?

— E por que não? — ele respondeu. — Mas onde é que pretendem jogar?

— Nós jogamos na igreja — disseram.

Entraram na igreja e o conduziram a uma cripta que estava cheia de caixões meio podres e de montes de ossos humanos espalhados. Pegaram ossos e um crânio, e tornaram a subir para a igreja.

Os ossos eles espetaram no chão. — Estes são nossos tacos. — Pegaram o crânio. — Esta é nossa bola. — E começaram a jogar bilhar.

— Você aceita jogar a dinheiro?

— Claro que sim!

O jovem se pôs a jogar bilhar com a caveira e os ossos, e era muito hábil: ele sempre vencia e ganhou todo o dinheiro que os mortos possuíam. Quando os mortos se viram sem um tostão, devolveram bola e tacos à cripta e retornaram a seus túmulos.

Na segunda noite os mortos queriam a revanche e apostaram seus anéis e dentes de ouro: e o jovem venceu de novo. Na terceira noite jogaram outra partida e depois lhe disseram:

— Você venceu de novo, e não temos mais nada para lhe dar. Mas, já que as dívidas de jogo devem ser pagas logo, damos para você este braço de morto que está meio seco mas bem conservado e que lhe servirá mais que uma espada. Qualquer inimigo que você toque com este braço, o braço o agarrará pelo peito e o atirará no chão, morto, mesmo que seja um gigante.

Os mortos foram embora e deixaram o rapaz com aquele braço na mão.

No dia seguinte levou a seu pai o dinheiro e o ouro ganhos no bilhar e lhe disse:

— Caro pai, quero sair pelo mundo em busca de fortuna.

O pai lhe deu sua bênção e o rapaz se foi, com o braço de morto escondido na capa.

Chegou a uma grande cidade, e as paredes das casas estavam cobertas de panos pretos e as pessoas vestiam luto, e também as carruagens e os cavalos traziam marcas de luto.

— O que aconteceu? — perguntou a um passante.

E este, soluçando, disse-lhe:

— Você deve saber que perto daquela montanha há um castelo negro, habitado por bruxos. E esses bruxos querem que todo dia lhes mandem uma criatura humana, que entra no castelo e não volta mais. Primeiro quiseram as moças, e o rei teve que lhes mandar todas as camareiras, cozinheiras, padeiras e tecelãs, depois todas as donzelas da corte e as damas e, há poucos dias, até sua filha única. E nenhuma retornou. Agora, o rei manda os soldados em grupos de três para ver se conseguem se defender, mas nenhum volta. Ah, se alguém pudesse nos libertar dos bruxos, tornar-se-ia o senhor da cidade.

— Quero tentar — disse o jovem e foi logo se apresentar ao rei. — Majestade, pretendo ir sozinho ao castelo.

O rei o encarou.

— Se vencer — disse ele — e se libertar minha filha, ela será sua esposa e você herdará o meu reino. Basta que você consiga passar três noites no castelo para que o encantamento se rompa e os bruxos desapareçam. Nas ameias do castelo há um canhão. Se amanhã cedo ainda estiver vivo, dispare uma vez, depois de amanhã dispare duas e, na terceira manhã, dispare três.

Quando veio a noite, o rapaz foi ao castelo negro com o braço de morto sob a capa. Subiu pelas escadas e entrou numa sala. Havia uma grande mesa posta, cheia de comida, mas as cadeiras tinham as costas voltadas para a mesa. Deixou tudo como estava, foi à cozinha, acendeu o fogo e sentou-se perto da lareira, tendo o braço de morto na mão. À meia-noite, ouviu vozes na chaminé que gritavam:

> *Já matamos tantos,*
> *Agora é sua vez!*
> *Já matamos tantos,*
> *Agora é sua vez!*

E, ploft!, da chaminé desceu um bruxo, e, ploft!, desceu um segundo, e, ploft! um terceiro, todos com caras horríveis, de meter medo, e narizes tão compridos que se moviam pelos ares como tentáculos de polvos e que tentavam enlear mãos e pernas do jovem. Ele percebeu que devia se proteger sobretudo daqueles narizes e passou a se defender com o braço de morto, como se estivesse esgrimindo. Tocou com o braço de morto no peito de um dos bruxos: e nada. Tocou outro na cabeça: e nada. O terceiro tocou no nariz e a mão de morto agarrou aquele nariz e lhe deu um tal puxão que o bruxo morreu. O rapaz entendeu que o nariz dos bruxos era perigoso, mas era também o ponto mais fraco deles, e se pôs a mirar no nariz. O braço de morto agarrou também o segundo pelo nariz, e acabou com ele; e fez o mesmo com o terceiro. O rapaz esfregou as mãos e foi dormir.

De manhã, subiu até as ameias e disparou o canhão: bum! Lá embaixo, na aldeia, onde todos estavam ansiosos, viu-se um grande agitar de lenços tarjados de luto.

Quando a noite invadiu de novo a sala, já encontrou uma parte das cadeiras viradas e colocadas na posição certa. E das outras portas entraram damas e donzelas tristes e vestidas de luto, e lhe disseram:

— Resista, por caridade! Liberte-nos! — Depois se sentaram à mesa e comeram. Após o jantar, foram todas embora, com muitas reverências. Ele se dirigiu à cozinha, sentou-se sob a chaminé e aguardou a meia-noite. Quando soou o décimo segundo toque, do tubo se ouviram outra vez as vozes:

> *Você acabou com três dos nossos,*
> *Agora é sua vez!*
> *Você acabou com três dos nossos,*
> *Agora é sua vez!*

E, ploft, ploft, ploft, três bruxos de nariz comprido caíram da chaminé. O rapaz, brandindo o braço de morto, não demorou muito a agarrá-los pelo nariz e fazer cadáveres dos três.

De manhã, disparou dois canhonaços: bum! bum!, e viu lá embaixo, na aldeia, muitos lenços brancos se agitando: haviam retirado a tarja preta.

Na terceira noite, verificou que as cadeiras viradas na sala tinham aumentado de número, e as jovens vestidas de negro entraram em maior quantidade que na noite anterior.

— Só hoje ainda — imploraram —, e irá nos libertar a todas! — Depois comeram com ele e de novo foram embora. Ele voltou a se sentar no lugar habitual na cozinha. À meia-noite, as vozes que se puseram a gritar na chaminé pareciam um coro:

> *Já matou seis dos nossos,*
> *Agora é sua vez!*
> *Já matou seis dos nossos,*
> *Agora é sua vez!*

E, ploft, ploft, ploft, ploft, baixou uma chuva de bruxos que não acabava mais, todos com narizes compridos espetados para a frente, mas o rapaz girava o braço de morto com muita rapidez e matava tantos quantos aparecessem, e sem esforço, pois bastava que aquela manopla ressecada atingisse o nariz deles e já eram cadáveres. Foi dormir muito satisfeito, e, assim que o galo cantou, tudo no castelo voltou a viver, e um cortejo de senhoritas e nobres senhoras, com vestidos longos, entrou na cozinha para agradecer-lhe e reverenciá-lo. No meio do cortejo, caminhava a princesa. Parando em frente ao jovem, atirou-se em seus braços e disse:

— Quero que seja meu esposo!

De três em três entraram os soldados libertados e apresentaram armas.

— Subam até as ameias do castelo — ordenou o jovem — e disparem três tiros de canhão. — Escutou-se o troar do canhão e na aldeia se viu um agitar de lenços amarelos verdes vermelhos azuis e ouviu-se o eco de trompas e bumbos a tocar.

O rapaz desceu da montanha com o cortejo das pessoas libertadas e entrou na aldeia: os panos negros haviam desaparecido e só se viam bandeiras e fitas coloridas que se agitavam ao vento. O rei esperava por eles com a coroa cheia de flores. No mesmo dia foram celebradas as núpcias e houve uma festa tão grande que se fala dela ainda hoje.

A CIÊNCIA DA PREGUIÇA

Era uma vez um velho turco que tinha só um filho e gostava mais dele que da luz dos próprios olhos. Sabe-se que para os turcos o maior castigo que Deus impôs ao mundo é o trabalho; por isso, quando seu filho completou catorze anos, pensou em colocá-lo na escola, para que aprendesse o melhor método para não fazer nada.

No mesmo bairro do velho turco, morava um professor, conhecido e respeitado por todos, pois durante toda a vida só fizera aquilo que não pudera evitar de fazer. O velho turco foi visitá-lo e o encontrou no jardim, deitado à sombra de uma figueira, com uma almofada sob a cabeça, outra sob as costas e uma sob o traseiro. O velho turco disse consigo mesmo: "Antes de conversar com ele, quero ver como se comporta", e se escondeu atrás de uma sebe para espiá-lo.

O professor estava imóvel como um morto, de olhos fechados, e só quando ouvia: tchac!, um figo maduro que caía ao alcance da mão, esticava o braço de mansinho, levava-o à boca e o engolia. Depois, de novo imóvel como um tronco, esperava que caísse outro.

"Este é justamente o professor que desejo para meu filho", disse o turco consigo mesmo e, saindo do esconderijo, cumprimentou-o e lhe perguntou se estava disposto a ensinar a seu filho a ciência da preguiça.

— Amigo — falou o professor com um fio de voz —, não fale tanto, pois me canso de ouvi-lo. Se quer educar seu filho e fazer com que se torne um turco de verdade, mande-o aqui, e basta.

O velho turco voltou para casa, pegou o filho pela mão, enfiou-lhe uma almofada de penas debaixo do braço e levou-o àquele jardim.

— Recomendo-lhe — disse-lhe — que faça tudo o que vir fazer o professor de ócio.

O moço, que já tinha inclinação por aquela ciência, deitou-se também ele embaixo da figueira e viu que o professor, toda vez que caía um figo, esticava um braço para recolhê-lo e comê-lo. "Por que essa canseira de esticar o braço?", disse para si mesmo, e ficou deitado de boca aberta. Um figo caiu em sua boca e ele, lentamente, engoliu-o, e depois reabriu a boca. Outro figo caiu um pouco mais longe; ele não se moveu, mas disse, bem baixinho:

— Por que tão longe? Figo, caia na minha boca!

O professor, vendo quanto era esperto o estudante, disse:

— Volte para casa, pois não tem nada a aprender comigo, pelo contrário, sou eu quem deve aprender com você.

E o filho retornou ao pai, que agradeceu ao céu lhe ter dado um filho tão talentoso.

BELA TESTA

Era uma vez um filho que, ao terminar a escola, ouviu do pai:
— Filho, agora que concluiu seus estudos, está na idade certa para viajar. Vou lhe dar um navio para que você comece a carregar, descarregar, vender e comprar. Fique atento ao que faz, pois desejo que aprenda logo a ganhar a vida!

Deu-lhe sete mil escudos para comprar mercadorias; e o filho partiu em viagem. Viajava havia certo tempo e ainda não comprara nada, quando chegou a um porto e viu um esquife à beira-mar, e todos os que passavam depositavam nele uma esmola.

Perguntou:
— Por que manter aqui este morto? Os mortos querem ser enterrados.

— É alguém que morreu cheio de dívidas — responderam-lhe —, e aqui costumamos fazer assim: se alguém não pagou suas dívidas não pode ser enterrado. Enquanto não pagarem as dívidas deste aqui com as esmolas, não o levaremos para ser enterrado.

— Então avisem que todos aqueles que têm créditos com ele devem cobrar de mim. E o levem logo para ser enterrado.

Deram o aviso, ele pagou todas as dívidas e ficou sem um tostão. Voltou para casa.

— Quais são as novidades? — perguntou-lhe o pai. — O que significa ter regressado tão rápido?

E ele:
— No mar, encontrei corsários que me roubaram todo o capital!

— Não há de ser nada, filho, basta que tenha escapado com vida! Você terá mais, porém é melhor não andar por aqueles lados. — E lhe deu outros sete mil escudos.

— Sim, senhor meu pai, esteja seguro de que mudarei de caminho! — E voltou a partir.

No meio do mar, viu um navio turco. O jovem disse consigo

141

mesmo: "Aqui é melhor fazer amigos: vamos visitá-los e convidá-los a fazer o mesmo". Subiu no navio turco e perguntou:
— De onde vêm?
Responderam-lhe:
— Nós viemos do Levante!
— E que carga transportam?
— Nenhuma. Só uma linda jovem!
— E para quem levam esta jovem?
— Para quem quiser comprá-la, nós a estamos vendendo. É a filha de nosso sultão e nós a roubamos por ser tão bonita!
— Deixem-me vê-la. — E, assim que a viu, perguntou: — Quanto querem?
— Deixamos por sete mil escudos!
Assim, o jovem deu aos corsários todo o dinheiro que lhe dera seu pai e levou a jovem para seu navio. Fez com que se batizasse e casou com ela; e retornou à casa de seu pai.

> *— Bem-vindo, meu lindo filho,*
> *Que mercadoria preciosa nos faz ver?*
>
> *— Meu pai, trago-lhe joia única,*
> *Dela orgulho há de ter,*
> *Não me custa nem um porto nem um castelo,*
> *Mas nunca admirou mulher tão bela.*
> *A filha do sultão, que da Turquia*
> *Trago como minha primeira mercadoria!*

— Ah, pedaço de tratante! Esta é a carga que adquiriu? — E o pai espancou os dois e os expulsou de casa.

Aqueles coitados não sabiam como encontrar comida.
— O que faremos? — perguntava-se ele. — Não sei fazer nada!

Mas ela lhe disse:
— Escute, sei pintar lindos quadros. Eu os farei e você os venderá. Mas lembre-se de que não deve dizer a ninguém que são pintados por mim.

Entretanto, na Turquia, o sultão expedira vários navios à procura da filha. E um desses navios, por coincidência, chegou à aldeia onde os dois se encontravam. Muitos homens desembarcaram, e o jovem, vendo tanta gente, disse à esposa:

— Pinte muitos quadros que hoje vendemos tudo.

Ela os pintou e lhe disse:

— Leve, mas não venda nenhum a menos de vinte escudos.

Ele os levou para a praça. Vieram os turcos, deram uma olhada nos quadros e disseram entre eles:

— Mas estes são da filha do sultão! Só ela é capaz de fazer igual! — Aproximaram-se e lhe perguntaram quanto custavam.

— Custam caro — disse ele. — Não os entrego por menos de vinte escudos.

— Bem, vamos comprar. Mas queremos outros.

E ele:

— Vamos lá em casa falar com minha mulher: é ela que os pinta.

Os turcos foram e viram a filha do sultão. Agarraram-na, amarraram-na e a levaram para a Turquia.

O marido ficou ali desesperado, sem mulher, sem trabalho e sem um centavo. Ia todos os dias ao porto para ver se algum navio queria levá-lo, mas nada. Certo dia, encontra um velho que pescava numa barquinha. E lhe diz:

— Bom velho, como está melhor do que eu!

— Por que, caro filho? — disse o velho.

— Bom velho, como gostaria de pescar com o senhor!

— Se quiser vir comigo, é só subir!

Você com a vara, eu com a barquinha
Quem sabe pescamos uma sardinha!

E o jovem subiu. Fizeram um pacto: dividiriam tudo na vida, sempre: o mal e o bem; e para começar o velho dividiu com ele o seu jantar.

Depois de comer, foram dormir. Entretanto, de repente, formou-se uma tempestade. O vento arrastou a embarcação, levou-a pelas ondas e acabou por deixá-la na Turquia.

Os turcos, vendo chegar aquela barca, apreenderam-na, fizeram escravos os dois pescadores e os levaram ao sultão. O sultão os mandou para o jardim: o velho para cuidar da horta e o jovem, das flores. No jardim do sultão, os dois escravos se achavam muito bem, haviam feito amizade com os outros jardineiros, o velho fabricava guitarras, violinos, flautas, clarinetes, flautins; e o jovem tocava todos os instrumentos e cantava canções.

A filha do sultão, como castigo, estava presa numa torre muito alta, com suas damas de companhia. E, ao ouvir tocar e cantar tão bem, pensava no marido distante.

— Só Bela Testa — (ela o chamava de Bela Testa) — sabia tocar todos os instrumentos, contudo sua voz era mais suave que qualquer instrumento. Quem está tocando e cantando no jardim?

E, olhando através das persianas — pois não podia abri-las —, reconheceu no jovem que tocava no jardim o seu marido.

Todos os dias, as damas de companhia iam ao jardim para encher uma grande cesta de flores. E a filha do sultão lhes disse:

— Ponham aquele jovem na cesta, cubram-no de flores e tragam-no aqui!

Damas de companhia e jardineiros, divertindo-se, fizeram-no entrar na cesta, e as damas de companhia o levaram para cima. Quando chegou à torre, saiu do meio das flores e se viu diante de sua mulher! Abraçaram-se, beijaram-se, contaram tudo um ao outro: e logo estudaram um meio de fugir.

Mandaram carregar um grande navio com pérolas, pedras preciosas, barras de ouro, joias; e estivaram Bela Testa, em seguida a filha do sultão e depois todas as damas de companhia, uma por uma. E o navio zarpou.

Quando já estavam longe, Bela Testa se lembrou do velho e disse à esposa:

— Querida, talvez eu perca a vida, mas tenho de regressar:

não posso faltar com a palavra! Fiz um pacto com aquele velho de que sempre dividiríamos o mal e o bem!

Regressaram e o velho estava na praia à espera deles. Fizeram-no subir no navio e foram de novo para o alto-mar.

— Bom velho — disse-lhe Bela Testa —, vamos fazer a divisão. De todas estas riquezas, metade cabe a você e metade a mim.

— E também de sua mulher — disse o velho —, metade cabe a você e metade a mim!

Então o jovem lhe disse:

— Bom velho, devo-lhe muito: deixo-lhe todas as riquezas desta embarcação. Porém, deixe minha mulher toda para mim.

E o velho:

— Você é um jovem generoso. Saiba que sou a alma daquele morto que você mandou enterrar. Se conseguiu toda essa fortuna é graças à boa ação que praticou.

Deu-lhe a bênção e desapareceu.

O navio chegou à aldeia com grandes tiros de canhão: chegava Bela Testa com a mulher, o mais rico senhor do mundo. Na praia, estava seu pai, que queria abraçá-lo de novo.

Viveram em paz e harmonia
E eu nada ganho por dia.

LUNA

Um comerciante que tinha três filhas precisava viajar a negócios. Disse às filhas:

— Antes de partir, vou lhes dar um presente, pois quero deixá-las contentes. Digam-me o que desejam.

As moças refletiram e disseram que desejavam ouro, prata e seda para fiar. O pai comprou ouro, prata e seda, e então partiu, recomendando que se portassem bem.

A irmã caçula, que se chamava Luna, era a mais bonita, e as outras irmãs estavam sempre com inveja. Quando o pai viajou, a mais velha pegou o ouro para fiar, a segunda pegou a prata e a seda deram a Luna. Depois do almoço, as três se puseram a fiar à janela, e as pessoas que passavam olhavam para cima a fim de ver as três moças, examinavam-nas e os olhos de todos sempre se detinham na caçula. Veio a noite e no céu passou a Lua; olhou para a janela e disse:

> *A do ouro é linda,*
> *A da prata é mais linda,*
> *Mas a da seda vence fácil,*
> *Boa noite, feias e gráceis.*

Ao ouvir isso, as irmãs foram devoradas pela raiva e decidiram trocar os fios. No dia seguinte, deram a Luna a prata e depois do almoço se puseram a fiar à janela. Quando a Lua passou à noite, disse:

> *A do ouro é linda,*
> *A da seda é mais linda,*
> *Mas a da prata vence fácil,*
> *Boa noite, feias e gráceis.*

As irmãs, cheias de raiva, começaram a fazer tantas provocações a Luna, que era necessária toda a paciência daquela pobrezinha para suportá-las. E na tarde do dia seguinte, pondo-se a fiar à janela, deram-lhe o ouro para ver o que dizia a Lua. Mas a Lua, ao passar, disse:

> *A que fia a prata é linda,*
> *A da seda é mais linda,*
> *Mas a do ouro vence fácil,*
> *Boa noite, feias e gráceis.*

Agora, as irmãs já não conseguiam nem olhar para Luna: trancaram-na no celeiro. A pobre moça estava ali a chorar, quando a Lua abriu a janelinha com um raio e lhe disse:

— Venha. — Tomou-a pela mão e a levou consigo.

Na tarde seguinte, as duas irmãs fiavam sozinhas à janela. À noite, passou a Lua e disse:

> *A que fia o ouro é linda,*
> *A da prata é mais linda,*
> *Mas a que está em minha casa vence fácil,*
> *Boa noite, feias e gráceis.*

As irmãs, ao ouvir isso, correram a olhar no celeiro: Luna não estava mais lá. Mandaram chamar uma astróloga, para que descobrisse onde estava a irmã. A resposta da astróloga foi que Luna estava na casa da Lua e jamais estivera tão bem.

— E o que podemos fazer para que morra? — perguntaram as irmãs.

— Deixem por minha conta — disse a astróloga. Vestiu-se de cigana e foi até as janelas da Lua, anunciando suas mercadorias.

Luna apareceu e a astróloga lhe disse:

— Quer estes belos alfinetes? Veja, estão bem baratos!

Os alfinetes agradavam muito a Luna, e ela mandou a astróloga entrar.

— Espere que coloco um nos seus cabelos — disse a astróloga, e o espetou na sua cabeça: Luna virou uma estátua. A astróloga correu para contar o que acontecera às irmãs.

Quando a Lua regressou depois de seu giro ao redor do mundo, encontrou a moça transformada em estátua e disse:

— Eis o resultado, eu tinha dito que não abrisse para ninguém, desobedeceu-me, merecia que a deixasse assim. — Mas acabou ficando com pena e lhe tirou o alfinete da cabeça: Luna voltou à vida e prometeu que não abriria mais para ninguém.

Passado algum tempo, as irmãs foram de novo consultar a astróloga para perguntar se Luna continuava morta. A astróloga consultou seus livros mágicos e disse que não entendia como, porém a moça estava viva e saudável de novo. As irmãs tornaram a lhe pedir que a fizesse morrer. E a astróloga voltou às janelas de Luna com uma caixinha de pentes. Ao ver aqueles pentes, a moça não pôde resistir e chamou a mulher para entrar. Mas, assim que um pente lhe foi colocado na cabeça, ei-la de novo transformada em estátua, e a astróloga correu até as irmãs.

A Lua regressou e, ao vê-la de novo estátua, inquietou-se e lhe disse poucas e boas. Mas, depois que desabafou, perdoou-a e lhe tirou o pente da cabeça; a moça ressuscitou.

— Porém, se acontecer mais uma vez — disse-lhe —, deixo-a morta.

E Luna prometeu.

Imaginem se as irmãs e a astróloga se rendiam! Veio com uma blusa bordada, a mais bonita que já se viu. Luna gostou tanto que desejou experimentá-la e bastou vesti-la para virar estátua. Desta vez, a Lua não quis mais saber. Vendeu a estátua por três tostões a um limpador de chaminés.

O limpador de chaminés andava pela cidade com a bela estátua amarrada à sela de seu asno, até que encontrou o filho do rei, que se apaixonou por ela. Comprou-a a peso de ouro, levou-a para seu quarto e passava horas adorando-a; e, quando saía, fechava o quarto a chave, pois queria ser o único a contemplá-la. Mas as irmãs dele, tendo de ir a um grande baile, queriam fazer uma blusa igual à da estátua e, enquanto o irmão estava fora, entraram com uma chave falsa para lhe tirar a blusa.

Assim que a blusa foi retirada, Luna se moveu e reviveu. As irmãs por pouco não morreram de susto, mas Luna contou a sua história. Então, fizeram-na esconder-se atrás de uma porta para esperar a volta do irmão. O filho do rei, não vendo mais sua estátua, foi dominado pelo desespero, mas Luna apareceu e lhe contou tudo. O jovem a levou logo aos pais, apresentando-a como sua noiva. As núpcias foram celebradas em seguida, e as irmãs de Luna souberam do acontecido por meio da astróloga e morreram de raiva imediatamente.

O CORCUNDA SAPATIM

O corcunda Sapatim era um pobre remendão que não sabia o que fazer da vida, pois ninguém lhe dava um sapato para consertar. Saiu pelo mundo afora em busca de fortuna. Quando anoiteceu e ele não sabia onde dormir, viu uma pequena luz à distância e, orientando-se por ela, chegou a uma casa e bateu. Uma mulher abriu e ele pediu pousada.

— Mas esta — disse a mulher — é a casa do Homem Selvagem, que devora todos os que encontra. Se eu o fizer entrar, meu marido comerá o senhor também.

O corcunda lhe pediu e lhe implorou, e a mulher ficou com pena dele e lhe disse:

— Entre e, se concordar, vou escondê-lo sob as cinzas.

Assim fez, e, quando o Homem Selvagem chegou e começou a andar pela casa fungando e dizendo:

Que bom que bom
Tem catinga de cristão
Está aqui ou já esteve
Ou está escondido no porão.

sua mulher lhe disse:

— Vem comer, o que está inventando a esta hora? — E lhe serviu uma panelada de macarrão. Marido e mulher se puseram a comer macarrão, e o Homem Selvagem comeu tanto que a certa altura disse:

— Basta, estou cheio e não como mais. Se há alguém em casa, dê-lhe o que sobrou.

— Tem um pobre homenzinho que me pediu pousada para esta noite — disse a mulher. — Se me prometer que não o comerá, deixo-o aparecer.

— Deixe-o aparecer então.

E a mulher puxou das cinzas o corcunda Sapatim e o fez

sentar-se à mesa. Diante do Homem Selvagem, o pobre corcundinha, todo coberto de cinzas, tremia como uma folha, mas tomou coragem e comeu o macarrão.

— Esta noite não sinto mais fome — disse o Homem Selvagem ao corcunda —, mas amanhã cedo, se você não sumir logo, será engolido de uma só vez.

Assim, passaram a conversar como bons amigos, e o corcunda, que era esperto como o diabo, começou a lhe dizer:

— Que linda colcha vocês têm na cama!

E o Homem Selvagem:

— É toda bordada a ouro e prata, e com a franja toda de ouro.
— E aquela cômoda?
— Lá dentro há duas bolsas de dinheiro.
— E aquela varinha atrás da cama?
— É para propiciar tempo bom.
— E esta voz que se ouve?
— É um papagaio que tenho no poleiro e que fala como nós.
— Quantas coisas bonitas vocês têm!
— E não está tudo aqui! Na estrebaria, tenho uma égua de beleza sem-par, que corre como o vento.

Após o jantar, a mulher reconduziu Sapatim ao seu buraco debaixo das cinzas e foi dormir com o marido. Assim que clareou, a mulher foi chamar Sapatim.

— Vamos, rápido, fuja antes que meu marido se levante!

O corcunda agradeceu à mulher e foi embora.

Andou que andou, até que chegou ao palácio do rei de Portugal e pediu hospedagem. O rei quis vê-lo e o fez contar sua história. Ao saber de todas as lindas coisas que o Homem Selvagem tinha em casa, o rei foi tomado por um grande desejo e disse a Sapatim:

— Ouça bem, você pode ficar aqui no palácio e fazer tudo o que quiser, mas quero uma coisa de você.

— Basta pedir, Majestade.

— Contou que o Homem Selvagem possui uma bela colcha bordada a ouro e prata e com a franja toda de ouro. Deve ir buscá-la e trazê-la para mim, senão mando cortar sua cabeça.

— Mas como quer que eu faça? — disse o corcunda. — O Homem Selvagem devora todo mundo. É o mesmo que me dar uma sentença de morte.

— Isso não me interessa. Pense no problema e se vire.

O pobre corcunda refletiu e, quando tinha pensado bastante, dirigiu-se ao rei e lhe disse:

— Sacra Coroa, dê-me um cartucho cheio de zangãos vivos, que estejam em jejum há sete ou oito dias, e hei de lhe trazer a colcha.

O rei mandou o exército pegar os zangãos e os deu a Sapatim.

— Leve esta varinha — disse-lhe. — É encantada e poderá ajudá-lo. Quando tiver de passar pela água, bata com ela no chão e não tenha medo. Melhor ainda, enquanto você vai lá, vou esperar naquele palácio que fica além do mar.

O corcunda foi à casa do Homem Selvagem, ficou à espreita e percebeu que estavam jantando. Subiu na janela do quarto de dormir, entrou e se escondeu embaixo da cama. Quando o Homem Selvagem e sua mulher foram para a cama e adormeceram, o corcunda pôs o cartucho cheio de zangãos sob as cobertas e os lençóis, e o abriu. Os zangãos, sentindo aquele calorzinho, saíram do cartucho e se puseram a zumbir e a picar.

O Homem Selvagem começou a se agitar, derrubou a colcha, e o corcunda a enrolou debaixo da cama. Os zangãos se irritaram e se puseram a picar a todo vapor; o Homem Selvagem e sua mulher fugiram gritando; e Sapatim, quando se viu só, fugiu também, com a colcha debaixo do braço.

Pouco depois, o Homem Selvagem se debruçou na janela e perguntou ao papagaio que estava no poleiro:

— Papagaio, que horas são?

E o papagaio:

— É a hora em que o corcunda Sapatim leva embora sua bela colcha!

O Homem Selvagem correu ao quarto e viu que a colcha não estava mais lá. Então montou na égua e partiu a galope, até avistar o corcunda de longe. Mas Sapatim já havia chegado à praia, batia com a varinha que o rei lhe dera no chão, a água se abria e o deixava passar; e, assim que ele passou, tornou a se fechar. O Homem Selvagem, parado na praia, pôs-se a gritar:

> *Ó Sapatim de treze meses,*
> *Quando volta a esta paragem?*
> *Quero comê-lo um dia desses,*
> *E, se não o comer, fico em desvantagem.*

Ao ver a colcha, o rei começou a pular de alegria. Agradeceu ao corcunda, mas depois lhe disse:

— Sapatim, já que você foi corajoso a ponto de lhe tirar a colcha, será capaz também de lhe tirar a varinha que propicia o tempo bom.

— Mas como quer que eu o faça, Sacra Coroa?

— Pense bem nisso, senão paga com a cabeça.

O corcunda pensou e depois pediu ao rei um saquinho de nozes.

Chegou à casa do Homem Selvagem, ficou na escuta e ouviu que iam dormir. Subiu no telhado e começou a jogar porções de nozes nas telhas. O Homem Selvagem acordou com essas pancadinhas nas telhas e disse à mulher:

— Está caindo granizo! Vá correndo pôr a varinha no telhado, senão o granizo acaba com meu trigo.

A mulher se levantou, abriu a janela, e pôs a varinha no telhado, onde Sapatim estava pronto para pegá-la e fugir.

Dali a pouco, o Homem Selvagem se levantou, contente de que tivesse cessado de cair granizo, e foi até a janela.

— Papagaio, que horas são?

E o papagaio:

— É a hora em que o corcunda Sapatim leva embora sua varinha do tempo bom.

O Homem Selvagem pegou a égua e saiu a galope atrás do corcunda. Já estava para alcançá-lo, na praia, mas Sapatim bateu com a varinha, o mar se abriu, deixou-o passar e se fechou. O Homem Selvagem gritou:

> *Ó Sapatim de treze meses,*
> *Quando volta a estas paragens?*
> *Quero comê-lo um dia desses,*
> *E, se não o comer, fico em desvantagem.*

Ao ver a varinha, o rei não cabia em si de alegria. Mas disse:
— Agora tem que ir buscar as duas bolsas de dinheiro.

O corcunda refletiu; em seguida, mandou preparar instrumentos de lenhador, mudou de roupa, pôs uma barba falsa e foi ao encontro do Homem Selvagem com um machado, cunhas e uma clava. O Homem Selvagem jamais vira Sapatim durante o dia e, além disso, após algum tempo de boas refeições no palácio do rei, ele também estava um pouco menos corcunda; portanto, não o reconheceu.

Cumprimentaram-se.
— Aonde vai?
— Cortar lenha!
— Ah, aqui no bosque há lenha para dar e vender!

Então Sapatim pegou seus instrumentos e se pôs a trabalhar ao redor de um imenso carvalho. Meteu uma cunha, depois outra, depois uma terceira e então pôs-se a golpeá-lo com a clava. Começou a se impacientar, fingindo que uma cunha havia ficado presa.

— Não se irrite — disse o Homem Selvagem —, já lhe dou uma ajuda. — E enfiou as mãos na abertura do tronco para ver se, mantendo-a alargada, daria para deslocar aquela cunha.

Então Sapatim, com um golpe de clava, fez todas as cunhas saltarem e o vão do tronco se fechou sobre as mãos do Homem Selvagem.

— Por caridade, ajude-me! — começou a berrar. — Corra à minha casa, peça à minha mulher aquelas duas grandes cunhas que temos e tire-me daqui.

Sapatim correu à casa da mulher e lhe disse:
— Rápido, seu marido quer que me entregue as duas bolsas de dinheiro que estão na cômoda.

— Como posso entregá-las? — disse a mulher. — Temos que comprar tanta coisa! Se fosse uma, mas as duas!

Então Sapatim abriu a janela e gritou:

— Ela deve me dar uma ou as duas?

— Todas as duas! Rápido! — berrou o Homem Selvagem.

— Ouviu? Ele está irritado — disse Sapatim. Pegou as bolsas e fugiu.

Depois de muitos esforços, o Homem Selvagem conseguiu tirar as mãos do tronco, deixando nele um pouco de pele, e voltou para casa gemendo. E a mulher:

— Mas por que me obrigou a dar as duas bolsas de dinheiro?

O marido queria afundar na terra. Dirigiu-se ao papagaio e:

— Que horas são?

— A hora em que o corcunda Sapatim está levando embora suas duas bolsas de dinheiro!

Mas desta vez o Homem Selvagem sentia dor demais para correr atrás dele e se contentou em lhe mandar uma maldição.

O rei quis que Sapatim trouxesse também a égua que corria como o vento.

— Como vou fazer? A estrebaria fica fechada a chave e a égua tem tantos guizos pendurados nos arreios!

Mas depois refletiu e pediu uma sovela e um saquinho de algodão em rama. Com a sovela fez um buraco na parede de madeira da estrebaria e conseguiu entrar; depois começou a dar umas picadas com a sovela na barriga da égua. A égua escoiceava e o Homem Selvagem, na cama, ouvia o barulho e dizia:

— Pobre animal, está sofrendo esta noite! Não quer ficar quieta!

Pouco depois, Sapatim de novo: outra picada com a sovela. O Homem Selvagem se cansou de ouvir a égua escoicear; foi à estrebaria, fez com que ela saísse e a amarrou ao ar livre. Depois voltou a dormir. O corcunda, que estava escondido no interior da estrebaria, saiu pelo buraco que fizera, encheu os guizos da égua com algodão em rama e enfaixou-lhe os cascos. A seguir, desamarrou-a, montou e galopou em silêncio. Dali a pouco, como de hábito, o Homem Selvagem acordou e foi até a janela.

— Papagaio, que horas são?

— É a hora em que o corcunda Sapatim leva embora sua égua!

O Homem Selvagem queria persegui-lo, mas quem estava com a égua era Sapatim, e quem é que o agarrava?

Todo contente, o rei disse:

— Agora quero o papagaio.

— Mas o papagaio fala e grita!

— Pense nisso você.

O corcunda pediu duas sopas inglesas, uma melhor que a outra, e também balas, biscoitos e todo tipo de doces. Pôs tudo num cesto e se foi.

— Olhe, papagaio — sussurrou-lhe —, veja o que trouxe para você. Se vier comigo, será tratado sempre assim.

O papagaio tomou a sopa inglesa e disse:

— Ótima!

E foi assim, à custa de sopa inglesa, biscoitos, balas e caramelos, que Sapatim o levou com ele e, quando o Homem Selvagem foi até a janela, perguntou:

— Papagaio, que horas são? Repito: que horas são? Ei, não está me ouvindo? Que horas são? — Correu ao poleiro e o encontrou vazio.

No palácio do rei, quando Sapatim chegou com o papagaio houve grandes festas.

— Agora que já fez tudo isso — disse o rei —, só lhe resta uma tarefa.

— Mas não há mais nada para pegar! — disse o corcunda.

— Como não? — disse o rei —, falta a parte mais importante. Você tem que me trazer o Homem Selvagem em pessoa.

— Tentarei, Sacra Coroa. Basta que me providencie uma roupa que esconda a corcunda e que faça com que mudem meus traços.

O rei chamou os melhores alfaiates e barbeiros, e ordenou que lhe fizessem roupas que o tornassem irreconhecível, e ainda uma peruca loura e belos bigodes.

Disfarçado desta maneira, o corcunda saiu à procura do

Homem Selvagem e o encontrou lavrando a terra. Cumprimentou-o tirando o chapéu.

— O que procura?

— Sou o fabricante de caixões — disse Sapatim — e procuro tábuas para o caixão do corcunda Sapatim, que acaba de morrer.

— Ah! Morreu finalmente! — disse o Homem Selvagem. — Estou tão contente que lhe darei as tábuas e, se quiser, pode fazer o caixão aqui.

— Com prazer — disse o corcunda. — O único inconveniente é que aqui não posso tomar as medidas do morto.

— Se é só esse o problema — disse o Homem Selvagem —, aquele malandro tinha mais ou menos a minha altura. Pode tirar minhas medidas.

Sapatim se pôs a serrar as tábuas e a pregá-las. Quando o caixão ficou pronto, disse:

— Muito bem, agora vejamos se está no tamanho certo. — O Homem Selvagem se deitou lá dentro. — Vejamos com a tampa. — Colocou a tampa no caixão e a pregou. Em seguida, pegou o caixão e o levou para o rei.

Vieram todos os senhores da região, colocaram o caixão no meio de um prado e atearam fogo nele. Depois houve uma grande festa, pois o reino se livrara daquele monstro.

O rei nomeou Sapatim seu secretário e sempre teve muita consideração por ele.

Comprida a história, estreita a via
Contem a sua, pois já contei a minha.

O OGRO COM PENAS

Um rei ficou doente. Vieram os médicos e lhe disseram:
— Ouça, Majestade, se quiser se curar, é preciso que consiga uma pena do Ogro. É um remédio difícil, pois o Ogro devora todos os cristãos que vê.

O rei disse isso a muita gente, mas ninguém queria ir. Pediu a um subordinado seu, muito fiel e corajoso, e este disse:
— Vou.

Ensinaram-lhe o caminho:
— No alto de um monte, existem sete tocas: numa das sete está o Ogro.

O homem partiu e, no caminho, foi envolvido pela escuridão. Parou numa estalagem, e o estalajadeiro, durante a conversa, pediu:
— Você poderia trazer uma pena para mim também, já que fazem tão bem...
— Sim, eu a trarei de bom grado — disse o homem.
— E, se conversar com o Ogro, dê um jeito de lhe perguntar sobre minha filha, que desapareceu há tantos anos e não sei por onde anda.

De manhã, o homem prosseguiu. Chegou a um rio, chamou o barqueiro e fez com que o atravessasse. No trajeto, puseram-se a conversar.
— Poderia trazer uma pena para mim também? — perguntou o barqueiro. — Sei que dão sorte.
— Sim, claro que sim.
— E, se der, pergunte a ele por que estou aqui há tanto tempo e não consigo sair da barca.
— Não esquecerei.

Desembarcou e prosseguiu. Numa fonte, parou para comer um pedaço de pão. Apareceram dois senhores bem vestidos, sentaram-se também e começaram a conversar.

— Será que não poderia trazer uma também para nós? — perguntaram-lhe.

— E por que não?

— E, se der, poderia perguntar ao Ogro a razão de uma coisa? Em nosso jardim, antigamente, havia uma fonte que jorrava ouro e prata. E agora está seca.

— Sim, sem dúvida hei de perguntar.

Retomou a estrada e outra vez escureceu. Encontrou um convento e bateu. Vieram os frades abrir e ele pediu abrigo.

— Entre, entre.

Pôs-se a contar sua história aos frades. E os frades:

— Mas conhece bem todas as condições?

— Disseram-me que há sete tocas ali. No fundo de uma delas existe uma porta. Bato e encontro o Ogro.

— Eh, cavalheiro — disse o prior —, se não estiver a par de todas as condições, pagará com a pele. Pensa que o Ogro é um animal insignificante? Ouça o que digo. Nós lhe fazemos um favor e o senhor o retribuirá.

— De acordo.

— Ouça. Quando estiver no alto da montanha, conte sete tocas: a sétima é a do Ogro. E deverá descer nela. No fundo dessas tocas, há uma escuridão que não permite enxergar nada. Vamos lhe dar uma vela e fósforos, e assim poderá enxergar. Mas é necessário que vá até lá ao meio-dia em ponto, pois nesse horário o Ogro não está. Encontrará sua esposa, que é uma boa moça e o informará de tudo. Pois, se se defrontar logo com o Ogro, ele o devora de uma só vez.

— Fizeram bem em me avisar: eram coisas que desconhecia.

— Agora lhe digo o que deve perguntar a ele sobre nós. Ficamos aqui em paz durante não sei quanto tempo, mas há dez anos não fazemos outra coisa a não ser brigar. Um quer isso, outro quer aquilo, gritamos, estamos sempre na confusão. O que significa?

Na manhã seguinte, o homem escalou a montanha. Às onze estava no alto; sentou-se para descansar. Quando deu meio-dia, enfiou-se na sétima toca; a escuridão era palpável, mas ele acendeu a vela e viu uma porta. Assim que bateu, apareceu uma linda moça.

— Quem é você? Quem o trouxe aqui? Não sabe quem é meu marido? Todos os cristãos que vê ele devora.

— Vim pegar algumas penas dele. Já que estou aqui, tento. Se me comer, amém.

— Ouça, estou aqui há muitos anos e não aguento mais. Se você se sair bem, fugimos os dois. Ele não pode vê-lo, senão o devora; mas vou escondê-lo embaixo da cama. Quando ele vier dormir, arranco-lhe as penas. Quantas?

— Quatro penas. — E lhe contou tudo, sobre o rei, o estalajadeiro, o barqueiro, os dois senhores, os frades, e suas perguntas.

Enquanto conversavam, almoçaram. Deram-se conta de que já era tarde. A jovem começou a preparar a comida do Ogro.

— Quando tem fome, sente logo o cheiro de cristão; depois de comer, não o sente mais. Senão, pobre de você!

Às seis, ouviu-se um grande barulho na porta, e o homem, rápido, enfiou-se debaixo da cama. O Ogro entrou e começou a falar:

Que bom que bom
Tem catinga de cristão
Está aqui ou já esteve
Ou então está no porão.

— Deixe de conversa fiada — disse a mulher. — A fome já o faz dizer bobagens. Coma logo.

O Ogro se pôs a comer, mas continuava a sentir o cheiro de cristão, tanto que, depois de jantar, ficou andando pela casa. Finalmente chegou a hora de ir para a cama. Despiram-se, deitaram-se sob as cobertas e o Ogro adormeceu.

O homem embaixo da cama era todo ouvidos.

— Esteja atento — sussurrou-lhe a mulher. — Agora, finjo sonhar e lhe arranco uma pena. — Puxou uma pena e a passou para ele embaixo da cama.

— Ai! O que está fazendo? Está me depenando! — disse o Ogro.

— Ah... Estava sonhando...

— Sonhava com quê?

— Sonhava com aquele convento lá embaixo. Faz dez anos que os frades andam tão malvados, que nem conseguem mais viver juntos.

— Não é um sonho: é a verdade — disse o Ogro. — Os frades andam tão maus porque há dez anos o Diabo entrou no convento vestido de padre.

— E o que seria preciso fazer para expulsá-lo?

— Seria necessário que os frades verdadeiros começassem a fazer boas ações. Então vão perceber quem é o Diabo. — E, dizendo isso, o Ogro voltou a dormir.

Quinze minutos mais tarde, a mulher lhe puxou outra pena e a deu ao homem debaixo da cama.

— Ai! Está me machucando!

— Sonhava.

— De novo! E sonhava com quê?

— Com a fonte lá embaixo, no jardim daqueles dois senhores, que jorrava ouro e prata. Sonhei que estava seca. Quem sabe o que significa?

— Esta noite você tem apenas sonhos verdadeiros. A fonte está tapada e não pode mais pôr para fora ouro e prata. Seria preciso escavar o buraco da fonte, mas com muito cuidado: encontrariam uma bola e em volta dessa bola uma cobra adormecida. Teriam que esmagar a cabeça da cobra debaixo da bola antes que a cobra percebesse, e então a fonte tornaria a jorrar ouro e prata.

Depois de quinze minutos, arrancou-lhe ainda outra pena.

— Ai! Esta noite decidiu me depenar.

— Tenha paciência: sonhava.

— E com que, desta vez?

— Com um barqueiro, lá no rio, que há vários anos não consegue sair da barca.

— Isso também é verdade. Ele não sabe o que deve fazer: o

primeiro que entrar na barca, depois de pagar, em vez de deixá-lo descer, desce primeiro ele. Assim, o outro ficaria e ele iria embora.

A mulher lhe arrancou a quarta pena.

— Desgraçada, mas o que está fazendo?

— Desculpe: continuo a sonhar. Sonhava com um estalajadeiro que há tantos anos espera por uma filha que se perdeu.

— Sonhava com seu pai, quer dizer. Pois é você a filha daquele estalajadeiro...

Às seis da manhã, o Ogro se levantou, despediu-se da mulher e foi embora. Então o homem saiu do esconderijo com as quatro penas embrulhadas num pacotinho, pegou a jovem e fugiram juntos.

Passaram no convento e explicaram aos frades:

— Ouçam, o Ogro me contou que um de vocês é o Diabo. Devem começar a praticar o bem para que ele fuja.

Os frades se puseram a fazer boas ações até que o Diabo fugiu.

Os dois passaram no jardim; deram uma pena aos dois senhores e explicaram a história da cobra. E a fonte voltou a jorrar ouro e prata.

Chegaram onde estava o barqueiro.

— Eis a pena!

— Agradeço-lhes. E o que disse de mim?

— Espere um pouco. Vou lhe contar assim que tiver atravessado.

Tendo desembarcado, explicaram-lhe como devia fazer.

Na estalagem, o homem gritou:

— Estalajadeiro, aqui estou com pena e filha! — O estalajadeiro queria concedê-la a ele como esposa imediatamente.

— Aguarde, pois vou levar a pena ao rei e lhe peço permissão.

Levou a pena ao rei, que se curou e lhe deu uma recompensa. O homem disse:

— Agora, se Vossa Majestade permite, vou me casar.

O rei dobrou o valor da recompensa e ele partiu. Chegou à estalagem, mas o Ogro descobrira o sumiço da jovem e corria para recuperá-la e comer todos de uma só vez. Chegou ao rio e saltou na barca.

— Pague o transporte — exigiu o barqueiro.

O Ogro pagou e, sem imaginar que o barqueiro conhecesse o segredo, não prestou atenção: o barqueiro saltou primeiro, e o Ogro não pôde mais sair da barca.

BELINDA E O MONSTRO

Era uma vez um mercador de Livorno, pai de três filhas chamadas Assunta, Carolina e Belinda. Era rico, e as três filhas tinham sido habituadas a que não lhes faltasse nada. Todas as três eram bonitas, mas a caçula era de uma tal beleza que lhe deram o nome de Belinda. E não era somente bela, mas boa e modesta e ajuizada, ao passo que as irmãs eram soberbas, teimosas e despeitadas, e, além do mais, sempre cheias de inveja.

Quando elas cresceram, os mercadores mais ricos da cidade iam lhes pedir em casamento, mas Assunta e Carolina, destilando arrogância, mandavam-nos embora dizendo:

— Jamais nos casaremos com um mercador.

Belinda, ao contrário, respondia com boas maneiras:

— Casar não posso porque ainda sou muito moça. Quando crescer um pouco mais, podemos voltar a falar sobre isso.

Mas diz o provérbio: nunca diga desta água não beberei.

Acontece que o pai acabou perdendo um navio com todas as suas mercadorias e, em pouco tempo, arruinou-se. De tantas riquezas que possuía, só lhe restou uma casinha no campo, e, para sobreviver com decência, teve de se recolher com toda a família e lavrar a terra como um camponês. Imaginem as caretas que fizeram as duas filhas maiores ao saber que teriam de levar aquela vida.

— Não, papai — disseram —, não vamos para a vinha; permaneceremos aqui na cidade. Graças a Deus, temos grandes senhores que desejam casar conosco.

Pois sim, vá-se confiar nos senhores! Quando souberam que haviam perdido a fortuna, desapareceram todos. E ainda diziam:

— É bem feito! Assim hão de aprender como se comportar. Abaixarão um pouco a crista.

Todavia, se gostaram de ver Assunta e Carolina na miséria, compadeceram-se da pobre Belinda, que jamais levantara o nariz para ninguém. Inclusive, dois ou três rapazes foram pedi-la em casamento, tão bonita e sem um centavo. Porém, ela nem quis saber, pois estava preocupada em ajudar o pai e agora não podia abandoná-lo. De fato, era ela quem madrugava para ir à vinha, cuidar da casa, preparar a comida para as irmãs e para o pai. As irmãs, ao contrário, levantavam-se às dez e não moviam um dedo; inclusive, implicavam sempre com ela, aquela vilã, como a chamavam, que logo se habituara àquela vida de cão.

Certo dia, chega uma carta ao pai dizendo que chegara a Livorno o seu navio, que fora dado como perdido, com uma parte do carregamento que se salvara. As irmãs mais velhas, imaginando que dentro em breve voltariam à cidade e a miséria terminaria, quase enlouqueceram de alegria. O mercador disse:

— Vou a Livorno ver se recupero o que me toca. O que desejam que lhes traga de presente?

Assunta disse:

— Quero um belo vestido de seda cor de ar.

E Carolina:

— Traga-me um cor de pêssego.

Belinda, ao contrário, estava calada e não pedia nada. O pai teve de lhe perguntar mais uma vez, e ela disse:

— Não é hora de fazer tantas despesas. Traga-me uma rosa, e ficarei contente.

As irmãs debocharam dela, mas ela nem ligou.

O pai foi a Livorno, mas quando estava a ponto de pôr as mãos na sua mercadoria, surgiram outros mercadores, tentando provar que eram seus credores e que, portanto, aquelas coisas não lhe pertenciam. Após muitas discussões, o pobre velho ficou com uma soma simbólica. Mas não queria frustrar suas filhas e, com o pouco dinheiro que lhe restou, comprou o vestido cor de ar para Assunta e o vestido cor de pêssego para Carolina. Depois, já não tinha nem mais um centavo e pensou que a rosa para Belinda era tão insignificante, que nem faria diferença deixar de comprá-la.

Assim, tomou o rumo de sua vinha. Anda que anda, chegou a noite: entrou num bosque e se perdeu. Nevava, havia vento: uma coisa terrível. O mercador se abrigou debaixo de uma árvore, esperando ser dilacerado a qualquer momento por lobos, que já ouvia uivar por toda a parte. Enquanto estava assim, virando os olhos, descobriu uma luz longínqua. Aproximou-se e viu um belo palácio iluminado. O mercador entrou. Não havia vivalma; procura daqui e dali: ninguém. Havia uma chaminé acesa; encharcado como estava, o mercador se aqueceu e pensou: "Agora vai aparecer alguém". Esperou, esperou, e não se apresentou vivalma. O mercador viu uma mesa posta com todo o tipo de delícias e se pôs a comer. A seguir, pegou o candeeiro, passou para outro aposento onde havia uma cama bem arrumada, despiu-se e foi dormir.

De manhã, ao acordar, ficou petrificado: na cadeira próxima da cama havia uma roupa nova em folha. Vestiu-se, desceu as escadas e se dirigiu ao jardim. Uma belíssima roseira florescia no meio de um canteiro. O mercador se lembrou do desejo de sua filha Belinda e pensou que agora podia satisfazer também a ele. Escolheu a rosa que lhe pareceu mais bonita e a arrancou. Nesse momento, ouviu-se um rugido atrás da planta e um monstro surgiu entre as rosas, tão feio que aniquilava quem o encarasse. Exclamou:

— Como se permite me roubar rosas depois de tê-lo abrigado, alimentado e vestido? Pagará com a vida!

O pobre mercador se ajoelhou e lhe disse que aquela flor era para sua filha Belinda, que não desejava nada além de uma rosa como presente. Quando o Monstro ouviu a história, acalmou-se; e lhe disse:

— Se tem uma filha assim, traga-a para mim, pois quero tê-la comigo, e será tratada como uma rainha. Mas, se não a mandar para mim, perseguirei você e toda a sua família onde quer que se encontrem.

O pobrezinho, mais morto que vivo, assentiu para poder ir embora, mas o Monstro o fez entrar no palácio e escolher todas as joias, ouros e brocados que lhe agradassem e encheu uma caixa, que trataria de mandar à sua casa.

Tendo o mercador regressado à sua vinha, as filhas correram ao encontro dele, as duas primeiras lhe pedindo os presentes com muitos dengos, e Belinda toda contente e desvelada. Ele deu um dos vestidos a Assunta, o outro a Carolina, depois olhou para Belinda e se derramou em pranto, oferecendo-lhe a rosa e lhe contando tintim por tintim a sua desgraça.

As irmãs mais velhas começaram logo a dizer:

— Viu? Bem que nós dizíamos! Sempre com suas ideias estranhas. A rosa, a rosa! Agora, todos teremos que arcar com as consequências.

Mas Belinda, sem se perturbar, disse ao pai:

— O Monstro falou que se for ficar com ele não lhes acontece nada? Então vou, pois é melhor que me sacrifique eu em vez de sofrerem todos.

O pai lhe disse que nunca a entregaria, e também as irmãs — mas diziam de propósito — gritavam que era louca: porém, Belinda não escutava mais nada. Bateu o pé e quis partir.

Portanto, na manhã seguinte, ao alvorecer, pai e filha se puseram a caminho. Todavia, preparando-se para partir, o pai encontrara aos pés da cama a caixa com todas as riquezas que escolhera no palácio do Monstro. Sem nada dizer às filhas mais velhas, escondeu-a debaixo da cama.

Chegaram à noite ao palácio do Monstro e o encontraram todo iluminado. Subiram as escadarias: no primeiro andar, havia uma mesa preparada para duas pessoas, cheia de delícias. Não tinham muita fome, contudo se sentaram para petiscar alguma coisa. Tendo terminado de comer, ouviu-se um grande rugido, e apareceu o Monstro. Belinda ficou sem fala: jamais poderia tê-lo imaginado feio a tal ponto. Mas depois, devagar, tomou coragem e, quando o monstro lhe perguntou se viera por espontânea vontade, respondeu-lhe francamente que sim.

O Monstro pareceu muito contente. Voltou-se para o pai, deu-lhe uma mala cheia de moedas de ouro e lhe disse que deixasse imediatamente o palácio e nunca mais voltasse: ele se ocuparia de tudo o que pudesse faltar à família. O pobre pai deu o último beijo na filha, como se tivesse cem espinhas no coração, e voltou para casa chorando a ponto de comover até as pedras.

Belinda, tendo ficado sozinha (o Monstro lhe dera boa-noite e logo se fora), despiu-se, pôs-se na cama e dormiu tranquila pela satisfação de ter feito uma boa ação e salvado o pai de quem sabe quais desgraças.

De manhã, levantou-se serena e confiante, e quis visitar o palácio. Na porta de seu aposento estava escrito: "Aposento de Belinda". Na portinhola do guarda-roupa estava escrito: "Guarda-roupa de Belinda". Em cada uma das roupas, estava bordado: "Vestido de Belinda". E por toda a parte havia cartazes que diziam:

A rainha que você é,
De tudo o que quiser, dona é

À noite, quando Belinda se sentou para jantar, ouviu-se o rugido habitual, e apareceu o Monstro.

— Com licença — disse-lhe —, permite que lhe faça companhia durante o jantar.

Belinda, gentil, respondeu-lhe:

— O senhor é o dono.

Mas ele protestou:

— Não, aqui a única dona é você. Todo o palácio e o que está dentro dele é seu. — Ficou um momento em silêncio, pensativo, depois perguntou: — É verdade que sou assim tão feio?

E Belinda:

— Sim, feio é, mas o bom coração que tem o torna quase bonito.

Então ele não hesitou:

— Belinda, você casaria comigo?

Ela estremeceu da cabeça aos pés e não soube o que responder. Pensava: "Agora, se lhe digo que não, quem sabe como reage!". Depois tomou coragem e respondeu:

— Se posso dizer a verdade, não tenho a mínima vontade de casar com o senhor.

O Monstro, sem dizer palavra, deu-lhe boa-noite e se foi suspirando.

E assim Belinda permaneceu três meses naquele palácio. E todas as noites o Monstro vinha lhe perguntar a mesma coisa, se queria casar com ele, e depois ia embora suspirando. Belinda se acostumara tanto que, se não o visse uma noite, teria sentido falta.

Belinda passeava todos os dias no jardim, e o Monstro lhe explicava as virtudes das plantas. Havia uma árvore frondosa que era a árvore do pranto e do riso.

— Quando tem as folhas para cima — disse-lhe o Monstro —, na sua casa se riem; quando estão pendentes, na sua casa se chora.

Um dia Belinda notou que a árvore do pranto e do riso tinha todas as folhas para cima. Perguntou ao Monstro:

— Por que está tão alegre?

E ele:

— Sua irmã Assunta vai se casar.

— Não poderei assistir às núpcias? — perguntou Belinda.

— Pode ir — disse o Monstro. — Desde que dentro de oito dias você esteja de volta, senão me encontrará morto. E este é um anel que lhe dou: quando a pedra se embaça, significa que estou mal e você deve correr depressa para junto de mim. Aproveite para pegar o que mais lhe agrada no palácio para dar de presente de casamento, ponha tudo, esta noite, num baú aos pés da cama.

Belinda agradeceu, pegou um baú e o encheu de vestidos de seda, roupa de cama fina, joias e moedas de ouro. Colocou-o aos pés da cama e foi dormir: de manhã, acordou na casa de seu pai, com baú e tudo. Fizeram-lhe muitas festas, também as irmãs, mas, quando souberam que estava tão feliz e rica, e que o Monstro era tão bom, foram de novo roídas pela inveja, pois levavam uma vida tranquila por causa dos presentes do Monstro, mas que não podia ser considerada rica, e Assunta ia casar com um simples lenhador. Despeitadas como eram, conseguiram tirar o anel de Belinda, com a desculpa de usá-lo um pouco, e o esconderam. Belinda começou a se desesperar porque não podia ver a pedra do anel; e, tendo chegado o sétimo dia, tanto chorou e implorou que o paizinho ordenou às irmãs que lhe devolvessem imediatamente o anel. Assim que o teve entre as mãos, ela viu que a pedra não estava mais límpida como antes; e então quis partir depressa e voltar para o palácio.

Na hora do almoço, o Monstro não apareceu, e Belinda ficou preocupada e o procurou por toda a parte. Só na hora do jantar é que ele apareceu com ar abatido. Disse:

— Sabe que estive doente e se demorasse um pouco mais teria morrido? Não gosta de mim nem um pouco?

— Claro que gosto — ela respondeu.

— E casaria comigo?

— Ah, isso não — exclamou Belinda.

Passaram-se outros dois meses e se repetiu o caso da árvore do riso e do pranto com as folhas levantadas porque se casava a irmã Carolina. Também dessa vez Belinda foi com o anel e o baú de presentes. As irmãs a receberam com um risinho falso; e Assunta se tornara ainda mais maldosa, pois o marido lenhador batia nela todos os dias. Belinda contou às irmãs o risco que correra por ter demorado da primeira vez e que desta vez não poderia se atrasar. Uma vez mais lhe furtaram o anel e quando o devolveram a pedra achava-se toda embaçada. Regressou cheia de medo e o Monstro não se apresentou nem no almoço nem no jantar; apareceu na manhã seguinte, com ar doentio e lhe disse:

— Estive a ponto de morrer. Se você demorar outra vez, será o meu fim.

Mais alguns meses se passaram. Certo dia, as folhas da árvore do pranto e do riso pendiam todas como se estivessem secas.

— O que acontece em minha casa? — gritou Belinda.

— Seu pai está à beira da morte — disse o Monstro.

— Ah, deixe-me revê-lo! — disse Belinda. — Prometo que desta vez serei pontual!

O pobre mercador, ao rever a filha caçula em sua cabeceira, começou a melhorar de puro contentamento. Belinda cuidou dele dia e noite, mas uma vez, ao lavar as mãos, pôs o anel na mesinha e não o encontrou mais. Desesperada, procurou-o por toda a parte, implorou às irmãs e, quando o reencontrou, a pedra estava negra, exceto num cantinho.

Regressou ao palácio, que se achava às escuras, como se estivesse desabitado há cem anos. Pôs-se a chamar o Monstro gritando e chorando, mas ninguém respondia. Procurou-o por toda a parte e corria desesperada pelo jardim, quando o viu deitado sob a roseira, agonizando entre os espinhos. Ajoelhou-se ao lado dele, ouviu o coração ainda a bater, mas fraco. Lançou-se sobre ele e, beijando e chorando, dizia:

— Monstro, Monstro, se você morrer, acaba minha alegria! Ah, se você vivesse, se continuasse vivo, casaria logo com você para fazê-lo feliz!

Nem acabara de dizer isso, e, de repente, o palácio se iluminou todo e de cada janela saíam cantos e músicas. Belinda virou a cabeça atordoada e, quando tornou a olhar para a roseira, o Monstro desaparecera e em seu lugar havia um belo cavaleiro que se ergueu do meio das rosas, fez uma reverência e disse:

— Grato, minha Belinda, libertou-me.

E Belinda, petrificada:

— Mas eu quero o Monstro — disse.

O cavaleiro se atirou de joelhos a seus pés e lhe disse:

— Eis o Monstro. Devido a um encantamento, tinha que permanecer como monstro até que uma bela jovem prometesse casar comigo feio do jeito que era.

Belinda deu a mão ao jovem, que era um rei, e caminharam juntos em direção ao palácio. À entrada, estavam à espera deles o pai de Belinda, que a abraçou, e as duas irmãs. De tanta inveja, as irmãs se transformaram em estátuas, ficando cada uma de um lado da porta.

O jovem rei casou com Belinda e a transformou em rainha. E assim viveram e reinaram felizes para sempre.

A RAINHA MARMOTA

Encontrava-se na Espanha o justo e bom rei Maximiliano, com três filhos, chamados Guilherme, João e Andrezinho, o caçula e favorito do pai. Uma doença roubou a visão do rei. Tendo sido convocados todos os médicos do reino, nenhum conhecia um remédio, porém um dos mais velhos disse:

— Aqui o saber médico não funciona: mandem chamar um adivinho. Apareceram adivinhos de toda a parte: consultaram seus livros, mas nem mesmo eles foram capazes de dizer algo. No meio dos adivinhos surgiu um mago desconhecido. E, quando os demais já haviam emitido seus pareceres, o mago se adiantou e disse:

— Rei Maximiliano, eu identifico sua cegueira. E o remédio só se encontra na cidade da rainha Marmota, e é a água de seu poço. — Ainda não cessara o espanto causado por tais palavras, o mago desaparecera, e ninguém soube mais nada dele.

O rei queria saber quem era, contudo ninguém o tinha visto antes. Um adivinho, porém, sugeriu que talvez tivesse vindo da Armênia, tendo ali chegado por encanto. O rei perguntou:

— E a cidade da rainha Marmota ficará por aquelas bandas remotas?

Respondeu um ancião da corte:

— Enquanto não se procurar, não se saberá onde fica. Fosse eu mais jovem, não tardaria a me pôr a caminho.

Adiantou-se Guilherme, o filho mais velho:

— Se alguém deve se pôr a caminho, o mais indicado sou

eu. É justo que seja o primogênito a pensar primeiro na saúde do pai.

— Caro filho — disse o rei —, receba a minha bênção. Pegue dinheiro, cavalos e tudo o que lhe servir. Aguardo seu retorno e sua glória dentro de três meses.

No porto do reino, Guilherme partiu numa embarcação que rumava para a ilha de Buda e dali, após uma parada de três horas, seguiria para a Armênia. Em Buda, Guilherme desceu para conhecer a ilha e, passeando, encontrou uma bela dama de gestos sedutores; e conversou tanto com ela que as três horas passaram sem que se desse conta. Na hora marcada, a embarcação içou as velas e deixou Guilherme na ilha. No início, Guilherme se aborreceu; depois, a companhia daquela dama fez com que esquecesse a doença do pai e o objetivo da viagem.

Passados os três meses, não o vendo regressar, o rei começou a achar que estava morto, e a perda do filho se somou à dor pela visão perdida. Para consolá-lo, João, o segundo, ofereceu-se para ir em busca do irmão e da água. E o rei o deixou partir, embora receasse que também a ele ocorresse uma desgraça.

Tendo embarcado, em pouco tempo João avistou a ilha de Buda. Dessa vez a embarcação parava meia jornada. João desceu para visitar a ilha; entrou em jardins de mirtos, ciprestes e louros, com lagos de água clara cheios de peixes de todas as cores; a seguir, uma aldeia com belas alamedas e caminhos, numa praça com um tanque branco de mármore, monumentos e construções, e no meio de tudo um palácio majestoso, de colunas douradas e prateadas, com paredes de cristal que resplandeciam ao sol. Atrás dessas paredes de cristal João viu seu irmão passeando.

— Guilherme! — gritou —, você está aqui! Por que não voltou? Pensávamos que estivesse morto! — E se abraçaram.

Guilherme contou como, chegando àquela ilha, não fora mais capaz de sair e a forma pela qual fora acolhido pela bela dama que era dona de tudo o que se via ali.

— Essa dama se chama Lúcia Estela — acrescentou — e tem uma belíssima irmã menor chamada Isabela: se a quiser, será sua.

Em resumo, passadas as doze horas, a embarcação zarpou sem João. Também ele, após um primeiro momento de remorso, esqueceu o pai e a água milagrosa, e ficou, como o irmão, hóspede do palácio de cristal.

Passados os três meses, o rei Maximiliano, não vendo retornar seu segundo filho, ficou desanimado e com ele toda a corte foi tomada pela dor. Então Andrezinho se encorajou e declarou ao pai que iria à procura dos irmãos e da água da rainha Marmota.

— Você também quer me deixar? — disse o rei. — Cego e extenuado como estou, devo permanecer sem filhos ao meu lado?

Mas Andrezinho lhe deu a esperança de assistir ao retorno dos três filhos a salvo e com a água milagrosa, e o pai consentiu.

A embarcação lançou âncoras na ilha de Buda para ficar dois dias.

— Pode descer — disse o capitão a Andrezinho —, mas trate de voltar a tempo, se não quiser continuar em terra, como aconteceu a dois outros rapazes, meses atrás, dos quais não se soube mais nada.

Andrezinho percebeu que falava de seus dois irmãos e que eles deviam estar na ilha. Então se pôs a andar pela ilha e os encontrou no palácio de cristal. Abraçaram-se e os irmãos contaram a Andrezinho sobre o encanto que os prendia em Buda:

— Estamos num paraíso, sabe? — disseram-lhe —, cada um de nós tem uma bela mulher: a proprietária é minha e a irmã dela, de João; se você quiser ficar também, creio que nossas senhoras ainda têm uma prima.

Mas Andrezinho:

— Vê-se que perderam a cabeça, se não se lembram da obrigação para com seu pai! Devo encontrar a água da rainha Marmota e nada pode me demover desse propósito: nem riquezas, nem divertimentos, nem belas damas!

Perante tal discurso, os irmãos se fecharam em silêncio e lhe deram as costas, ofendidos. Andrezinho voltou a bordo logo e, com velas infladas por bons ventos, a embarcação chegou à Armênia.

Uma vez na Armênia, Andrezinho começou a perguntar a todos onde era a cidade da rainha Marmota, mas parecia que ninguém ouvira falar nela. Após semanas de buscas inúteis, alguém lhe indicou um velho que morava no alto de um monte.

— Trata-se de um velho tão velho quanto o mundo, que se chama Farfanelo. Se ele não souber onde fica essa cidade, ninguém o sabe.

Andrezinho subiu a montanha. Encontrou o velho, decrépito e barbudo, em seu casebre e revelou-lhe o que buscava.

— Eh, caro jovem — disse Farfanelo —, ouvi falar desse lugar, mas é muito distante. É preciso atravessar primeiro um oceano, e será necessário pelo menos um mês, e a navegação está cheia de perigos. Mas, se chegar são e salvo, esperam-no perigos ainda mais sérios na ilha da rainha Marmota, que carrega consigo o nome da desgraça, pois é chamada de ilha do Pranto.

Andrezinho, feliz por ter finalmente obtido informações seguras, embarcou no porto de Bríndisi. A viagem pelo oceano foi arriscada por causa de imensos ursos-brancos que ali nadavam, capazes de virar inclusive grandes navios. Mas Andrezinho, excelente caçador, não teve medo, e a embarcação escapou das garras dos ursos-brancos e chegou à ilha do Pranto. O porto parecia abandonado: não se ouvia nenhum rumor. Andrezinho desembarcou e viu uma sentinela com a espingarda, imóvel: perguntou-lhe o caminho, mas ela permaneceu parada e muda, como uma estátua. Chamou carregadores para a bagagem, mas os carregadores estavam parados, alguns com pesadas caixas nas costas, e com um pé erguido para a frente. Entrou na cidade; de um lado da rua estava um remendão no ato de puxar o cadarço, parado e silencioso; do outro, um empregado de café com a cafeteira levantada fazia o gesto de servir café a uma mulher, todos imóveis e mudos. Pelas ruas, nas janelas ou nas lojas havia muita gente; mas pareciam todos de cera, parados nas posições mais estranhas. Até os cavalos, os cães, os gatos, todos estavam parados. Circulando por aquele silêncio, Andrezinho chegou a um esplêndido palácio, com estátuas e lápides que lembravam os antigos reis da ilha, e na fachada um baixo-relevo cheio de figuras com uma inscrição em letras de ouro contornada por raios: "A Sua Senhoria, a rainha dos Luminosos, que governa esta ilha de Parimus".

"Onde andará essa rainha?", perguntou-se Andrezinho. "Será ela a que chamam de rainha Marmota?", e subiu uma escadaria de alabastro, atravessou algumas salas cheias de estuques, com a porta vigiada pelo habitual guarda encantado. Num salão, uma escadaria de mármore conduzia a um patamar onde, sob um baldaquino, estava o trono com as insígnias reais cobertas de diamantes. Um tronco de videira, num vaso de ouro, crescera tanto que os ramos haviam se enleado pelo aposento inteiro; e o trono, o baldaquino e tudo o mais estava carregado de parras e de cachos maduros. E de outros vasos e das janelas do jardim árvores frutíferas de todo o gênero tinham invadido a sala. Andrezinho, que de tanto andar ficara com fome, arrancou uma maçã de um ramo e a mordeu. Assim que cravou os dentes na fruta, a vista escureceu e logo apagou completamente.

— Ai de mim! — gritou. — Estou cego! E o que farei neste lugar desconhecido, povoado só por estátuas?

E às apalpadelas tentava reencontrar o caminho, mas enfiou os pés num alçapão, caiu no vazio e submergiu na água. Com poucas braçadas voltou à tona e, assim que pôs a cabeça para fora, percebeu que havia recuperado a luz. Achava-se no fundo de um profundo poço, e lá em cima estava o céu. "É isso", pensou Andrezinho, "este é o poço de que falou o mago. Esta é a água que há de curar meu pai, se conseguir sair daqui para levá-la até ele." Viu uma corda que pendia no poço e, pendurando-se nela, conseguiu sair dali.

Era noite, e Andrezinho procurou uma cama para dormir. Descobriu um quarto principesco, com uma grande cama e nela uma mocinha de beleza angelical. A mocinha estava com os olhos fechados e a boca serena, e ele deduziu que o encanto havia ocorrido durante o sono. Andrezinho, depois de ter refletido um pouco, despiu-se e se acomodou na cama junto dela, e assim passou com ela uma noite dulcíssima, sem que ela demonstrasse ter percebido sua presença. No dia seguinte, pulou da cama e deixou uma folha na mesinha de cabeceira onde escreveu: "Andrezinho, filho do rei Maximiliano da Espanha, dormiu nesta cama com imensa alegria em 21 de março do ano 203". Apanhou uma garrafa da água que devolvia a visão e uma daquelas maçãs que a tiravam e partiu.

A embarcação fez de novo escala na ilha de Buda, e Andrezinho foi visitar seus irmãos. Contou-lhes as maravilhas da ilha do Pranto, a noite passada com aquela graciosa mocinha e lhes mostrou a maçã que cegava e a água que devolvia a visão. Os dois irmãos, de imediato roídos pela inveja, combinaram uma traição. Roubaram a garrafa de Andrezinho e em seu lugar puseram outra igual cheia de água fresca; e depois declararam que desejavam voltar para casa com ele para apresentar as esposas ao pai.

Na Espanha, não se pode descrever o contentamento do rei Maximiliano com o retorno dos três filhos sãos e salvos. Passado o primeiro ímpeto dos abraços, o rei perguntou:

— E quem de vocês teve mais sorte?

Guilherme e João ficaram quietos, e Andrezinho disse:

— Caro pai, atrevo-me a dizer que fui o mais afortunado, pois encontrei e trouxe para casa os irmãos perdidos; cheguei à cidade da rainha Marmota e peguei a água que lhe devolverá a visão; e além disso tenho outro objeto de incrível poder que vou experimentar já.

Exibiu a maçã e a ofereceu à sua mãe para que a comesse. A rainha mordeu-a e logo sentiu a aproximação da cegueira; deu um grito.

— Não se assuste, mamãe — disse Andrezinho mostrando a garrafa —, pois com um pouco desta água devolverei a visão não só à senhora mas também ao papai, que a perdeu há tanto tempo.

Mas a água era a da garrafa substituída pelos irmãos, e a visão não voltou. A rainha chorava, o rei se enfurecia e Andrezinho estava desalentado. Então se adiantaram os irmãos e disseram:

— Isso está acontecendo porque não foi ele quem encontrou a água da rainha Marmota, mas nós. Ei-la aqui. — E, molhados seus olhos com a água roubada, os dois velhos voltaram a enxergar como antes.

Seguiu-se uma gritaria: Andrezinho gritava contra os irmãos, chamando-os de ladrões e traidores; os irmãos, com ar desdenhoso, tratavam-no de pequeno mentiroso; o rei não entendia mais nada e acabou acreditando nas palavras de Guilherme e João, e suas esposas, e disse a Andrezinho:

— Cale-se, sem-vergonha! Além de não querer me curar, ainda pretendia cegar sua mãe! Soldados, prendam este ingrato, levem-no a um bosque e o matem. Tragam-me seu coração. Estão arriscando suas próprias cabeças.

Os soldados arrastaram Andrezinho, que gritava seus protestos desesperados, e o conduziram a um matagal fora da cidade. Mas Andrezinho deu um jeito de lhes contar sua história e os convenceu. Não querendo manchar as mãos com sangue inocente, os soldados o fizeram prometer que não voltaria ao país e deixaram que se fosse. Levaram ao rei o coração de um porco, comprado de um camponês e degolado em seguida.

Na ilha do Pranto, decorridos nove meses, a mocinha adormecida deu à luz um lindo menino e, ao dá-lo à luz, despertou. Reanimada a rainha, quebrou-se o encanto que a fada Morgana lhe lançara por inveja, toda a população despertou, e a cidade voltou à vida. Os soldados parados na posição de sentido se puseram em descanso, aqueles em descanso passaram à posição de sentido, o sapateiro puxou o cadarço, o empregado de café fez o café transbordar, e os carregadores do porto mudaram as cargas de ombro, pois já estavam um pouco cansados.

A rainha, depois de esfregar bem os olhos, perguntou-se: "Quem pode ter tido o atrevimento de vir até aqui, dormir neste quarto e romper meu encanto e de todos os meus caros súditos?".

Uma das damas de companhia lhe entregou então a folha deixada na mesinha de cabeceira, e assim a rainha soube que fora Andrezinho, filho do rei Maximiliano. Imediatamente escreveu uma carta ao rei, dizendo que lhe mandasse Andrezinho sem demora, caso contrário haveria guerra.

O rei Maximiliano, assim que recebeu a carta, chamou Guilherme e João, entregou-a a eles para que a lessem e lhes pediu sua opinião. Os dois não sabiam o que responder; afinal, foi Guilherme quem falou:

— Esta é uma história difícil de entender, se alguém não for esclarecê-la com a rainha. Vou até lá e a ouvirei.

A viagem de Guilherme foi mais fácil porque o encanto de Morgana se rompera e os ursos-brancos haviam desaparecido. Apresentou-se à rainha dizendo ser ele o príncipe Andrezinho.

A rainha, que era desconfiada por natureza, começou a pressioná-lo:

— Em que dia veio até aqui pela primeira vez? Como encontrou a cidade? Onde estava eu? O que lhe aconteceu no palácio? O que encontrou de novo? — E assim por diante.

Guilherme começou a se atrapalhar, a se confundir, a gaguejar, e a rainha cedo se convenceu de que ele era um mentiroso. Mandou prendê-lo e decapitá-lo, e fez com que a cabeça cortada fosse cravada com um gancho na porta da cidade, com a inscrição: "Assim acaba quem é apanhado mentindo".

A rainha Marmota escreveu outra carta ao rei Maximiliano dizendo que, se não lhe mandasse Andrezinho, seu exército já estava pronto para começar a guerra queimando o reino e destruindo a ele e a toda a sua família e ao povo. O rei, já arrependido de ter mandado matar Andrezinho, lamentava-se com João:

— E agora, o que vamos fazer? Como lhe explicar que Andrezinho não existe mais? E Guilherme, por que não volta?

Então João se ofereceu para ir ao encontro da rainha Marmota. Alcançou a ilha, mas, quando viu a cabeça do irmão pendurada na porta da cidade, não quis saber de mais nada e voltou, ágil como o vento.

— Papai! — disse ao rei —, estamos arruinados! Guilherme está morto e sua cabeça pendurada na porta da cidade. Se eu tivesse entrado também, a esta hora haveria outra cabeça no outro batente.

Com a cabeça entre as mãos, o rei cismava:

— Guilherme está morto! Também ele! Ah, na certa Andrezinho era inocente e tudo acontece para me castigar. Mas você, João, pelo menos você, diga-me a verdade, revele essa traição antes que eu morra.

— A culpa foi de nossas mulheres! — disse João. — Não fomos à terra da rainha Marmota, e trocamos a garrafa de Andrezinho.

O rei, esbravejando, chorando, arrancando os cabelos, convocou os soldados para que o conduzissem aonde Andrezinho fora sepultado. Entre os soldados houve uma grande perturbação, e o rei, que disso se apercebeu, ganhou esperanças.

— Vamos, digam-me a verdade. Qualquer que seja, palavra de rei, estão perdoados.

Então, tremendo, os soldados disseram que a sentença não fora executada por desobediência deles; e com grande surpresa se viram beijados e abraçados pelo rei louco de alegria. Pregaram-se cartazes em todos os cantos do país, informando que quem tivesse notícias de Andrezinho havia de receber do rei um prêmio que o faria ficar rico para o resto da vida.

Andrezinho voltou, enchendo de felicidade o velho pai e a corte, e logo embarcou para a ilha do Pranto, onde foi acolhido em triunfo.

— Andrezinho, meu libertador e de todo o meu povo — disse a rainha. — Será meu marido e rei para sempre!

E durante muitos meses, na ilha, ouviram-se apenas cantos de alegria, tanto que passaram a chamá-la ilha da Felicidade.

O FILHO DO MERCADOR DE MILÃO

Era uma vez, em Milão, um mercador que tinha mulher e dois filhos. Preferia o maior, pois já era grande o bastante para poder ajudá-lo no trabalho; não é que não gostasse do menor, mas ainda o tratava como criança e não fazia caso dele. Era um mercador rico que agora só se interessava por iniciativas muito lucrativas e por isso se preparava para ir resolver uns negócios na França, um empreendimento que, segundo seus cálculos, deveria lhe trazer rendimentos enormes. O filho maior devia viajar com ele, mas o caçula, que se chamava Dominguim, não parava de atazaná-lo:

— Também quero ir com vocês, papai. Vou me comportar bem, posso ajudá-los. Não quero ficar sozinho aqui em Milão.

E o pai, que não queria saber de conversa, para fazê-lo calar-se teve de ameaçá-lo com um par de bofetadas.

Chegou a hora; o mercador e o filho mandaram carregar os baús e subiram na carruagem. Era noite, e, no escuro e na confusão da partida, os cocheiros não perceberam que Dominguim se agachara no estribo traseiro da carruagem.

A carruagem parou na primeira posta para trocar de cavalos, e o rapazinho, para não ser visto, pulou no chão e esperou que o veículo se movesse de novo para voltar ao estribo. Na segunda posta já era dia e Dominguim foi se esconder numa curva, para esperar que a carruagem passasse e subir nela outra vez. Mas a carruagem saiu às pressas, e ele não teve tempo de subir: ficou sozinho no meio do caminho principal.

Ao se ver tão só, sem um tostão e faminto em lugares desconhecidos, o rapazinho sentiu vontade de chorar; afinal tomou coragem e foi explorar o campo. Encontrou uma velha sentada à beira da estrada.

— Aonde vai tão sozinho: está perdido? — disse a velha.

— Perdido de verdade, vovó — disse Dominguim. — Estava numa carruagem com meu pai e meu irmão e num posto de troca a carruagem partiu sem mim, portanto aqui estou e não sei nem mesmo o caminho para regressar à casa de minha mãe. Mas não tenho nada para fazer em casa: prefiro andar pelo mundo em busca de fortuna, visto que meu paizinho me deixou no meio de uma estrada. — Refletiu um pouco, depois acrescentou: — Bem, para dizer a verdade, papai não sabia que me transportava; eu estava escondido no estribo traseiro porque também queria ir à França.

A velha disse:

— Fez bem em ser sincero, pois sou uma fada e já sabia de tudo. Se busca fortuna, vou lhe ensinar onde poderá encontrá-la, se for esperto e respeitoso.

— É claro que sou jovem — disse Dominguim —, não digo o contrário, mas meus catorze anos e um pouco de juízo acho que tenho. Portanto, vovó, se tem a boa intenção de me ajudar, fique segura de que farei tudo o que me disser.

— Muito bem — disse a fada. — Saiba que o rei de Portugal tem uma filha muito sábia, que é capaz de adivinhar qualquer enigma. E o rei prometeu dá-la como esposa a quem for capaz de lhe propor um enigma que ela não consiga resolver. Você é um rapaz inteligente: descubra um enigma e sua fortuna está garantida.

Dominguim disse:

— De acordo, mas como pretende que eu seja capaz de inventar um enigma que possa fazer de boba uma donzela com um cérebro tão sofisticado? É preciso gente estudada, não ignorantes como eu.

— Ah! — disse a velha —, ponho você na pista certa e, quanto ao resto, vire-se. Dou-lhe este cão de presente: lembre-se de que seu nome é Belo, e será ele quem o ajudará a criar o enigma. Leve-o com você e viaje tranquilo.

— Bem, vovó, se é a senhora quem o diz, acredito. Agradeço-lhe: foi muito generosa, e é isso que conta. — E foi embora, despedindo-se com gentileza, embora não acreditasse muito nas palavras dela. Não obstante, pegou o cão pela coleira e seguiu adiante.

Ao anoitecer, chegou a uma casa de camponeses e pediu, por caridade, alguma coisa para comer e abrigo para a noite. Uma mulher abriu e lhe disse:

— Como é que anda sozinho à noite tendo como única companhia um cão? Não tem pai nem mãe?

Dominguim disse:

— Queria ir à França, por isso me escondi atrás da carruagem e meu paizinho partiu. Agora, vou apresentar um enigma à filha do rei de Portugal e recebi de uma fada este cão como presente, o qual me ensinará o enigma e assim casarei com a filha do rei.

A mulher, que era uma alma-danada, pensou: "Se este cão ensina enigmas, poderei roubá-lo e mandar meu filho à princesa", e decidiu matar o rapaz.

Amassou-lhe uma fogaça envenenada e lhe disse:

— Pronto, chamamos isto de "pizza"; aqui não posso abrigá-lo porque meu marido não quer que abra para forasteiros, mas você pode dormir numa cabana que temos na entrada do bosque. Leve para a cabana esta pizza e a coma: amanhã cedo, irei acordá-lo e levarei leite para você.

Dominguim agradeceu e se dirigiu para a cabana. Mas o cão tinha mais fome que ele e dava saltos em volta da pizza que ele levava na mão; então partiu a pizza e deu um pedacinho ao cão. Belo o alcançou no ar e, assim que o engoliu, começou a tremer, atirou-se de barriga para cima, esticou as patas e morreu. Dominguim olhou para ele de boca aberta, jogando fora o resto da pizza. Depois se recompôs e exclamou:

— Mas isso pode ser o princípio do enigma:

Pizza acaba com Belo
E Belo me salva.

— Só me resta encontrar a continuação.

Naquele exato momento, três corvos que voavam no céu, vendo o cão morto, vieram pousar na barriga dele e começaram a dar bicadas. Depois de um minuto, todos os três estavam mortos.

"Eis como prossegue", Dominguim disse a si mesmo.

Um mono acaba com três.

Pegou os três corvos e os amarrou a tiracolo com a coleira do cão. De repente, saem do bosque ladrões armados e com cara de fome.

— O que tem aí com você? — perguntaram a Dominguim.

Como só tinha aqueles três corvos, Dominguim não se assustou:

— Três aves para assar no espeto — disse.

— Entregue-as a nós — disseram os ladrões e os levaram embora.

Dominguim se escondeu atrás de uma árvore para ver o que acontecia. Os ladrões assaram os corvos no espeto e morreram todos os seis.

Assim, Dominguim criou mais um pedaço:

> *Pizza acaba com Belo*
> *E Belo me salva.*
> *Um morto acaba com três*
> *E três acabam com seis.*

Porém, ver os ladrões comendo lhe fizera lembrar que tinha fome, e ali estava o espeto já preparado. Pegou o fuzil de um dos ladrões mortos e mirou num pássaro em cima de uma árvore. Era um pássaro que estava chocando, e o tiro, em vez de acertar o pássaro, acertou o ninho, que caiu no chão. Dos ovos quebrados saíram passarinhos ainda implumes; ele os colocou no fogo que servira para os corvos e para acender o fogo arrancou as páginas de um livro que estava no botim de um dos ladrões mortos. Regressou à árvore e adormeceu entre os galhos. Agora tinha na cabeça o enigma completo.

Quando chegou a Portugal, na Cidade Real, sujo e esfarrapado como se encontrava devido à longa caminhada, quis logo se apresentar à princesa. A princesa se pôs a rir:

— Mas que cara de pau este miserável! Tem a pretensão de me vencer e se tornar meu marido.

— Antes de me julgar, ouça o enigma, princesa — disse Dominguim —, porque o decreto do rei seu pai é dirigido a todos e não faz distinções entre as pessoas.

— Sim, o que diz é verdade — disse a princesa —, porém, se quiser se retirar ainda está em tempo, e se poupava de uma dose de bordoadas.

Dominguim hesitou um pouco, depois refletiu sobre o que lhe dissera a fada e tomou coragem.

— Então o meu enigma é este — disse.

> *Pizza mata Belo*
> *E Belo me salva.*
> *Um morto acaba com três*
> *E três acabam com seis.*
> *Atirei no que vi*
> *E acertei no que não vi.*
> *Comi carne não nascida*
> *Cozida com palavras.*
> *Não dormi nem no céu nem na terra,*
> *Adivinhe se puder, jovem rainha.*

Assim que Dominguim terminou, a princesa exclamou:

— Sim, sim, sim, facílimo. Bem: há um irmão seu ou um amigo, que se chama Pizza: e para salvá-lo das mãos de Belo, seu inimigo, matou-o, e Belo, tendo morrido, salvou-o, pois não podia mais lhe fazer mal. Está certo? Mas, antes de morrer, o tal de Belo matou três, hum, e depois mais três... Espere... — Apoiou os cotovelos nos joelhos, o queixo nas mãos e começou a coçar a nuca, fazendo poses pouco adequadas para uma princesa, no esforço de pensar. — Carne não nascida... Bem... cozida com palavras... Quer dizer... Se conseguisse retomar o fio da meada... — Finalmente, rendeu-se: — Dou-me por vencida. Trata-se de um enigma difícil. Resolva-o você.

Então, Dominguim contou sua história de cabo a rabo e exigiu que a promessa real fosse mantida. A princesa disse:

— Bem, tem razão, não posso me recusar, contudo não tenho a mínima vontade de me tornar sua esposa. Porém, se você fizesse um acordo com meu pai para uma conciliação, ficaria muito mais contente.

E Dominguim:

— Vejamos este acordo. Se me parecer conveniente, posso aceitar. Porém, considere que ando pelo mundo para fazer fortuna e, se não caso com a princesa, é preciso que receba uma compensação equivalente.

— Melhor, leva vantagem — disse a princesa —, vai ficar muito rico e poderá realizar todos os seus desejos. Pode imaginar ter por esposa uma princesa que não o deseja, sempre descontente e irritada com você? Sabe o que lhe dou em troca? O segredo do mago da montanha da Flor e, quando tiver esse segredo nas mãos, não lhe faltará nada.

— E onde está esse segredo?

— Deve ir buscá-lo pessoalmente, na casa do mago, na montanha da Flor. Você irá em meu nome e ele o entregará a você.

Dominguim pensou por um momento se lhe convinha trocar o certo pelo incerto, mas ser o marido da princesa lhe dava mais medo que prazer, e pediu explicações a ela sobre o caminho para a montanha da Flor.

A montanha da Flor era uma enorme montanha impenetrável, e Dominguim se cansou bastante até chegar lá em cima. Bem no alto, sobre aquelas rochas, e não se entendia como tivessem conseguido construí-lo, havia um imenso castelo circundado de jardins. Dominguim bate e vêm abrir uns seres enormes, nem homens nem mulheres, feios de meter medo à própria feiura. Dominguim esperava coisa pior ainda e os encarou tranquilo, pedindo-lhes que o apresentassem ao mago. Apareceu o mordomo do mago, que era um gigante monstruoso, e disse:

— Moço, você tem coragem para dar e vender, mas é melhor não conhecer meu patrão, pois ele tem o vício de comer cristãos sem delongas: crus!

E Dominguim:

— Seja como for, preciso falar com o mago cara a cara. Por isso, faça o favor de me anunciar.

O mago costumava ficar de barriga para cima sobre ricos tapetes e almofadas e, ao ouvir anunciar a visita de um moço, pensou: "Eis aí um bom bocado de cristão fresquinho para o almoço!". Dominguim entrou e o mago:

— Quem é você? O que quer de mim?

— Não se preocupe, senhor mago — disse Dominguim —,

não o procuro para nada de mal. Sou um pobre moço em busca de fortuna e mandaram-me procurá-lo, dado que é tão caridoso com os pobres desventurados.

O mago, ao ouvir tal discurso, explodiu numa risada que fez tremer todo o palácio.

— Mas pode-se saber quem o enviou?

E Dominguim lhe contou toda a história. O mago se ergueu sobre um cotovelo para observá-lo melhor:

— Você — disse —, porém, é um moço de coragem e sincero: merece este prêmio. Meu segredo é esta varinha encantada. Eu a darei para você, mas ai de você se a roubarem ou se vier a perdê-la. Todas as vezes que bater com esta varinha no chão e pedir o que quiser, ganha-o imediatamente. Tome, e vá são e salvo.

Descendo da montanha da Flor, Dominguim refletiu bastante e decidiu que a melhor coisa era regressar a casa como um senhor e verificar se os seus estavam vivos e ainda se recordavam dele. "Esta será a primeira prova da varinha encantada", disse consigo mesmo. Bateu com ela no chão e ouviu uma voz que dizia:

— Ordene!

Dominguim respondeu:

— Desejo uma carruagem com quatro cavalos, lacaios, estribeiros e trajes de grande senhor.

E eis que diante de seus olhos havia uma carruagem com belíssimos cavalos, e os criados lhe entregavam roupas da última moda para que se trocasse. Os cavalos eram encantados e fizeram todo o caminho até Milão sem necessidade de serem trocados.

Chegando a Milão, descobriu que os pais já não moravam na mesma casa. O negócio na França em vez de lucro trouxera grandes problemas para o pai, que perdera todas as riquezas. Agora, tinha sido obrigado a morar de aluguel num casebre quase fora da cidade. Dominguim chegou com cavalos e criados, e deixou os pais de boca aberta. Não fez referência à vara; disse ter feito fortuna nos negócios e que dali em diante ele cuidaria de todos. De fato, com a varinha fez aparecer um grande palácio e contou que fora construído por operários muito hábeis e velozes que trabalhavam sob suas ordens. A família se instalou nele, em meio a uma grande abundância de móveis, roupas, cavalos, servos, camareiros, para não falar de dinheiro.

Reinava a alegria, mas o irmão de Dominguim se roía de inveja. Ele que era o maior, o filho predileto de seu pai, devia ficar ali submisso e mantido pelo irmão menor. E se desdobrava para descobrir de onde provinha a riqueza de Dominguim. Começou a espioná-lo pelo buraco da fechadura: e assim o viu fazer maravilhas com aquela varinha e decidiu roubá-la. Dominguim guardava a varinha na cômoda do seu quarto e, num dia em que se achava fora, seu irmão entrou no quarto e a levou embora. Quando chegou aos seus aposentos, começou a bater com a varinha no chão para lhe testar as virtudes. Mas era inútil, pois nas suas mãos a varinha não valia nada. O irmão disse consigo mesmo: "Enganei-me: não é esta a varinha mágica". E foi recolocá-la na cômoda de Dominguim, aproveitando para procurar outra. Mas, assim que entrou no aposento, ouviu os passos de Dominguim nas escadas. Com medo de ser descoberto, quebrou a varinha em duas e a jogou pela janela que dava para o jardim.

Dominguim não usava a varinha todos os dias, só quando precisava; assim, não se deu conta de imediato do desaparecimento. Porém, na primeira vez em que a procurou, esteve a ponto de enlouquecer. Viu-se perdido, imaginou que de tanta riqueza passaria logo para a miséria. Pôs-se a caminhar pelo jardim, tomado por pensamentos desesperados, quando, nos ramos de uma árvore, viu uma varinha quebrada ao meio. O coração lhe saltou no peito. Sacudiu a planta, os pedaços caíram no chão e, no mesmo instante, uma voz disse:

— Ordene!

De estalo, Dominguim passou do desespero para uma grande felicidade: aquela era a sua varinha e, apesar de quebrada, conservava suas virtudes! Colou os dois pedaços e prometeu ser mais prudente no futuro.

Naquele período aconteceu que o rei da Espanha publicou um edital em todos os países: sua filha única estava em idade de casar, e se convidavam os melhores cavaleiros de todas as nações para participar de um torneio durante três dias seguidos: o vencedor receberia a mão da filha e como herança o reino. Dominguim imaginou que chegara a hora de se tornar príncipe da coroa e depois rei. Com um golpe da varinha fez surgir uma armadura resplandecente, cavalos e escudeiros, e partiu para a Espanha. Não querendo revelar seu nome e sua procedência, hospedou-se numa estalagem fora de mão e aguardou o dia do torneio.

O torneio teria lugar num terreno aberto, e do outro lado da paliçada se aglomeravam senhoras e senhores de todos os tipos; numa tribuna com baldaquino se viam o rei e a princesa conversando com os principais barões. De repente, a multidão se vira e soam as trompas: os cavaleiros entram de lança em riste, começam a distribuir estocadas a torto e a direito: assim, choviam golpes intermináveis contra as couraças, mas ninguém caía no chão porque eram todos igualmente fortes e destemidos. Até que entra na pista um novo cavaleiro, da viseira abaixada, armas nunca vistas, e desafia um por um a combater com ele. Alguém tenta, bate de frente e cai por terra; outro tenta e é estripado; um terceiro tem a lança quebrada; outro perde o elmo; e assim punha todos fora de combate. Vira-se para fazer a volta dos vencedores e, em vez disso, dirige-se à porta da paliçada e parte a galope. Todos ficaram aturdidos, a começar pelo rei, e não paravam de especular sobre quem poderia ser, mas não descobriam uma pista sequer.

— Vamos ver se volta a se apresentar amanhã — diziam.

E de fato o cavaleiro desconhecido tornou a se apresentar, derrubou todos da sela como no dia anterior e desapareceu sem se dar a conhecer.

O rei, entre curioso e ofendido, deu ordens para que o capturassem no terceiro dia e mandou redobrar os guardas na paliçada. O cavaleiro se apresentou e obteve a vitória final, foi fazer reverências na tribuna real e, quando a princesa, cheia de admiração, atirou-lhe seu lenço bordado, ele o apanhou no ar e esporeou o cavalo para partir. Os guardas o dominaram, mas com poucos golpes de espada ele abriu caminho e fugiu, apesar de ter recebido um golpe de lança numa das coxas.

O rei ordenou buscas por toda a cidade, dentro e fora de

187

casas e estalagens, até que finalmente encontraram Dominguim naquela pousadinha, de cama por causa de uma ferida na coxa. No início, não estavam seguros de que fosse ele o desconhecido, pois não se entendia como um grande cavaleiro pudesse ter escolhido uma hospedaria tão modesta, mas depois notaram que sua ferida estava enfaixada com o lenço bordado da princesa e não tiveram mais dúvidas. Conduzido ao rei, este lhe pediu que se identificasse, porque se não houvesse nada que o desonrasse se tornaria príncipe e herdeiro do reino.

— Não tenho manchas em minha honra — disse Dominguim —, porém não sou cavaleiro de nascimento, e sim filho de um mercador de Milão.

Do grupo de príncipes e barões elevou-se um pigarrear, um bater de pés, que aumentou à proporção que ele contava sua história.

Quando terminou, o rei falou. Disse:

— Não é cavaleiro mas filho de mercador e seus bens são fruto de encantamento. E se o encanto se romper o que será de você e de seus bens?

E a princesa:

— Eis o risco que me fez correr, senhor meu pai, com seu edital de torneio!

E os barões:

— Deveríamos aceitar como soberano alguém que nasceu abaixo de nós?

E o rei:

— Calem-se todos! Que barulho é esse? Não há dúvida de que este jovem, conforme minha palavra de rei, tem direito à mão de minha filha e ao reino como herança. Contudo, se concordasse, visto que nenhum de nós o acolhe bem e ainda é preciso ver como reage o povo, proponho-lhe renunciar à minha filha e aceitar uma troca de prêmios.

— Faça propostas, majestade — disse Dominguim —, pois, se achar conveniente, aceitarei.

— A minha ideia — disse o rei — é lhe conceder uma pensão de mil liras por ano enquanto viver.

— Então aceito — disse Dominguim, e foi chamado imediatamente um tabelião para o compromisso. Dominguim logo regressou a Milão.

Em casa encontrou o velho mercador doente e, em pouco tempo, este entregou a alma a Deus. Sobreviveram os dois irmãos e a velha mãe, e o maior se tornava cada vez mais invejoso, tanto mais que as riquezas acumuladas eram tantas que já não havia necessidade de varinha mágica para continuarem ricos. Assim, o irmão maior decidiu mandar matar Dominguim e contratou dois sicários. Dominguim costumava visitar a casa de amigos que moravam nos arredores de Milão, e os sicários se emboscaram no caminho. Mas Dominguim levava sempre a varinha consigo e, assim que se viu fora das portas da cidade, bateu com ela no chão.

— Ordene!
— Ordeno que o cavalo corra tanto quanto o pensamento.

E os sicários ouviram o cavalo passar sem ao menos poder dizer que o tinham visto.

— Vamos pará-lo na volta, quando for noite.

Mas também na volta Dominguim corria como o pensamento, e os sicários ouviram apenas um movimento do ar, como um assovio.

O irmão lhes abriu o portão do palácio e os conduziu ao quarto onde Dominguim dormia. Contudo, Dominguim já havia sentido um clima de traição e ordenara à varinha que não se pudesse abrir sua porta de jeito nenhum, e os sicários tentaram em vão arrombá-la durante toda a noite, até que as primeiras luzes da manhã os puseram em fuga.

Foi então que Dominguim cometeu um erro fatal. Pensou: "Se continuo a sair com a varinha, vão acabar me assaltando e levando-a embora. Melhor escondê-la no quarto". Assim fez e foi caçar com seus amigos. Mas o irmão, que estava sempre alerta, vasculhou armários e cômodas até encontrar a vara quebrada em dois pedaços: "Então é esta mesmo!", pensou. "Senão meu irmão não a teria procurado no jardim onde eu a jogara! Agora não a verá mais". Correu à cozinha e a atirou no fogo. A varinha não demorou a virar cinzas e, no mesmo momento, palácio, dinheiro, cavalos, roupas, todas as coisas adquiridas graças às suas virtudes também se transformaram em cinzas.

Dominguim, que estava no meio do bosque, viu se reduzir a cinzas a espingarda que trazia na mão, o cavalo embaixo dele, os cães que perseguiam a lebre, e cada coisa foi levada pelo vento. E ele compreendeu que toda a sua riqueza se perdera para sempre, por imprudência dele, e explodiu em lágrimas.

A essa altura, seria inútil voltar a Milão. Decidiu que era melhor ir para a Espanha, onde havia pelo menos aquela pensão de mil liras por ano paga pelo rei. E, suspirando, iniciou a viagem a pé.

Ao atravessar um rio de barca, encontrou um homem, mercador de bois. Como é hábito entre viajantes, cumprimentaram-se e começaram a contar seus casos, durante a travessia de barca e depois na estrada. O homem, apiedando-se da desventura de Dominguim, convidou-o para acompanhá-lo, vendendo o gado nos mercados conforme as encomendas. Dominguim fez um acordo sobre o pagamento e começaram a circular pelas feiras. Já começara a fazer um novo pé-de-meia, quando certa vez, dormindo numa estalagem com o companheiro, foram assaltados por um bando de assassinos. Dominguim com o taberneiro e o mercador de bois pegaram armas para resistir, mas os assassinos eram tantos que os dominaram e os mataram. Assim terminaram a sorte e a desventura de Dominguim.

Seu irmão não teve melhor sorte. Empobrecido, tentou o comércio e, de desastre em desastre, acabou por roubar junto com ladrões de profissão. Como se sabe, os ladrões vão bem até a nona operação, mas na décima caem na armadilha. E assim aconteceu com ele: os esbirros lhe prepararam uma cilada e o prenderam de fato. Terminou na cadeia, acorrentado: e só saiu com o padre do lado para lhe encomendar a alma antes de morrer com a cabeça sob o machado do carrasco.

O PALÁCIO DOS MACACOS

Era uma vez um rei que tinha filhos gêmeos: João e Antônio. Como não se tinha certeza sobre qual dos dois nascera primeiro, e na corte havia opiniões divergentes, o rei não sabia qual deles indicar como sucessor. E disse:

— Para não prejudicar nenhum dos dois, saiam pelo mundo à procura de mulher, e a esposa que me der o presente mais bonito e raro fará com que o marido herde a coroa.

Os gêmeos montaram a cavalo e se puseram em marcha cada um por uma estrada.

Após dois dias, João chegou a uma grande cidade. Conheceu a filha de um marquês e lhe falou do assunto do presente. Ela lhe deu uma caixinha lacrada para levar ao rei e realizaram o noivado oficial. O rei conservou a caixinha sem abri-la, aguardando o presente da esposa de Antônio.

Antônio cavalgava sem parar e nada de encontrar uma cidade. Estava num bosque denso, sem atalhos, que parecia não ter fim, e devia abrir caminho cortando os galhos com a espada, quando de repente apareceu uma clareira à sua frente, e no fundo da clareira havia um palácio inteirinho de mármore, com vitrais resplandecentes. Antônio bateu, e quem lhe abriu a porta? Um macaco. O macaco vestia libré de mordomo; fez-lhe uma reverência e com um gesto da mão convidou-o para entrar. Dois outros macacos o ajudaram a desmontar, pegaram o cavalo pelas rédeas e o conduziram às estrebarias. Ele entrou e subiu uma escada de mármore coberta de tapetes, e na balaustrada estavam empoleirados muitos macacos, em silêncio, que o saudaram. Antônio entrou numa sala onde havia uma mesa preparada para jogar baralho. Um macaco o convidou para sentar, outros macacos se sentaram ao lado, e Antônio começou a jogar três-sete com os macacos. Num certo momento lhe perguntaram com gestos se queria comer. Conduziram-no à sala de jantar, onde macacos de avental serviam à mesa posta, e os convidados eram todos macacos de chapéus emplumados. Depois o acompanharam com archotes a um quarto e o deixaram dormir.

Antônio, embora assustado e estupefato, estava tão cansado que adormeceu. Mas, no melhor do sono, uma voz o despertou, no escuro, chamando:

— Antônio!

— Quem me chama? — disse ele encolhendo-se na cama.

— Antônio, o que você estava procurando ao vir até aqui?

— Procurava uma esposa que desse ao rei um presente mais bonito que o da mulher de João, para que eu ganhasse a coroa.

— Se concordar em casar comigo, Antônio — disse a voz no escuro —, terá o presente mais bonito e a coroa.

— Então casemos — disse Antônio com um fio de voz.

— Muito bem: amanhã mande uma carta a seu pai.

No dia seguinte Antônio escreveu uma carta ao pai dizendo que estava bem e que voltaria com a esposa. Entregou-a a um macaco que, saltando de uma árvore a outra, chegou à Cidade Real. O rei, apesar de surpreso com o insólito mensageiro, ficou muito contente com as boas notícias e hospedou o macaco no palácio.

Na noite seguinte, Antônio foi de novo acordado por uma voz no escuro:

— Antônio! Seus sentimentos permanecem os mesmos?

E ele:

— Claro que sim!

E a voz:

— Muito bem! Amanhã mande outra carta a seu pai.

E no dia seguinte Antônio escreveu de novo ao pai dizendo que estava bem e enviou a carta com um macaco. O rei hospedou também esse macaco no palácio.

Assim, todas as noites a voz perguntava a Antônio se não mudara de ideia e lhe dizia para escrever a seu pai, e todos os dias partia um macaco com uma carta para o rei. Essa história durou um mês e a Cidade Real já estava cheia de macacos: macacos nas árvores, macacos nos telhados, macacos nos monumentos. Os sapateiros batiam os pregos com um macaco nas costas que os imitava, os cirurgiões operavam com os macacos que levavam embora seus bisturis e a linha para costurar os doentes, as senhoras iam passear com um macaco sentado na sombrinha. O rei não sabia mais o que fazer.

Passado um mês, a voz no escuro finalmente disse:

— Amanhã iremos juntos até o rei e nos casaremos.

Bem cedo, Antônio desceu e na porta havia uma carruagem belíssima com um macaco cocheiro montado na boleia e dois macacos lacaios agarrados atrás. E, dentro da carruagem, sobre almofadas de veludo, cheia de joias, com um penteado de plumas de avestruz, quem se via? Uma macaca. Antônio se sentou ao seu lado e a carruagem partiu.

Ao chegar à cidade do rei, as pessoas abriam alas para aquela carruagem nunca vista e todos ficaram maravilhados ao ver o príncipe Antônio que escolhera como noiva uma macaca. E todos observavam o rei, que estava aguardando o filho nas escadas do palácio, para ver que cara ele faria. O rei não era rei por acaso: nem piscou os olhos, como se casar com uma macaca fosse a coisa mais natural do mundo. Disse apenas:

— Se foi a escolhida, há de casar. Palavra de rei é palavra de rei.

E pegou das mãos da macaca uma caixinha lacrada igual à da cunhada. As caixinhas seriam abertas no dia seguinte, o dia do casamento. A macaca foi acompanhada a seu quarto e quis ser deixada sozinha.

No dia seguinte Antônio foi buscar a noiva. Entrou, e a macaca estava no espelho experimentando o vestido de noiva. Disse:

— Veja se lhe agrado. — E, assim dizendo, virou-se.

Antônio ficou sem voz: de macaca que era, ao se virar, transformara-se numa bela moça, loura, alta e elegante que era um prazer olhar. Esfregou os olhos, pois não conseguia acreditar no que via, mas ela disse:

— Sim, sou exatamente eu sua noiva. — E se atiraram um nos braços do outro.

Fora do palácio havia uma multidão que viera assistir ao casamento do príncipe Antônio com a macaca e, quando o viram aparecer com tão bela criatura, ficaram de boca aberta. Mais adiante, ao longo do caminho, todos os macacos faziam alas, nos galhos, nos telhados e nos parapeitos. Quando passou o casal real, cada macaco dava uma volta em torno de si mesmo e todos se transformavam com aquele movimento: uns em damas com manto e cauda, outros em cavaleiros de chapéu emplumado e espadim, outros em frades, outros em camponeses, outros em pajens. E todos fizeram cortejo para o casal que ia se unir em matrimônio.

O rei abriu as caixinhas dos presentes. Abriu a da mulher de João e dentro dela havia um passarinho vivo que voava, e era um milagre que tivesse ficado fechado ali todo aquele tempo; o passarinho tinha no bico uma noz, e dentro da noz havia um laço de ouro.

Abriu a caixinha da mulher de Antônio e também ali havia um passarinho vivo, e o passarinho tinha na boca uma lagartixa, que não se entendia como pudesse estar lá, e a lagartixa tinha na boca uma avelã que não se entendia como tivesse entrado ali, e, aberta a avelã, havia dentro dela um tule bordado, de cem braças, todo dobrado.

O rei estava prestes a proclamar Antônio seu herdeiro, e João já fazia cara feia, mas a esposa de Antônio disse:

— Antônio não precisa do reino de seu pai porque já tem o reino que trago para ele como dote e que ele, ao casar comigo, libertou do encanto que nos transformara a todos em macacos!

E todo o povo de macacos transformados de novo em seres humanos aclamou Antônio seu rei. João herdou o reino do pai e viveram em paz e harmonia.

Assim se divertiram e permaneceram
E a mim nada me ofereceram.

O PALÁCIO ENCANTADO

Um rei dos tempos antigos tinha um filho chamado Flordinando que não tirava nunca os olhos dos livros. Lia, sempre trancado no seu quarto, fechava o livro e olhava pela janela o jardim e as florestas, e recomeçava a ler e a pensar. Só saía do quarto para almoço ou jantar; era bem raro vê-lo dar alguns passos no jardim.

Certo dia, o caçador do rei, jovem esperto, que crescera com o príncipe, disse ao rei:

— Majestade, permite-me visitar Flordinando? Não o vejo há tanto tempo!

O rei disse:

— Claro. Sua visita servirá de distração para aquele meu filho maravilhoso.

Então, o caçador foi ao quarto de Flordinando, que lhe perguntou:

— Que trabalho você faz, na corte, para usar tais sapatos?

Respondeu o jovem:

— Sou o caçador do rei. — E lhe descreveu a variedade da caça miúda, as astúcias dos pássaros e das lebres, e os espaços da floresta.

Acendeu-se a fantasia de Flordinando.

— Escute — disse ao jovem —, também quero conhecer a caça. Não diga nada a meu pai, para não parecer que foi influência sua; vou pedir-lhe se me deixa ir junto com você uma dessas manhãs.

— Sempre às suas ordens — disse o jovem.

No dia seguinte, durante o dejejum, Flordinando disse ao rei:

— Ontem li um livro que fala sobre caça e gostei tanto que não vejo a hora de experimentar também. Permite-me?

— A caça é uma atividade cheia de perigos — respondeu o rei —, para quem não está acostumado. Contudo, não quero que renuncie a algo que lhe agrada. Dar-lhe-ei como companheiro meu caçador, que conhece o ofício como nenhum outro. Não se afaste nunca dele.

Ao amanhecer, Flordinando e o caçador montaram a cavalo com as armas a tiracolo e rumaram para o bosque. O caçador mirava e abatia todo pássaro e lebre que via; Flordinando se esforçava por acompanhá-lo e atirar também, mas não acertava nada. Passava o dia, e o caçador tinha a bolsa tão cheia que nem dava mais para segurá-la, e Flordinando não derrubara nem uma pena. Anoiteceu: e então, no lusco-fusco, Flordinando viu uma pequena lebre se esconder numa moita e preparou-se para atirar; mas era tão pequena e medrosa, que achou melhor agarrá-la com as mãos. Correu para a moita, mas justo naquele momento a lebre fugiu; e Flordinando atrás. Toda vez que estava a ponto de agarrá-la, a lebre sumia para bem longe e parecia que parava para esperá-lo, para escapar de novo. Acontece que Flordinando se afastara tanto do caçador que não conseguia mais descobrir o caminho de volta. Lançou um grito de socorro, depois outro e outro ainda: ninguém lhe respondeu. Estava escuro. A lebre desaparecera.

Flordinando desceu da sela, morto de cansaço, e se sentou ao pé de uma árvore, com um aperto no coração. E eis que, entre as árvores, na escuridão, pareceu-lhe ver um brilho. Pegou o cavalo pelas rédeas e penetrou no mato. Em meio ao bosque se abria um grande prado, e no fundo do prado estava um palácio riquíssimo.

O portão estava aberto e Flordinando chamou:

— Ó de casa!

Ninguém respondia, nem mesmo o eco. Entrou. Havia uma sala, a lareira acesa, vinho e copos. Flordinando se sentou para descansar, aquecer-se e beber um pouco de vinho. Depois se levantou e passou para uma sala com uma mesa posta para duas pessoas. Talheres, pratos e copos eram de ouro e prata; as cortinas, a toalha e os guardanapos eram de seda pura pespontados com pérolas e diamantes; e do teto pendiam lampadários de ouro maciço, grandes como cestos. Visto que não havia ninguém e estava muito faminto, Flordinando se sentou.

Mal levara a primeira colherada à boca, ouviu um farfalhar de vestidos pela escada, virou-se e viu entrar uma rainha com um séquito de doze damas de companhia. A rainha era jovem e belíssima de corpo, mas o rosto estava oculto por um grande véu: não falou e as doze damas de companhia também permaneceram mudas. Assim, em silêncio, a rainha se sentou diante de Flordinando, e as damas de companhia serviam e se movimentavam, caladas. A refeição decorreu assim, em silêncio, e a rainha levava a comida à boca sob aquele denso véu. Assim que terminaram, a rainha se levantou e as damas de companhia voltaram a acompanhá-la pela escada. Flordinando também se levantou e recomeçou a circular pelo palácio.

Havia um quarto principesco com uma cama pronta para o descanso, e Flordinando se despiu e se meteu entre as cobertas. Atrás do baldaquino existia uma portinhola secreta: abriu-se, e entrou a rainha, sempre silenciosa e coberta pelo véu, com as doze damas de companhia atrás. Com um cotovelo apoiado na cabeceira, Flordinando observava de boca aberta. As damas de companhia despiram a rainha, deixando-a só com o véu na cabeça, deitaram-na ao lado de Flordinando e se foram. Então Flordinando esperava que dissesse algo ou se descobrisse: nada disso, ela já adormecera. Ele ficou algum tempo observando o véu que se erguia e se abaixava com sua respiração, refletiu um pouco e dormiu também.

À aurora voltaram as damas de companhia, vestiram a rainha e a levaram embora. Flordinando também se levantou, tomou um bom dejejum que encontrou preparado e depois desceu até as estrebarias.

Localizou seu cavalo que comia aveia; Flordinando montou e galopou pelo bosque: durante todo o dia tentou achar uma estrada que o reconduzisse a casa ou uma pista do companheiro caçador, mas se perdeu outra vez, e quando escureceu reapareceram o prado e o palácio.

Entrou e lhe aconteceram de novo as mesmas coisas da noite anterior: mas no dia seguinte, enquanto galopava de novo no bosque, topou com o caçador que o procurava havia três dias e regressaram juntos para a cidade. Diante das perguntas do caçador, Flordinando improvisou uma história com longos contratempos, mas não revelou sua aventura.

De volta ao palácio real, Flordinando não se mostrava mais o mesmo. Seu olhar não conseguia se deter nas páginas dos livros e corria para fora da janela, rumo ao bosque. Ao vê-lo tão amuado, aborrecido e apaixonado, a mãe começou a assediá-lo sem lhe dar trégua, para saber o segredo que ocultava. Uma pergunta hoje, uma súplica amanhã, finalmente Flordinando lhe contou de cabo a rabo o que lhe acontecera no bosque e lhe disse alto e bom som que se apaixonara por aquela rainha linda e que não sabia como fazer para casar com ela, dado que não falava nem exibia o rosto.

E a mãe:

— Já lhe digo como deve proceder. Vá jantar com ela outra vez, e quando estiverem à mesa faça com que deixe cair um talher no chão. Assim que ela se inclinar para apanhá-lo, arranque-lhe o véu da cabeça. Esteja certo de que dirá alguma coisa.

Flordinando, mal ouviu aquele conselho, selou o cavalo e saiu em disparada rumo ao palácio no bosque, onde foi recebido como de hábito. Durante o jantar, com um cotovelo, derrubou um garfo da rainha; ela se inclinou e ele lhe puxou o véu. Perante aquele gesto, a rainha se ergueu, bela como um raio de lua e inflamada como uma chispa de sol.

— Jovem imprudente! — gritou. — Traiu-me! Se tivesse dormido outra noite ao seu lado sem falar e sem me descobrir, teria ficado livre do encanto e você se tornaria meu marido. Agora, terei que ficar oito dias em Paris e dali seguir para São Petersburgo, onde serei disputada num torneio e quem sabe a quem me entregarão. Adeus! E saiba que sou a rainha de Portugal!

Naquele momento desapareceram ela e todo o palácio, e Flordinando se viu abandonado no meio do mato e teve de penar para descobrir o caminho de casa. Mas, uma vez em casa, não perdeu tempo: encheu uma bolsa de dinheiro, levou junto o fiel caçador e partiu a cavalo para Paris. Galopa que galopa, morto de cansaço, não desmontou até chegar a uma hospedaria naquela famosa cidade.

Não descansou muito, pois queria saber se de fato a rainha de Portugal se encontrava em Paris. E começou a inquirir o hospedeiro:

— Não há novidades por estes lados?

O hospedeiro respondeu:

— Nada de especial. Que tipo de novidade espera que haja?

E Flordinando:

— As novidades podem ser de tantos tipos. Guerras, festas, personagens ilustres de passagem.

— Ah! — exclamou o hospedeiro. — Então existe uma novidade. Há cinco dias, chegou a Paris a rainha de Portugal e, dentro de mais três, parte para São Petersburgo. É uma senhora muito bela e muito instruída: diverte-se a visitar as coisas raras, e toda tarde passeia com doze damas de companhia, aqui perto, fora das portas da cidade.

— E é possível vê-la? — perguntou Flordinando.

E o hospedeiro:

— E por que não seria? Quando ela anda em público, qualquer um que passa pode vê-la.

— Muito bem — disse Flordinando —, e por ora prepare-nos algo para comer e abra uma garrafa de vinho tinto.

Convém saber que este hospedeiro tinha uma filha que recusava todos os pretendentes, pois não encontrava nunca quem lhe agradasse. Assim que viu Flordinando descer do cavalo, essa moça disse para si mesma que ou casaria com ele ou não se casaria mais. E foi logo contar a seu pai que se apaixonara e que ele desse um jeito de casá-la com aquele forasteiro. Assim o hospedeiro disse a Flordinando:

— Espero que se sinta bem em Paris e que tenha tanta sorte a ponto de encontrar aqui uma bela noiva.

Flordinando disse:

— Minha noiva é a rainha mais bela do mundo e estou atrás dela por toda a terra.

A filha do hospedeiro, que estava escutando do outro lado

da porta, foi tomada por uma grande raiva e, quando o pai mandou que fosse buscar o vinho na adega, colocou uma porção de ópio na garrafa. Quando Flordinando e o caçador saíram para esperar a passagem da rainha de Portugal, caíram num sono tão profundo que adormeceram na grama feito pedras. Dali a pouco, a rainha passou, reconheceu Flordinando, inclinou-se sobre ele, chamou-o, acariciou-o, sacudiu-o, virou-o de um lado e de outro, mas não houve meio de acordá-lo. Então tirou do dedo um anel de diamante e o colocou em sua testa.

É preciso saber que ali perto, numa gruta, vivia um eremita que, em meio às árvores, acompanhara toda a cena. Assim que a rainha se foi, o eremita saiu devagarinho, pegou o anel da testa de Flordinando e retornou para sua caverna.

Quando Flordinando despertou, já estava escuro e ele levou um bom tempo para lembrar onde se achava. Sacudiu o caçador para acordá-lo, e juntos culparam o vinho tinto muito forte e se lamentaram de não terem podido encontrar a rainha.

No segundo dia disseram ao hospedeiro:

— Dê-nos vinho branco, por favor, pois não será tão forte.

Mas a filha deitou ópio também no vinho branco, e os dois voltaram a roncar em meio ao prado.

A rainha de Portugal, desesperada, não conseguindo despertar Flordinando, deixou-lhe na testa um cacho de cabelos e desapareceu. O eremita saiu das árvores, pegou o cacho e, quando Flordinando e o caçador acordaram, noite alta, ficaram sem saber nada do que acontecera.

Flordinando começava a suspeitar desse sono que o dominava toda tarde. Chegara o último dia, antes de a rainha partir para São Petersburgo, e queria vê-la a todo custo. Deu ordens ao hospedeiro para que não lhe trouxesse mais vinho: mas a filha entornou ópio no caldo da sopa. E, chegando ao prado, Flordinando já sentia a cabeça pesar. Então tirou do bolso duas pistolas e as mostrou ao caçador.

— Sei que você me é fiel — disse-lhe —, mas lhe prometo que, se desta vez não conseguir ficar acordado e me manter acordado, estas são para você. Vou descarregá-las em seus miolos, pode ter certeza.

Dito isso, deitou-se e começou a roncar. O caçador, para se manter de vigília, começou a se beliscar, mas entre um beliscão e outro fechava os olhos e os beliscões se tornavam cada vez mais raros, até que ele também começou a roncar.

Chegou a rainha: com berros, abraços, bofetadas ao rosto, beijos e sacudidelas, tentava acordar Flordinando. E, vendo que não conseguia, começou a chorar tão forte que no lugar de lágrimas desceram por sua face duas gotinhas de sangue. Com o lenço enxugou o sangue da face e colocou o lenço sobre o rosto de Flordinando. A seguir, subiu na carruagem e arrancou direto para São Petersburgo. Nesse meio-tempo, o eremita saiu da gruta, apanhou o lenço e ficou olhando atento o que sucedia.

Quando, à noite, Flordinando acordou, a raiva por ter perdido a última ocasião foi tamanha, que puxou as pistolas e estava a ponto de manter a promessa de descarregá-las na cabeça do caçador ainda adormecido, quando o eremita o impediu agarrando-o pelos pulsos e disse:

— O desgraçado não tem culpa. A culpa é da filha do hospedeiro, que pôs ópio no vinho tinto, no vinho branco e no caldo.

— E por que o faria? — disse Flordinando. — E como o senhor sabe de tudo isso?

— Está apaixonada por você e lhe deu o ópio. Sei de tudo porque, no meio das árvores, fico olhando cada coisa que acontece. Há três dias a rainha de Portugal passa por aqui e quer acordá-lo; por isso, deixou-lhe na testa um diamante, um cacho de cabelos e um lenço molhado de lágrimas de sangue.

— E onde está tudo isso?

O eremita disse:

— Peguei tudo para guardar, pois os arredores estão cheios de ladrões que o teriam roubado sem que você sequer percebesse. Aqui estão: guarde bem estas coisas, porque, se agir com bom-senso, poderão lhe trazer sorte.

— Diga-me como.

E o eremita:

— A rainha de Portugal foi para São Petersburgo, onde será disputada num torneio. Acontece que o cavaleiro que lutar com este anel, este cacho e este lenço na ponta da lança será invencível e casará com a rainha.

Flordinando não o deixou repetir. Fez o trajeto Paris—São Petersburgo correndo e conseguiu chegar a tempo para se inscrever no torneio, mas com nome falso. De todas as partes do mundo haviam chegado a São Petersburgo guerreiros famosos, com grandes equipagens e criados, e armas brilhantes como a esfera do sol. No meio da cidade fora erguido um recinto com palcos ao redor, e ali era necessário combater a cavalo para ganhar a rainha de Portugal.

Flordinando, com a viseira abaixada, venceu no primeiro dia com o diamante na ponta da lança; venceu no segundo dia com o cacho de cabelos; venceu no terceiro com o lenço: cavalos e cavaleiros caíam no chão como morcegos até não restar ninguém em pé. Foi proclamado vitorioso e noivo da rainha; só então abriu o elmo. A rainha o reconheceu e, de tão contente, caiu desmaiada numa poltrona.

Organizou-se uma grande festa de casamento, e Flordinando mandou chamar seu pai e sua mãe, que já o pranteavam como morto. Apresentou-lhes a mulher e disse:

— Esta é a pequena lebre que persegui, esta é a mulher velada, esta é a rainha de Portugal a quem libertei de um terrível encantamento.

CABEÇA DE BÚFALA

No campo, um camponês se fatigava cavando sua mísera terra, quando bateu com o ferro em algo duro. Cavou lentamente pelos lados e surgiu uma cabeça de búfala, igual ao dobro de todas as cabeças de todos os búfalos, de chifres eretos, a pelagem luzidia e os olhos abertos, que parecia estar viva. E não era só aparência: de fato, enquanto o camponês, diante daquela horrível visão, preparava-se para golpeá-la com a enxada, a cabeça falou e disse:

— Pare, não me mate. Serei a sorte de uma de suas filhas. Cuide de mim.

O camponês, farejando um encantamento, pegou a cabeça com cuidado, depositou-a num lugar do campo e a cobriu com seu casaco. E, quando sua filha maior veio lhe trazer uma fogaça como almoço, disse-lhe:

— Veja o que está embaixo de meu casaco.

A moça levantou o casaco e deu um berro:

— Oh! que monstro terrível! — E fugiu para casa sempre berrando.

A mãe, ao vê-la regressar tão apavorada, pensou que tivesse acontecido algo a seu marido e disse à filha do meio:

— Vá até o papai e verifique se ele precisa de alguma coisa.

Também a ela o camponês mandou que olhasse embaixo do casaco, e também ela escapou como o vento, gritando:

— Oh! Que focinho pavoroso!

Então a mãe chamou a caçula, que era também a mais esperta e corajosa, e a mandou para o campo. A menina, quando o pai lhe disse para levantar o casaco, obedeceu e se pôs a sorrir e a acariciar com a mão a cabeça de búfala.

— Oh, que bonita cabecinha! Que bonitos chifres! Belos bigodes! Papai, onde encontrou esta linda cabeça de búfala?

Com aquelas carícias, a cabeça de búfala ergueu o focinho ganindo de prazer e disse:

— Ficaria comigo, linda menina?

E a menina:

— Se papai me der permissão, por mim nem volto para casa.

O camponês não soube dizer não. A cabeça de búfala se pôs a caminhar, dando cambalhotas apoiada nos chifres, e a menina ia atrás, pulando e batendo as mãos.

No meio de um bosque, havia um alçapão num prado, a cabeça de búfala o abriu com um chifre e rolou para dentro aos saltos. Lá do fundo, a menina ouviu sua voz que dizia:

— Tire os tamancos e desça também. Trate de andar com cuidado, pois a escada é de vidro.

A menina desceu a escada de vidro e se viu num salão principesco; a cabeça de búfala estava sobre uma poltrona.

Naquela casa subterrânea, a menina se achava muito bem. A cabeça de búfala lhe ensinava todo tipo de trabalhos, manter limpos os aposentos, cozinhar, passar, melhor que uma mãe de verdade; e sua aprendiz apresentava bons resultados em cada coisa, inclusive em ler e escrever, e crescia a olhos vistos, de modo que logo se transformou numa bela moça, e se afeiçoara tanto à cabeça de búfala que a chamava de mamãe.

Depois de viver alguns anos naquela toca, a moça começou a dizer:

— Mamãe, deixe-me ir ao prado por um momento, para tomar um pouco de ar.

Cabeça de Búfala parecia contrariada, mas a moça insistiu, e então lhe deu uma roupa de prata, uma cadeirinha e lhe permitiu ir sentar no prado para fazer a meia.

Enquanto fazia a meia sentada no prado, passou um caçador que se perdera e a viu. Era o filho do rei daquelas terras. Começou a conversar e logo se apaixonou.

— Bela moça — disse-lhe —, você me agrada em tudo e por tudo, e, se aceitar, quero me casar com você.

A moça respondeu:

— Por mim não digo que não, mas antes tenho que consultar minha mãe. — Afastou-se e desceu pela escadinha de vidro do alçapão.

Cabeça de Búfala não disse que não:

— Faça o que lhe aprouver; e, se quiser me deixar, deixe-me. Porém, lembre-se de não ser ingrata. Tudo o que você teve, deve a mim, até mesmo ter encontrado logo um filho de rei para marido.

O filho do rei prometeu retornar dentro de oito dias, para pegar a noiva com as damas, os cavaleiros e as carruagens reais. Nesse ínterim, a noiva preparou o enxoval com a ajuda de Cabeça de Búfala, e era de fato um enxoval de rainha.

— Lembre-se — dizia-lhe Cabeça de Búfala —, quando estiver para deixar esta casa, fique atenta para não esquecer nada. Se esquecer algo, poderá lhe acontecer uma grande desgraça.

Mas, no momento em que apareceu o filho do rei com seu cortejo, tanta foi a aflição e a pressa da noiva que não só esqueceu de pegar o pente, mas também de se despedir de Cabeça de Búfala, e saiu correndo sem ao menos fechar o alçapão.

O cortejo já se afastara bastante quando, de repente, a noiva bateu na testa com a palma da mão.

— Precisamos voltar, precisamos voltar, Majestade! Esqueci o pente.

O filho do rei disse:

— Receia não achar pentes no meu palácio? Ou que as lojas da cidade tenham ficado sem nenhum?

Porém, com o pranto na voz, ela lhe respondeu:

— Receio que me aconteça alguma desgraça, pois minha mãe me disse que não devia esquecer nada em casa, se não quisesse ser infeliz. Suplico-lhe, Majestade, voltemos.

E o príncipe fez os cavalos voltarem e retornaram ao bosque.

O alçapão continuava aberto; a noiva desceu e se pôs a procurar o pente.

— Ah, já tinha ido? — perguntou Cabeça de Búfala.

— Sim, mamãe — respondeu ela —, e na pressa havia esquecido o pente, e agora não consigo achá-lo.

— Esqueceu-se do pente, hein? — disse Cabeça de Búfala.

— Só do pente? Procure-o sozinha.

A noiva, toda aflita, abriu uma gaveta da cômoda e enfiou a cabeça lá dentro para procurar melhor. Quando se reergueu, viu-se ao espelho e deu um grito. Sua cabeça se transformara numa grande cabeça de búfala.

— Mamãe! Mamãe! — gritou. — Ai de mim, que desgraça! Corra, salve-me!

Cabeça de Búfala disse:

— Eu não posso. Este é o prêmio que lhe toca por seu reconhecimento. Você havia ido embora sem ao menos me dizer adeus.

— E agora, o que dirá meu noivo?

— Terá que ficar com você do jeito que está. Já prometeu casar com você.

Em resumo, a moça não pôde fazer nada a não ser enrolar um grosso véu ao redor da cabeça e assim se apresentar ao príncipe.

— Por que se cobriu desta maneira? — ele lhe perguntou.

E a moça respondeu que lhe aparecera uma secreção nos olhos.

Na corte, a mãe do príncipe e todas as grandes damas aguardavam, curiosas para ver aquela beleza extraordinária. Porém, com o pretexto da secreção, ela chegou com o véu e não se deixou ver por ninguém. Chegou o momento de ficar sozinha com o príncipe e ela teve de erguer o véu; imaginem como ele ficou, ao ver que sua noiva se tornara um monstro! Pôs as mãos nos olhos e não quis mais vê-la. De início, pensou em preparar uma fogueira e queimá-la; mas aconselhou-se com sua mãe, que o persuadiu a trancar aquela criatura no sótão do palácio. Assim fez, e na corte se espalhou o boato de que a mantinha trancada por ciúmes. Apenas sua mãe conhecia seu segredo e, ao vê-lo cada vez mais melancólico, sofria. Um dia lhe disse:

— Meu filho, aquela cabeça de búfala tem que ser mandada embora e temos que pensar em escolher uma noiva adequada.

E ele:

— Como posso mandá-la embora, se lhe dei minha palavra de que nos casaríamos?

— Sempre existe um jeito, ouça — disse sua mãe. — Existem na corte duas lindas donzelas que só pensam em casar com você! Vamos fazer uma disputa entre elas e a cabeça de búfala. Que durante oito dias cada uma fie uma libra de linho; a que houver fiado melhor, será sua esposa.

O príncipe seguiu o conselho. As donzelas se puseram a fiar suas libras de linho com grande diligência, cada uma fechada num quarto. A pobre noiva, ao contrário, não era capaz de acabar nada, só fazia chorar sua falta de sorte. No sábado à noite, desceu do sótão por uma corda e correu para o bosque, até o alçapão de Cabeça de Búfala.

— Mamãe, mamãe — disse-lhe —, ajude-me de algum jeito, suspenda esta pena, a senhora que é capaz. Colocou-me nesta situação, tão feliz que me tornara com sua bondade, e agora sou a mais desventurada das mulheres!

Cabeça de Búfala respondeu:

— E você considera a ingratidão uma culpa à toa? Não posso ajudá-la. Só posso lhe dar esta noz. Amanhã, entregue-a ao filho do rei e lhe diga para comer o miolo da noz, em troca da libra de linho que lhe deu para fiar.

No domingo, as donzelas levaram o linho fiado fio a fio para que a rainha o avaliasse, e a rainha disse:

— Eh!, não está mau. Mas há alguns defeitos: não está todo uniforme. Vamos ver o trabalho desta outra.

A noiva apresentou a noz.

— Quer zombar de mim? — disse o filho do rei. Mas abriu a noz e encontrou lá dentro uma meada de uma libra de linho, fiado com perfeição, como jamais se vira.

Porém, a rainha disse:

— Sim, o linho é bonito, não se pode negar. Contudo, você não vai querer ter por esposa um monstro por causa de uma libra de linho, não é? É preciso fazer outra prova. Vamos dar a estas damas uma camisa de pano para coser, e quem coser melhor no prazo de oito dias será sua esposa.

Eis de novo as mulheres trancadas no quarto e mergulhadas no trabalho: um pontinho de cada vez, minuto a minuto as donzelas; ao passo que a noiva, sempre chorando e sem ao menos tocar o tecido. No sábado à noite, volta a descer pela corda e procura Cabeça de Búfala.

— Mamãe, ajude-me! Perdoe meu erro. Perdeu realmente todo o amor por sua filha?

— Você só sabe chorar e se lamentar — disse Cabeça de Búfala. — Não é minha culpa se você se encontra dessa forma. Não a avisei em tempo? Eis aqui tudo o que posso fazer agora. Pegue esta avelã, entregue-a ao filho do rei: ele deve esmagá-la e comê-la, e, se não gostar, deve cuspi-la.

Quando o filho do rei cuspiu a avelã, apareceu uma camisa

toda bordada a ouro, com certos pontinhos tão finos e densos que não havia olhos que os pudessem distinguir.

A rainha disse:

— Então, façamos a prova decisiva. Dentro de oito dias haverá um grande baile. Ordene a estas jovens que tratem de se pôr bonitas, e quem estiver mais bonita será sua esposa.

As duas donzelas, assim que se viram em seus quartos, começaram a se preparar para se tornarem as mais bonitas; e se esfregaram com águas perfumadas, ruge nas bochechas, penteados de todo tipo, vestidos experimentados e trocados, e já nem dormiam, e se o espelho pudesse se consumir a esta hora não restaria nem um pedacinho. A noiva, o que queriam que fizesse, com aquela cabeçorra de búfala sobre o pescoço? Passou a semana inteira a chorar e no sábado à noite voltou ao alçapão no bosque.

— Está aqui de novo a choramingar? — disse Cabeça de Búfala.

— Mamãe, o que quer que eu faça, agora? Se não me perdoar, não haverá mais remédio com meu noivo.

— Está colhendo o que semeou. Foi embora como um cão, depois de todo o bem que lhe fiz!

— Não foi por maldade, mamãe, o que ia fazer? Estava tão feliz, despreocupada, não tinha cabeça para nada.

— E agora, se tivesse que partir como naquele dia, o que faria?

— Ah, mamãe! Eu me despediria de você, iria beijá-la e abraçá-la, sem esquecer de nada, e fecharia o alçapão direitinho.

— Agora, sim: eu a perdoo — disse Cabeça de Búfala —, trate de procurar seu pente.

A noiva foi até a cômoda, abriu a gaveta, apalpou lá dentro e encontrou o pente. Erguendo-se, qual não foi sua surpresa ao ver no espelho sua cabeça de antes, ainda mais bela e resplandecente. Pulando e gritando de alegria, correu para junto de Cabeça de Búfala, abraçou-a e beijou-a, fez-lhe mil carícias e agradeceu a mais não poder.

No domingo, na Sala Real, toda a corte encontrava-se reunida, com o rei e a rainha sentados no trono colocado no alto e o filho ao pé dos degraus. Eis que se apresentam diante deles as três mulheres, cobertas com um grosso véu da cabeça aos pés. O príncipe levanta o véu da primeira e diz:

— Que nada! Está estofada de retalhos!

Avança a segunda, e o príncipe levanta o véu:

— Que nada! Não passa de fitas e maquiagem! — Não ousava levantar o véu da sua noiva, mas, quando o levantou, ficou petrificado. — Eis minha mulher! Eis como a encontrei sentada fazendo a meia no bosque! Ficou ainda mais bela que antes! Querida mãe, a escolha está feita: minha noiva é aquela que me encanta com suas belezas e boas graças.

Tomou-a pela mão e a conduziu para se sentar ao seu lado no trono: toda a corte a aclamou rainha. A partir daquele dia permaneceram juntos triunfantes e viveram felizes como pássaros.

A FILHA DO SOL

Depois de longa espera, um rei e uma rainha, finalmente, estavam para ter uma criança. Chamaram os astrólogos para saber se seria menino ou menina, e qual era seu planeta. Os astrólogos observaram as estrelas e disseram que nasceria uma menina, destinada a fazer o Sol se apaixonar por ela antes de completar vinte anos e a ter uma filha com o Sol. O rei e a rainha, ao saberem que sua filha teria uma filha com o Sol, que está no céu e não pode se casar, ficaram desalentados. E, para encontrar um remédio para aquele destino, mandaram construir uma torre com janelas tão altas que nem o Sol pudesse chegar até lá. A menina foi encerrada ali dentro com a ama, para que chegasse aos vinte anos sem ver o Sol nem ser vista por ele.

A ama tinha uma filha da mesma idade da filha do rei, e as duas meninas cresceram juntas na torre. Tinham quase vinte anos quando um dia, falando sobre as coisas bonitas que deviam existir no mundo fora daquela torre, a filha da ama disse:

— E se tentássemos trepar nas janelas pondo uma cadeira em cima da outra? Vamos ver algo do que existe lá fora!

Dito e feito, fizeram uma pilha de cadeiras tão alta que conseguiram alcançar a janela. Debruçaram-se e viram as árvores, o rio e garças voando, e acima delas as nuvens e o Sol. O Sol viu a filha do rei, apaixonou-se e lhe mandou um raio. No momento em que o raio a tocou, a moça ficou à espera de dar à luz a filha do Sol.

A filha do Sol nasceu na torre, e a ama, que temia a cólera do rei, enrolou-a bem com faixas de ouro próprias de rainha, levou-a para um campo de favas e a abandonou. Depois de pouco tempo a filha do rei completou vinte anos, e o pai a fez sair da torre, pensando que o perigo houvesse passado. E nem desconfiava que tudo já tinha acontecido e que a menina do Sol com sua filha, naquele momento, estava chorando, abandonada num campo de favas.

Por aquele campo passou outro rei que ia caçar: ouviu os gemidos e se apiedou daquela bela criancinha deixada entre as favas. Pegou-a e a levou para sua mulher. Encontraram-lhe uma ama e a menina foi criada no palácio como se fosse filha daquele rei e daquela rainha, junto com o filho deles, pouco mais velho que ela.

O menino e a menina cresceram juntos e, tornando-se adultos, acabaram por se apaixonar. O filho do rei desejava tê-la como esposa a todo custo, mas o rei não queria que seu filho casasse com uma moça abandonada e a obrigou a ir embora do palácio, encerrando-a numa casa distante e solitária, com a esperança de que seu filho a esquecesse. Nem de longe poderia imaginar que aquela moça era a filha do Sol e, sendo encantada, sabia todas as artes que os homens ignoram.

Assim que a moça foi afastada, o rei procurou uma noiva de família real para o filho e combinaram o casamento. No dia do casamento, foram enviados doces a todos os parentes, amigos e familiares e, como na lista de parentes, amigos e familiares também estava a moça encontrada no campo de favas, os embaixadores foram levar doces também para ela.

Os embaixadores bateram à porta. A filha do Sol desceu para abrir, mas estava sem cabeça.

— Oh, desculpem — disse —, estava me penteando e esqueci a cabeça na toalete. Vou buscá-la.

Subiu com os embaixadores, recolocou a cabeça no pescoço e sorriu.

— O que lhes dou, como presente de casamento? — disse; e levou os embaixadores à cozinha. — Forno, abra-se! — disse, e o forno se abriu. A filha do Sol deu um sorriso para os embaixadores. — Lenha, vá para o forno! — E a lenha foi para o forno. A filha do Sol sorriu de novo para os embaixadores, depois disse: — Forno, acenda e, quando estiver quente, chame-me! —Virou-se para os embaixadores e disse: — E então, o que me contam de novo?

Os embaixadores, com os cabelos em pé, pálidos como mortos, tentavam recuperar a voz, quando o forno gritou:

— No ponto, senhora!

A filha do Sol disse:

— Esperem. — E entrou no forno escaldante de corpo inteiro, mexeu-se lá dentro e saiu trazendo um pastelão bem cozido e dourado. — Levem-no ao rei para o banquete de núpcias.

Quando os embaixadores chegaram ao palácio, com os olhos esbugalhados, e contaram bem baixinho as coisas que tinham visto, ninguém queria acreditar. Mas a noiva, com ciúmes da moça (todos sabiam que fora apaixonada pelo seu noivo), disse:

— Oh, são coisas que eu também fazia quando estava em casa.

— Bem — disse o noivo —, então irá fazer também aqui para nós.

— Ah, sim, certo, vamos ver. — A noiva tratava de escapar, mas ele a levou para a cozinha.

— Lenha, vá para o forno — dizia a noiva, porém a lenha não se mexia. — Fogo, acenda. — Mas o forno continuava apagado. Os criados o acenderam e, quando ficou quente, a noiva era tão orgulhosa que decidiu entrar nele. Nem passou da entrada e já tinha morrido queimada.

Após algum tempo, o filho do rei se deixou convencer a procurar outra mulher. No dia do casamento, os embaixadores voltaram à casa da filha do Sol a fim de levar os doces para ela. Bateram, e a filha do Sol, em vez de abrir a porta, atravessou a parede e saiu.

— Desculpem — disse —, a porta não se abre por dentro. Sou sempre obrigada a atravessar a parede e abri-la pelo lado de fora. Agora podem entrar.

Levou-os à cozinha e disse:

— E então, o que preparo de bom para o filho do rei que vai casar? Entre, entre lenha, vá para o fogo! Fogo, acenda!

E tudo foi feito num instante, diante dos embaixadores, que suavam frio.

— Frigideira, vá para o fogo! Óleo, vá para a frigideira!, e quando ferver me chame.

Pouco depois o óleo chamou:

— Patroa, estou fervendo!

— Aqui estou — apresentou-se sorrindo a filha do Sol, pôs os dedos no óleo fervente e os dedos se transformaram em peixes! dez dedos, dez belíssimos peixes fritos, que a filha do Sol embrulhou ela mesma, pois nesse meio-tempo os dedos já tinham voltado a crescer, e deu aos embaixadores sorrindo.

A nova noiva, quando ouviu o relato dos embaixadores estupefatos, também ela ciumenta e ambiciosa, começou a dizer:

— Hum, grande coisa, se vissem os peixes que faço!

O noivo a pegou na palavra e mandou preparar a frigideira com óleo fervente. Aquela arrogante enfiou os dedos ali e se queimou tanto que passou mal e morreu.

A rainha-mãe se zangou com os embaixadores:

— Mas que raio de histórias vocês vêm contar! Provocam a morte de todas as noivas!

Contudo, encontraram uma terceira noiva para o filho e no dia do casamento os embaixadores voltaram para levar os doces.

— Uh, uh, estou aqui! — disse a filha do Sol quando bateram. Olharam ao redor e a viram flutuando.

— Estava passeando numa teia de aranha. Vou descendo.

— E escorregou pela teia de uma aranha para pegar os doces.

— Desta vez, realmente, não sei que presente dar — disse. Refletiu um pouco, depois chamou: — Faca, venha aqui!

A faca foi, ela a pegou e cortou uma de suas orelhas. Grudada na orelha havia uma renda de ouro que lhe saía da cabeça, como se estivesse enrolada no cérebro, e ela continuava a puxá-la: parecia que não acabava mais. A renda acabou, ela recolocou a orelha no lugar, deu-lhe uma pancadinha com o dedo e ela ficou como antes.

A renda era tão linda que na corte todos queriam saber de onde vinha, e os embaixadores, apesar da proibição da rainha-mãe, acabaram contando a história da orelha.

— Hum — fez a nova noiva —, enfeitei todos os meus vestidos com rendas que fazia dessa maneira.

— Pegue a faca, dê-nos uma mostra! — disse o noivo.

E a inconsequente cortou uma de suas orelhas: em vez da renda, saiu um lago de sangue, tanto que morreu.

O filho do rei continuava a perder mulheres, mas estava cada vez mais apaixonado por aquela moça. Acabou ficando doente e não ria nem comia mais; não se sabia como fazê-lo viver.

Mandaram chamar uma velha maga que disse:

— É preciso fazê-lo tomar uma papa de cevada, mas de uma cevada que em uma hora seja semeada, brote e seja colhida; com ela deve-se fazer a papa.

O rei ficou desesperado porque jamais se ouvira falar de uma cevada assim. Então pensaram naquela moça que sabia fazer tantas coisas maravilhosas e mandaram chamá-la.

— Sim, sim, cevada assim e assim, entendi — disse ela e, dito e feito, semeou a cevada, a cevada brotou, cresceu, ela a colheu e fez uma papa com ela antes que passasse uma hora.

Quis ir pessoalmente dar a papa ao filho do rei que estava na cama com os olhos fechados. Mas era uma papa ruim, e, assim que ele engoliu uma colherada, cuspiu-a e acertou um olho da moça.

— Como? Cospe a papa de cevada no meu olho, em mim, filha do Sol, em mim, neta de rei?
— Então você é filha do Sol? — disse o rei, que estava por perto.
— Sim.
— E é neta de rei?
— Sim.
— E nós que achávamos que era uma enjeitada! Agora pode casar com nosso filho.
— Claro que posso!

O filho do rei se curou num instante e casou com a filha do Sol, que daquele dia em diante se tornou uma mulher como todas as outras e não fez mais coisas estranhas.

O FLORENTINO

Era uma vez um florentino que todas as noites participava de serões e ouvia as pessoas que tinham viajado e visto o mundo conversarem. Ele não tinha nada para contar, pois vivera sempre em Florença, e achava que fazia papel de bobo.

E assim lhe deu vontade de viajar; não teve paz enquanto não vendeu tudo, fez as malas e partiu. Anda que anda, escureceu, e ele pediu pousada para a noite na casa de um pároco. O pároco o convidou para jantar e comendo lhe perguntava o porquê da sua viagem. Ao ouvir que o florentino viajava para depois regressar a Florença e ter algo para contar, disse:

— Várias vezes tive o mesmo desejo: quem sabe, caso não lhe desagrade, não poderíamos ir juntos?

— Imagine — disse o florentino. — Parece mentira encontrar companhia.

E na manhã seguinte partiram juntos, o florentino e o pároco.

À noite, chegaram a uma feitoria. Pediram abrigo e o dono perguntou:

— E por que estão viajando? — Quando soube o motivo, também ele ficou com vontade de viajar e ao amanhecer partiu com eles.

Os três andaram muito juntos, até chegar ao palácio de um gigante.

— Vamos bater — disse o florentino —, assim quando voltarmos para casa teremos histórias de um gigante para contar.

O gigante veio abrir pessoalmente e os hospedou.

— Se quiserem ficar comigo — disse depois —, aqui na paróquia me falta um pároco, na feitoria me falta um feitor, e quanto ao florentino, embora não tenha necessidade de florentinos, também para ele se achará um lugar.

Os três conversaram:

— Bem, trabalhando para um gigante, certamente veremos coisas extraordinárias; imaginem quantas coisas poderemos contar depois! — E aceitaram. Ele os levou para dormir e combinaram que no dia seguinte acertariam tudo.

No dia seguinte o gigante disse ao pároco:

— Venha comigo que lhe mostro a papelada da paróquia. — E o conduziu para um aposento.

O florentino, que era um grande curioso e não queria perder a ocasião de ver coisas interessantes, pôs o olho no buraco da fechadura e viu que, enquanto o pároco se inclinava para ver a papelada, o gigante ergueu um sabre, cortou-lhe a cabeça e jogou corpo e cabeça num alçapão.

"Esta, sim, será boa para contar lá em Florença", pensou o florentino. "O problema é que não vão acreditar em mim."

— Já encaminhei o pároco — disse o gigante —, agora vou cuidar do feitor; venha que lhe mostro a papelada da feitoria.

E o feitor, sem suspeitar de nada, seguiu o gigante até aquele aposento.

O florentino, pelo buraco da fechadura, viu-o inclinar-se sobre a papelada e depois o sabre do gigante se abater entre a cabeça e o pescoço. A seguir, o decapitado acabou no alçapão.

Já estava se regozijando com tantas coisas extraordinárias que poderia contar na volta, quando percebeu que depois do pároco e do feitor seria a vez dele e que, portanto, não poderia contar absolutamente nada. E lhe veio um grande desejo de fugir, mas o gigante saiu do aposento e lhe disse que antes de tratar dele preferia almoçar. Sentaram-se à mesa, e o florentino não conseguia engolir nem um bocado e estudava um plano para escapar das mãos do gigante.

O gigante não enxergava bem com um dos olhos. Terminada a refeição, o florentino começou a dizer:

— Que pena! O senhor é tão bonito, mas esse olho...

O gigante, ao se sentir observado naquele olho, ficou incomodado e começou a se agitar na cadeira, a bater as pálpebras e a franzir as sobrancelhas.

— Sabe? — disse o florentino —, conheço uma erva que, para as doenças dos olhos, é um remédio infalível. E tenho a impressão de tê-la visto aqui no seu jardim.

— Ah, é? Ah, é? — disse logo o gigante. — Viu aqui mesmo? Então, vamos procurá-la.

E o conduziu ao prado, e o florentino, saindo, observava portas e fechaduras para ter bem claro na cabeça o meio para fugir. Num canteiro, colheu uma erva qualquer: voltaram para casa e a colocou para ferver numa panela de óleo.

— Aviso-o de que vai doer muito — disse ao gigante. — É capaz de resistir à dor sem se mexer?

— Bem, decerto... decerto resisto... — disse o gigante.

— Ouça: será melhor que para mantê-lo parado o amarre a esta mesa de mármore; caso contrário, começa a se agitar e a operação não dá certo.

O gigante, que fazia questão de ajustar aquele olho, deixou que ele o amarrasse à mesa de mármore. Quando ele ficou amarrado como um salame, o florentino virou a panela de óleo fervente nos seus olhos, cegando-o completamente, e depois fugiu escada abaixo, pensando: "Mais essa para contar!".

Com um berro que fez a casa estremecer, o gigante se levantou e, com a mesa de mármore amarrada às costas, pôs-se a correr atrás dele às apalpadelas. Porém, percebendo que cego como estava jamais o alcançaria, recorreu a um ardil:

— Florentino! — gritou. — Florentino!, por que me abandonou? Não vai terminar a cura? Quanto quer para acabar de me curar? Quer este anel? — E lhe atirou um anel. Era um anel encantado.

— É isso — disse o florentino —, vou levá-lo para Florença e mostrá-lo a quem não acredita em mim!

Mas, assim que o recolheu e o enfiou no dedo, eis que o dedo se transforma em mármore, pesado a ponto de arrastar para o chão a mão, o braço e o corpo inteiro, fazendo-o ficar estendido. Agora o florentino não podia mais se mover, pois não aguentava com o dedo. Tentou tirar o anel do dedo, porém não conseguia. O gigante estava quase em cima dele. Desesperado, o florentino puxou uma faca do bolso e decepou o dedo: assim pôde escapar e o gigante não o encontrou mais.

Chegou a Florença com um palmo de língua para fora da boca, e lhe passara não só a vontade de correr mundo, mas também a de contar suas viagens. E, quanto ao dedo, disse que o cortara quando capinava.

O PRESENTE DO VENTO DO NORTE

Um camponês chamado Gepone morava nas terras de um prior, num morro onde o Vento do Norte sempre destruía frutas e plantas. E o pobre Gepone passava fome com toda a família. Um dia se decidiu:

— Quero ir à procura desse vento que me persegue. — Despediu-se da mulher e dos filhos e subiu a montanha.

Chegando a Castel Ginevrino, bateu à porta. Apresentou-se a mulher do Vento do Norte.

— Quem bate?

— Sou Gepone. Seu marido não está?

— Foi soprar entre as faias e volta logo. Entre para esperá-lo aqui dentro. — E Gepone entrou no castelo.

Depois de uma hora o Vento do Norte retornou.

— Bom dia, Vento.

— Quem é você?

— Sou Gepone.

— O que está procurando?

— Como bem sabe, todos os anos você acaba com minhas colheitas, e por sua culpa morro de fome com toda a família.

— E por que veio ter comigo?

— Para lhe pedir, visto que me prejudicou, que me ajude de algum modo.

— E como posso fazê-lo?

— Estou nas suas mãos.

O Vento do Norte foi tomado de compaixão por Gepone e disse:

— Pegue esta caixa e, quando estiver com fome, abra-a, peça o que deseja e será atendido. Mas não a entregue a ninguém, pois, se vier a perdê-la, ficará sem nada.

Gepone agradeceu e partiu. No meio do caminho, no bosque, sentiu fome e sede. Abriu a caixa, disse:

— Traga pão, vinho e acompanhamento. — E da caixa saiu um pão do melhor, uma garrafa e presunto. Gepone fez uma bela refeição ali no bosque e retomou seu caminho.

Antes de chegar em casa, encontrou a mulher e os filhos que vinham ao seu encontro:

— Como foi? Como foi?

— Bem, bem — disse ele e levou todos para casa. — Ocupem seus lugares à mesa. — Depois disse à caixa: — Pão, vinho e acompanhamento para todos. — E assim fizeram uma bela refeição todos juntos.

Tendo acabado de comer e beber, Gepone disse à mulher:

— Não diga ao prior que eu trouxe esta caixa. Senão, ele vai ficar com vontade de possuí-la e a leva embora.

— Eu, dizer alguma coisa? Deus me livre!

Eis que o prior manda chamar a mulher de Gepone.

— Seu marido voltou? Ah, sim, e como foi? Bem, fico feliz. E o que trouxe de bom? — E assim, uma palavra depois da outra, arranca-lhe todo o segredo.

Imediatamente chamou Gepone:

— Ó Gepone, soube que tem uma caixa muito preciosa. Poderia me deixar vê-la?

Gepone queria negar, mas sua mulher já contara tudo; assim, mostrou a caixa e suas virtudes ao padre.

— Gepone — disse ele —, você deve dar isso para mim.

— E para mim, o que sobra? — disse Gepone. — O senhor sabe que perdi todas as colheitas e não tenho o que comer.

— Se me der essa caixa, vou lhe dar todo o trigo que quiser, todo o vinho que quiser, tudo aquilo que quiser e na quantidade que quiser.

Gepone, pobrezinho, concordou; e o que ganhou com isso? O prior a duras penas lhe deu alguns sacos de míseras sementes. Achava-se de novo na miséria e, isso é bom dizer, por culpa de sua mulher.

— Foi por sua causa que perdi a caixa — dizia-lhe —, e dizer que o Vento do Norte me recomendara não contar nada a ninguém. Agora, não tenho mais coragem de voltar a me apresentar a ele.

Finalmente se animou e tomou o rumo do castelo. Bateu, apresentou-se a mulher do Vento.

— Quem é?

— Gepone.

Apresentou-se também o Vento:

— O que está querendo, Gepone?

— Lembra-se da caixa que me deu? O patrão tirou-a de mim e não quer devolvê-la, e tenho que penar fome e dificuldades.

— Disse-lhe para não dá-la a ninguém. Agora, vá em paz, porque eu não lhe dou mais nada.

— Por caridade, só você pode me socorrer nesta desgraça.

Pela segunda vez, o vento foi tomado de compaixão: pega uma caixa de ouro e a oferece.

— Só abra esta quando sentir muita fome. Caso contrário, ela não obedece.

Gepone agradeceu, apanhou a caixa e sumiu por aqueles vales.

Quando não aguentou mais de fome, abriu a caixa e disse:

— Providencie.

Da caixa pulou um homenzarrão com um bastão numa das mãos e começou a dar bordoadas no pobre Gepone até lhe quebrar os ossos.

Assim que pôde, Gepone tornou a fechar a caixa e continuou seu caminho todo machucado e dolorido. À mulher e aos filhos que vieram esperá-lo na estrada para lhe perguntar como tinha sido o encontro, disse:

— Bem: trouxe uma caixa mais bonita que a outra.

Fez com que todos ocupassem seus lugares à mesa e abriu a caixa de ouro. Dessa vez pularam dela dois homenzarrões com bastões e os espancaram. A mulher e os filhos gritavam por misericórdia, mas os homenzarrões não pararam até que Gepone não tornasse a fechar a caixa.

— Agora vá até o patrão — disse à mulher — e lhe diga que trouxe uma caixa muito mais bonita que a outra.

A mulher foi, e o prior fez as perguntas habituais:

— Gepone já voltou? E o que trouxe?

E ela:

— Imagine, senhor prior, uma caixa melhor que a outra: toda de ouro, e faz manjares já cozidos que são maravilhosos. Mas esta ele não quer dar a ninguém.

O prior mandou logo chamar Gepone.

— Oh, fico feliz, Gepone, muito contente que tenha voltado, e com uma nova caixa. Deixe-me vê-la.

— Sei, e depois o senhor me rouba também esta.

— Não, não a roubo.

E Gepone lhe mostrou a caixa toda brilhante. O padre não aguentava mais de cobiça.

— Gepone, dê-me esta, e eu lhe restituo a outra. O que pretende fazer com uma caixa de ouro? Dou-lhe a outra em troca e ainda acrescento alguma coisa.

— Bem, vejamos: restitua-me a outra e lhe dou esta.
— Negócio fechado.
— Preste atenção, senhor prior, só se deve abrir esta em caso de muita fome.
— Vem a calhar — disse o prior. — Amanhã, receberei a visita do titular e de muitos outros padres. Vou deixá-los em jejum até meio-dia, depois abro a caixa e lhes ofereço um grande banquete.

De manhã, depois de ter oficiado a missa, todos os padres começaram a rodear a cozinha do prior.

— Hoje não nos quer dar de comer — diziam —, o fogo está apagado e não se veem mantimentos.

Porém, os mais informados diziam:

— Vocês vão ver, na hora do almoço, ele abre uma caixa e faz aparecer tudo aquilo que deseja.

O prior chegou e os acomodou à mesa; no centro, estava a caixa, e todos a observavam com olhos grandes. O prior abriu a caixa e dela pularam seis homenzarrões armados de bastões que distribuíram pancadas generosamente em todos que ali se encontravam. Sob aquela chuva de pancadas, o prior deixou cair a caixa, que ficou aberta, e os seis continuavam a bater. Gepone, que se escondera por perto, acorreu e fechou a caixa: senão todos os padres teriam morrido com as bordoadas. Este foi o almoço deles, e parece que à noite não puderam oficiar as práticas religiosas. Gepone conservou as duas caixas, não as emprestou mais a ninguém, e viveu sempre como um senhor.

A MOÇA-MAÇÃ

Era uma vez um rei e uma rainha, desesperados porque não tinham filhos. E a rainha dizia:

— Por que não posso fazer filhos, assim como a macieira faz as maçãs?

Aconteceu então que a rainha, em vez de conceber um filho, concebeu uma maçã. Era uma maçã tão linda e colorida como jamais se vira outra. E o rei a colocou numa bandeja de ouro no seu terraço.

Defronte a este rei morava outro, e este outro rei, num dia em que estava debruçado na janela, viu no terraço do rei da frente uma linda moça branca e vermelha como uma maçã que se lavava e se penteava ao sol. Ele ficou olhando de boca aberta, pois jamais vira uma moça tão bonita. Mas a moça, assim que percebeu que estava sendo observada, correu para a bandeja, entrou na maçã e desapareceu. O rei se apaixonara por ela.

Pensa e repensa, vai bater no palácio da frente e pede à rainha:

— Majestade — diz —, gostaria de lhe pedir um favor.

— De bom grado, Majestade; entre vizinhos se pode ser útil... — diz a rainha.

— Gostaria de ganhar aquela linda maçã que têm no terraço.

— O que está pretendendo, Majestade? Por acaso não sabe que sou a mãe daquela maçã e que ansiei tanto por tê-la?

Mas o rei tanto fez e tanto insistiu, que para manter a amizade entre vizinhos não puderam lhe dizer não. Assim, ele carregou a maçã para o seu quarto. Preparava-lhe tudo para que ela se lavasse e se penteasse, e a moça saía todas as manhãs, lavava-se e se penteava e ele ficava observando-a. A moça não fazia mais nada: não comia, não falava. Apenas se lavava e se penteava, e depois voltava para a maçã.

Aquele rei morava com uma madrasta, a qual, ao vê-lo sempre trancado no quarto, começou a suspeitar:

— Pagaria para saber por que meu filho está sempre escondido!

Chegou uma convocação de guerra e o rei teve de partir. Doía-lhe o coração abandonar sua maçã! Chamou o criado mais fiel e lhe disse:

— Deixo-lhe a chave do meu quarto. Cuide que não entre ninguém. Todos os dias, prepare a água e o pente para a moça da maçã e faça com que não lhe falte nada. Cuidado, porque ela me contará tudo. — (Não era verdade, a moça não dizia uma palavra, mas foi isso que ele disse ao criado.) — Fique atento, pois, se lhe for torcido um fio de cabelo durante a minha ausência, você pagará com a cabeça.

— Majestade, não tenha dúvida de que farei o melhor possível.

Assim que o rei partiu, a rainha-madrasta tratou de entrar no aposento dele. Mandou colocar ópio no vinho do criado e, quando ele adormeceu, roubou-lhe a chave. Abriu e vasculhou todo o aposento e, quanto mais vasculhava, menos achava. Havia apenas aquela linda maçã numa fruteira de ouro.

— Sua fixação só pode ser esta maçã!

Sabe-se que as rainhas carregam sempre um estilete na cintura. Pegou o estilete e se pôs a perfurar a maçã. De cada furo saía um rio de sangue. A rainha-madrasta se amedrontou, fugiu e recolocou a chave no bolso do criado adormecido.

Quando o criado acordou, não conseguia entender o que lhe sucedera. Correu ao quarto do rei e o encontrou alagado de sangue.

— Ai de mim! O que devo fazer? — E saiu depressa.

Foi à casa de sua tia, que era uma fada e possuía todos os pozinhos mágicos. A tia lhe deu um pozinho mágico que servia para as maçãs encantadas e outro que servia para moças enfeitiçadas e misturou os dois.

O criado regressou para junto da maçã e lhe colocou um pouco do pozinho em todos os furos. A maçã se abriu e pulou dela a moça toda enfaixada e cheia de curativos.

O rei voltou e a moça falou pela primeira vez e disse:

— Ouça, sua madrasta me golpeou com um estilete, mas seu criado me curou. Tenho dezoito anos e saí do encantamento. Se me quiser, serei sua esposa.

E o rei:

— Por Deus, como a quero!

Realizou-se a festa com grande alegria por parte dos dois palácios vizinhos. Só faltava a madrasta, que fugiu e ninguém mais soube dela.

> *E ali ficaram e se refestelaram,*
> *E a mim nada entregaram.*
> *Minto, deram-me um vintenzinho*
> *E o coloquei num porquinho.*

SALSINHA

Era uma vez marido e mulher que moravam numa linda casinha. E essa casinha tinha uma janela que dava para a horta das fadas.

A mulher esperava um filho e estava com vontade de comer salsa. Debruça-se na janela e na horta das fadas vê uma grande plantação de salsa. Espera as fadas saírem, pega uma escada de seda e pula na horta. Farta-se de salsa, volta a subir na escada de seda e fecha a janela.

No dia seguinte, a mesma coisa. Come hoje, come amanhã, as fadas, passeando pelo jardim, começaram a se dar conta de que a salsa desaparecera quase toda.

— Sabem o que faremos? — disse uma das fadas. — Vamos fingir que saímos todas, mas uma de nós ficará escondida. Assim, veremos quem vem roubar a salsa.

Quando a mulher desceu na horta, eis que dela pulou uma fada.

— Ah, malandra! Foi descoberta, finalmente!

— Tenha paciência — disse a mulher —, sinto vontade de salsa porque espero um filho...

— Vamos perdoá-la — disse a fada. — Porém, se tiver um menino, vai lhe dar o nome de Salsinho; se tiver uma menina, vai lhe dar o nome de Salsinha. E, assim que crescer, seja menino ou menina, ficaremos com ele!

A mulher rompeu em pranto e voltou para casa. O marido, logo que soube do pacto com as fadas, enfureceu-se:

— Sua gulosa! Viu?

Nasceu uma menina, Salsinha. E, com o passar do tempo, os pais não pensaram mais no pacto com as fadas.

Quando Salsinha cresceu, começou a ir para a escola. E todos os dias, ao voltar para casa, encontrava as fadas, que lhe diziam:

— Menina, diga à sua mãe que se lembre do que deve nos dar.

— Mamãe — dizia Salsinha, voltando para casa —, as fadas dizem que deve se lembrar daquilo que deve lhes dar.

A mãe sentia um aperto no coração e não respondia nada.

Certo dia a mãe estava distraída. Salsinha voltou da escola e disse:

— As fadas dizem que se lembre daquilo que deve lhes dar.

E a mãe, sem pensar, disse:

— Ah, sim, diga-lhes que a peguem.

No dia seguinte, a menina foi à escola.

— Agora sua mãe se lembra? — perguntaram as fadas.

— Sim, disse que podem levar o que deve lhes dar.

As fadas não se fizeram de rogadas. Agarraram Salsinha e sumiram.

A mãe, vendo que ela não regressava, ia ficando cada vez mais preocupada. De repente, lembrou-se da frase que lhe dissera e disse:

— Desgraçada que sou! Agora não se pode voltar atrás.

As fadas levaram Salsinha para casa, mostraram-lhe um aposento bastante preto onde guardavam o carvão e disseram:

— Salsinha, está vendo este aposento? Quando voltarmos esta noite, deve estar branco como leite e pintado com todos os pássaros do céu. Senão, vamos devorá-la. — Foram-se e deixaram Salsinha desesperada, em prantos.

Bateram à porta. Salsinha vai abrir, certa de que já eram as fadas voltando e que soara sua hora. Em vez delas, entrou Mimo, primo das fadas.

— Por que está chorando, Salsinha? — perguntou.

— Você também choraria — disse Salsinha — se tivesse que fazer este aposento, negro como está, ficar branco como o leite e pintá-lo com todos os pássaros do céu antes que voltem as fadas. Senão me devoram!

— Se me der um beijo — disse Mimo —, eu faço tudo isso.

E Salsinha respondeu:

Prefiro pelas fadas ser devorada
A ser por um homem beijada.

— A resposta é tão graciosa — disse Mimo —, que vou fazer tudo assim mesmo.

Sacudiu a varinha mágica, e o aposento ficou todo branco e cheio de pássaros, como haviam dito as fadas.

Mimo foi embora e as fadas regressaram.

— Então, Salsinha, tudo pronto?

— Sim, senhoras, venham ver.

As fadas se entreolharam.

— Diga a verdade, Salsinha, nosso primo Mimo andou por aqui? E Salsinha:

Do jovem Mimo nem sombra vi
Nem da bela mãe que perdi.

No dia seguinte as fadas fizeram um conciliábulo.

— Como faremos para comê-la? Bem, Salsinha!

— O que ordenam?

— Amanhã cedo você deve ir até a fada Morgana e pedir a ela que lhe dê a caixa do Bel-Jogral.

— Sim, senhora — respondeu Salsinha, e de manhã se pôs a caminho.

Anda que anda, encontrou Mimo, primo das fadas, que lhe perguntou:

— Aonde vai?

— Até a fada Morgana pegar a caixa do Bel-Jogral.

— Mas não sabe que ela a devorará?

— Melhor para mim, assim acaba meu sofrimento.

— Pegue — disse Mimo — estas duas panelas de gordura; encontrará uma porta que bate nos gonzos, unte-a e a deixará passar. Depois pegue estes dois pães; encontrará dois cães que se mordem; jogue os pães e a deixarão passar. Depois pegue linha e sovela; encontrará um remendão que, para costurar os calçados, arranca a barba e os cabelos; ofereça-lhe isso e a deixará passar. Depois pegue estas vassouras; encontrará uma padeira que varre o forno com as mãos, ofereça-as e a deixará passar. Trate de fazer tudo bem rápido.

Salsinha pegou a gordura, os pães, a linha, as vassouras, e os deu à porta, aos cães, ao remendão, à padeira; e todos lhe agradeceram. Achou uma praça, e na praça ficava o palácio da fada Morgana. Salsinha bateu.

— Espere, menina — disse a fada Morgana —, espere um pouco. — Mas Salsinha, sabendo que devia acabar tudo rápido, subiu dois lances de escada, viu a caixa do Bel-Jogral, pegou-a e saiu correndo.

A fada Morgana, percebendo que ela escapava, debruçou-se na janela.

— Padeira que varre o forno com as mãos, agarre aquela menina, detenha-a!

— Só se fosse louca! Depois de tantos anos de canseira, deu-me as vassouras para varrer o forno!

— Remendão que costura os calçados com a barba e os cabelos! Detenha aquela menina, detenha-a!

— Só se fosse louco! Depois de tantos anos de canseira, deu-me sovela e linha!

— Cães que se mordem! Detenham aquela menina!
— Só se fôssemos loucos! Deu-nos um pão para cada um!
— Porta que bate! Detenha aquela menina!
— Só se fosse louca! Untou-me da cabeça aos pés!

E Salsinha passou. Assim que se viu a salvo, perguntou-se: "O que haverá nesta caixa do Bel-Jogral?", e não pôde resistir à tentação de abri-la.

Pulou dela um cortejo de homenzinhos minúsculos, um cortejo com banda que caminhava ao som de música e não parava. Salsinha queria fazê-los voltar à caixa, mas agarrava um e lhe escapavam dez. Rompeu em soluços, e justo naquele momento chegou Mimo.

— Abelhuda! — disse. — Viu o que aprontou?
— Oh, só queria ver...
— Agora não há mais remédio. Mas, se me der um beijo, dou um jeito. E ela:

Prefiro pelas fadas ser devorada
A ser por um homem beijada.

— Recitou tão direitinho que darei um jeito assim mesmo. — Sacudiu a varinha mágica e todos os homens retornaram à caixa do Bel-Jogral.

As fadas, quando ouviram Salsinha bater à porta, ficaram amuadas.

— Como é que a fada Morgana não a devorou?
— Dia feliz — disse ela. — Eis a caixa.
— Ah, muito bem... E o que lhe disse a fada Morgana?
— Mandou-lhes muitas lembranças.
— Entendemos! — disseram as fadas entre si. — Teremos que devorá-la nós mesmas.

À noite, Mimo foi visitá-las.

— Sabe, Mimo? — disseram-lhe. — A fada Morgana não devorou Salsinha. Teremos que devorá-la nós mesmas.
— Ah, muito bem! — disse Mimo. — Muito bem!

— Amanhã, quando tiver terminado todos os afazeres domésticos, vamos obrigá-la a pôr no fogo uma caldeira daquelas grandes de lavar roupa. E, quando ferver, vamos apanhá-la e jogá-la dentro da caldeira.

— Sim, sim — disse ele —, fica combinado assim, é uma boa ideia.

Assim que as fadas saíram, Mimo foi até Salsinha.

— Sabe, Salsinha? Querem jogá-la na caldeira, quando ela ferver. Mas você deve dizer que falta lenha e que vai buscá-la. Depois aparecerei eu.

Assim, as fadas disseram a Salsinha que era preciso cuidar da roupa e que pusesse a caldeira no fogo. Ela acendeu o fogo, depois disse:

— Mas a lenha está acabando.

— Vá buscá-la no depósito.

Salsinha desceu e ouviu:

— Estou aqui, Salsinha. — Lá estava Mimo, que a pegou pela mão.

Conduziu-a a um lugar no fundo do depósito onde havia vários candeeiros.

— Estas são as almas das fadas. Sopre! — Puseram-se a soprar e cada chama que se apagava era uma fada que morria.

Restou apenas um candeeiro, o maior de todos.

— Trata-se da alma da fada Morgana! — Puseram-se a soprar juntos com todas as suas forças, até que a apagaram e assim ficaram senhores de tudo.

— Agora será minha esposa — disse Mimo, e finalmente Salsinha lhe deu um beijo.

Foram até o palácio da fada Morgana; do remendão fizeram um duque, da padeira uma marquesa; os cães passaram a viver no palácio com eles, e a porta permaneceu lá, tendo eles o cuidado de untá-la de vez em quando.

Assim viveram e se regalaram,
Sempre em paz continuaram
E a mim nem um olhar me lançaram.

O PÁSSARO BEM VERDE

Um rei era abelhudo. À noite, caminhava sob as janelas dos súditos para ouvir o que se falava nas casas. Era uma época de turbulências, e o rei suspeitava que o povo estivesse tramando alguma coisa contra ele. Assim, já no escuro, passando por um casebre do campo, ouviu três irmãs que, no terraço, conversavam animadas.

Dizia a maior:

— Se pudesse casar com o padeiro do rei, faria tanto pão num só dia quanto a corte come num ano: de tanto que gosto daquele lindo padeiro!

E a do meio:

— Pois eu preferia o vinhateiro do rei como esposo, e veriam que com um copo de vinho embriagaria toda a corte, de tanto que me agrada aquele vinhateiro!

Depois perguntaram à caçula, que continuava quieta:

— E você, com quem casaria?

E a caçula, que era também a mais bonita, disse:

— Escolheria o próprio rei como esposo e lhe daria dois filhos homens de leite e de sangue com cabelos de ouro, e uma filha mulher também de leite e sangue, com cabelos de ouro e uma estrela na testa.

As irmãs riram por trás dela:

— Deixe disso, espertinha, não quer mais nada não?

O rei abelhudo, que escutara tudo, voltou para casa e no dia seguinte mandou chamar as três. As moças ficaram preocupadas, porque eram tempos suspeitosos, de desconfiança, e não sabiam o que poderia lhes acontecer. Chegaram lá muito atrapalhadas e o rei as tranquilizou:

— Não tenham medo: repitam a conversa de ontem à noite, no terraço da casa de vocês.

O trio, mais confuso que nunca, gaguejou:

— Mas nós, quem sabe, nada...

— Não diziam que pretendiam se casar? — interrogou o rei. E, de tanto insistir, fez com que a mais velha repetisse que desejava o padeiro para marido. — Bem, que lhe seja concedido — disse o rei. E ela desposou o padeiro.

A segunda confessou que lhe interessava o vinhateiro.

— Que lhe seja concedido — disse o rei, dando-lhe o vinhateiro. — E você? — indagou à caçula.

E ela, ruborizada, repetiu-lhe o que dissera na noite anterior.

— E se lhe fosse realmente concedido desposar o rei — pressionou —, manteria a promessa?

— Prometo-lhe que faria o melhor possível — respondeu a moça.

— Então, que lhe seja concedido casar comigo e vamos ver, entre todas, quem faz mais jus ao que afirmou.

Perante a sorte da caçula, de repente transformada em rainha, as irmãs mais velhas, casadas com o padeiro e o vinhateiro, não se conformaram em ficar por baixo, e nelas nasceu uma inveja que não sabiam como extravasar, e que cresceu ainda mais quando se soube que a rainha já esperava um filho.

Nesse meio-tempo, o rei teve de ir guerrear contra um primo. Advertiu a mulher:

— Lembre-se do que me prometeu. — Pediu às cunhadas que cuidassem dela e partiu.

Enquanto estava em guerra, a rainha deu à luz um menino de leite e sangue, com cabelos de ouro. As irmãs, o que tramaram? Sumiram com a criança e puseram em seu lugar um macaco. Entregaram o menino a uma velha para que o afogasse. A velha foi até o rio, levando o menino num cesto; tendo chegado à ponte, jogou tudo para baixo.

Flutuando, o cesto seguiu a corrente e foi visto por um barqueiro, que saiu atrás dele. Alcançou-o, viu aquela criatura tão formosa e a levou para casa, aos cuidados da mulher.

As cunhadas mandaram ao rei, em guerra, a notícia de que sua esposa gerara um macaco em vez de um varão com cabelos de ouro: o que deviam fazer? "Símio ou menino", responde o rei, "cuidem dele."

Concluída a guerra, retornou. Porém, não conseguia mais ser como antes em relação à mulher. Sim, continuava a gostar dela, todavia se decepcionara, pois ela não mantivera a palavra. Nesse ínterim, a mulher voltou a engravidar e o rei esperava que desta vez desse mais certo.

Retornando ao menino: aconteceu que um dia o barqueiro observou bem os cabelos dele e comentou com a mulher:

— Olhe aqui, não parecem de ouro?

E a mulher:

— Claro que é ouro! — Cortam um cacho e vão vender.

O ourives o coloca na balança e paga como ouro puro. Dali em diante, todos os dias, o barqueiro e a mulher cortavam madeixas do menino e as vendiam: assim, em pouco tempo ficaram ricos.

Entretanto, o primo do rei o forçou a fazer guerra outra vez. O rei partiu e deixou a mulher, que esperava outro filho.

— Que tudo corra bem!

Também desta vez, enquanto o rei estava longe, a rainha deu à luz um varão de leite e sangue, com cabelos de ouro. As irmãs pegam o menino e põem um cão no lugar dele. Entregam o menino à mesma velha, que o atira no rio dentro de um cesto, como seu irmão.

— Mas que história é essa? — disse o barqueiro vendo aparecer outro menino rio abaixo. Calculou logo que com os cabelos deste duplicaria seus lucros.

O rei, sempre às voltas com a guerra, recebeu das cunhadas: "Sua esposa pariu um cão, Majestade; escreva-nos o que se deve fazer com ela". O rei escreveu como resposta: "Seja cão ou cadela, tomem conta de minha mulher". E regressou à cidade, sombrio. Acontece que se afeiçoara muito à esposa e esperava que na terceira vez desse certo.

Também desta vez, enquanto a rainha esperava um filho, eis que o primo provoca guerra pela terceira vez; vejam que destino! O rei é obrigado a partir; diz:

— Adeus, lembre-se da promessa. Os dois varões com cabelos de ouro você não me deu; trate de me dar a menina com a estrela na testa.

Ela deu à luz a menina, uma menina de leite e sangue, com cabelos de ouro e com a estrela na testa. A velha preparou o cestinho e o atirou no rio: e as irmãs puseram um tigre na cama, um filhote. Escreveram ao rei sobre o tigre que tinha nascido e perguntaram o que devia ser feito com sua esposa. Ele escreveu: "O que quiserem, desde que não a veja no palácio quando retornar".

As irmãs a agarram, retiram-na da cama, arrastam-na para a adega, onde a muram do pescoço para baixo, deixando de fora apenas a cabeça. Todos os dias iam levar um pouco de pão e um copo de água para ela, e lhe davam uma bofetada cada uma: esse era o seu alimento diário. Seus aposentos foram murados, e da mulher não restou nenhum vestígio; o rei, terminada a guerra, não disse uma palavra sobre ela e ninguém tocou no assunto. Contudo, mergulhou numa tristeza infinita.

O barqueiro, que encontrara também o cestinho da menina, agora tinha três belos jovens que cresciam a olhos vistos, e com os cabelos de ouro juntara riquezas imensuráveis. E disse:

— É hora de pensar neles, pobrezinhos: precisamos construir um palácio para eles, pois estão ficando grandes. — E mandou construir, bem em frente ao do rei, um palácio ainda maior, com um jardim onde se encontravam todas as maravilhas do mundo.

Nesse meio-tempo, os meninos se tornaram rapazinhos, e a menina uma bela mocinha. O barqueiro e sua mulher haviam morrido e eles, ricos a mais não poder, viviam naquele lindo palácio. Mantinham sempre o chapéu na cabeça e ninguém sabia que tinham cabelos de ouro.

Das janelas do palácio do rei, a mulher do padeiro e a mulher do vinhateiro os observavam; e nem desconfiavam que eram tias deles. Certa manhã, essas tias viram os irmãos e a irmãzinha sem chapéu sentados num balcão, cortando os cabelos um do outro. Era uma manhã de sol, e os cabelos de ouro brilhavam tanto que ofuscavam o olhar. Imediatamente, as tias suspeitaram que fossem os filhos da irmã jogados no rio. Começaram a espiá-los: viram que todas as manhãs cortavam os cabelos de ouro e na manhã seguinte estavam de novo compridos. A partir daquele momento, as duas tias começaram a ter medo de seus crimes.

Entretanto, também o rei, das cancelas, dedicava-se a observar o jardim vizinho e os moços que nele habitavam. E pensava: "Eis os filhos que gostaria de ter tido de minha mulher. Parecem exatamente aqueles que me prometera". Mas não vira os cabelos de ouro porque traziam sempre a cabeça coberta.

Começou a conversar com eles:

— Oh, que lindo o jardim de vocês!

— Majestade — respondeu a moça —, neste jardim se encontram todas as belezas do mundo. Se se considera digno delas, pode vir passear aqui.

— Com prazer. — E assim começou a fazer amizade com eles. — Visto que somos vizinhos — disse —, por que não vêm almoçar comigo amanhã?

— Ah, Majestade — responderam —, será muito incômodo para toda a corte.

— Não — disse o rei —, é um presente para mim.

— Então aceitaremos sua gentileza e amanhã estaremos lá.

Quando as cunhadas souberam do convite, correram à casa da velha a quem haviam dado as crianças para serem mortas:

— Ó Menga, o que fez com aquelas crianças?

A velha disse:

— Atirei-as no rio, com cesto e tudo, mas o cesto era leve e boiava. Se foi ou não para o fundo, não fiquei lá para ver.

— Desgraçada! — exclamaram as tias. — As crianças estão vivas, e o rei as encontrou e, se vier a reconhecê-las, seremos mortas. É preciso impedir que venham ao palácio e matá-las para valer.

— Pode deixar comigo — disse a velha.

E, fingindo-se de mendiga, pôs-se na cancela do jardim. Exatamente naquele instante, a moça olhava ao redor e dizia, como de hábito:

— O que falta neste jardim? Não precisa de mais nada! Tem todas as belezas do mundo!

— Ah, você diz que não falta nada? — disse a velha. — Vejo que aí falta uma coisa, menina.
— Qual seria? — perguntou ela.
— A Água Que Dança.
— E onde se pode encontrar...? — começou a dizer a menina. Mas a velha desaparecera. A moça rompeu em pranto: — E eu que pensava que não faltasse nada no nosso jardim; contudo, não temos a Água Que Dança; Água Que Dança: quem sabe que coisa mais linda será! — E chorava pelos cantos.

Chegaram os irmãos e ao vê-la desesperada:
— O que é? O que aconteceu?
— Oh, suplico-lhes, deixem-me tranquila. Estava aqui no jardim e me dizia que aqui se encontravam todas as belezas do mundo, quando apareceu uma velha na cancela e disse: "Você diz que não falta nada: aí falta a Água Que Dança".
— Só isso? — disse o irmão maior. — Vou procurar essa coisa, assim você ficará feliz. — Tinha um anel no dedo e o colocou no dedo da irmã. — Se a pedra mudar de cor, é sinal de que estou morto. — Montou a cavalo e partiu.

Já galopara muito, quando encontrou um eremita que lhe perguntou:
— Aonde vai, aonde vai, lindo jovem?
— Vou à procura da Água Que Dança.
— Pobrezinho! — disse o eremita. — Querem mandá-lo para a morte! Não sabe que é perigoso?

O jovem respondeu:
— Por mais perigoso que seja, tenho que encontrar aquilo.
— Ouça — disse o eremita —, vê aquela montanha? Vá até o pico, achará uma grande planície e no meio um belo palácio. Em frente ao portão há quatro gigantes de espada em punho. Fique atento: quando estiverem com os olhos fechados, não deve passar, entendeu? Passe quando estiverem com os olhos abertos. Chegando ao portão: se o encontrar aberto, não passe; se o encontrar fechado, empurre-o e passe. Achará quatro leões: quando estiverem com os olhos fechados, não passe, passe quando os encontrar com os olhos abertos, e então achará a Água Que Dança.

O moço se despediu do eremita, montou a cavalo e subiu a montanha.

Lá no alto, viu o palácio com o portão aberto e os quatro gigantes com os olhos fechados. "Sim, espere que há de passar...", pensou e se pôs de guarda. Assim que os gigantes abriram os olhos e o portão se fechou, passou; esperou que os leões também abrissem os olhos e então passou. Lá estava a Água Que Dança: o moço trazia uma garrafa e a encheu. Tão logo os leões reabriram os olhos, fugiu.

Imaginem a alegria da irmãzinha, que ficara todos aqueles dias olhando ansiosa para o anel, quando viu o irmão regressar com a Água Que Dança. Abraçaram-se e se beijaram, e puseram depressa duas bacias de ouro no meio do jardim, onde colocaram a Água Que Dança: e a Água saltava de uma bacia para outra, e a menina observava feliz da vida, certa agora de ter todas as belezas do mundo em seu jardim.

Veio o rei e lhes perguntou como é que não tinham ido almoçar, ficara tanto tempo à espera deles. A menina lhe explicou que não tinham a Água Que Dança no jardim e que seu irmão maior fora buscá-la. O rei elogiou muito a nova aquisição e convidou de novo os três moços para o dia seguinte. A velha mandada pelas tias retornou, viu a Água Que Dança no jardim e engoliu bile.

— Agora já tem a Água Que Dança — disse à menina —, falta-lhe ainda a Árvore Que Toca. — E se foi.

Vieram os irmãos.

— Meus queridos, se gostam de mim, saibam o que devem me trazer, a Árvore Que Toca.

E desta vez foi o irmão do meio que disse:

— Sim, irmãzinha, vou e a trago para você.

Entregou seu anel à irmã, montou e cavalgou até o eremita que ajudara seu irmão.

— Ai! — disse o eremita —, a Árvore Que Toca é um osso duro. Ouça o que deve fazer: suba a montanha, proteja-se dos gigantes, do portão, dos leões, tudo como fez seu irmão. Depois achará uma portinhola encimada por uma tesoura; se a tesoura estiver fechada, não passe; se estiver aberta, passe. Achará uma árvore enorme que faz música com todas as suas folhas. Suba nela e arranque o galho mais alto: você o plantará no seu jardim e ele criará raízes.

O jovem subiu a montanha, encontrou todos os sinais propícios e entrou. Trepou na árvore entre todas as folhas que tocavam e arrancou o galho mais alto. Acompanhado por seu canto, voltou para casa.

Depois de plantado, o galho se transformou na árvore mais linda do jardim, e o enchia todinho com sua música.

O rei, que se ofendera bastante porque os irmãos não haviam atendido o convite pela segunda vez, ficou tão contente de ouvir aquele som que tornou a convidar os três para o dia seguinte.

Imediatamente as tias mandaram a velha.

— Está feliz com os conselhos que lhe dei? A Água Que Dança, a Árvore Que Toca! Agora só lhe falta o Pássaro Bem Verde, e você terá todas as belezas do mundo.

Vieram os moços.

— Irmãozinhos, quem vai buscar o Pássaro Bem Verde para mim?

— Eu — disse o primeiro e partiu.

— Este sim é um belo problema — disse-lhe o eremita. — Tantos foram para lá e todos ficaram. Você já sabe chegar à montanha e entrar no palácio: lá achará um jardim cheio de estátuas de mármore. São nobres cavaleiros que, como você, queriam pegar o Pássaro Bem Verde. Entre as árvores do jardim voam centenas de pássaros. O Pássaro Bem Verde é o que fala. Falará com você, mas, atenção, diga o que disser, não deve responder.

O jovem chegou ao jardim cheio de estátuas e de pássaros. O Pássaro Bem Verde pousou em seu ombro e lhe disse:

— Veio mesmo, cavaleiro? E acredita que vai me capturar? Engana-se. São suas tias que o enviam para a morte. E sua mãe continua murada viva por elas...

— Minha mãe murada viva? — disse o jovem e como falou também logo se tornou uma estátua de mármore.

A irmã observava o anel a cada minuto. Quando viu que a pedra se tornava azul, gritou:

— Socorro! Está morrendo!

E o outro irmão pulou na sela e partiu.

Também ele chegou ao jardim e o Pássaro Bem Verde lhe disse:

— Sua mãe está murada viva.

— Hein? Minha mãe murada viva? — gritou ele e se transformou em mármore.

A irmã observava o anel do segundo irmão e o viu se tornar negro. Não desanimou, vestiu-se de cavaleiro, pegou uma ampola da Água Que Dança, um galho da Árvore Que Toca, selou o melhor dos seus cavalos e partiu.

O eremita lhe disse:

— Fique de olho aberto, pois, se você responder quando o Pássaro lhe falar, está acabada. Arranque-lhe uma pena das asas, molhe-a na Água Que Dança e depois toque com ela todas as estátuas...

Assim que o Pássaro Bem Verde viu a moça vestida de cavaleiro, pousou em seu ombro e disse:

— Você também por aqui? Vai ficar igualzinha a seus irmãos... Consegue vê-los? Um, dois e com você três... Seu pai em guerra... Sua mãe murada viva... E suas tias se rindo...

Ela o deixou cantar e o pássaro gritava repetindo as mesmas palavras no seu ouvido, e não conseguiu escapar quando a moça o agarrou, arrancou-lhe uma pena da asa, banhou-a na Água Que Dança, depois a passou sob o nariz dos irmãos petrificados, e os irmãos se mexeram e a abraçaram. A seguir, fizeram o mesmo com todas as outras estátuas e despertaram um séquito de nobres cavaleiros, barões, príncipes e filhos de rei. Fizeram com que também os gigantes cheirassem a pena e também os gigantes acordaram, e assim fizeram com os leões. O Pássaro Bem Verde pousou num ramo da Árvore Que Toca e se deixou trancafiar na gaiola. E, num grande cortejo, todos juntos abandonaram o palácio da montanha, que desapareceu por encanto.

Quando, do palácio real, viram o jardim com a Água Que

Dança, a Árvore Que Toca e o Pássaro Bem Verde, e os três irmãos com todos aqueles príncipes e barões que festejavam, as tias desmaiaram, e o rei convidou a todos para o almoço.

Foram, e a irmãzinha levava o Pássaro Bem Verde num dos ombros. Quando iam se sentar à mesa, o Pássaro Bem Verde disse:

— Falta uma! — E todos estacaram.

O rei começou a pôr em fila todas as pessoas da casa, para ver quem é que estava faltando, mas o Pássaro Bem Verde continuava a dizer:

— Falta uma!

Não sabiam mais quem chamar. De repente, recordaram-se:

— Majestade! Não será a rainha murada viva?

E o rei imediatamente deu ordens para libertá-la, e os filhos a abraçaram e a menina com a estrela na testa lhe deu um banho numa bacia de Água Que Dança, e ela se tornou saudável como se nada houvesse acontecido.

Assim, recomeçou o almoço, com a rainha vestida de rainha na cabeceira da mesa e as duas irmãs invejosas com a cara tão amarela que pareciam estar com icterícia.

Estavam para levar à boca a primeira colherada, quando o Pássaro Bem Verde disse:

— Só o que eu bicar primeiro! — Pois as duas tias haviam posto veneno na comida. Os convidados comeram apenas dos pratos que o Pássaro Bem Verde bicava e se salvaram.

— Agora vamos ouvir o que nos conta o Pássaro Bem Verde — disse o rei.

O Pássaro Bem Verde pulou na mesa diante do rei e disse:

— Rei, estes são seus filhos.

Os moços descobriram a cabeça e todos viram que tinham cabelos de ouro, e a irmãzinha também a estrela de ouro na testa. O Pássaro Bem Verde continuou a falar e contou toda a história.

O rei abraçou os filhos e pediu perdão à mulher. Depois mandou as duas cunhadas e a velha comparecerem diante dele e disse ao Pássaro Bem Verde:

— Pássaro, agora que revelou tudo, dê a sentença.

E o pássaro disse:

— Para as cunhadas, uma camisola de piche e um capote de fogo; a velha, janela abaixo.

Assim foi feito. Rei, rainha e filhos viveram felizes e contentes para sempre.

GRÃOZINHO E O BOI

Uma mulher estava cozinhando grãos-de-bico. Passou uma pobre e pediu um prato como esmola.

— Se lhe der, fico sem comer! — disse a mulher.

Então a pobre praguejou:

— Que todos os grãos-de-bico na panela se transformem em filhos! — E se foi.

O fogo se apagou, e da panela, como grãos-de-bico que fervem, pularam cem crianças, miúdas como os grãos que cozinhavam, e começaram a berrar:

— Mamãe, estou com fome! Mãe, estou com sede! Mamãe, pegue-me no colo! — E se espalhavam pelas gavetas, pelas bocas do fogão, pelas latas. A mulher, assustada, começa a pegar essas criaturinhas, jogá-las no pilão e esmagá-las como se preparasse um purê de grão-de-bico. Quando imaginou ter acabado com todos, pôs-se a preparar a comida para o marido. Porém, pensando no que fizera, teve vontade de chorar e dizia:

— Oh, se tivesse deixado pelo menos um vivo; agora me ajudaria e poderia levar a comida para seu pai na oficina!

Então ouviu uma vozinha que dizia:

— Mamãe, não chore, eu ainda estou vivo! — Era um dos filhinhos, que se escondera atrás da alça da bilha e se salvara.

A mulher ficou muito feliz:

— Oh, querido, venha aqui, como se chama?

— Grãozinho — disse o menino, deslizando pela bilha e se colocando de pé na mesa.

— Maravilha de Grãozinho! — disse a mulher —, agora você tem que ir até a oficina levar comida para seu paizinho. — Preparou o cesto e o colocou na cabeça de Grãozinho.

Grãozinho começou a andar e só se via o cesto, que parecia andar sozinho. Perguntou o caminho a algumas pessoas e todas se assustavam, pois achavam que era um cesto que falava. Assim chegou à oficina e chamou:

— Papai, ei, papai! Venha: trago-lhe comida.

Seu pai pensou: "Quem será que me chama? Nunca tive filhos!". Saiu e viu o cesto e de sob o cesto vinha uma vozinha:

— Papai, levante o cesto e me verá. Sou seu filho Grãozinho, que nasceu esta manhã.

Ergueu-o e viu Grãozinho.

— Muito bem, Grãozinho! — disse o pai, que era serralheiro. — Agora venha comigo, pois devo percorrer as casas dos camponeses para saber se têm coisas quebradas para consertar.

Assim, o pai colocou Grãozinho no bolso e se foram. Na estrada não paravam de conversar, e as pessoas viam o homem que parecia falar sozinho, como louco.

Perguntava nas casas:

— Tem alguma coisa para consertar?

— Sim, teríamos umas coisas — responderam-lhe —, mas não damos ao senhor porque é louco.

— Como, louco? Tenho mais juízo que vocês! O que estão dizendo?

— Estamos dizendo que fala sozinho pela estrada.

— Que nada! Conversava com meu filho.

— E onde é que tem um filho?

— No bolso.

— Pronto: o que dizíamos? É louco mesmo.

— Bom, vou lhes mostrar. — E mostrou Grãozinho a cavalo num dedo dele.

— Oh, filho lindo! Deixe-o trabalhar conosco, vamos colocá-lo para tomar conta do boi.
— Você aceita, Grãozinho?
— Claro que sim.
— Então, deixo-o aqui e passarei à noite para apanhá-lo.

Grãozinho foi posto a cavalo num chifre do boi e parecia que o boi estava sozinho, solto no campo. Passaram dois ladrões e, vendo o boi sem guarda, quiseram roubá-lo. Mas Grãozinho se pôs a gritar:

— Patrão! Venha patrão!

Acorreu o camponês e os ladrões lhe perguntaram:

— Bom homem, de onde vem esta voz?

— Ah — disse o dono. — É Grãozinho. Não o veem? Está ali num chifre do boi.

Os ladrões observaram Grãozinho e disseram ao camponês:

— Se o deixar conosco por alguns dias, ficará rico. — E o camponês o deixou ir com os ladrões.

Com Grãozinho no bolso, os ladrões foram à estrebaria do rei para roubar cavalos. A estrebaria estava trancada, mas Grãozinho passou pelo buraco da fechadura, abriu, foi desamarrar os cavalos e fugiu com eles escondido na orelha de um cavalo. Os ladrões estavam do lado de fora esperando-o, montaram nos cavalos e galoparam para casa.

Tendo chegado em casa, disseram a Grãozinho:

— Escute, estamos cansados e vamos dormir. Dê você aveia para os cavalos.

Grãozinho começou a pôr as focinheiras nos cavalos, mas estava caindo de sono e acabou adormecendo dentro de uma delas. O cavalo não percebeu e o engoliu com a aveia.

Os ladrões, vendo que ele não voltava, desceram para procurá-lo na estrebaria.

— Grãozinho, onde você está?

— Estou aqui — respondeu uma vozinha —, vim parar na barriga de um cavalo!

— Qual cavalo?

— Este aqui!

Os ladrões destriparam um cavalo, mas não o encontraram.
— Não é este. Em que cavalo está?
— Neste! — E os ladrões destriparam outro.

E, assim, destriparam um cavalo depois do outro até matar todos, sem encontrar Grãozinho. Cansaram-se e disseram:

— Que pena! Nós o perdemos! E pensar que era tão útil para nós! E ainda por cima perdemos todos os cavalos...

Pegaram as carcaças, jogaram-nas num prado e foram dormir.

Passou um lobo esfomeado, viu os cavalos destripados e se fartou. Grãozinho ainda permanecia lá, escondido na barriga de um cavalo, e o lobo o engoliu. Assim foi parar na barriga do lobo e, quando o lobo ficou com fome de novo, aproximou-se de uma cabra amarrada num campo e Grãozinho, lá de dentro, pôs-se a gritar:

— Peguem o lobo! Peguem o lobo! — Até que chegou o dono da cabra e pôs o lobo para correr.

O lobo disse: "Como é que produzo essas vozes? Devo estar com a barriga cheia de ar!", e começou a fazer força para expelir o ar por trás.

"Bem, agora estou livre", pensou. "Vou comer uma ovelha."

Mas, quando chegou perto do curral da ovelha, Grãozinho recomeçou a gritar de dentro da sua barriga:

— Peguem o lobo! Peguem o lobo! — Até que o dono da ovelha acordou.

O lobo estava preocupado. "Ainda tenho ar na barriga que me faz produzir estes barulhos", e tratou de pôr tudo para fora. Primeiro um tiro, depois outro, no terceiro Grãozinho saiu também e se escondeu numa moita. O lobo, sentindo-se livre, dirigiu-se outra vez para o curral.

Passaram três ladrões e se puseram a contar dinheiro roubado. Um dos ladrões começou:

— Um, dois, três, quatro, cinco...

E Grãozinho, da moita, fazia eco:

— Um, dois, três, quatro, cinco...

O ladrão disse aos companheiros:

— Fiquem quietos, pois me confundem. Mato quem disser uma palavra. — Depois recomeçou a contar: — Um, dois, três, quatro, cinco...

E Grãozinho:

— Um, dois, três, quatro, cinco...

— Ah, não quer ficar quieto? — disse o ladrão a um dos companheiros. — Agora acabo com você! — E acabou com ele. E para outro: — E você, se quiser o mesmo fim, sabe o que fazer.

E recomeça: — Um, dois, três, quatro, cinco...

E Grãozinho repete:

— Um, dois, três, quatro, cinco...

— Não sou eu quem está falando — disse o outro ladrão —, juro que não sou eu...

— Acha que pode me fazer de bobo? Acabo com você! — E acabou com ele. — Agora estou sozinho — disse —, vou poder contar o dinheiro em paz e guardá-lo todo para mim. Um, dois, três, quatro, cinco...

E Grãozinho:

— Um, dois, três, quatro, cinco...

O ladrão ficou com os cabelos em pé:

— Há alguém escondido aqui. É melhor fugir. — Fugiu e deixou o dinheiro ali.

Com o saco de dinheiro na cabeça, Grãozinho foi para casa e bateu à porta. Sua mãe abriu e viu só o saco de dinheiro.

— É Grãozinho! — disse. Levantou o saco e embaixo dele encontrou seu filho, a quem abraçou.

A ÁGUA NA CESTINHA

Era uma vez uma mãe viúva que casou com um pai viúvo, e cada um tinha uma filha. A mãe gostava da sua e da outra não. Mandava a sua pegar água com a bilha, a outra com uma cestinha. Mas a água da cestinha escorria e a madrasta todos os dias espancava a pobre moça.

Certo dia, quando ia buscar água, a cesta lhe escapou das mãos torrente abaixo. Ela se pôs a correr e perguntava a todos:

— Viram passar minha cestinha?

E todos lhe respondiam:

— Mais abaixo há de encontrá-la.

Descendo, encontrou uma velha que catava suas pulgas, sentada numa pedra no meio da torrente, e lhe disse:

— Viu minha cestinha?

— Venha até aqui — disse-lhe a velha —, pois encontrei sua cestinha. Mas me faça um favor, vê se descobre o que me belisca aqui nas costas. O que tenho?

A moça matava bichinhos a mais não poder, mas, para não magoar a velha, dizia:

— Pérolas e diamantes.

— E pérolas e diamantes terá — respondeu a velha. E assim que ficou livre das pulgas: — Venha comigo — disse-lhe e a levou até sua casa, que era um monturo de lixo. — Por favor, boa moça: arrume minha cama. O que se encontra na minha cama? — Era uma cama que andava sozinha, tantos os bichos que havia ali, mas a moça, para não ser grosseira, respondeu:

— Rosas e jasmins.

— E rosas e jasmins terá. Faça-me ainda outro favor, varra a casa para mim. O que há para ser varrido?

A moça disse:

— Rubis e querubins.

— E rubis e querubins terá. — Depois abriu um armário

com todo tipo de vestidos e lhe disse: — Quer um vestido de seda ou um vestido de percal?

E a moça:

— Sou pobre, sabe?, dê-me um vestido de percal.

— E eu lhe darei um de seda. — E lhe deu uma belíssima roupa de seda. Depois abriu um cofrinho e lhe disse: — Quer ouro ou quer coral?

E a moça:

— Dê-me coral.

— E eu lhe dou ouro. — E pôs nela um colar de ouro. — Quer brincos de cristal ou brincos de diamantes?

— De cristal.

— E eu lhe dou de diamantes. — E pendurou-lhe os diamantes nas orelhas. Depois lhe disse: — Que você seja bela, que seus cabelos sejam de ouro e, quando se pentear, caiam rosas e jasmins de um lado, pérolas e rubis de outro. Agora vá para casa e, quando ouvir o asno zurrar, não se vire, mas, quando ouvir o galo cantar, vire-se.

A moça tomou o rumo de casa; o asno zurrou e ela não se virou; o galo cantou e ela se virou; e uma estrela despontou em sua testa.

A madrasta lhe disse:

— E quem lhe deu tudo isso?

— Mamãe, foi uma velha que tinha encontrado minha cestinha, porque matei todas as pulgas dela.

— Agora, sim, gosto de você — disse a madrasta. — Doravante é você quem irá buscar água com a bilha e sua irmã irá com a cestinha. — E, dirigindo-se à sua filha, baixinho: — Vá pegar água com a cestinha, deixe-a seguir torrente abaixo e corra atrás dela: quem sabe se não encontra o que encontrou sua irmã!

A meia-irmã foi, jogou a cestinha na água e depois saiu a procurá-la. Mais adiante encontrou aquela velha.

— Viu passar minha cestinha?

— Venha até aqui, pois está comigo. Ajude-me a procurar o que tenho nas costas que me belisca. — A moça começou a matar bichinhos. — O que tenho?

E ela:
— Pulgas e sarna.
— E pulgas e sarna terá.
Levou-a para arrumar a cama.
— O que se encontra aí?
— Percevejos e piolhos.
— E percevejos e piolhos terá.
Fez com que varresse a casa:
— O que se vê?
— Uma sujeira que dá nojo!
— E uma sujeira que dá nojo terá.
Depois lhe perguntou se queria vestido de saco ou vestido de seda.
— Vestido de seda!
— E eu lhe dou um de saco. Colar de pérolas ou colar de barbante?
— Pérolas!
— E eu lhe dou barbante. Brincos de ouro ou brincos de latão?
— De ouro!
— E eu lhe dou de latão. Agora volte para casa e, quando o asno zurrar, vire-se e, quando o galo cantar, não se vire.
Pegou o caminho de casa, virou-se ao zurrar o asno e uma cauda de asno nasceu em sua testa. Era inútil cortar a cauda, porque reaparecia. E a moça chorava e cantava:

Santa mãe, aparece, aparece,
Mais eu corto, mais ela cresce.

O filho do rei pediu em casamento a moça com a estrela na testa. No dia em que devia ir buscá-la de carruagem, a madrasta lhe disse:
— Visto que você desposa o filho do rei, antes de ir embora me faça este favor: lave o tonel para mim. Entre nele que já venho ajudá-la.
Enquanto a moça estava no tonel, a madrasta pegou uma cal-

deira de água fervendo para derramar lá dentro e matá-la. Depois, pretendia pôr o vestido de noiva na filha feia e apresentá-la ao filho do rei toda coberta, de modo que a levasse com ele. Quando tirava o caldeirão do fogo, sua filha passou ao lado do tonel.

— O que está fazendo aí dentro? — disse à irmã.
— Estou aqui porque devo me casar com o filho do rei.
— Deixe-me entrar, assim eu é que me caso com ele.

Sempre condescendente, a bonita saiu do tonel e entrou a feia. A mãe veio com a água fervendo e a derramou no tonel. Acreditava ter acabado com a enteada, mas, quando percebeu que era a sua filha, começou a chorar e a gritar. Chegou o marido, a quem a filha já contara tudo, e lhe deu uma bela surra.

A filha bonita casou com o filho do rei e viveu feliz e contente.

> *Larga a folha, estreita a via,*
> *Conte a sua, pois já contei a minha.*

CATORZE

Era uma vez uma mãe e um pai com treze filhos, todos homens. Nasceu mais um, e lhe puseram o nome de Catorze. Cresceu rápido e se tornou adulto; e a mãe lhe disse:

— Chegou a hora de ajudar seus treze irmãos que estão trabalhando na roça. Apanhe este cesto com o almoço para você e para eles e vá até lá.

Entregou-lhe um cesto com catorze pães, catorze fôrmas de queijo e catorze litros de vinho; e Catorze se foi. No meio do caminho, sentiu fome e sede: comeu todos os catorze pães e fôrmas de queijo e bebeu todos os catorze litros de vinho.

Os irmãos, tendo ficado a chupar o dedo, disseram-lhe:

— Pegue um forcado você também e comece a trabalhar.

E Catorze:

— Sim, mas quero um forcado que pese catorze libras.

Os irmãos encontraram um forcado que pesava catorze libras, e Catorze disse:

— Vamos apostar quem lavra até o limite do campo?

Puseram-se todos os catorze a sapar, e Catorze chegou primeiro ao limite do campo.

Dali em diante, Catorze trabalhou com os irmãos: trabalhava por catorze, mas também comia por catorze, e os irmãos ficaram magros como anchovas.

Então a mãe e o pai lhe disseram:

— Trate de sair pelo mundo! — E Catorze se foi.

Havia um grande proprietário* que necessitava de quinze lavradores.

— Trabalho por catorze e como por catorze, portanto exijo o pagamento de catorze — disse ele. — Se me aceita nestas condições, podemos começar.

O patrão quis testá-lo e o empregou junto com outro homem, assim Catorze mais um completava quinze. Foram cavar e, enquanto o homem dava um golpe com o forcado, Catorze dava catorze e logo arou o campo inteiro.

Quando viu todo o campo arado, o patrão achou que não lhe convinha pagar e dar de comer para Catorze e pensou num modo de se livrar dele.

— Ouça aqui — disse-lhe. — Tem que me fazer um serviço. Tem que ir ao Inferno com sete mulas e catorze cântaros e carregá-los com o ouro de Lucibel.

— É claro que vou — disse Catorze —, apenas me dê uma tenaz que pese catorze libras.

Obtida a tenaz, açoitou as mulas pelo caminho do Inferno. Chegando às portas do Inferno, disse aos diabos:

---

* *Contadí grosso* (dialeto da região das Marche): "Com tal expressão é costume indicar entre nós o camponês que emprega muita mão de obra e tem família numerosa" (Gianandrea).

— Chamem Lucibel.

— O que pretende com nosso chefe? — perguntaram os diabos.

Catorze entregou a carta de seu patrão, que lhe pedia que enchesse os catorze cântaros de ouro.

— Desça até aqui — respondeu-lhe Lucibel.

Quando ele desceu, catorze diabos saltaram-lhe em cima para devorá-lo. Mas, assim que um diabo abria a boca, Catorze lhe prendia a língua com a tenaz e o matava. Só restou Lucibel, chefe dos diabos.

— Como faço para encher de ouro os catorze cântaros se você liquidou os catorze diabos que deviam carregá-los?

— Eu os carrego — disse Catorze. Encheu de ouro os cântaros e disse: — Obrigado, já vou indo.

— Pensa que vai sair assim? — disse Lucibel e abriu a boca para devorá-lo.

Catorze prendeu também a língua dele com a tenaz, levantou-o, colocou-o a tiracolo pendurado na tenaz e saiu do Inferno com as mulas cheias de ouro.

Chegou à casa do patrão e amarrou o Diabo no pé da mesa da cozinha.

— O que devo fazer agora? — disse Lucibel.

E Catorze disse:

— Pegue meu patrão e volte para o Inferno com ele.

O Diabo não o fez falar duas vezes; e Catorze se tornou dono de tudo.

JOÃO BEM FORTE
QUE A QUINHENTOS DEU A MORTE

Era uma vez, em Roma, um jardineiro que se chamava João. Certo dia, ao cortar um ramo de carvalho, o ramo caiu em cima dele, quebrou-lhe uma canela e o mandou para o hospital por três meses. Quando não aguentava mais ficar no hospital, fugiu e foi para as Marcas. Certo dia, estava sentado, e a faixa da perna ferida se soltou; e na ferida vieram pousar moscas. Todas as moscas que pousavam nele recebiam uma bofetada e caíam mortas. Quando pararam de pousar em sua canela, ele as contou no chão: eram quinhentas. Pendurou um cartaz no pescoço: *João Bem Forte que a quinhentos deu a morte*. Foi para a cidade e se hospedou numa estalagem.

Na manhã seguinte, o governador mandou chamá-lo.

— Já que é tão forte — disse-lhe —, vá capturar o gigante que anda pelos arredores e rouba todo mundo.

João foi para o mato e andou até encontrar um pastor.

— Onde fica a gruta do gigante? — perguntou-lhe.

— O que vai fazer lá? Ele vai comê-lo de uma só vez — disse o pastor.

E João:

— Dê-me três ou quatro ricotas, que pagarei mais tarde.
— E foi embora com uma pilha de ricotas debaixo do braço.

Quando chegou em cima da gruta do gigante, começou a bater os pés com força para fazer barulho. O gigante saiu.

— Quem é?

João pegou uma ricota e disse:

— Cale a boca ou o trituro como esta pedra. — E espremia a ricota, deixando cair pedaços pelo meio dos dedos.

Então o gigante lhe perguntou se queria trabalhar com ele. João lhe disse que sim, jogou fora as outras ricotas e se juntou ao gigante.

Na manhã seguinte, não tendo mais lenha em casa, o gigante pegou uma corda muito comprida e foi para o mato com João. Arrancou um carvalho pela raiz com uma das mãos, arrancou outro com a outra mão e disse a João:

— Vá, arranque uns carvalhos você também.

João disse:

— Diga uma coisa, gigante, não teria uma corda um pouco mais comprida? Gostaria de passá-la em volta de todo o mato e puxar tudo de uma só vez; assim, não teria que voltar para buscar lenha.

O gigante lhe respondeu:

— Deixe estar: quer me fazer perder o raio da lenha? Basta aquela que apanhei, vá por mim, não faça bobagens. — Carregou os carvalhos arrancados e João não teve de levar nada.

Certo dia, o gigante quis fazer uma aposta com um pião: quem o atirasse mais longe numa jogada ganharia cem escudos. No lugar de barbante, pegou uma corda de moinho, e no lugar de pião, uma mó. Lançou e atingiu quase uma milha. Foi buscar o pião, fez um sinal no lugar que havia alcançado e disse a João:

— É sua vez.

João evitava tocar na mó, pois não conseguiria deslocá-la nem um dedo; mas se pôs a berrar:

— Eeei! Eeei! Vejam bem! Eeei! Vejam todos!

O gigante aguçou o olhar:

— Para quem está gritando? Quem vem lá? Não vejo ninguém.

— Falo com aqueles que estão do outro lado do mar!

— Bem, deixe estar, senão não achamos mais o pião. — E lhe deu os cem escudos sem que ele precisasse jogar.

Então foi João que quis apostar com ele:

— Você que é tão corajoso, vamos apostar quem vai mais fundo enfiando um dedo num carvalho?

E o gigante:

— Apostemos mais cem escudos!

Antes, com uma broca e uma faca, João fizera um buraco num carvalho e depois tinha colado a casca, de modo que não se via nada. Foram-se, e o gigante só conseguiu fazer penetrar meio dedo no tronco; João mirou no buraco que tinha feito e fincou nele mais de meio braço.

O gigante lhe deu os cem escudos, mas não ousava manter consigo um homem tão forte. E o mandou embora. Esperou que João estivesse descendo o monte e fez rolar atrás dele uma avalanche de pedras. Porém, João, desconfiado, escondera-se numa caverna; e, quando ouviu rolar aquelas rochas, pôs-se a gritar:

— O que está caindo do céu, pedregulhos?

O gigante disse consigo mesmo: "Nossa! Mandei pedras lá para baixo e ele diz que são pedrinhas. É melhor ter este homem como amigo do que como inimigo!", e o chamou de volta à sua gruta. Mas ainda pensava num modo de se desfazer dele. Certa noite, enquanto João dormia, aproximou-se devagar e lhe deu uma pancada na cabeça. É preciso saber que, todas as noites, João punha uma abóbora no travesseiro e dormia com a cabeça no lugar dos pés. Assim que o gigante massacrou a abóbora, ouviu a voz de João:

— Não me importo que tenha quebrado minha cabeça; mas que tenha interrompido meu sono, isso há de me pagar!

O gigante ficava cada vez mais medroso. Pensou: "Vou levá-lo para aquele bosque, deixo-o sozinho e os lobos tomam conta dele". Disse a João:

— Venha, vamos dar uma voltinha.

— Sim — disse João.

— Vamos apostar uma corrida? — perguntou o gigante.

— Vamos — disse João —, basta que me dê alguma vantagem, pois você tem as pernas mais compridas.

— Combinado!, dou-lhe dez minutos.

João saiu apressado e andou até encontrar um pastor de ovelhas.

— Vende uma para mim? — pediu-lhe; comprou-a, puxou a faca, destripou-a e jogou no meio do caminho as tripas, o fígado e todas as vísceras. — Se um gigante perguntar por mim — disse ao pastor —, diga-lhe que, para andar mais rápido, arranquei as tripas e passei a correr como o vento, e mostre a ele as tripas no chão.

Passados dez minutos, aparece o gigante a todo galope.
— Por acaso viu um homem correndo? — perguntou ao pastor.
O homem lhe falou das tripas e as mostrou. O gigante disse:
— Dê-me uma faca que faço igual. — E abriu a barriga de cima até embaixo, caiu no chão e morreu. João, que havia trepado numa árvore, pulou para baixo, atrelou duas búfalas e levou o gigante para a cidade, onde o governador mandou queimá-lo no meio da praça. E deu de comer a João pelo resto da vida.

GALO-CRISTAL

Era uma vez um galo que andava pelo mundo. Encontrou uma carta na estrada, recolheu-a com o bico e a leu; dizia:
"Galo-cristal, galinha cristalina, gansa-condessa, pata-abadessa, passarinho-pintassilgo, vamos ao casamento do Pequeno Polegar."
O galo se pôs a caminho e após alguns passos encontrou a galinha:
— Aonde vai, compadre galo?
— Vou ao casamento do Pequeno Polegar.
— Posso ir também?
— Se estiver na carta. — Procura e lê: — Galo-cristal, galinha cristalina... Está sim, está sim: então vamos.
E os dois seguem viagem. Mais adiante encontram a gansa.
— Oh, comadre galinha e compadre galo, aonde vão?
— Vamos ao casamento do Pequeno Polegar.
— Posso ir também?
— Se estiver na carta. — E o galo reabre a carta e lê: — Galo-cristal, galinha cristalina, gansa-condessa... Está sim, vamos!
Os três caminham que caminham e encontram a pata.

— Comadre gansa, comadre galinha e compadre galo, aonde vão?

— Vamos ao casamento do Pequeno Polegar.

— Posso ir também?

— Sim, se estiver aqui. — Lê: — Galo-cristal, galinha cristalina, gansa-condessa, pata-abadessa... está sim. Bem, venha você também!

Percorrido mais um trecho, encontraram o passarinho-pintassilgo.

— Comadre pata, comadre gansa, comadre galinha e compadre galo, aonde vão?

— Vamos ao casamento do Pequeno Polegar.

— Posso ir também?

— Sim, se estiver aqui. — Reabre a carta: — Galo-cristal, galinha cristalina, gansa-condessa, pata-abadessa, passarinho-pintassilgo... você também está aqui. — E os cinco se puseram a caminho.

Eis que encontraram o lobo, e também o lobo pergunta aonde iam.

— Vamos ao casamento do Pequeno Polegar — respondeu o galo.

— Posso ir junto?

— Sim, se estiver aqui. — E o galo tornou a ler a carta, porém o lobo não estava ali.

— Mas eu quero ir! — disse o lobo.

E eles, com medo, responderam:

— ...Então vamos.

Um pouco mais adiante, o lobo disse de repente:

— Estou com fome.

O galo lhe respondeu:

— Não tenho nada para lhe dar...

— Então como você! — E o lobo escancarou a boca e o engoliu com pena e tudo.

Depois de mais um pouco de chão, repetiu:

— Estou com fome.

A galinha lhe respondeu como respondera o galo, e o lobo também a engoliu. E assim fez com a gansa, e assim com a pata.

Sobraram apenas o lobo e o passarinho. O lobo disse:

— Passarinho, estou com fome!

— E o que quer que eu lhe dê?

— Então como você! — Escancarou a boca... e o passarinho pousou em sua cabeça.

O lobo se esforçava para agarrá-lo, mas o passarinho voava de um lado para outro, pulava num raminho, num ramo, depois retornava à cabeça do lobo, à cauda, e o fazia enlouquecer. Quando o lobo se cansou para valer, viu ao longe uma mulher que se aproximava com uma cesta na cabeça, levando comida para os ceifeiros. O passarinho chamou o lobo:

— Se me salvar a vida, dou um jeito para que coma o macarrão e a carne que aquela mulher leva para os ceifeiros. Quando ela me vir, vai querer me agarrar, então eu voarei e saltarei de um raminho para outro. Ela vai pousar a cesta no chão, e você poderá comer tudo.

De fato, a mulher se aproximou, viu o passarinho tão lindo e logo estendeu a mão para pegá-lo, mas ele se ergueu um pouquinho. A mulher pousou a cesta e correu atrás dele. Então o lobo foi até a cesta e comeu.

— Socorro! Socorro! — grita a mulher.

Chegam todos os ceifeiros, uns com foices, outros com paus, saltam sobre o lobo e o matam. De sua barriga pulam fora sãos e salvos o galo-cristal, a galinha cristalina, a gansa-condessa, a pata-abadessa e, junto com o passarinho-pintassilgo, vão ao casamento do Pequeno Polegar.

O SOLDADO NAPOLITANO

Três soldados haviam abandonado o regimento e fugido para o campo. Um era romano, outro florentino e o mais jovem era napolitano. Depois de ter andado pelo campo em todas as direções, foram colhidos pela escuridão enquanto se encontravam num bosque. E o romano, que era o mais velho, disse:

— Rapazes, não é aconselhável todos dormirem ao mesmo tempo; é preciso montar guarda em turnos de uma hora.

Começou ele, enquanto os outros dois, tendo jogado os sacos no chão e desenrolado as cobertas, puseram-se a dormir. Estava por terminar a primeira hora de guarda, quando um gigante saiu do bosque.

— O que está fazendo aqui? — perguntou ao soldado.

E o romano, sem nem ao menos encará-lo:

— Não tenho que lhe prestar contas.

O gigante se atira sobre ele, mas o soldado, mais rápido, desembainha o sabre e lhe corta a cabeça. Depois segura a cabeça com uma das mãos, o corpo com a outra e vai jogar tudo num poço. Limpa o sabre com muito cuidado, guarda-o e chama o companheiro que deveria substituí-lo. Mas, antes de acordá-lo, pensou: "É melhor não lhe dizer nada, senão este florentino fica com medo e foge". Assim, quando o florentino, desperto, perguntou-lhe: "Viu alguma coisa?", ele respondeu:

— Não, não, está tudo calmo. — E foi dormir.

O florentino se pôs de guarda, e eis que, justamente quando estava para acabar a sua hora, também a ele se apresentou um gigante, igual ao outro, e lhe perguntou:

— Bem, o que está fazendo de interessante aqui?

E ele:

— Não tenho que prestar contas nem a você nem a ninguém.

O gigante avança contra ele, porém o soldado é mais ágil que ele e separa a cabeça do corpo com um golpe de sabre. Depois pega cabeça e corpo, e joga tudo no poço. Chegara a hora da troca e ele pensou: "É melhor não contar nada àquele moleirão do napolitano. Se souber que acontecem coisas desse gênero aqui, rói a corda e estamos todos perdidos".

De fato, quando o napolitano lhe perguntou: "Aconteceu alguma coisa com você?", ele lhe respondeu:

— Nada, pode ficar tranquilo. — E foi dormir.

O soldado napolitano ficou de guarda durante quase uma hora e o bosque era todo silêncio. De repente, ouve-se um passo entre as folhas e sai um gigante.

— O que está fazendo aqui?

— Não é da sua conta! — respondeu o napolitano.

O gigante ergueu contra ele uma das mãos, que o teria esmagado como a um tomate, porém o soldado, mais esperto, ergueu a espada e lhe decepou a cabeça. Depois o pegou e o jogou no poço. Agora deveria acordar de novo o romano, mas pensou: "Antes, quero descobrir de onde vinha aquele gigante". E se meteu no bosque. Vislumbrou uma luz e se aproximou de uma casinha. Pôs o olho no buraco da fechadura e viu três velhas conversando perto do fogo.

— Deu meia-noite e nossos homens não aparecem — dizia uma das velhas.

— Será que aconteceu alguma coisa com eles? — dizia outra.

E a terceira:

— Talvez fosse o caso de ir ao encontro deles, o que acham?

— Vamos logo — disse a primeira. — Pego a lanterna que permite ver até cem milhas de distância.

— E eu — falou a segunda — pegarei a espada que, cada vez que gira, extermina um exército.

E a terceira:

— E eu o fuzil que consegue matar a loba do palácio do rei.

— Vamos. — E abriram a porta.

O napolitano achava-se ao lado da soleira, esperando-as com sua espada. Saiu a primeira, com a lanterna na mão, e o soldado, zapt!, fez com que caísse seca sem nem ao menos dizer "amém". Desceu a segunda e, zapt!, foi servir de adubo. Desceu a terceira, e zapt! para a terceira também.

Agora o soldado dispunha da lanterna, da espada e do fuzil daquelas bruxas, e tratou logo de experimentá-los. "Vamos testar se era verdade o que diziam aquelas três tontas." Ergueu a lanterna e viu que cem milhas à frente havia um exército de prontidão com lanças e escudos defendendo um castelo em cujo pórtico havia uma loba acorrentada com os olhos chamejantes.

— Vamos satisfazer uma curiosidade — disse o soldado.

Ergueu a espada e a fez girar pelos ares. Em seguida, tomou a lanterna e observou: todos os soldados estavam estendidos no chão, mortos, com as lanças quebradas, e os cavalos de pernas para cima. Então pegou o fuzil e disparou contra a loba, que morreu na hora.

— Agora quero ir ver de perto — disse o soldado.

Anda que anda, chegou ao castelo. Bateu, chamou, ninguém respondia. Entrou, percorreu todos os aposentos e não se via vivalma. Mas eis que, no aposento mais bonito, sentada numa poltrona de veludo, havia uma bela jovem adormecida.

O soldado se aproximou dela, mas ela continuava a dormir. De um pé se soltara um chinelo. O soldado o recolheu e o guardou no bolso. Depois lhe deu um beijo e foi embora na ponta dos pés.

Acabara de sair quando a mocinha despertou. Chamou as damas de companhia que estavam no aposento ao lado, também adormecidas. Também as damas de companhia despertaram e acorreram.

— O encantamento se rompeu, o encantamento se rompeu! Estamos acordadas! A princesa acordou! Quem terá sido o cavaleiro que nos libertou?

— Rápido — disse a princesa —, debrucem-se nas janelas e vejam se descobrem alguém.

As damas de companhia se debruçaram e viram o exército exterminado e a loba esticada. Então a princesa disse:

— Rápido, corram até Sua Majestade, meu pai, e lhe digam que veio aqui um corajoso cavaleiro, o qual derrotou o exército que me mantinha prisioneira, matou a loba que montava guarda e rompeu o encantamento me dando um beijo. — Observou o pé descalço e disse: — E, depois, levou-me o chinelo do pé esquerdo.

O rei, feliz e contente, mandou colar cartazes por todo o reino:

"Quem se apresentar como salvador de minha filha irá recebê-la como esposa, seja ele príncipe ou mendigo."

Nesse meio-tempo, o napolitano retornara para junto dos companheiros e já era dia. Acordou-os.

— Por que não me chamou antes? Quantos turnos você fez?

O napolitano não estava com vontade de contar todas aquelas coisas e disse:

— Não tinha sono, por isso fiquei de guarda.

Passaram-se dias, e na terra da filha do rei ainda não se apresentara nenhum pretendente à sua mão como legítimo salvador.

— Como se explica esse negócio? — perguntava-se o rei.

A princesa teve uma ideia:

— Papai, vamos fazer assim: abramos uma hospedaria no campo, com camas para dormir, e coloquemos uma tabuleta na porta: "Aqui se come, bebe e dorme de graça durante três dias". Vai parar tanta gente que acabaremos sabendo algo.

Assim fizeram, e a filha do rei trabalhava como hospedeira. Eis que surgem os três soldados, famintos como lobos. Passam, cantando como sempre faziam, mesmo em tempos de vacas magras, leem a inscrição e o napolitano comenta:

— Rapazes, aqui se come e dorme de graça.

E os companheiros:

— Sim, vá acreditando nisso! Escrevem assim para engambelar quem passa.

Nisso, aparecera na entrada a princesa hospedeira, que lhes disse para entrarem, pois o que dizia a inscrição era verdade. Entraram, e a princesa lhes serviu um jantar de senhores. Depois se sentou à mesa deles e disse:

— Bem, que novidades têm para contar-me, vocês que vêm de fora? Eu, perdida neste campo, não sei de nada do que acontece.

— O que quer que lhe contemos, senhora proprietária? —

falou o romano. E assim, bancando o modesto, contou-lhe a história de quando montava guarda e se apresentara o gigante, cuja cabeça ele cortara.

— Veja só! — exclamou o florentino —, a mim me aconteceu o mesmo. — E contou também sobre seu gigante.

— E você? — perguntou a princesa ao napolitano —, não lhe aconteceu nada?

Os companheiros se puseram a rir.

— O que queria que lhe tivesse acontecido? É um medroso este nosso amigo, daqueles que ao ouvir uma folha se mover à noite sai correndo e ninguém o encontra durante uma semana.

— Por que o tratam assim, coitado? — disse a jovem e insistiu para que ele também contasse sua história.

Então o napolitano disse:

— Se querem saber, enquanto vocês dormiam, também me apareceu um gigante, e eu o matei.

— Bum! — fizeram os companheiros zombando. — Se você apenas o visse, morreria de tremedeira. Basta: não queremos escutar mais nada. Vamos dormir. — E o deixaram sozinho com a hospedeira.

A hospedeira dava bebida ao napolitano e o fazia continuar a contar. Assim ele, pouco a pouco, contou-lhe tudo: sobre as três velhas, a lanterna, o fuzil, a espada e a bela mocinha adormecida que beijara e de quem levara um chinelo.

— E ainda tem esse chinelo?

— Aqui está — disse o soldado tirando-o do bolso.

Então a princesa, toda contente, deu-lhe mais vinho até que ele adormeceu e disse ao empregado:

— Leve-o para aquele quarto que preparei de propósito; tire-lhe as roupas e coloque vestimentas de rei em cima da cadeira.

De manhã, o napolitano acordou e se encontrou num quarto todo de ouro e brocado. Foi buscar suas roupas e encontrou roupas de rei. Beliscou-se para se assegurar de que não estava dormindo e, visto que sozinho não se entendia, tocou uma campainha.

Entraram quatro criados de libré, com grandes reverências:

— Alteza, ordene. Descansou bem, Alteza?

O napolitano não parava de piscar:

— Estão loucos? Que Alteza o quê! Deem-me minhas roupas, pois quero me vestir, e vamos acabar com esta comédia.

— Acalme-se, Alteza, deixe-nos fazer sua barba e penteá-lo.

— Onde estão meus companheiros? Onde puseram minhas coisas?

— Eles já vêm, logo terá tudo, mas permita que o vistamos, Alteza.

Quando viu que era o único jeito de afastá-los, o soldado deixou que trabalhassem: barbearam-no, pentearam-no e lhe puseram roupas de rei. A seguir, trouxeram chocolate, torta e doces. Terminada a refeição, ele disse:

— E meus companheiros, posso vê-los ou não?

— Imediatamente, Alteza.

E fizeram entrar o romano e o florentino, que, ao vê-lo vestido daquele modo, ficaram de boca aberta.

— Mas o que é isso? Está disfarçado de quê?

— Vocês estão a par de algo? Eu não sei de nada.

— Quem sabe o que aprontou! — disseram os companheiros. — Quem sabe que mentiras terá contado ontem à noite à proprietária!

— Eu, por princípio, não conto as mentiras de vocês a ninguém — disse ele.

— E então como se explica esta história?

— Eu lhes digo como se explica — disse o rei entrando naquele momento com a princesa vestida com seu manto mais precioso. — Minha filha se achava sob o efeito de um encantamento e este rapaz a libertou.

E, entre perguntas e respostas, informaram-se de tudo o que sucedera.

— Por isso — disse o rei —, declaro-o noivo de minha filha e meu herdeiro. Quanto a vocês dois, não se preocupem. Serão feitos duques, pois, se não tivessem matado os outros dois gigantes, minha filha não teria sido salva.

Celebrou-se o casamento com a alegria de todos.

Comeram pão em pedaços
E uma galinha bichada,
Viva a recém-casada, viva a recém-casada.

BELMEL E BELSOL

Era uma vez um pai, pai de dois filhos, um menino e uma menina, e eram tão lindos e louros que o menino se chamava Belmel e a menina, Belsol. Esse homem trabalhava como mordomo na corte do rei e, como o rei estava em outra região, ele era obrigado a ficar longe de seus filhos. O rei, que jamais os vira, ouvindo falar tanto de sua beleza, disse ao mordomo:

— Já que tem um filho tão bonito, faça-o vir para a corte, será empregado como pajem.

O pai foi buscar o menino e deixou a filha com a ama; Belmel se tornou pajem do rei, e o rei tinha muita simpatia por ele, tanto que, quando o mordomo morreu, manteve-o como pajem no palácio, ou melhor, deu-lhe o cargo de alta confiança de limpar a poeira dos quadros de sua coleção. Limpando a poeira dos quadros, Belmel se detinha toda vez para admirar um de mulher, e o rei sempre o surpreendia ali, encantado, com o espanador entre as mãos.

— Por que observa aquele retrato?

— Majestade, esse retrato é a verdadeira imagem de minha irmã, Belsol.

— Não acredito, Belmel. Mandei procurar no mundo inteiro uma mulher que se assemelhasse àquele retrato e não a encontrei. Se sua irmã é assim, faça-a vir para cá e será minha esposa.

Belmel escreveu à ama para que trouxesse imediatamente Belsol, pois o rei pretendia casar-se com ela, e aguardou. Aquela ama, se ainda não sabem, tinha uma filha mais feia que a fome e, ao ver a beleza de Belsol, explodia de inveja. Tendo recebido a ordem de Belmel, pôs-se a caminho com Belsol e sua filha feia; tratava-se de uma viagem marítima e todas as três embarcaram.

Na barca, Belsol adormeceu. E a ama começou a dizer:

— Vejam só o que se tem que aguentar! Agora, esta aqui vai casar com o rei! Justamente ela deve ter tal sorte! Não seria melhor que o rei desposasse minha filha?

— Quem me dera! — disse a filha.

E a mãe:

— Deixe por minha conta, pois não vou perdoar esta manhosa.

Entretanto, Belsol acordou e disse:

— Ama, estou com fome.

— Tenho pão e sardinha, mas não são suficientes nem para mim.

— Seja bondosa, ama, dê-me um bocado.

Então aquela infame deu-lhe um pouco de pão e sardinha, que era quase tudo sardinha e nada de pão. Assim, ela sentiu uma sede tremenda; pobrezinha, não aguentava mais e disse à ama:

— Ama, tenho sede!

E a infame:

— Só tenho um gole de água; se quiser, dou-lhe água do mar.

Quando se viu sem fôlego, Belsol disse:

— Dê-me água, nem que seja do mar. — Porém, depois de um gole, sentiu mais sede que antes. — Ama, estou com mais sede ainda!

E aquela canibal:

— Agora sou eu quem lhe dá de beber! — Agarrou-a pela cintura e, puft!, atirou-a no mar.

No mar passava uma baleia. Viu Belsol na água e a engoliu.

A ama chegou ao porto do rei e Belmel estava no cais, ansioso por abraçar sua irmã. Contudo, vê aquela feia carranca já vestida de noiva. Deixa cair os braços:

— Como é isso? É esta a minha irmã? Minha irmã com olhos iguais a estrelas? Minha irmã com a boca igual a uma flor?

— Ah, meu filho, se soubesse — disse a ama — a terrível doença que enfrentou; em poucos dias, ficou assim.

O rei se adiantou.

— Ah, então é esta a beleza que você louvava? É esta a jovem linda como o sol? Parece-me um pássaro asqueroso! Fui um tolo em acreditar em você e dar minha palavra de que casaria com ela! Não se pode desmentir nenhuma palavra de rei, e sou obrigado a desposá-la. Mas você, pajem de minhas botas, doravante mudará de ofício e passará a cuidar dos marrecos.

Assim, o rei casou com a filha da ama, porém a tratava de um modo que, em vez de mulher, parecia ter um pano de chão.

Entretanto, Belmel levava os marrecos para procurar comida à beira-mar. Sentava-se na praia, observava os marrecos nadarem e pensava em suas desgraças, em Belsol como se lembrava dela e como não fora capaz de reencontrá-la. E eis que ouviu uma voz que vinha do fundo do mar:

> *Ó baleia, baleia minha,*
> *Estica estica esta correntinha*
> *Para chegar até a beira-mar*
> *Pois meu irmão Belmel quer me falar.*

Belmel não conseguia imaginar o que podia querer dizer aquela voz, quando eis que do fundo do mar surge uma lindíssima mocinha com um pé acorrentado, uma mocinha que se parecia em tudo, ou melhor, poder-se-ia dizer que fosse, certamente era ela, era sua irmã Belsol mais bonita que nunca.

— Minha irmã, como é que veio parar aqui?

— Estou aqui por traição da ama, meu irmão. — E lhe contou a sua história, enquanto jogava ouro e pérolas como alimento para os marrecos.

— O que me conta, minha irmã? — assombrava-se o pobre Belmel.

— Foi a ama que me atirou ao mar e em meu lugar colocou sua filha — dizia Belsol e enfeitava os marrecos com laços coloridos.

Anoitecia e o mar se tornava negro.

— Até a próxima, irmão — disse Belsol e afundou pouco a pouco, puxada pela corrente que terminava no mar.

Belmel reuniu os marrecos todos enfeitados e tomou o rumo de casa ao longo da praia. E os marrecos:

> *Cró! Cró! Do mar chegamos,*
> *Com ouro e pérolas nos alimentamos.*
> *Belsol é bela, bela como o sol,*
> *E seria amada pelo rei, nosso amo.*

As pessoas que passavam paravam para ouvir e ficavam de boca aberta: jamais haviam escutado marrecos cantarem daquela maneira. À noite, no galinheiro real, os marrecos, em vez de dormir, continuavam até a madrugada:

> *Cró! Cró! Do mar chegamos,*
> *Com ouro e pérolas nos alimentamos.*
> *Belsol é bela, bela como o sol,*
> *E seria amada pelo rei, nosso amo.*

Um ajudante de cozinha os ouviu e, no dia seguinte, foi contar ao rei que os marrecos sob os cuidados de Belmel haviam repetido aqueles versos a noite inteira. No início, o rei ouviu distraído, depois se interessou e por fim decidiu seguir Belmel sem se deixar ver quando ele fosse levar os marrecos para comer.

Escondeu-se entre os caniços e ouviu a voz que vinha do fundo do mar.

> *Ó baleia, baleia minha,*
> *Estica estica esta correntinha*
> *Para chegar até a beira-mar*
> *Pois meu irmão Belmel quer me falar.*

E do mar surgiu a moça com o pé acorrentado e nadou até a praia. Ao vê-la tão bonita, o rei saiu dos caniços dizendo:

— Você, sim, é minha esposa! — E se conheceram e junto com Belmel estudaram o modo de libertá-la da baleia que a mantinha acorrentada.

O rei e Belmel pegaram uma rocha que tinha mais ou menos o mesmo peso que Belsol, serraram a corrente e amarraram a rocha à corrente. O rei tomou Belsol nos braços e a levou para o palácio; atrás vinha Belmel com o cortejo dos marrecos, que cantavam:

> *Cró! Cró! Do mar chegamos,*
> *Com ouro e pérolas nos alimentamos.*
> *Belsol é bela, bela como o sol,*
> *É a mulher do rei, nosso amo.*

A ama e sua filha, assim que ouviram esse canto e viram chegar o cortejo, fugiram do palácio, e ninguém tornou a vê-las.

CHICO PEDROSO

Era uma vez um homem e uma mulher que tinham uma filha e haviam encontrado marido para ela. No dia do casamento, tinham convidado todos os parentes e, depois da cerimônia, sentaram-se à mesa. No melhor do banquete, faltou vinho. O pai disse à noiva:

— Vá à adega buscar vinho.

A noiva vai à adega, põe a garrafa sob a pipa, abre a torneira e espera a garrafa encher. Enquanto esperava, começou a pensar: "Hoje me casei, daqui a nove meses terei um filho, vou lhe dar o nome de Chico Pedroso, vou vesti-lo, calçá-lo, vai crescer... e se Chico Pedroso morre em seguida? Ah! Pobrezinho do meu filho!", e rompeu em pranto, num pranto sem fim.

Enquanto isso, a torneira continuava aberta e o vinho já

corria pelo chão da adega. Os convidados esperavam que esperavam a noiva, mas a noiva não reaparecia. O pai disse à mulher:

— Vá dar uma olhada na adega para ver se ela não adormeceu, sabe-se lá!

A mãe foi à adega e encontrou a filha chorando a mais não poder.

— O que fez, filha? O que lhe aconteceu?

— Ah, mamãe, estava pensando que hoje me casei, dentro de nove meses terei um filho e lhe darei o nome de Chico Pedroso; e se Chico Pedroso morre em seguida?

— Ah! Pobre do meu neto!

— Ah! Pobre do meu filho!

E as duas mulheres desataram a chorar.

Enquanto isso, a adega se enchia de vinho. Os que tinham ficado à mesa esperavam que esperavam o vinho, e o vinho não vinha. O pai disse:

— Elas tiveram um ataque. É preciso ir dar uma olhada.

Foi à adega e encontrou as duas mulheres chorando como duas crianças. Disse:

— Que diabo lhes aconteceu?

— Ah! Meu marido, se soubesse! Estamos pensando que agora nossa filha se casou e logo, logo terá um filho e a esse filho daremos o nome de Chico Pedroso; e se Chico Pedroso morre?

— Ah! — gritou o pai. — Pobre do nosso Chico Pedroso!

E os três se puseram a chorar, em meio ao vinho.

O marido, vendo que ninguém voltava, disse:

— Mas o que estarão aprontando na adega? Permitam que eu vá ver. — E desceu.

Ao ouvir aquela choradeira:

— Que diabo lhes aconteceu para chorarem tanto?

E a mulher:

— Ah! Meu marido! Estamos pensando que casamos, teremos um filho e lhe daremos o nome de Chico Pedroso; e se nosso Chico Pedroso morre?

No início, o marido ficou observando se brincavam, depois,

quando percebeu que falavam a sério, perdeu as estribeiras e começou a berrar:

— Que eram meio tontos — disse —, eu já imaginava, mas a este ponto, não dá para acreditar. — Disse: — E agora vou ter que perder meu tempo com estes tolos! — Disse: — Nem em sonho! Vou cair no mundo! — Disse: — Sim, senhores! E você, minha cara, pode ficar tranquila, pois não tornará a me ver. A menos que, andando pelo mundo, encontrasse três loucos piores que vocês! — Disse e se foi. Saiu de casa e nem ao menos olhou para trás.

Caminhou até um rio, e ali havia um homem que pretendia tirar avelãs de uma barca usando um forcado.

— O que faz, bom homem, com este forcado?

— Faz tempo que tento, mas não consigo retirar uma sequer.

— Sem dúvida! Mas por que não tenta com a pá?

— Com a pá? É mesmo, não tinha pensado nisso.

"Mais essa!", disse o marido. "Este consegue ser mais ignorante que toda a família de minha mulher."

Andou até encontrar outro rio. Havia um camponês que se empenhava em dar de beber a dois bois com uma colher.

— Mas o que está fazendo?

— Estou aqui há três horas e não consigo aplacar a sede destes animais!

— E por que não os deixa enfiar o focinho na água?

— O focinho? Eh, boa ideia: não tinha pensado nisso.

"E dois!", murmurou o marido e seguiu adiante.

Anda que anda, em cima de uma amoreira viu uma mulher que trazia nas mãos um par de calças.

— O que está fazendo aí no alto, boa mulher?

— Ah, se soubesse! — disse-lhe ela. — Meu marido morreu, e o padre me disse que subiu ao Paraíso. Estou esperando que volte e entre nas calças dele.

"E três!", pensou o marido. "Parece que só se encontra gente mais tonta que minha mulher. É melhor que regresse a minha casa!"

Assim fez e ficou contente, pois se diz que o pior está sempre por vir.

O AMOR DAS TRÊS ROMÃS
Branca-como-o-leite-vermelha-como-o-sangue

Um filho de rei comia à mesa. Ao cortar a ricota, feriu-se num dedo e uma gota de sangue caiu na ricota. Disse à sua mãe:

— Mamãe, gostaria de uma mulher branca como o leite e vermelha como o sangue.

— Eh, meu filho, quem é branca não é vermelha, e quem é vermelha não é branca. Mas tente encontrá-la.

O filho se pôs a caminho. Anda que anda, encontrou uma mulher:

— Rapaz, aonde vai?
— E vou dizê-lo justamente a você, que é mulher?

Anda que anda, encontrou um velhinho.

— Rapaz, aonde vai?
— Para o senhor posso dizer, avozinho, pois certamente há de saber mais que eu. Procuro uma mulher branca como o leite e vermelha como o sangue.

E o velhinho:

— Meu filho, quem é branca não é vermelha, e quem é vermelha não é branca. Porém, pegue estas três romãs. Abra-as e veja o que sai delas. Mas só deve fazê-lo perto da fonte.

O jovem abriu uma romã e pulou dela uma belíssima moça branca como o leite e vermelha como o sangue, que logo gritou:

> *Rapazinho dos lábios de ouro*
> *Dê-me de beber, senão eu morro.*

O filho do rei pegou água na concha da mão e ofereceu-lhe, mas não o fez em tempo. A linda moça morreu.

Abriu outra romã e pulou dela outra bela moça dizendo:

> *Rapazinho dos lábios de ouro*
> *Dê-me de beber, senão eu morro.*

Levou-lhe água, mas já estava morta.

Abriu a terceira romã e pulou dela uma moça ainda mais bela que as outras duas. O jovem jogou água em seu rosto, e ela sobreviveu.

Estava nua como viera ao mundo, e o jovem colocou seu capote nos ombros dela, dizendo:

— Suba nesta árvore, pois vou buscar roupas para cobri-la e a carruagem para levá-la ao palácio.

A moça permaneceu na árvore, perto da fonte. Naquela fonte, todos os dias, ia buscar água a Feia Sarracena. Ao pegar água com a tigela viu refletido na água o rosto da moça em cima da árvore.

> *E terei eu, tão delicadinha,*
> *De vir atrás de água com a tigelinha?*

E, sem pensar em mais nada, jogou o alguidar no chão, fazendo-o em pedaços. Retornou a casa, e a patroa:

— Feia Sarracena! Como se atreve a voltar para casa sem água e sem bilha!

Ela pegou outra bilha e retornou à fonte. Na fonte, viu de novo aquela imagem na água. "Ah! sou realmente linda!", disse consigo mesma.

> *E terei eu, tão delicadinha,*
> *De vir atrás de água com a tigelinha?*

E uma vez mais atirou a bilha no chão. A patroa tornou a repreendê-la, ela retornou à fonte, quebrou ainda outra bilha, e a moça em cima da árvore, que até então permanecera olhando, não pôde mais conter uma risada.

A Feia Sarracena ergueu os olhos e a viu.

— Ah, era você? E me deixou quebrar três bilhas? Porém, é realmente bonita! Espere, pois quero penteá-la.

A moça não quis descer da árvore, mas a Feia Sarracena insistiu:

— Deixe-me penteá-la, pois ficará mais bela ainda.

Fez com que descesse, soltou-lhe os cabelos, viu que trazia um alfinete na cabeça. Pegou-o e o espetou numa orelha. Caiu uma gota de sangue da moça, e depois ela morreu. Mas a gota de sangue, assim que tocou o chão, transformou-se numa pombinha, e a pombinha voou.

A Feia Sarracena foi se empoleirar na árvore. O filho do rei regressou com a carruagem e, assim que a viu, disse:

— Você era branca como o leite e vermelha como o sangue; como é que ficou tão negra?

E a Feia Serracena respondeu:

O sol apareceu
E essa cor me deu.

E o filho do rei:
— E como é que mudou de voz?
E ela:

Deu uma ventania
Que provocou minha afonia.

E o filho do rei:
— Mas você era tão linda e agora está tão feia!
E ela:

Também a brisa soprou
E a beleza me carregou.

Deu-lhe um basta, colocou-a na carruagem e a levou para casa.

Desde o momento em que a Feia Sarracena se instalou no palácio, como esposa do filho do rei, a pombinha pousava todas as manhãs na janela da cozinha e perguntava ao cozinheiro:

> *Ó cozinheiro, cozinheiro que dá pena,*
> *Que faz o rei com a Feia Sarracena?*

— Come, bebe e dorme — dizia o cozinheiro.
E a pombinha:

> *Um belo prato de sopa pra pombinha,*
> *E plumas de ouro pro mestre da cozinha.*

O cozinheiro lhe dava um prato de sopa e a pombinha dava uma sacudidela, fazendo cair penas de ouro. Depois levantava voo. Na manhã seguinte, retornava:

> *Ó cozinheiro, cozinheiro que dá pena,*
> *Que faz o rei com a Feia Sarracena?*

— Come, bebe e dorme — respondia o cozinheiro.

> *Um belo prato de sopa pra pombinha,*
> *E plumas de ouro pro mestre da cozinha.*

Ela tomava a sopa e o cozinheiro recolhia as penas de ouro.
Passado algum tempo, o cozinheiro pensou em ir até o filho do rei e lhe contar tudo. O filho do rei ouviu e disse:
— Amanhã, quando a pombinha voltar, agarre-a e a traga para mim, pois quero tê-la comigo.
A Feia Sarracena, que ouvira tudo às escondidas, achou que aquela pombinha não era um bom augúrio; e quando, na manhã seguinte, ela tornou a pousar na janela da cozinha, a Feia Sarracena foi mais rápida que o cozinheiro, e atravessou-a com um espeto e a matou.

A pombinha morreu. Porém, uma gota de sangue caiu no jardim, e naquele ponto logo nasceu uma romãzeira.

Essa árvore possuía a virtude de salvar quem estivesse para morrer: bastava comer uma de suas romãs e se curava. E havia sempre uma grande fila de pessoas que iam pedir à Feia Sarracena uma fruta de esmola.

No final, restou na árvore só uma romã, a maior de todas, e a Feia Sarracena disse:

— Esta quero guardar para mim.

Apareceu uma velha e lhe pediu:

— Pode me dar aquela romã? Meu marido está para morrer.

— Só me resta uma e quero guardá-la para enfeite — disse a Feia Sarracena.

Mas o filho do rei interveio e disse:

— Pobrezinha, seu marido está à morte, tem que dar a romã para ela.

E assim a velha voltou para casa com a romã. Voltou para casa e viu que seu marido já estava morto. "Quer dizer que vou guardar a romã para enfeite", disse consigo mesma.

Todas as manhãs, a velha ia à missa. E, enquanto estava na missa, a moça saía da romã. Acendia o fogo, varria a casa, fazia a comida e arrumava a mesa; e depois voltava para a romã. Entrando em casa, a velha achava tudo pronto e não entendia.

Certa manhã, foi se confessar e contou tudo ao confessor. Ele lhe disse:

— Sabe o que deve fazer? Amanhã, finja que vai à missa e se esconda em casa. Assim, descobrirá quem é que lhe faz a comida.

No dia seguinte, a velha fingiu que fechava a casa e se escondeu atrás da porta. A moça saiu da romã e começou a limpar e a fazer a comida. A velha retornou, e a moça não teve tempo de entrar de novo na romã.

— De onde vem? — perguntou-lhe a velha.

E ela:

— Tenha piedade, vovó, não me mate, não me mate.

— Não a mato, mas quero saber de onde vem.

— Vivo dentro da romã... — E lhe contou sua história.

A velha a vestiu de camponesa como ela (porque a moça continuava nua como viera ao mundo) e, no domingo, levou-a com ela à missa. O filho do rei também estava na missa e a viu. "Ó Jesus! Parece-me que aquela é a jovem que encontrei na fonte!", e o filho do rei esperou a velha no caminho.

— Diga-me de onde veio aquela jovem!

— Não me mate! — choramingou a velha.

— Não tenha medo. Quero apenas saber de onde ela vem.

— Veio da romã que Vossa Majestade me deu.

— Também ela numa romã! — exclamou o filho do rei e perguntou à jovem: — Como foi parar dentro de uma romã? — E ela lhe contou tudo.

Ele regressou ao palácio junto com a moça e lhe pediu que contasse tudo de novo diante da Feia Sarracena.

— Ouviu bem? — disse o filho do rei à Feia Sarracena quando a moça terminou seu relato. — Não quero ser eu a condená-la à morte. Escolha você própria a sentença.

E a Feia Sarracena, vendo que não havia escapatória, disse:

— Mande fazer uma camisola de piche para mim e me queime no meio da praça.

Assim foi feito. E o filho do rei desposou a jovem.

JOSÉ PERALTA QUE, QUANDO NÃO ARAVA, TOCAVA FLAUTA

Era uma vez um jovem chamado José Peralta que, quando não arava, tocava flauta. Flauteava e dançava pelos campos para descansar da fadiga da enxada quando, de repente, numa elevação do terreno, viu um morto estendido, sob uma nuvem de moscas. Tirou a flauta dos lábios, aproximou-se do cadáver, espantou as moscas e o cobriu de ramos verdes. Retornou ao lugar onde deixara a enxada e descobriu que a enxada se pusera a trabalhar sozinha e tinha revirado a terra de meio campo. Daquele dia em diante José Peralta passou a ser o lavrador mais feliz do mundo: trabalhava até ficar cansado, depois tirava a flauta do bolso, e a enxada se punha a funcionar sozinha.

Mas José Peralta trabalhava para um padrasto, e esse padrasto não gostava dele e queria mandá-lo embora de casa. Antes dizia sempre que lavrava bem mas pouco, agora se pôs a dizer que arava muito mas produzia pouco. Então, José Peralta pegou sua flauta e foi embora.

Bateu à porta de todos os patrões, mas nenhum lhe dava trabalho. Acabou encontrando um velho mendigo, pediu trabalho também a ele, por caridade, senão morria de fome.

— Venha comigo — disse-lhe o mendigo —, dividiremos as esmolas.

E assim José Peralta começou a andar com o mendigo, e cantavam:

Jesus, Maria, Jesus, Maria!
Um pãozinho para a travessia.

Mas todos davam esmolas ao velho, e a José Peralta diziam:
— Tão jovem e já pedindo esmolas? Por que não vai trabalhar?
— Não encontro trabalho — respondia José Peralta.
— É o que você diz. O rei tem tantas terras abandonadas e paga bem a quem as cultiva.

José Peralta foi até as terras do rei e levou o velho que sempre dividira suas esmolas com ele. As terras do rei nunca haviam sido aradas por ninguém; José Peralta as lavrou, semeou trigo nelas, capinou as ervas daninhas do trigo e depois o ceifou. E, quando estava cansado de ceifar, tocava a flauta e, quando estava cansado de tocar, cantava:

Alegre-se, foice, alegre-se, cortadeira,
Porque o rei quer me dar sua herdeira.

A princesinha, ouvindo cantar, debruçou-se na janela: viu José Peralta e se apaixonou por ele. Mas ela era filha de rainha e ele lavrador; era impossível que o rei consentisse no casamento. Por isso, decidiram fugir juntos.

À noite, fugiram de barca. Já estavam ao largo, quando José Peralta se lembrou do mendigo. Disse à amada:

— É preciso esperar o velho: dividia comigo suas esmolas. Não posso abandoná-lo assim.

E, naquele momento, viram o velho que vinha atrás deles. Andava sobre as águas do mar como se anda no chão e, quando alcançou a barca, disse:

— Havíamos combinado dividir tudo aquilo que tivéssemos e eu sempre partilhei minhas coisas com você. Agora, você tem a filha do rei: tem que dividi-la comigo. — E entregou uma faca a José Peralta para que cortasse a noiva em dois.

José Peralta pegou a faca com mão trêmula:

— Tem razão — disse —, tem razão. — E já estava a ponto de cortar a noiva ao meio quando o velho segurou sua mão.

— Pare: conheci-o como um homem justo. Saiba que sou aquele morto que você cobriu de ramos verdes. Vão, e vivam sempre felizes e contentes.

O velho se foi andando sobre o mar. A barca aportou numa ilha repleta de riquezas, com um palácio principesco que aguardava os noivos.

CORCUNDA, MANCA
E DE PESCOÇO TORTO

Era uma vez um rei que saíra a passeio. Observava as pessoas, as andorinhas, as casas, e estava contente. Passou uma velhinha, que ia cuidar de seus negócios, uma velhinha simpática, só que mancava um pouco de uma perna e era também meio corcunda, e além disso tinha o pescoço torto. O rei a observou e debochou:

— Corcunda, manca e de pescoço torto! Ah, ah, ah! — E explodiu numa risada na cara dela.

A velhinha era uma fada. Fixou o rei nos olhos e disse:

— Ria, ria, voltaremos a conversar amanhã.

E o rei explodiu noutra risada:

— Ah, ah, ah!

Esse rei tinha três filhas, três lindas moças. No dia seguinte, chamou-as para um passeio. Apresentou-se a filha maior. E tinha corcunda.

— A corcunda? — disse o rei. — E como ela lhe apareceu?

— Acontece que — disse a filha — a camareira não arrumou direito minha cama e assim, esta noite, apareceu-me esta corcunda.

O rei começou a passear de um lado para outro pela sala; estava nervoso.

Mandou chamar a segunda filha, e esta se apresentou com o pescoço torto.

— Que história é esta? — disse o rei —, como se explica esse pescoço torto?

— Sabe — respondeu a segunda filha —, a camareira, ao me pentear, puxou um fio de cabelo... E eu fiquei assim, com o pescoço torto.

— E esta? — espantou-se o rei vendo a terceira filha que avançava mancando —, e esta, por que deu para mancar?

— Havia ido ao jardim — disse a terceira filha —, e a camareira colheu um jasmim e me deu. Caiu sobre um dos meus pés e fiquei manca.

— Mas quem é essa camareira? — gritou o rei. — Tragam-na à minha presença!

A camareira foi chamada: foi levada até o rei algemada e arrastada pelos guardas, pois — dizia — envergonhava-se de se mostrar: era corcunda, manca e de pescoço torto. Era a velhinha do dia anterior! O rei a reconheceu logo e gritou:

— Preparem-lhe uma camisola de piche!

A velhinha encolheu, encolheu, sua cabeça se tornou fina como um prego. Havia um buraquinho na parede e a velha se enfiou lá dentro, passou para o outro lado e desapareceu, deixando atrás de si apenas a corcunda, o pescoço torto e o pé manco.

A FALSA AVÓ

Uma dona de casa tinha de peneirar a farinha. Mandou sua menina para a casa da avó, para que ela lhe emprestasse a peneira. A menina preparou o cestinho com a merenda: roscas e pão feito com óleo; e se pôs a caminho.

Chegou ao rio Jordão.

— Rio Jordão, me deixa passar?

— Sim, se me der suas roscas.

O rio Jordão era louco por roscas e se divertia com elas, fazendo-as girar em seus redemoinhos.

A menina atirou as roscas no rio, e o rio baixou as águas e a deixou passar.

A menina chegou à Porta Gradeada.

— Porta Gradeada, me deixa passar?

— Sim, se você me der o pão feito com óleo.

A Porta Gradeada era louca por pão com óleo, pois tinha as dobradiças enferrujadas, e o pão feito com óleo as untava.

A menina deu o pão com óleo à porta, e a porta se abriu e a deixou passar.

Chegou à casa da avó, mas a porta estava fechada.

— Vovó, vovó, abra para mim.

— Estou de cama, doente. Entre pela janela.

— Não alcanço.

— Entre pela gateira.

— Não passo.

— Então espere. — Jogou uma corda e a puxou pela janela.

O aposento estava escuro. Quem estava na cama era a Ogra, não a avó, pois a avó fora devorada inteirinha pela Ogra, da cabeça aos pés, menos os dentes, que pusera para cozinhar numa panelinha, e as orelhas, que pusera para fritar numa frigideira.

— Vovó, mamãe quer a peneira.

— Agora é tarde. Amanhã vou entregá-la a você. Venha para a cama.

— Vovó, estou com fome, primeiro quero comer.

— Coma os feijões que estão cozinhando na panelinha.

Na panelinha estavam os dentes. A menina mexeu com a colher e disse:

— Vovó, estão muito duros.

— Então coma as fritadas que estão na frigideira.

Na frigideira estavam as orelhas. A menina tocou nelas com o garfo e disse:

— Vovó, não estão crocantes.

— Então venha para a cama. Comerá amanhã.

A menina subiu na cama, perto da avó. Tocou numa de suas mãos e disse:

— Por que tem as mãos tão peludas, vovó?

— Por causa dos muitos anéis que usava nos dedos.

Tocou em seu peito.

— Por que tem o peito tão peludo, vovó?

— Por causa do monte de colares que usava no pescoço.

Tocou em seus quadris.

— Por que tem os quadris tão peludos, vovó?

— Porque usava um espartilho muito apertado.

Tocou em sua cauda e pensou que, com ou sem pelos, a avó jamais tivera um rabo. Aquela devia ser a Ogra e não sua avó. Então disse:

— Vovó, não consigo dormir se antes não fizer uma necessidade.

A avó disse:

— Vá fazer na estrebaria, faço você descer pelo alçapão e depois volto a puxá-la.

Amarrou-a com a corda e a baixou na estrebaria. Assim que se viu no chão, a menina se desamarrou e amarrou uma cabra na corda.

— Terminou? — disse a avó.
— Espere um momentinho. — Acabou de amarrar a cabra.
— Pronto, terminei, pode me puxar.

A Ogra puxa, puxa, e a menina começa a gritar:

— Ogra peluda! Ogra peluda!

Abre a estrebaria e foge. A Ogra puxa e aparece a cabra. Pula da cama e corre atrás da menina.

Na Porta Gradeada, a Ogra gritou de longe:

— Porta Gradeada, não a deixe passar!

Mas a Porta Gradeada disse:

— Claro que a deixo passar, pois me deu pão com óleo.

No rio Jordão, a Ogra gritou:

— Rio Jordão, não a deixe passar!

Mas o rio Jordão disse:

— Claro que a deixo passar, pois me deu roscas.

Quando a Ogra quis passar, o rio Jordão não baixou suas águas e a Ogra foi arrastada. Na margem, a menina fazia caretas para ela.

O OFÍCIO DE FRANCISQUINHO

Uma mulher tinha um único filho, Francisquinho, e gostaria que ele aprendesse um ofício. E o filho respondia:
— A senhora encontra um mestre para mim e eu aprenderei o ofício.

A mãe encontrou um serralheiro para ser seu mestre.

Francisquinho foi trabalhar com o serralheiro e lhe aconteceu se dar uma martelada numa das mãos. Voltou para a mãe.

— Mamãe, arranje-me outro mestre, pois este ofício não é para mim.

A mãe procurou outro mestre para ele e encontrou um remendão. Francisquinho trabalhou com o remendão e lhe aconteceu se dar com a sovela numa das mãos. Voltou para a mãe:

— Mamãe, arranje-me outro mestre, pois nem mesmo esse ofício é para mim.

A mãe lhe respondeu:

— Meu filho, só me restam dez ducados. Se você aprender o ofício, muito bem, caso contrário não sei mais o que fazer.

— Se é assim, mamãe — disse Francisquinho —, é melhor que me dê esses dez ducados e eu saia pelo mundo para ver se aprendo um ofício por minha conta.

A mãe lhe deu os dez ducados e Francisquinho partiu. Caminhando em meio a um bosque, aparecem diante dele quatro homens armados e gritam:

— Cara no chão!

E Francisquinho:

— Cara no chão como?

E eles:

— Cara no chão!

E Francisquinho:

— Mostrem-me como devo ficar.

O chefe dos bandidos pensou: "Este é um mais duro que nós. E se o fizéssemos entrar para a quadrilha?". E lhe perguntou:

— Rapaz, gostaria de vir conosco?

— Que ofício me ensinariam? — perguntou Francisquinho.

— O nosso ofício — disse o chefe-bandido — é a *arte onorata*. Vamos ao encontro das pessoas e, se não nos querem dar o dinheiro, acabamos com elas. Depois comemos, bebemos e saímos para passear.

E Francisquinho se pôs a percorrer os caminhos com a quadrilha. Depois de um ano, o chefe morreu, e Francisquinho foi feito chefe. Certo dia mandou toda a quadrilha sair em campo e ficou sozinho tomando conta do butim. Teve uma ideia: "Com todo o dinheiro que existe aqui, poderia carregar uma mula, ir embora e não dar mais as caras". E assim fez.

Chegou à casa de sua mãe e bateu:

— Mamãe, abra para mim!

A mãe abriu e deparou com o filho que trazia uma mula pelo cabresto, e logo se pôs a descarregar sacos de dinheiro.

— Mas que ofício aprendeu? — perguntou-lhe logo a mãe.

— A *arte onorata*, mamãe, um bom ofício. Come-se, bebe-se e se sai para passear.

A mãe, que não entendia do assunto, pensou que se tratava de um bom ofício e não lhe perguntou mais nada. Convém saber que o arcebispo era seu compadre. No dia seguinte, foi procurar o arcebispo e lhe disse:

— Compadre, sabe?, seu jovem compadre voltou!

— E então — disse o compadre —, aprendeu um ofício?

— Sim — exclamou a mãe —, aprendeu a *arte onorata*: come-se, bebe-se e se sai para passear. E ainda ganhou uma mula de dinheiro.

— Ah, sim — murmurou o arcebispo, que era esperto —, bem, traga-o aqui, pois quero conversar um pouco com ele...

Francisquinho foi procurá-lo.

— Então, jovem compadre, é verdade que aprendeu um bom ofício?

— Sim, senhor.

— Bem, se de fato aprendeu a sério, temos que fazer uma aposta.

— E que aposta?
— Tenho doze pastores e vinte cães. Se conseguir tirar um capado do rebanho, dou-lhe cem ducados.

E Francisquinho:
— Compadre, se conta com doze pastores e os cães, como quer que eu faça? Bem, o que quer que lhe diga? Tentemos.

Vestiu-se de monge e foi ao encontro dos pastores.
— Ouçam, pastores, segurem os cães, sou um pobre sacerdote.

Os homens amarraram os cães.
— Venha, venha, bom monge, venha se aquecer conosco.

Francisquinho se sentou junto ao fogo com os pastores, tirou um pedaço de pão do bolso e se pôs a comer. A seguir tirou uma garrafinha da sacola e fingiu beber (só fingiu, pois era vinho com ópio). Um pastor disse:
— Como é isso, bom monge, come e bebe, e não oferece a ninguém?
— Senhor! — disse Francisquinho. — A mim, basta-me um gole. — E lhe passou a garrafinha.

Bebeu o pastor, beberam também os outros e passado algum tempo o sono começou a dominá-los.
— Justamente agora que queríamos conversar um pouco com o bom monge, vocês caem no sono! — disse o único que permanecera acordado; não havia terminado de falar, ele também foi tomado pelo sono e tombou adormecido.

Quando Francisquinho viu que todos os doze dormiam a sono solto, despiu-os um por um e os vestiu de monges. Pegou o maior capado e foi embora. Em casa, matou o capado e o assou; e mandou uma coxa ao arcebispo.

Quando os pastores acordaram e se viram vestidos de monges, entenderam logo que haviam sido roubados.
— E agora — disseram —, como vamos contar ao patrão?
— Vá você — disse um.
— Vá você — disse o outro.

Mas ninguém queria ir. Então decidiram ir todos os doze juntos. Bateram. A empregada se apresentou e disse:

— Senhor patrão, está cheio de monges que desejam entrar!
E o arcebispo:
— Esta manhã estou ocupado; diga-lhes para irem embora.
— Abra, abra! — gritaram os pastores. E finalmente entraram todos.

Quando o arcebispo viu seus pastores vestidos de monges, compreendeu que devia ser um golpe de Francisquinho e disse consigo: "Então é verdade que aprendeu o ofício!". Mandou chamá-lo e lhe deu os cem ducados.

— Porém, agora, compadre — disse-lhe —, me dê a revanche. Apostemos duzentos ducados. Há uma igreja no campo, que pertence à nossa paróquia. Se conseguir tirar alguma coisa daquela igreja, vence. Dou-lhe oito dias de prazo.

— Está bem — disse Francisquinho.

O arcebispo mandou chamar o ermitão que ficava naquela igreja e lhe disse:

— Esteja atento: vai aparecer uma pessoa para levar alguma coisa da igreja. Monte guarda noite e dia.

O ermitão respondeu:

— Não se preocupe, senhor patrão! Dê-me armas que cuido do resto.

Francisquinho deixou passar sete dias e sete noites. Na última noite, começou a se aproximar da igreja e se escondeu num canto. O ermitão, pobrezinho, que não dormia há sete dias e sete noites, apareceu à porta e se pôs a dizer:

— Durante sete noites não deu as caras. Esta noite é a última. Soaram as seis e nada. Sinal de que não toma coragem para vir. Bom! Vou fazer minhas necessidades e depois vou dormir.

Saiu para fazer suas necessidades e Francisquinho, que ouvira tudo, ágil como um gato, meteu-se dentro da igreja. Retornou o ermitão, trancou as portas e, a seguir, morto de sono como estava, deitou-se no meio da igreja e adormeceu. Então, Francisquinho pegou todas as estátuas da igreja e as colocou ao redor dele; próximo aos pés dele pôs um saco; depois se vestiu de padre, subiu no altar e começou a pregar:

— Ermitão que está nesta igreja, é hora de ser salvo!
O ermitão não acordava.
— Ermitão que está nesta igreja, agora é hora de ser salvo!
O ermitão acordou e se viu rodeado por todos aqueles santos.
— Santidade — disse. — Santidade!, deixe-me rezar!, o que devo fazer?
E Francisquinho:
— Entre no saco, pois chegou a hora de ser salvo!
O pobre ermitão entrou no saco. Francisquinho desceu do altar, pôs o saco nas costas e foi embora. Foi à casa do arcebispo e lhe jogou o saco no meio do aposento. Lá de dentro o ermitão fez:
— Ai!
— Aqui está, compadre! Veja o que eu trouxe da igreja.
O arcebispo abriu o saco e se viu cara a cara com o ermitão.
— Compadre Francisquinho — disse o arcebispo —, tome os duzentos ducados. Vejo que aprendeu bem o ofício. É melhor que sejamos amigos, senão também eu acabarei dentro do saco.

CRIC, CROC E MÃO DE GANCHO

Era uma vez três malandros: Cric, Croc e Mão de Gancho. Fizeram uma aposta para ver quem era o malandro mais astuto. Puseram-se a caminho; Cric ia na frente e viu uma pega que chocava em seu ninho no alto de uma árvore. Disse:
— Duvidam que eu consigo tirar os ovos que estão debaixo daquela pega sem que ela perceba?
— Sim. Vejamos se é capaz!
Cric subiu numa árvore para roubar os ovos e, enquanto os estava roubando, Croc cortava os saltos dos sapatos dele e os escondia no chapéu. Mas, antes que pusesse o chapéu de volta

na cabeça, Mão de Gancho já os tinha roubado. Cric desceu da árvore e disse:

— O malandro mais astuto sou eu, pois roubei os ovos que estavam debaixo da pega.

E Croc:

— O mais astuto sou eu, pois cortei as solas dos seus sapatos sem que você se desse conta. — E tirou o chapéu para lhe mostrar os saltos, mas não os encontrou.

Então Mão de Gancho falou:

— O mais astuto sou eu, pois lhe roubei os saltos do chapéu. E, visto que sou o mais astuto, quero me separar, porque com vocês saio perdendo.

Foi embora por conta própria e acumulou tantos objetos que ficou rico. Mudou de cidade, casou e abriu uma mercearia. Os outros dois, viajando para roubar, chegaram a essa cidade e viram a mercearia. Disseram-se:

— Vamos entrar, quem sabe há trabalho para nós.

Entraram, e estava só a mulher.

— Bela senhora, poderia dar-nos alguma coisa para comer?
— Que desejam?
— Uma fatia de queijo-cavalo.

Enquanto ela cortava o queijo, os dois olhavam em volta para descobrir o que havia para se roubar. Viram um porco esquartejado pendurado e combinaram por meio de sinais que viriam buscá-lo à noite. A mulher de Mão de Gancho percebeu os sinais deles, mas ficou quieta e, quando o marido chegou, contou tudo a ele. O marido, velho malandro que era, entendeu logo.

— Estes são Cric e Croc, que querem roubar o porco. Muito bem! Vou cuidar do caso! — Pegou o porco e o colocou no forno. À noite foi dormir.

Mais tarde, Cric e Croc apareceram para roubar o porco, procuraram-no por toda parte e não o encontraram. Então o que pensou Croc? Pé ante pé, aproximou-se da cama, do lado em que estava deitada a mulher de Mão de Gancho, e disse:

— Escute, não acho o porco. Onde o colocou?

A mulher pensou que fosse o marido e lhe respondeu:

— Durma! Não lembra que o colocou no forno? — E voltou a dormir.

Os dois malandros foram até o forno, pegaram o porco e saíram. Primeiro saiu Croc, depois Cric com o porco nas costas. Passando pela horta do merceeiro, notou que havia verdura para sopa; alcançou Croc e lhe disse:

— Volte à horta de Mão de Gancho e colha um pouco de verdura, assim poderemos cozinhá-la junto com um pernil de porco quando chegarmos em casa.

Croc retornou à horta e Cric seguiu adiante. Nesse meio-tempo, Mão de Gancho acordou, foi olhar no forno e não achou o porco, observou a horta e viu Croc que colhia verduras para a sopa. "É hora de agir", pensou. Pegou um belo maço de couve que tinha em casa e saiu correndo, sem se deixar ver por Croc.

Alcançou Cric, que caminhava vergado com o porco nas costas, chegou perto dele e lhe fez sinal de que queria o porco. Cric pensou que fosse Croc que voltava com a verdura, pegou o maço que lhe estendia e lhe passou o porco. Com o porco nas costas, Mão de Gancho se virou e voltou correndo para casa.

Passado algum tempo, Croc alcançou Cric com a couve na mão e lhe disse:

— E o porco, onde é que você o colocou!

— Está com você!

— Eu? Eu não tenho nada!

— Mas se há pouco você fez a troca comigo!

— E quando? Você me mandou buscar verdura!

No final, entenderam que fora Mão de Gancho e que era ele o malandro mais astuto de todos.

A PRIMEIRA ESPADA
E A ÚLTIMA VASSOURA

Era uma vez dois mercadores que moravam um defronte do outro. Um tinha sete filhos e o outro sete filhas. O dos sete filhos, todas as manhãs, quando abria a janela e cumprimentava o das sete filhas, dizia-lhe:

— Bom dia, mercador das sete vassouras.

E o outro ficava mal todas as vezes; fechava-se em casa e se punha a chorar de raiva. Ao vê-lo assim, a mulher ficava com pena dele e toda vez lhe perguntava o que tinha; mas o marido, calado, só chorava.

A filha caçula tinha dezessete anos e era bonita como o sol e o pai só tinha olhos para ela.

— Se gosta de mim como afirma, meu pai — disse-lhe um dia —, conte-me sua aflição.

E o pai:

— Minha filha, o mercador aqui de frente todas as manhãs me cumprimenta assim: "Bom dia, mercador das sete vassouras", e todas as manhãs fico sem saber o que lhe responder.

— Mas é só isso, querido papai? — disse a filha. — Ouça-me. Quando ele lhe falar assim, o senhor lhe responderá: "Bom dia, mercador das sete espadas. Vamos fazer uma aposta: peguemos minha última vassoura e a sua primeira espada; e vejamos quem consegue pegar primeiro o cetro e a coroa do rei da França e trazê-los até aqui. Se minha filha vencer, você me entrega toda a sua mercadoria e, se seu filho vencer, perderei eu toda a minha mercadoria". Tem que dizer isso a ele. E, se aceitar, preto no branco, obrigue-o a assinar um contrato imediatamente.

O pai ficou a ouvir todo esse discurso de boca aberta. E, quando ela terminou, ele disse:

— Mas, minha filha, o que está dizendo? Quer que perca todas as minhas coisas?

— Papai, não tenha medo, deixe por minha conta: pense apenas em fazer a aposta, que do resto cuido eu.

À noite, o pai não conseguia fechar os olhos e não via a hora de clarear. Debruçou-se no balcão antes da hora de costume, e a janela em frente ainda estava fechada. Abriu-se de repente, apareceu o pai dos sete filhos e lhe atirou na cara como sempre o seu:

— Bom dia, mercador das sete vassouras!

E ele, rápido:

— Bom dia, mercador das sete espadas, façamos uma aposta: pego minha última vassoura e você sua primeira espada, damos um cavalo e uma bolsa de dinheiro a cada um, e vejamos qual deles consegue nos trazer a coroa e o cetro do rei da França. Apostemos toda a nossa mercadoria: se minha filha vencer, pego todas as suas coisas; se seu filho vencer, você pega todas as minhas coisas.

O outro mercador o encarou por um momento, depois explodiu numa risada e com gestos lhe perguntou se estava louco.

— Como é, ficou com medo? Não confia no seu filho? — provocou-lhe o pai das sete filhas.

E o outro, apanhado de surpresa, disse:

— Por mim, aceito, assinemos logo o contrato e façamos que partam imediatamente. — E foi logo contar tudo ao filho maior.

O filho maior, imaginando que viajaria com aquela linda moça, ficou todo contente. Porém, na hora da partida, quando a viu chegar vestida de homem, montada numa potra branca, compreendeu que não era uma brincadeira. De fato, quando os genitores, assinado o contrato, deram a partida, a potra partiu a galope e seu potente cavalo se esforçava para segui-la.

Para chegar à França era necessário passar por um bosque espesso, escuro e sem estradas nem atalhos. A potra se enfiou nele como se estivesse em casa: virava à direita num carvalho, voltava para a esquerda num pinheiro, saltava uma sebe de azevinhos e se mantinha sempre à frente. O filho do mercador, ao contrário, não sabia para onde conduzir seu grande cavalo: ora dava com o queixo num ramo baixo e caía da sela, ora os cascos escorregavam num pântano oculto por folhas secas e o animal acabava de barriga no chão, ora se enroscavam numa moita de sarças e não conseguiam mais se desembaraçar. A moça com sua potra já superara o bosque e galopava longe.

Para chegar à França era preciso transpor uma montanha cheia de abismos e despenhadeiros. Atingira o início da encosta quando ouviu o galope do grande cavalo do filho do mercador que estava a ponto de alcançá-la. A potra enfrenta a subida e, como se estivesse em casa, gira e salta em meio aos pedregulhos e acha sempre o caminho para chegar à passagem, e dali desce correndo para os prados. O jovem, ao contrário, empurrava seu cavalo à força de puxões de rédeas e após três passos um desmoronamento o devolvia ao ponto anterior, e acabou por deixá-lo manco.

Agora, a moça corria longe na direção da França. Mas para chegar à França era necessário atravessar um rio. A potra, como se estivesse em casa, sabia onde havia um vau e se jogou na água como se fosse terra batida. Quando atingiram a outra margem, voltaram-se, viram o jovem que chegava com seu grande cavalo e o esporeava na água, perseguindo-as. Porém, não conhecia os passos do vau e, tão logo perdeu o pé, a corrente arrastou o cavaleiro e seu ginete.

Em Paris, vestida de homem, a moça apresentou-se a um mercador que a contratou como aprendiz. Tratava-se do fornecedor do palácio real e, para levar as mercadorias ao rei, começou a mandar aquele jovem de tão bom aspecto. Assim que o rei o viu, disse-lhe:

— Quem é você? Parece-me forasteiro. Como chegou até aqui?

— Majestade — respondeu o aprendiz —, chamo-me Temperino e era trinchador do rei de Nápoles. Uma série de desventuras conduziu-me para cá.

— E se lhe conseguisse um lugar de trinchador da Casa Real da França — disse o rei —, agradar-lhe-ia?

— Majestade, quisessem os céus!

— Bem, falarei com seu patrão.

De fato, embora a contragosto, o mercador cedeu o aprendiz ao rei, que o transformou em trinchador. Porém, quanto mais o observava, uma suspeita crescia em sua mente. Até que um dia se abriu com a mãe.

— Mamãe, neste Temperino há qualquer coisa que não convence. Tem mãos delicadas, tem cintura fina, toca e canta, sabe ler e escrever. Temperino é a mulher que me faz suspirar!

— Meu filho, você está louco! — respondia a rainha-mãe.

— Mamãe, é mulher, garanto-lhe. O que posso fazer para ter certeza?

— Há um jeito — disse a rainha-mãe. — Vá caçar com ele; se vai só atrás de codornas é uma mulher que só tem cabeça para os assados, se vai atrás dos pintassilgos é um homem que só tem cabeça para o prazer da caça.

E, assim, o rei deu um fuzil a Temperino e o levou para caçar com ele. Temperino montava sua potra, que quisera levar sempre com ele. O rei, para induzi-lo em erro, pôs-se a disparar só contra as codornas. Mas a potra, toda vez que aparecia uma codorna, desviava-se, e Temperino entendeu que não queria que disparasse contra as codornas.

— Majestade — disse então Temperino —, permita-me uma ousadia: parece-lhe uma demonstração de destreza disparar contra as codornas? Já tem o suficiente para um assado. Dispare também contra os pintassilgos, pois é mais difícil.

Quando o rei retornou a casa, disse à mãe:

— Sim, disparava contra os pintassilgos e não contra as codornas, mas não estou convencido. Tem mãos delicadas, tem cintura fina, toca e canta, sabe ler e escrever, Temperino é a mulher que me faz sonhar!

— Meu filho, tente de novo — disse a rainha. — Leve-o à horta para colher verdura. Se a colher bem em cima é mulher, pois nós, mulheres, temos mais paciência; se a arrancar com todas as raízes, é um homem.

O rei se dirigiu à horta com Temperino e se pôs a beliscar a verdura bem em cima. O trinchador estava para fazer o mesmo, quando a potra, que o seguira, começou a morder e arrancar pés inteiros de verdura, e Temperino compreendeu que precisava fazer do mesmo jeito. Bem depressa, conseguiu encher um cesto de verdura, arrancando-a com raízes e a terra grudada.

O rei levou o trinchador para os canteiros das flores.

— Veja que lindas rosas, Temperino — disse-lhe.

Mas a potra já lhe indicava outro canteiro com o focinho.

— As rosas picam — disse Temperino. — Colha cravos e jasmins, rosas não.

O rei estava desesperado, mas não se rendia.

— Tem mãos delicadas, cintura fina... — repetia para a mãe —, canta e toca, sabe ler e escrever, Temperino é a mulher que me faz suspirar.

— A essa altura, meu filho, só lhe resta levá-lo para tomarem banho juntos.

Assim, o rei disse a Temperino:

— Venha, vamos tomar banho no rio.

Tendo chegado ao rio, Temperino disse:

— Majestade, dispa-se primeiro.

E o rei se despiu e entrou na água.

— Venha também você! — disse a Temperino.

Nisso, ouviu-se um forte relincho e surgiu a potra correndo zangada com espuma na boca.

— Minha potra! — gritou Temperino. — Espere, Majestade, pois tenho que ir atrás de minha égua zangada. — E desapareceu.

Correu ao palácio real.

— Majestade — disse à rainha —, o rei se despiu no rio e alguns guardas, não o reconhecendo, querem prendê-lo. Mandou que viesse lhe pedir seu cetro e sua coroa para se fazer reconhecer.

A rainha pegou o cetro e a coroa, e os entregou a Temperino. Assim que recebeu cetro e coroa, Temperino montou na potra e partiu a galope cantando:

Donzela cheguei, donzela regressei
O cetro e a coroa conquistei.

Passou pelo rio, passou pelo monte, passou pelo bosque, e retornou a casa, e seu pai venceu a aposta.

OS CINCO DESEMBESTADOS

Em Maglie, havia uma mãe e um pai que tinham um filho, e esse filho tinha o diabo no corpo: ora vendia uma coisa, ora empenhava outra, passava a noite fora de casa, em resumo, era a cruz daqueles pobres velhos. E uma noite a mãe disse:

— Meu velho, ele vai acabar conosco, façamos qualquer sacrifício para mandá-lo sair pelo mundo.

No dia seguinte, o pai comprou um cavalo para ele e fez um empréstimo de cem ducados. Ao meio-dia, quando ele apareceu em casa, disse-lhe:

— Meu filho, você não pode continuar levando uma vida dessas. Eis aqui cem ducados e um cavalo. Vá e encontre seu sustento.

— Bem — disse o filho —, vou para Nápoles.

Escolheu a estrada e partiu. Caminha daqui, caminha dali, no meio de uma campina viu um homem de quatro.

— Belo jovem — disse-lhe —, o que está fazendo? Como se chama?

— Fulgor — disse ele.

— E o sobrenome?

— Seta.

— E por que este nome?

— Porque meu trabalho consiste em andar atrás das lebres.
— Acabara de falar, e passou uma. Ele deu quatro saltos e a agarrou.

— Bem, sabe o que lhe digo? — disse o rapaz de Maglie.
— Venha comigo para Nápoles. Tenho cem ducados.

Fulgor não esperou que repetisse, e partiram, um a cavalo e o outro a pé.

Encontraram um outro.

— E você como se chama?

— Miracerteira — respondeu.

— De onde vem este nome? — Nem acabara de falar, passou um bando de gralhas perseguidas por um falcão. — Bem, vejamos do que é capaz.

— Acerto no olho esquerdo do falcão e o derrubo. — Tensionou o arco e o falcão caiu com uma flecha no olho esquerdo.

— O que diz, amigo? Gostaria de vir conosco?

— Claro que sim: vamos.

Chegaram a Bríndisi. No porto havia centenas de homens trabalhando, mas se destacava um que andava mais carregado que uma mula como se nada fosse.

— Que beleza! — disseram os três —, vamos perguntar a ele como se chama.

— Como você se chama? — perguntou o rapaz de Maglie.

— Espinhadura.

— Bem, sabe o que há de novo? Venha conosco, pois tenho cem ducados e darei de comer a todos. Quando acabar o dinheiro, vocês é que me darão de comer.

Imaginem os outros carregadores, ao verem escapar Espinhadura, logo ele que ajudava todo mundo. Puseram-se a gritar:

— Aqui tem outro dobrão, nós lhe damos outra moeda se ficar conosco!

— Não e não! — disse Espinhadura. — É melhor o ofício de Leandro: boa mesa e vida de malandro.

Foram embora os quatro juntos, entraram numa taberna, comeram como porcos, e vinho a mais não poder. Depois, voltaram para a estrada. Não tinham andado mais que cinco ou seis milhas, quando encontraram um tipo com o ouvido no chão.

— O que faz aí com a cara para baixo? Como se chama?

— Escutalebre — respondeu. — Ouço todas as conversas do mundo: dos reis, dos ministros, dos apaixonados.

E o rapaz que vinha de Maglie:

— Vamos ver se diz a verdade. Apure o ouvido e presta atenção no que dizem em Maglie, naquela casa em frente à coluna.

— Espere — falou. Pôs o ouvido no chão. — Ouço, ouço dois velhos conversando sob a tromba da chaminé, e a velha diz ao velho: "Temos que agradecer a Deus por termos feito aquele empréstimo, meu marido; basta que aquele diabo desembestado tenha saído de nossa casa: finalmente estamos em paz".

— Sim, é verdade — disse o rapaz de Maglie —, só podem ser meu pai e minha mãe.

Puseram-se de novo a caminho e chegaram a um lugar onde trabalhavam muitos pedreiros, todos banhados de suor, debaixo do sol forte.

— E como aguentam, pobres cristãos, trabalhar a essa hora?

— Como aguentamos? Temos quem nos refresque. — E se viu um soprando: pfu! pfuuu!

— Como você se chama? — perguntaram-lhe.

— Soprador — respondeu. — Sou capaz de fazer todos os ventos. Pfuu! Este é o vento do Norte. Pfuu! Este é o siroco. Pfuu! Este é o levante. — E continuou fazendo ventos a pleno vapor. — E, se quiserem um furacão, faço também um furacão para vocês. — Soprou e árvores começaram a cair pelo chão, voavam pedras pelo ar, uma fúria de Deus.

— Basta, basta! — disseram-lhe e ele se acalmou.

O rapaz de Maglie disse:

— Amigo, tenho cem ducados. Vem comigo?

— Sem dúvida.

Formaram um alegre grupo todos juntos: esse contava uma, aquele contava outra, e assim chegaram a Nápoles. Em primeiro lugar, foram comer, é natural. Depois foram ao barbeiro, enfatiotaram-se e saíram a passeio, bancando os bonitões. Passou um dia, passaram dois, três dias e já se começava a ver o final dos cem ducados. O rapaz de Maglie disse:

— Amigos, o ar de Nápoles não me agrada. Vamos para Paris que é melhor.

Anda que anda, chegaram a Paris. Na porta da cidade, viram escrito:

"Quem conseguir vencer a filha do rei na corrida, casa com ela. Se perder, pena de morte."

O rapaz de Maglie disse:

— Fulgor , é trabalho para você. — E subiu ao palácio real. Dirigiu-se a um mordomo: — Excelência, sou um homem que viaja para se divertir, mas, ao entrar na cidade esta manhã, li a aposta da filha do rei. Quero tentar.

— Meu filho — respondeu o mordomo —, digo-lhe em confiança, aquela é uma doida. Não quer casar e fica inventando tudo que é trapalhada, provocando a morte de tantos jovens. Dói-me o coração vê-lo caminhar para o mesmo fim dos outros.

— Não, não — disse o rapaz de Maglie. — Vá avisá-la e combine o dia, pois estou pronto.

Ficou tudo marcado para domingo. O rapaz de Maglie desceu para contar aos companheiros:

— Ah, não estão sabendo de nada? O espetáculo é domingo! — E foram à estalagem almoçar e combinar o que fazer.

Fulgor Seta disse:

— Sabe o que deve fazer? Sábado à noite você me manda com um bilhete, explicando que está com febre e não pode correr, e está me mandando em seu lugar; se eu vencer, a noiva é sua, e, se eu perder, arranje-se com a sentença de morte.

Assim fizeram, e no domingo de manhã o povo se acotovelou ao longo da estrada, tão limpa que não se via nem um grão de poeira. Na hora marcada, desceu a princesa, vestida de bailarina, e se colocou ao lado de Fulgor Seta. Todos estavam com os olhos arregalados. Deram o sinal. Prrr! A futura rainha se lançou como uma lebre. Mas Fulgor Seta, com quatro saltos, passou sobre a cabeça dela e a deixou cem passos atrás. Imaginem as palmas, os vivas. Todos gritavam:

— Bravo, italiano! Finalmente esta louca encontrou alguém para dar um basta em seus caprichos!

Ela voltou com um bico igual ao de um papagaio. O rei disse:

— Minha filha, a ideia de tal aposta foi sua e agora terá que ficar com ele, seja quem for.

Mas vamos deixá-la e sigamos Fulgor Seta. Retornou à estalagem e, lá, toca a beber e comer com todo o grupo. Mas no melhor da festa:

— Psiu! — fez Escutalebre, e se deitou no chão conforme costumava fazer. — Está zangada conosco. A princesa diz que não o quer para marido de jeito nenhum, que a corrida não vale e que é preciso fazer outra. E está interrogando uma maga a fim de achar alguma coisa que não o deixe vencer. E a maga lhe diz que faz uma bruxaria numa pedra e a manda engastar num anel, que a princesa dará de presente a você antes da corrida, e quando o tiver no dedo não poderá mais tirá-lo e suas pernas não o sustentarão mais.

— E eu para que sirvo? — disse Miracerteira. — Antes de começar a correr, você estende a mão, e eu atiro uma flecha que fará a pedra saltar para fora do anel. Depois, vejamos o que sabe fazer a nossa princesinha!

— Bravo! Bravo! — disseram todos e não pensaram mais nisso.

No dia seguinte chegou ao doente um bilhete da filha do rei, que louvava as qualidades de seu amigo, porém, caso não se incomodasse, gostaria que o espetáculo se repetisse no domingo.

Domingo, ao longo da estrada, havia ainda mais gente. Chegou o momento, e ela desceu com as pernas de fora como um saltimbanco, aproximou-se do italiano e lhe entregou um anel:

— Tome, belo jovem, já que foi o único que me venceu na corrida, ofereço-lhe este anel como recordação da esposa de seu amigo. — Enfiou-lhe o anel, e ele sentiu as pernas se agitarem num treme-treme e não se aguentava em pé. Miracerteira, que não tirava os olhos dele, gritou-lhe:

— Estenda a mão!

Ele, lentamente, a muito custo, esticou a mão, e justamente naquele instante soou a trompa. A princesa já partira na frente dele. Miracerteira atirou, a flecha fez o anel voar, e Fulgor Seta deu quatro saltos, chegou atrás da filha do rei, pulou-a como num jogo de carniça, fez com que batesse com o rosto no chão e a passou.

Mas o maior espetáculo era o povo! Vivas, chapéus pelos ares! Pegaram-no nos braços e o levaram em triunfo pela aldeia, com a alegria de ter visto humilhada a soberba da princesinha.

E, quando finalmente os cinco desembestados se encontraram a sós, começaram a se abraçar e a se dar tapas nas costas.

— Estamos ricos! — dizia o rapaz de Maglie. — Amanhã, serei rei e, quanto a vocês, quero ver quem se atreverá a expulsá-los do palácio real! Digam-me que cargos desejam receber.

— Camareiro! — dizia um.

— Ministro! — falava outro.

— General! — dizia um terceiro.

Porém, Escutalebre fez sinal para que ficassem quietos.

— A terra me chama! — E se colocou em posição de alerta para escutar. Ouviu que no palácio real discutiam a propósito de oferecer-lhe uma grande soma para arranjar as coisas e não deixá-lo casar com a princesa.

— Agora é minha vez — disse Espinhadura. — Vou espremê-los até o osso.

Na manhã seguinte o rapaz de Maglie se vestiu de senhor e se apresentou no palácio. Fora da sala, encontrou um conselheiro.

— Meu filho, gostaria de ouvir o conselho de alguém mais velho que você? Se desposar aquela doida, põe o diabo dentro de casa. Contudo, se preferir uma quantia em dinheiro, peça-a e se vá com a graça de Deus.

— Agradeço-lhe por aquilo que me disse — falou o rapaz de Maglie. — Mas não tenho vontade de dizer quantas moedas desejo. Vamos combinar o seguinte: mando-lhe um amigo meu e vocês lhe entregam tudo o que ele puder carregar nas costas.

Assim, apresentou-se Espinhadura com cinquenta sacos de dez tômolos* cada um.

— Venho a mando de meu amigo para que ponham a carga em mim.

Todos se entreolharam, considerando-o doido.

---

* *Túmina* (dialeto pulhese): "tômolo, unidade das velhas medidas de cereais, de óleo e da extensão agrária; em relação aos cereais, é igual a cerca de 55 litros; em relação ao óleo, dois quintais, e em relação às extensões agrárias, 67 2/3 ares. Considere-se que varia um pouco nas diferentes regiões" (Pellizzari).

— Falo a sério — insistiu ele —, apressem-se.

Entraram no tesouro e começaram a encher um dos sacos. Para colocá-lo nas costas dele foram necessárias vinte pessoas. Quando o saco já estava em cima dele, perguntaram-lhe:

— Consegue?

— E não? — respondeu ele. — Parece que estou carregando um fio de palha.

Recomeçaram a encher sacos e acabaram com o monte de ouro. Atacaram o de prata, e também a prata terminou inteira nas costas de Espinhadura. Pegaram o cobre, e nem o cobre bastava. Meteram nos sacos castiçais, louças e ele aguentava tudo.

— Como se sente? — perguntavam-lhe.

— Vamos apostar que carrego até o palácio?

Os companheiros apareceram e viram uma montanha que andava sozinha, com dois pezinhos embaixo. E se puseram a caminho para ir embora, com grande alegria.

Haviam caminhado cinco ou seis milhas, quando Escutalebre, que, de vez em quando, inclinava-se para escutar, disse:

— Companheiros, no palácio real estão fazendo um consistório. Sabem o que diz um conselheiro? "Majestade, será possível que quatro borra-botas nos tenham deixado nus como vermes, a ponto de não podermos comprar nem um pedaço de pão? Levaram tudo o que tínhamos! Rápido! Mandemos um regimento de cavalaria e façamos picadinho deles!"

— Bom, acabou — disse o rapaz de Maglie. — Conseguimos enfrentar todos os desafios, mas agora, com as espingardas, quem vai encará-los?

— Ah, tonto! — disse Soprador. — Esqueceu que posso fazer um furacão se levantar e mando todos de pernas para os ares? Podem ir na frente, que em seguida lhes mostro!

Já se ouvia o barulho das patas dos cavalos. Assim que se aproximaram o suficiente, Soprador começou a soprar, primeiro bem devagar: pf, pf, depois mais forte: pfff!, e eles começaram a ficar cegos com o pó; depois mais forte ainda: pfuuu!, e puderam ver os cavaleiros rolando sob os cavalos, as árvores com as raízes pelo ar, as paredes caindo, os canhões voando!

Quando teve a certeza de havê-los liquidado, alcançou os companheiros e disse:

— Eh, com esta não sonhava o rei da França! Considere-se derrotado e conte aos seus filhos.

Assim voltaram a Maglie com a graça de Deus, dividiram quatro milhões para cada um e, quando se reencontravam, diziam todos juntos:

— Salve o rei da França e aquela doida da sua filha!

EIRO-EIRO,
BURRO MEU, FAÇA DINHEIRO

Era uma vez a mãe de um filho. Essa mãe mandou esse filho para estudar com um monge, que lhe ensinaria as coisas de Deus, porém o filho não tinha vontade de aprender nada. As vizinhas a aconselhavam a mandá-lo para o colégio, pois lá havia o mestre Brisa que o instruiria na doutrina como tantos outros cabeças de vento. Mestre Brisa fez o máximo, mas não conseguiu enfiar na cabeça dele nem o á-bê-cê. Acabou por expulsá-lo do colégio; e ele voltou para casa dando cambalhotas de felicidade. Quando sua mãe o viu de novo pela frente, pegou na vassoura e cobriu-o de pancadas.

— Fora da minha casa, malandro! Não me apareça mais diante dos olhos!

Saiu de casa e se pôs na estrada. Caminha que caminha, encontrou um jardim sem muros. Como tinha fome, trepou numa pereira e se pôs a comer peras.

Enquanto estava saboreando as frutas, ouviu:

— Hum, hum! Aqui tem cheiro de carne humana! — E sob a pereira vinha cheirar o Nani-Ogro, que era o dono do jardim.

— Claro que sou carne humana — disse o moço do alto da pereira. — Sou um pobre moço expulso de casa pela mãe.

— Bem, desça — disse Nani-Ogro — que o levo para minha casa.

Levou-o para casa, deu-lhe roupas e ficou com ele.

— Agora você está comigo e ninguém mais baterá em você.

Todas as manhãs, Nani ia trabalhar e carregava o moço com ele. Durante dois anos levou essa vida. Certo dia o encontrou muito abatido.

— Por que está tão abatido? — perguntou-lhe Nani.

— Quero ver minha mãe, quem sabe quanto terá chorado por não me ver mais.

Nani disse:

— Está realmente sofrendo por sua mãe? Então, vou deixá-lo ir vê-la. Vou lhe dar um burro como presente. Quando chegar em casa, leve-o para dentro e diga-lhe: "Eiro-eiro, burro meu, faça dinheiro!". E o burro há de obrar dinheiro. Mas esteja atento para que não o carreguem para a rua!

O moço partiu com o burro. Após meia milha, disse consigo mesmo: "Quero verificar se é verdade que este burro produz mesmo dinheiro!". Observou ao redor para se assegurar de que não havia ninguém, desceu do cavalo e disse:

— Eiro-eiro, burro meu, faça dinheiro!

E ele, trrr!, levantou o rabo e fez jorrar muitas moedas.

Nani-Ogro, que subira à torre de sua casa para espionar os movimentos do moço, disse para si mesmo: "Ai! Aprontou!".

O moço encheu os bolsos de moedas e voltou a montar no burro. Chegou a uma estalagem e pediu o melhor quarto para instalar o burro. O estalajadeiro lhe perguntou o porquê.

— Porque meu burro faz dinheiro.

— E como é que ele faz dinheiro?

— Basta dizer-lhe: "Eiro-eiro, faça dinheiro!".

— Deixe disso, filho — disse o estalajadeiro —, vamos colocá-lo na estrebaria: depois o cobrimos com um saco para não suar, e fique tranquilo que ninguém toca nele.

O moço, com todas as moedas que tinha, pediu comida e bebida até não poder mais e depois foi dormir. O estalajadeiro desceu à estrebaria, pôs no lugar do burro outro parecido com ele e levou embora o do moço. Ele se levantou de manhã e perguntou:

— Não disse nada ao meu burro?

— Não, e o que havia de dizer?

— Muito bem — disse ele, montou e foi ao encontro da mãe. — Abra, minha mãe, é o seu Toni!

— Ah, luz da minha vida! Está de volta, finalmente. Já imaginava que estivesse perdido pelo mundo!

O filho entrou.

— Minha mãe, como está?

— Morta de cansaço, pois lavei uma bacia de roupa e recebi duas ervilhas!

— Deixe estar! Comer isso? — Pegou a panela e a jogou porta afora.

Imaginem o choro e os gritos daquela pobre mulher ao ver as ervilhas serem jogadas fora.

— Minha mãe, não grite, pois vou fazê-la ficar rica! — Puxou a colcha da cama e a estendeu no chão; fez o burro entrar e disse: — Eiro-eiro, faça dinheiro!

Sim, podia esperar sentado que o burro fizesse dinheiro!

— Eiro-eiro, faça dinheiro! — ele continuava a repetir e nada.

Então pegou um bastão e, vapt-vupt, deu-lhe tantas pancadas que o burro acabou pondo para fora tudo o que tinha no corpo. A mãe, quando viu que lhe cobrira a colcha de estrume, arrancou o bastão da mão do filho e começou a espancá-lo até os ossos.

Muito abatido, o filho pegou a estrada e voltou para a casa de Nani-Ogro. Quando Nani o viu:

— Ah! Voltou! Bom, agora vai ficar comigo, e que não lhe venha mais à cabeça ir visitar sua mãe.

Passado algum tempo, o moço se pôs a choramingar que queria ver sua mãe. Nani lhe deu um guardanapo.

— Trate de não fazer bobagens — disse-lhe —, quando estiver com sua mãe, diga: "Guardanapo meu, ponha a mesa!".

O moço partiu. Tendo chegado ao mesmo lugar da outra vez, puxou o guardanapo e disse:

— Guardanapo meu, ponha a mesa!

E apareceram todos os manjares divinos: macarrão, almôndegas, salsichas, morcela, vinho do bom.

— Ah — exclamou ele. — Barriga minha, abra caminho! Doravante minha mãe não precisará mais chorar pelas ervilhas jogadas!

Encheu-se o mais que pôde, depois disse:

— Guardanapo meu, tire a mesa! — E continuou a viagem. Chegou à estalagem conhecida. Assim que o viram:

— Ah, Toni, como vai?

— Bem. O que há para comer?

— Dois nabos e feijão napolitano, filho, pois esta é uma estalagem de carreteiros!

— Eca! Essas porcarias eu não como. Já lhes mostro o que é um jantar. — Puxou o guardanapo e disse: — Guardanapo meu, ponha a mesa!

E surgiu peixe ao molho, peixe assado, costeleta à milanesa, vinho, e todos os manjares divinos. Quando estava bem farto, enfiou o guardanapo no bolso que tinha no peito e disse:

— Quero ver se me levam este como fizeram com o burro! Vejam onde o guardei!

Mas exatamente naquele instante, de tanto que bebera e comera, caiu no sono e tiveram de carregá-lo no colo e levá-lo para dormir. Arrancaram-lhe o guardanapo do bolso e puseram em seu lugar outro parecido com ele. Na manhã seguinte, levantou-se e disse:

— Ah! este não conseguiram me roubar! — E ganhou a estrada.

Chegou à casa da mãe. Bateu.

— Quem é?

— Sou eu, mamãe.

— Maldição, de novo aqui? Rua, saia da minha casa!

— Não, minha mãe, abra: desta vez vou saciá-la para toda a vida.

Quando a mãe abriu, perguntou-lhe:

— O que vai comer esta noite, minha mãe?

— O que vou comer? Dois pés de mostarda que colhi atrás de Nossa Senhora das Dores, no jardim do patrão.

O filho pegou a frigideira e a jogou pela janela com toda a mostarda.

— Ah, assassino! Ah, infame! Deixa-me em jejum outra vez! Sabe Deus quantos gritos deu Vito Borgia atrás de mim, ao me surpreender quando colhia a verdura, e você, assassino, joga-a fora!

— Não, não, minha mãe! — ele falou. — Pegue este pedaço de pano e verá o que acontece. Guardanapo meu, ponha a mesa! Guardanapo meu, ponha a mesa!

Mas, embora ele repetisse: "Guardanapo meu, ponha a mesa!", não acontecia nada. Puxa daqui, puxa dali, o guardanapo se reduziu a fios, não servindo mais nem para trapo. A mulher deu uma sova nele e o expulsou de casa.

Uma vez mais retornou à casa de Nani.

— O que lhe aconteceu, tonto? Não lhe disse que ia fazer asneira de novo? — E recomeçaram a mesma vida de antes, lavrando no campo.

Passado algum tempo, voltou-lhe a vontade de ir ver a mãe. Nani disse:

— Bom, filho, esta é a última vez. Segure esta clava e, quando estiver com sua mãe, diga: "Clava minha, me dá, me dá".

Chorando, o moço se despediu de Nani e se foi.

Curioso como era, tendo chegado ao lugar de costume, quis experimentar e disse:

— Clava minha, me dá, me dá.

Quem conseguia segurar a clava? Começou a dar bordoadas a torto e a direito, girando feito um torno. Lá do alto da torre, Nani morria de rir.

— Agora, sim, vai ter juízo!

O moço gritava:

— Minha clava, fique quieta! Minha clava, me arrebentou!

— Dá-lhe, dá-lhe! — gritava Nani do alto da torre; e, quando viu que o moço não aguentava mais, disse: — Bem, fique quieta. — E a clava parou.

Todo machucado, foi até a estalagem.

— De novo por aqui, Toni? E como vai, caro amigo? O que lhe fizeram que está todo enfaixado?

— Nada, já vou dormir. Guarde este bastão, mas cuidado para não dizer: "Clava minha, me dá, me dá!".

À noite, o estalajadeiro pegou a clava e fez a experiência:

— Clava minha, me dá, me dá!

A clava começou a bater nele e em sua família com toda a força, girando como uma dobadoura.

— Socorro! Socorro! Cristãos, estão nos matando!

O moço acorreu.

— Entreguem-me o burro e o guardanapo, caso contrário não mando a clava parar.

Deram-lhe o burro e o guardanapo. Quando teve a certeza de que eram mesmo os seus, recuperou a clava e foi embora. Chegou à casa de sua mãe com a clava, o burro e o guardanapo.

Quando ouviu bater, sua mãe abriu uma portinhola e viu que era ele com outro burro.

— Ah, patife! Ah, bandido! Fora, fora, que lhe arranquem o couro! Ele ordenou:

— Bem, clava, dê-lhe duas, mas de leve.

A clava entrou pela portinhola e, vapt-vupt, aplicou-lhe duas.

— Ah, infame! Ah, judas! Batendo na mãe?

— Abra por bem, se não quiser que a clava lhe bata.

A mãe abriu e ele entrou com o burro.

— Não, o burro não! Vai querer me sujar a casa inteira de novo? — começou a berrar a mãe.

— Bem — decidiu ele —, minha clava, dê-lhe mais duas.

E, assim, a mãe parou logo de gritar. O filho tirou a colcha da cama e fez o burro obrar um monte de moedas. Em seguida, puxou o guardanapo e o mandou pôr a mesa: sentaram-se, comeram, beberam e ficaram satisfeitos e contentes, enquanto nós continuamos aqui sedentos.

LEOMBRUNO

Era uma vez um pescador infeliz: havia três anos que não conseguia pescar nem uma anchova. Para sobreviver, ele, mulher e quatro filhos, vendera tudo o que tinha e agora pedia esmolas. Mesmo assim, dia após dia, punha a barca na água e ia para alto-mar jogar suas redes. Recolhia-as sem nem ao menos um caranguejo ou um marisco, e explodia rogando pragas terríveis.

Certa vez, rogava pragas depois de ter puxado a rede, quando, no meio do mar, apresentou-se o Inimigo.

— Marinheiro, o que o enfurece tanto?

— O que quer que lhe diga? A minha grande falta de sorte! Deste mar não tiro nem um pedaço de corda para me enforcar.

— Ouça, marinheiro — disse o Inimigo —, se fizer um pacto comigo, terá pesca todos os dias e ficará rico.

— Que pacto? — perguntou o pescador.

— Quero seu filho — pediu o Inimigo.

O pescador começou a tremer:

— Qual?

— Aquele que ainda não nasceu, mas nascerá em breve.

O pescador pensou que fazia muitos anos que já não lhe nasciam filhos, nem lhe nasceriam mais. Por isso, disse:

— Bem, aceito esse pacto.

— Então — disse o Inimigo —, quando seu filho tiver treze anos, você o entrega a mim. E a partir de hoje começará a ter pesca abundante.

— E se esse meu filho não nascer?

— As redes virão igualmente cheias de peixe, fique tranquilo, e não me dará nada.

— Era o que queria saber. Então firmo o contrato.

Concluído o pacto e desaparecido o Inimigo no mar, o pescador puxou as redes, que surgiram cheias de dourados, atuns, mugilídeos e polvos. E assim no dia seguinte e nos outros dias. O pescador ficava rico e já dizia: "Levei a melhor sobre o Inimigo!". Porém, eis que lhe nasce um filho, tão lindo que parecia uma flor, e que talvez se tornasse o mais bonito e forte de seus filhos. Pôs-lhe o nome de Leombruno.

Quando estava no meio do mar, voltou a se apresentar a ele o Inimigo:

— Ei, marinheiro.

— Em que posso lhe servir?

— Promessa é dívida, lembre-se. Leombruno é meu.

— Sim, senhor. Mas daqui a treze anos.

— Até a próxima, daqui a treze anos. — E desapareceu.

Leombruno crescia, e vê-lo tornar-se cada dia mais bonito e forte era um sofrimento para o pobre pai, pois o dia se aproximava.

Já estavam para se completar os treze anos, e o pescador começava a desejar que o Inimigo se esquecesse do pacto, quando, remando no meio do mar, eis que o vê vindo ao seu encontro e lhe dizendo:

— Ei, marinheiro.

— Pobre de mim — disse o marinheiro. — Sim, já sei, chegou o momento. Diga-me o que devo fazer.

— Traga-o para mim. Amanhã — disse o Inimigo.

— Amanhã — disse o pai chorando.

E no dia seguinte disse a Leombruno que lhe levasse um cesto com almoço num lugar deserto da praia, onde ele aportaria com a barca, para poder retornar à pesca sem ter de passar em casa. O moço foi, mas não viu ninguém; o pai se fora para alto-mar a fim de não se fazer ver e deixar Leombruno nas mãos do Inimigo. Vendo que seu pai não se encontrava lá, o moço se sentou na praia para esperá-lo e, para passar o tempo, com pedaços de madeira e cortiça jogados pelo mar, fazia pequenas cruzes e as arrumava ao seu redor, em círculo, cantarolando. Estava justamente cantarolando no meio do círculo de cruzes, com uma delas na mão, quando o Inimigo chegou pelo mar.

— O que está fazendo, moço? — disse.

— Espero meu pai.

— Você tem que vir comigo — disse o Inimigo, mas não ia

adiante porque o moço se achava cercado por aquelas cruzes.
— Desfaça as cruzes, imediatamente! — disse-lhe.
— Claro que não desfaço!

Todavia, o Inimigo começou a lançar fogo pelos olhos, pela boca, pelo nariz e lhe provocou tanto medo que Leombruno se apressou a desfazer as cruzes, mas ainda restava aquela que tinha numa das mãos.

— Desfaça essa também, rápido!
— Não, não quero! — dizia o moço chorando diante do Inimigo, que continuava a deitar fogo.

Nisso, no meio do céu apareceu uma águia. Deu uma grande volta, batendo as asas sobre Leombruno, caiu sobre ele, agarrou-o pelas costas com as garras e o levantou no céu debaixo do nariz do Inimigo enfurecido.

A águia transportou Leombruno até uma montanha bem alta e se transformou numa belíssima fada.

— Sou a fada Aquilina — disse — e você vai viver comigo e será meu marido.

Para Leombruno começou uma vida principesca, nutrido e criado por fadas, que o instruíram em artes e no manejo das armas. Depois de ter vivido lá em cima muitos anos, foi tomado pela saudade de casa e pediu permissão à fada Aquilina para ir encontrar seu pai e sua mãe.

— Vá tranquilo e leve riquezas para seus velhos pais — disse a fada —, mas no final do ano deve voltar para mim. Pegue este rubi: terá tudo o que lhe pedir. Porém, evite revelar que sou sua esposa.

Na aldeia de Leombruno, quando viram chegar um cavaleiro armado e vestido tão ricamente, as pessoas abriram alas. E o viram descer da sela à porta do velho pescador.

— O que pretende com aquela pobre gente? — perguntaram-lhe, mas Leombruno não lhes deu atenção.

A mãe veio abrir e Leombruno, sem se identificar, pediu hospedagem. Grande foi a confusão dos dois pobres velhos, tendo de hospedar um senhor com aparência tão nobre e rica.

— Desde que perdemos nosso adorado filho caçula — disseram-lhe —, não nos importa mais nada no mundo, e deixamos esta casa se arruinar.

Mas Leombruno demonstrava estar satisfeito com tudo, e à noite adormeceu numa cama de palha, como se estivesse em casa.

Estavam todos dormindo quando Leombruno disse ao rubi:

— Meu rubi, transforme esta pobre cabana num palácio com móveis de senhor e faça também com que nossas camas se tornem as mais macias e cômodas do mundo.

E o rubi transformou em realidade todos esses desejos.

De manhã, o pescador e a mulher despertaram num leito tão macio que afundavam nele.

— Onde estamos? Meu marido, onde estamos? — exclamou a velha, assustada.

— Eu é que sei, minha mulher? — disse o pescador. — O fato é que me sinto muito bem!

E sua admiração cresceu ainda mais quando, ao abrir a janela, apareceu um aposento de príncipe e, no lugar dos andrajos deixados na cadeira, roupas bordadas de ouro e de prata.

— Mas onde é que viemos parar?

— Em sua casa — disse o cavaleiro entrando —, e também minha casa, pois sou o seu filho Leombruno que julgavam perdido para sempre.

E assim começou para o velho pescador e a mulher uma vida rica e feliz junto ao filho reencontrado. Porém, certo dia ele disse que devia partir e, depois de ter lhes deixado caixas de joias e de pedras preciosas, despediu-se prometendo voltar a visitá-los uma vez por ano.

Enquanto cavalgava para regressar ao castelo da fada Aquilina, passou por uma cidade onde se anunciava um torneio. Quem vencesse o torneio durante três dias seguidos receberia a mão da filha do rei. Leombruno, que tinha vontade de se exibir um pouco com o rubi encantado que trazia no dedo, apresentou-se no torneio no primeiro dia, venceu a todos e fugiu sem dizer seu nome. No segundo dia, apresentou-se de novo, saiu vencedor mais uma vez e mais uma vez desapareceu. No terceiro dia, o rei mandara reforçar a guarda ao redor do local do torneio, e o vencedor foi detido e conduzido perante a tribuna real.

— Cavaleiro desconhecido — disse o rei —, apresentou-se no torneio e o venceu. Por que agora não quer se identificar?

— Perdão, Majestade, não ousava vir à sua presença.

— Venceu, cavaleiro, e agora deve casar com minha filha.

— Majestade, lamento, mas não posso!

— E por que não?

— Majestade, sua filha é uma jovem belíssima, porém já tenho uma esposa que é mil vezes mais linda que sua filha.

Diante de tais palavras, um murmúrio percorreu a corte; a princesa ficou com o rosto vermelho como brasas, e os nobres se puseram a sussurrar entre eles sem cessar. O rei, grave, impassível, disse:

— Cavaleiro, para que possamos admitir sua glória, é preciso que ao menos nos mostre sua consorte.

— Sim, sim — fizeram coro os fidalgos —, também queremos ver tal beleza.

Leombruno se dirigiu ao rubi:

— Rubi, meu rubi, faça comparecer aqui a fada Aquilina.

Porém, o rubi tinha poderes sobre todas as coisas, menos sobre a fada Aquilina, de quem provinha sua virtude mágica. E a fada, cheia de desdém, pois Leombruno se gabara dela, respondeu à chamada do rubi mandando a última de suas empregadas.

Contudo, mesmo a última das empregadas da fada Aquilina era tão bela e ricamente vestida que o rei e toda a corte ficaram de boca aberta.

— Cavaleiro, certamente é bela sua esposa! — disseram.

— Mas esta não é minha mulher! — disse Leombruno. — Não passa da última de suas criadas.

— E o que espera para nos fazer ver sua esposa? — disse o rei.

E Leombruno repetiu ao rubi:

— Meu rubi, desejo que a fada Aquilina compareça diante de todos aqui.

Dessa vez a fada Aquilina mandou sua primeira criada.

— Ah, esta sim é uma beleza! — disseram todos —, seguramente é sua esposa!

— Não — disse Leombruno. — É apenas a sua primeira criada.

— Acabemos com isso! — disse o rei. — Ordeno-lhe que faça aparecer a sua verdadeira esposa.

Leombruno acabara de se dirigir ao rubi outra vez, quando, numa espécie de esplendor do sol, surgiu a fada Aquilina. Os fidalgos da corte ficaram deslumbrados, rijos como estátuas, o rei inclinou a cabeça, e a princesa rompeu em soluços e desapareceu. Mas a fada Aquilina se aproximou de Leombruno e, fazendo menção de pegar na sua mão, arrancou-lhe o rubi, exclamando:

— Traidor! Você me perdeu e só me reencontrará se gastar sete pares de sapatos de ferro. — E sumiu.

O rei ergueu o indicador contra Leombruno:

— Compreendi: você venceu graças às virtudes do rubi e não por seu próprio mérito. Servos, deem-lhe uma sova!

E o cavaleiro foi expulso, espancado e deixado na rua, ferido, com as roupas rasgadas e sem montaria.

Assim que teve forças para se reerguer, dirigiu-se tristemente rumo à porta da cidade e, ouvindo um forte rumor de martelos, percebeu estar próximo à oficina de um ferreiro, onde entrou.

— Mestre — disse —, preciso de sete pares de sapatos de ferro.

— O que fez, um pacto com o Pai Eterno, para viver centenas de anos até gastar todos esses sapatos? Mas, por mim, posso lhe fazer até dez, ou quantos quiser.

— O que lhe importa se vou gastá-los? Basta que lhe pague, não? Faça os sapatos e silêncio.

Assim que recebeu os sapatos, pagou-os, calçou um par, pôs três no bolso da frente, três no de trás de um alforje e partiu. A noite o surpreendeu caminhando em meio a um bosque. Ouviu vozes discutindo; eram três ladrões que brigavam para dividir um butim.

— Ei, você, bom homem! Venha ser nosso juiz. Dirigimo-nos a você para saber o que toca a cada um.

— O que precisam dividir?

— Uma bolsa que, todas as vezes que é aberta, deita fora cem ducados. Um par de botas que, ao ser calçado, corre uma milha além do vento. E uma capa que torna invisível quem a usa.

— Antes, deixe-me experimentar, se tenho que julgar. A bolsa: sim, é como vocês me dizem. As botas: bem, cômodas, isso são. E a capa, esperem-me abotoar aqui. Veem-me?

— Sim.

— E agora, veem-me?

— Sim, ainda.

— E agora?

— Não, agora não o vemos.

— E não me verão mais — disse Leombruno e, tornado invisível pela capa, correndo mais que o vento com as botas mágicas e carregando a bolsa dos cem ducados, percorria vales e selvas.

Viu fumaça e chegou a uma casinha coberta de sarças, numa garganta escura, cercada de precipícios. Bateu.

— Quem está batendo? — perguntou uma voz de velha.

— Um pobre cristão que busca asilo.

A porta da casinha se abriu, e uma velha decrépita disse:

— Ó pobre moço! Que tentação o assaltou para vir se perder aqui em cima?

— Avozinha — disse Leombruno —, ando à procura de minha mulher, a fada Aquilina, e não terei paz enquanto não a encontrar.

— E agora como vamos fazer, quando voltarem meus filhos? Hão de querer comê-lo.

— Por que comer? Quem são seus filhos?

— Não sabe? Esta é a casa dos Ventos e eu sou Vória, mãe dos Ventos, e dentro em pouco meus filhos estarão de volta.

Vória escondeu Leombruno numa arca. Ouviu-se um rumor distante como de árvores se inclinando e ramos se quebrando, e um uivo entre os despenhadeiros da montanha. Eram os Ventos que regressavam. O primeiro foi o do Norte, gelado e com fragmentos de gelo pendendo-lhe das roupas; a seguir, Mistral, Gregal e do Sudeste; e já estavam à mesa quando chegou o último filho de Vória, Siroco, aquele que sempre se fazia esperar e que, assim que entrava, aquecia a casa.

Todos eles, ao entrarem, a primeira coisa que disseram à mãe foi:

— Oh, que cheiro de carne humana! Há algum cristão em casa.

E Vória:

— Estão sonhando, que cristão chegaria a estas paragens de cabritos monteses?

Contudo, de vez em quando, os Ventos continuavam a dar umas cheiradas e a falar de carne de cristãos. Então Vória colocou uma polenta fumegante na mesa e todos os filhos se puseram a comer avidamente. Quando estavam fartos, Vória disse:

— Era a fome que os fazia sentir cheiro de cristãos, não é verdade?

— Agora que estamos fartos — disse Mistral —, mesmo que tivéssemos um cristão ao alcance das mãos, não lhe faríamos nada.

— É sério que não lhe fariam nada?

— É sério. Com certeza, nem tocaríamos nele.

— Então, se juram por são João que não lhe farão nada, mostro-lhes um cristão em carne e osso.

— O que está dizendo, mamãe? Um homem em cima? Como é possível? Sim, juramos por são João que não lhe faremos nenhum mal, se é que nos mostrará mesmo o homem.

Assim, entre os sopros fortes dos Ventos que quase não o deixavam parar em pé, surgiu Leombruno e, crivado de perguntas, contou a sua história.

Quando souberam da busca da fada Aquilina, cada um refletiu para ver se sabia de algo e, um por um, disseram que em suas andanças pelo mundo jamais a tinham encontrado. Só Siroco permanecera em silêncio.

— E você, Siroco, não sabe de nada? — disse Vória.

— Claro que sei — disse Siroco. — Não sou distraído como meus irmãos, que não sabem encontrar nada. A fada Aquilina está doente de paixão. Chora sempre, diz que seu marido a traiu e está morrendo de dor. E eu, provocador como sou, divirto-me fazendo barulho ao redor de seu palácio, escancarando janelas e balcões, e lhe jogando ar até mesmo entre os lençóis.

— Ó meu Siroco! Você tem que me ajudar! — disse Leombruno. — Deve me ensinar o caminho para chegar a esse palácio. Sou o marido da fada Aquilina e não é verdade que seja um traidor. Também eu morrerei de dor se não a encontrar.

— Não sei como fazer — disse Siroco —, pois é um caminho muito complicado para que se possa ensiná-lo. Teria que vir comigo, mas ando tão rápido que ninguém pode me acompanhar. Seria preciso levá-lo no colo, mas como faço? Sou feito de ar e você escorregaria de mim.

— Não se preocupe — disse Leombruno —, você segue seu caminho e eu não ficarei para trás.

— Ah! Você não sabe como corro! Se quiser experimentar... Partiremos amanhã de madrugada.

Ao amanhecer, Leombruno, com a bolsa, as botas e a capa, parte com Siroco. Às vezes, Siroco se virava para trás e chamava:

— Leombruno! Oh, Leombruno!

E ele:

— Oh, o que quer? — Já estava na frente.

E Siroco ficava sempre mal.

— Aqui estamos — disse Siroco num certo ponto. — Aquele é o balcão de sua amada.

E com um sopro Siroco o escancarou: Leombruno foi rápido ao saltar para dentro, envolvido em sua capa.

A fada Aquilina estava de cama, e uma de suas criadas lhe dizia:

— Minha patroa, como se sente? Está um pouco melhor?

— Melhor? Esse vento maldito recomeça a soprar. Estou meio morta.

— Não quer tomar alguma coisa? Um pouco de café, de chocolate, uma tigela de caldo?

— Nada, não quero nada.

Mas a criada tanto fez que a convenceu a tomar um pouco de café. Levou a xícara e a deixou perto da cama. Leombruno, invisível, pegou a xícara e bebeu o café. A criada, pensando que a fada tivesse bebido logo o café, levou também o chocolate, e Leombruno bebeu também ele. A criada voltou com uma tigela de caldo e um peito de pombinho:

— Senhora patroa, já que tomou o café e o chocolate, é sinal de que lhe voltou um pouco de apetite. Prove este caldo e este peito de pombinho, assim recuperará as forças.

— Mas que café? Que chocolate? — disse a fada. — Não tomei nada.

As empregadas se entreolharam como se dissessem: "Está perdendo o juízo".

Mas, assim que ficaram sozinhos, Leombruno retirou a capa:
— Minha mulher, reconhece-me?

A fada se atirou no pescoço dele e o perdoou. Fizeram juras de amor, lamentaram o sofrimento por terem ficado tão distantes. E deram um grande banquete no palácio, e todos os Ventos foram convidados para redemoinhar em sinal de alegria.

OS TRÊS ÓRFÃOS

Um homem com três filhos morreu de doença. Os três filhos se tornaram três órfãos. Certo dia o mais velho disse:
— Irmãos, estou de partida. Vou em busca de fortuna.
Chegou a uma cidade e começou a gritar pelas ruas.

Quem me quer como empregado
Considere-me contratado!

Um grande senhor se debruçou num balcão.
— Se fizermos um acordo, contrato-o como empregado.
— Sim, dê-me o que quiser.
— Mas eu quero obediência.

— E eu vou obedecê-lo em tudo.

De manhã, chamou-o e lhe disse:

— Tome, pegue esta carta, monte neste cavalo e parta. Mas em nenhum momento toque nas rédeas, pois, se tocar nelas, o cavalo retorna. Basta deixá-lo correr, porque ele sabe conduzi-lo até onde a carta deve ser entregue.

Montou no cavalo e partiu. Galopa que galopa, chegou à beira de um despenhadeiro. "Vou cair", pensou o órfão, e puxou as rédeas. O cavalo se virou e regressou ao palácio num piscar de olhos.

O patrão, vendo-o regressar, disse:

— Viu? Não foi aonde eu o tinha mandado! Está despedido. Vá até aquele monte de dinheiro, pegue o que quiser e desapareça.

O órfão encheu os bolsos e foi embora. Assim que saiu, rumou direto para o Inferno.

Vendo que o irmão mais velho não retornava, o segundo dos órfãos decidiu partir também. Percorreu o mesmo caminho, chegou à mesma cidade e também ele começou a gritar:

*Quem me quer como empregado
Considere-me contratado!*

Aquele senhor se debruçou na janela e o chamou. Puseram-se de acordo e, pela manhã, deu-lhe as mesmas instruções que ao irmão e o mandou com a carta. Também ele, assim que chegou à beira do despenhadeiro, puxou as rédeas e o cavalo retornou.

— Agora — disse o patrão —, pegue quanto dinheiro quiser e suma!

Ele encheu os bolsos e partiu. Partiu e foi direto para o Inferno.

Vendo que nem um nem outro irmão voltavam, o irmão caçula partiu também. Percorreu o mesmo caminho, chegou à mesma cidade, gritou "quem me quer como empregado considere-me contratado", aquele senhor se debruçou na janela, mandou-o subir e lhe disse:

— Dou-lhe dinheiro, de comer e o que quiser, desde que me obedeça.

O órfão aceitou e de manhã o patrão lhe deu a carta com todas as instruções. Tendo chegado à beira daquele despenhadeiro, o moço olhou para baixo, arrepiado, mas pensou: "Que Deus me proteja", fechou os olhos e, quando os abriu, já estava do outro lado.

Galopa que galopa, chegou a um rio largo como um mar. Ele pensou: "Vou me afogar, o que posso fazer? De resto, estou nas mãos de Deus!". Nisso, a água se dividiu e ele atravessou o rio.

Galopa que galopa, viu uma enxurrada vermelha como sangue. Pensou: "É agora que me afogo. De resto, que Deus me proteja!", e se lançou para a frente. Diante do cavalo, a água se dividia.

Galopa que galopa, viu um bosque, tão denso que por ele não passava nem sequer um passarinho. "Aqui me perco", pensou o órfão. "De resto, se eu me perco, perde-se também o cavalo. Que Deus me proteja!", e seguiu adiante.

No bosque, encontrou um velho que cortava uma árvore com um talo de aveia.

— Mas o que está fazendo? — perguntou-lhe. — Pretende cortar uma árvore com um talo de aveia?

E ele:

— Diga mais uma palavra e lhe corto também a cabeça.

O órfão fugiu a galope.

Galopa que galopa, viu um arco de fogo com dois leões, um de cada lado. "Agora, se passar pelo meio me queimo; mas, se eu me queimar, queima-se também o cavalo. Adiante, que Deus nos proteja!"

Galopa que galopa, viu uma mulher ajoelhada numa pedra, rezando. Lá chegando, o cavalo parou de repente. O órfão entendeu que era àquela mulher que devia entregar a carta, e a entregou a ela. A mulher abriu a carta, leu, depois pegou um punhado de areia e o jogou para o alto. O órfão montou de novo no cavalo e tomou o caminho de volta.

Quando chegou à casa do patrão, este, que era o Senhor, disse-lhe:

— Saiba que o despenhadeiro era o barranco do Inferno; a água, as lágrimas de minha mãe; o sangue, o de minhas cinco chagas; o bosque, os espinhos de minha coroa; o homem que cortava a árvore com o talo de aveia era a Morte; o arco de fogo, o Inferno; os dois leões eram seus irmãos, e a mulher ajoelhada, minha mãe. Você me obedeceu: pegue quantas moedas de ouro quiser.

O órfão não queria nada, mas acabou pegando uma única moeda e se despediu do Senhor.

No dia seguinte, quando foi fazer compras, pagava e a moeda permanecia em seu bolso. Assim, viveu feliz e contente.

O REIZINHO FEITO À MÃO

Era uma vez um rei. Sua mulher morrera, deixando-lhe uma filha. Esta filha já estava em idade de arrumar marido, e recebia pedidos de filhos de reis, marqueses e condes, mas recusava todos os pretendentes.

O pai a chamou e disse:

— Minha filha, por que não quer casar?

— Papai — respondeu ela —, se pretende que me case, dê-me uma medida* de farinha e outra de açúcar, pois assim farei o noivo com minhas próprias mãos.

O rei deu de ombros e disse:

— Pois bem, vai receber o que pede.

Deu-lhe o açúcar e a farinha; a filha se fechou em seu quarto com uma amassadeira e uma peneira e se pôs a trabalhar. Seis meses para peneirar e outros tantos para amassar; quando terminou de amassá-lo, não gostou do resultado e o desfez. Finalmente, na segunda vez saiu como ela queria; e, no lugar do

---

* *Contàru* (dialeto calabrês): medida borbônica que equivale a oitenta quilos.

nariz, enfiou-lhe um pimentão. Colocou-o de pé num nicho, chamou o pai e disse:

— Papai, papai! Aqui está meu noivo! Chama-se rei Pípi.*

O velho o encarou, examinou-o com cuidado e gostou dele.

— É um bom rapaz, mas não fala!

E ela lhe respondeu:

— Aguarde, falará quando chegar a hora.

Todos os dias, a filha do rei ia ao encontro do rei Pípi no nicho e lhe dizia:

> *Rei Pípi feito à mão,*
> *Sem pena nem tinteiro,*
> *Seis meses para peneirá-lo,*
> *Seis meses para amassá-lo,*
> *Seis meses para desamassá-lo,*
> *Seis meses para remontá-lo,*
> *Seis meses há de esperar*
> *Para começar a falar!*

E, durante seis meses, a moça continuou a lhe cantar esta cantiga. No final do sexto mês, o rei Pípi começou a falar.

— Não posso falar com você — disse —, devo falar primeiro com seu pai.

A moça correu até o pai.

— Venha, papai, venha, pois meu noivo fala.

O rei foi e se pôs a tagarelar com o rei Pípi e, no final, o rei Pípi lhe pediu a mão de sua filha. O rei, todo contente, mandou preparar uma grande mesa farta e convidou o rei Pípi. Iniciaram-se os preparativos para o casamento, que aconteceu depois de poucos dias, na presença de todos os reinantes vizinhos e distantes.

Entre esses reinantes havia também uma rainha que se chamava Turca-Cã. Assim que a Turca-Cã viu o rei Pípi ficou en-

---

* *Pipi* (dialeto calabrês): pimentão pequeno e fino.

cantada e se pôs na cabeça que roubaria o reizinho feito à mão por sua esposa.

Depois do casamento, os dois esposos começaram a viver felizes, mas o rei Pípi jamais saía de casa. O rei acabou falando com a filha:

— Minha filha, como é que nunca sai com seu marido? Seria bom que dessem um passeio de vez em quando, faz bem à saúde!

— Sim, sim, papai. Também eu, hoje, sinto vontade de sair de carruagem.

Mandaram atrelar os cavalos e a rainhazinha foi passear de carruagem com o rei Pípi. A Turca-Cã, que estava sempre à espreita para raptar o rei Pípi, pôs-se a segui-los com sua carruagem. Quando chegaram ao campo, o rei Pípi quis descer da carruagem para dar uma volta a pé. De repente, surgiu uma grande rajada de vento: fez o rei Pípi voar. Voando, voando, ele passou perto da carruagem da Turca-Cã, que estendeu sua capa pelos ares e o agarrou em pleno voo. Entretanto, sua esposa e o cocheiro se tinham posto a procurá-lo por toda a parte no campo, mas não conseguiam encontrá-lo. A rainhazinha voltou ao palácio muito aflita.

— E seu marido? — perguntou-lhe o pai.

— Uma rajada de vento o carregou! Vou me trancar em meu aposento com meu desgosto e não quero mais saber de nada.

Porém, não ficou muito tempo trancada em seu aposento. Não suportando tanta melancolia, pegou o cavalo, uma bolsa de dinheiro, pediu a santa bênção a seu pai e se pôs a caminho, à procura do rei Pípi.

Certa noite, num bosque, ouvia os gritos dos animais, quando viu uma luz e bateu.

— Quem é?

— Sou uma alma cristã: abrigue-me esta noite, senão os animais me devoram.

— Aqui não chegam almas cristãs, só animais e serpentes. Se é cristã, faça o sinal da cruz.

— Em nome do Pai, do Filho e do Espírito Santo.

E a porta se abriu, e havia um velho com a barba comprida, que lhe disse:

— Filha de rei, que anda fazendo por estes lugares cheios de animais ferozes?

— Vou em busca de minha felicidade. Fabriquei um marido com minhas mãos. — E lhe contou sua história.

— Filha de rei — disse o velho —, passará um bom tempo antes que reencontre seu marido. Entretanto, guarde esta castanha. Não a perca. Amanhã cedo retomará o caminho até encontrar outra casa: lá vive meu irmão, pergunte a ele!

No dia seguinte, a rainhazinha encontrou outro ermitão que lhe deu uma noz a ser conservada junto com a castanha e lhe indicou a estrada para a casa do terceiro irmão. O terceiro ermitão era mais velho que os outros dois juntos, deu-lhe uma avelã e lhe disse:

— Siga este rumo, encontrará um grande palácio. Junto a esse palácio, que é o da Turca-Cã, há um mais feio, que é o cárcere. Quando estiver sob o palácio, quebre a castanha, e aquilo que dela sair, comece a anunciá-lo como se o estivesse vendendo. Ao som de sua voz, sairá a camareira da Turca-Cã e a fará subir. A Turca-Cã perguntará a você quanto quer por aquela coisa que está vendendo. Nada de pedir dinheiro: diga apenas que naquela noite deseja ficar sozinha com o marido da Turca-Cã. E sabe quem é o marido da Turca-Cã? O rei Pípi. Se não conseguir falar com ele nessa noite, quebre a noz e se ponha a anunciar o que estiver dentro. Se não conseguir nem na segunda noite, quebre a avelã.

Tendo chegado ao palácio, a rainhazinha quebrou a castanha; dela saiu um tear de ouro com uma jovem toda de ouro, sentada, tecendo. Começou a gritar:

— Oooh, quem quer comprar um belo tear de ouro com uma jovem toda de ouro, sentada, teceeendo?

A camareira se debruçou e disse à Turca-Cã:

— Majestade, Majestade, se soubesse as coisas lindas que estão vendendo! Compre-as a senhora, pois tem que tê-las na sua galeria, de tão preciosas que são.

A rainhazinha foi chamada lá em cima. A Turca-Cã lhe perguntou:

— Quanto quer por isso?

— Não quero dinheiro. Quero somente ficar uma noite fechada num aposento com o marido de Vossa Majestade.

A Turca-Cã não queria, mas a camareira a persuadiu, e a Turca-Cã fez o rei Pípi beber vinho com ópio, colocou-o na cama e depois disse à mulher que estava vendendo o tear:

— Pode entrar.

A rainhazinha não sabia como fazer para despertar o rei Pípi adormecido. Cantou-lhe:

> *Rei Pípi feito à mão,*
> *Sem pena nem tinteiro,*
> *Seis meses para peneirá-lo,*
> *Seis meses para amassá-lo,*
> *Seis meses para desamassá-lo,*
> *Seis meses para remontá-lo,*
> *Mas agora você é dessa Turca-Cã,*
> *Acorde, meu rei, vamos embora!*

Mas o rei Pípi não escutava. E assim, cantando e chorando, viu o dia nascer.

Já se retirara, desesperada, quando se lembrou do conselho do ermitão e quebrou a noz. Apareceu um tearzinho de ouro, com uma jovem toda de ouro bordando. Começou a gritar:

— Oooh, quem quer comprar um belo tearzinho de ouro, com uma jovem toda de ouro bordaaando?

A camareira se debruçou e a chamou.

— Quanto quer por isso? — disse a Turca-Cã.

— Não quero dinheiro, quero ficar sozinha com seu marido também esta noite.

Todavia, também nessa noite a Turca-Cã deu vinho com ópio ao rei Pípi. E também essa noite a rainhazinha passou a cantar e a chorar, mas inutilmente.

Os presos que estavam ali ao lado não puderam dormir pela segunda noite por causa desses cantos e prantos e, um pouco por sono, um pouco por compaixão, decidiram que, caso vissem o rei Pípi sair na manhã seguinte, iriam chamá-lo de suas grades e lhe falariam sobre esses lamentos.

De fato, quando o rei Pípi saiu do palácio durante o dia, os presos, pondo os braços para fora das grades, fizeram-lhe sinal para que se aproximasse e lhe disseram:

— Majestade, dormiu profundamente esta noite? Ouvimos chorar e chamar: "Rei Pípi", gritar: "Sou sua mulher!", cantar que o fez com as próprias mãos, que durante seis meses o amassou e que durante seis meses o desamassou: será possível que não ouve nada?

O rei Pípi pensou: "Se não ouço, significa que a Turca-Cã põe ópio no meu vinho. Esta noite não quero beber".

Entretanto, a pobre jovem estava mais desesperada que nunca, pois só lhe restava a avelã. Esmagou-a: dela saiu um belo cestinho de ouro, com uma jovem toda de ouro costurando. Gritou:

— Oooh, quem quer comprar um belo cestinho de ouro, com uma jovem toda de ouro costuraaando?

Foi chamada lá em cima e fez o mesmo pacto das outras noites.

Vendo-se sozinha com o rei Pípi adormecido, estava para reiniciar a sua canção, mas o rei Pípi, que fingira beber e agora fazia de conta que dormia, abriu os olhos e lhe disse:

— Quieta, minha mulher, pois esta noite fugiremos. Como fez para me encontrar?

— Rei Pípi, andei tanto! — E lhe contou os seus sofrimentos.

Ele lhe explicou que não pudera escapar porque estava sob o encantamento da Turca-Cã, mas agora, julgando-o sob o efeito do ópio, a Turca-Cã o livrara em parte do encantamento.

Abriram a porta, asseguraram-se de que a Turca-Cã dormia a sono solto, montaram ambos no cavalo da rainhazinha e se foram.

No dia seguinte, quando a Turca-Cã percebeu o que acontecera, arrancou os cabelos um a um e, quando não tinha mais cabelos, arrancou a cabeça e morreu.

Cavalgando, o casal chegou ao palácio do pai da rainhazinha. O pai estava debruçado no balcão, viu os dois cavalgando e gritou:

— Minha filha! Minha filha!

Passaram dias e dias festejando e cantando,
E nós ficamos com as mãos abanando.

O REI-SERPENTE

Um rei e uma rainha não tinham filhos. A rainha fazia promessas e penitências, mas os filhos não vinham. Caminhava pelo campo e via todo o tipo de animais: lagartos, pássaros, cobras, todos com seus filhotes, e dizia:

— Todos os animais têm filhos: alguns têm lagartinhos, outros cobrinhas, outros passarinhos, e só eu não tenho um!

Passou uma serpente, com sua ninhada se arrastando atrás dela.

— Mesmo com um filho-serpente eu ficaria contente! — disse a rainha.

Acontece que também ela começou a esperar um filho e toda a corte estava em festa. Chegou o dia do nascimento, e nasceu dela uma serpente. A corte ficou consternada, mas a rainha, recordando o desejo que expressara, entendeu que fora atendida e quis bem àquele filho-serpente como se fosse um menino. Colocou-o numa gaiola de ferro e mandava lhe dar para comer o que eles comiam: sopa e iguarias, ao meio e à noite.

A serpente comia e crescia por dois a cada dia. Quando ficou grandinho, a camareira, tendo descido à gaiola para arrumar-lhe a cama, ouviu-o falar. Dizia:

> *Diga ao papai*
> *Que uma mulher quero aqui,*
> *Bela e rica!*

A camareira se assustou e não queria mais descer à gaiola. Mas a rainha a obrigou a ir para levar-lhe comida e a serpente tornou a dizer:

> *Diga ao papai*
> *Que uma mulher quero aqui,*
> *Bela e rica!*

Quando a camareira contou isso à rainha, ela se perguntou: "Que podemos fazer?".

Chamou um aldeão, seu colono, e lhe disse:

— Dou-lhe quanto quiser, basta que me dê sua filha.

Celebrou-se o casamento. A serpente se sentou à mesa durante o banquete. À noite, o casal foi dormir. A uma certa hora a serpente acorda e pergunta à esposa:

— Que horas são?

Eram mais ou menos quatro, e a esposa disse:

— É a hora em que meu pai se levanta, pega a enxada e vai para o campo.

— Ah, você é filha de aldeão? — exclamou a serpente e, com uma picada na garganta, matou-a.

De manhã, quando a camareira foi levar a sopa, encontrou a esposa morta. E a serpente disse:

> *Diga ao papai*
> *Que uma mulher quero aqui,*
> *Bela e rica, bela e rica!*

Então, a rainha chamou um remendão que morava ali defronte e tinha uma filha. Puseram-se de acordo sobre a compensação e o casamento foi celebrado.

Por volta das cinco, a serpente acordou e perguntou à esposa que horas eram.

— É a hora — disse ela — em que meu pai se levanta e começa a bater sentado em seu banquinho de sapateiro.

— Ah, você é filha de remendão? — zangou-se a serpente e a liquidou com uma picada na garganta.

Então a mãe pediu a mão da filha de um imperador. O imperador não queria conceder sua filha para desposar uma serpente e consultou sua mulher. Essa mulher era a madrasta da moça e não via a hora de se livrar dela; assim, convenceu o marido a conceder a filha para desposar o rei-serpente. A filha do imperador foi ao túmulo da mãe e lhe perguntou:

— Minha mãe, o que posso fazer?

E do túmulo sua mãe lhe respondeu:

— Case com ele, minha filha. Mas, no dia do casamento, ponha sete vestidos, um sobre o outro. E, quando for hora de ir deitar, diga que não quer camareiras, pois você se despe sozinha. Quando estiver a sós com a serpente, diga-lhe: "Eu tiro uma das minhas roupas e você tira uma das suas". E você vai retirar o primeiro vestido e ele a primeira pele. E depois insistirá: "Eu tiro uma das minhas roupas e você tira uma das suas", e ele vai retirar a segunda pele, e assim por diante.

Tudo aconteceu conforme a mãe morta dissera: a cada vestido que ela tirava, a serpente tirava uma pele, até que, retirada a sétima pele, apareceu um jovem de uma beleza nunca vista. Deitaram-se. Por volta das duas, o esposo perguntou:

— Que horas são?

E a esposa:

— É a hora em que meu pai volta do teatro.

E passado algum tempo:

— Que horas são?

— É a hora em que meu pai começa a cear.

E quando já era dia:

— Que horas são?

— É a hora em que meu pai manda que lhe sirvam o café.

Então o reizinho a abraçou e disse:

— Você é a minha mulher, mas não diga a ninguém que à noite sou cristão, caso contrário você me perderá. — E voltou a se tornar serpente.

Certa noite a serpente lhe disse:

— Se quiser que permaneça cristão também durante o dia, deve fazer o que eu lhe digo.

— Tudo o que quiser, meu marido.

— Todas as noites, na corte, tocam e dançam. Você tem que participar. Todos vão convidá-la para dançar, mas você não vai dançar com ninguém. Quando vir entrar um cavaleiro vestido de vermelho, esse serei eu, e você se levantará da sua cadeira e começará a dançar comigo.

Chegou a hora em que a corte se reunia. A princesa foi se sentar na sala. Logo príncipes e marqueses foram convidá-la para dançar, mas ela disse que estava muito bem sentada e não queria se levantar. O rei e a rainha acharam que ela estava sendo um pouco grosseira com quem a convidava, mas, imaginando que o fizesse por respeito ao seu esposo que não podia ir dançar, não lhe disseram nada.

De repente, adentrou a sala o cavaleiro vestido de vermelho. A princesa se levantou, pôs-se a dançar com ele e dançou com ele a noite inteira.

Terminada a festa, o rei e a rainha, assim que ficaram a sós com a nora, puxaram-na pelos cabelos:

— Mas o que fez? Recusar o convite de todos e depois se pôr a dançar com aquele desconhecido! Atreve-se a nos afrontar assim?

Quando foi deitar, a esposa contou à serpente que seus pais a tinham maltratado daquela forma.

— Não há de ser nada — disse o esposo —, você terá que aguentar isso durante três noites, e no final da terceira noite eu me tornarei homem para sempre. Amanhã estarei vestido de preto. Dance só comigo e, se acontecer de lhe baterem, apanhe por amor a mim.

À noite, de novo, a princesa recusou todos os convites.

Mas, quando entrou o cavaleiro vestido de preto, pôs-se a dançar com ele.

— Todas as noites vai nos humilhar dessa forma? — disseram-lhe depois os sogros —, assim obedece ao que lhe dizemos? — Pegaram um bastão e "de onde venho? venho do moinho!".*

O marido, quando ela, toda dolorida e chorosa, contou-lhe o que ocorrera, disse:

— Minha mulher, aguente um pouco mais, pois amanhã é a última noite. Estarei vestido de monge.

E na terceira noite, depois de ter recusado todos os notáveis da corte, a princesa se pôs a dançar com o monge. O rei e a rainha não suportavam mais aquela vergonha. Pegaram dois bastões e, perante todos os convidados, vapt-vupt, começaram a dar pancadas nela e no monge.

O monge, sob aquela chuva de golpes, primeiro tratou de se defender, e depois, não conseguindo, de repente se transformou em pássaro, um pássaro enorme que rompeu as vidraças e saiu voando.

— Que fizeram? — disse a esposa. — Era seu filho!

Quando souberam que com suas pancadas tinham impedido que o filho deles se livrasse do encantamento e se tornasse homem para o resto da vida, o rei e a rainha começaram a arrancar os cabelos, a abraçar a nora e a lhe pedir perdão.

Mas a princesa disse:

— Não há tempo a perder. — Pegou dois saquinhos de dinheiro e foi atrás do pássaro. Encontrou um vidraceiro, com todos os vidros quebrados, chorando. — O que tem, bom homem?

— Passou um pássaro furioso e arrebentou toda a minha vidraria.

— E quanto podia valer toda a vidraria? Porque o pássaro é meu.

— Meu patrão me disse que valia cinquenta liras.

---

* *Dundi vegnu, vegnu du mulinu!* (dialeto calabrês): "verso proverbial, significando que bateram nela sem piedade".

A princesa abriu um de seus saquinhos e o pagou.
— Agora me diga para que lado foi.
— Por aqui, voou reto!
Anda que anda, deparou com uma ourivesaria. O dono não estava; estava o empregado, e chorava. A princesa lhe disse:
— O que tem, bom homem?
— Passou um pássaro furioso e me causou todo este prejuízo. Agora vem o patrão e acaba comigo.
— E quanto vale todo este ouro?
— Deixe-me em paz, pois já tenho preocupações suficientes!
— Não, quero pagá-lo, pois o pássaro era meu.
O empregado disse todos os preços, fez uma soma que não acabava mais.
— Seis mil liras de prejuízos.
— Aqui está. E para que lado foi o pássaro?
— Sempre em frente.
A princesa se pôs a caminho, e o empregado, com três mil liras, pagou o patrão e o resto guardou para ele e comprou uma loja por conta própria.
Anda que anda, a princesa chegou a uma árvore, e na árvore, entre tantos pássaros, reconheceu o esposo.
— Meu marido! — disse-lhe —, volte para casa comigo!
— Mas o pássaro não se movia.
A princesa subiu na árvore:
— Volte para casa comigo, meu marido! — E se pôs a chorar e a suplicar tanto que provocava compaixão até nas pedras.
Todos os outros pássaros que estavam na árvore se comoveram e lhe diziam:
— Deixe disso, vá com sua mulher, por que não quer ir?
Contudo, como única resposta, o pássaro lhe deu uma bicada e lhe furou um olho. A mulher continuava a suplicar e a chorar com o outro olho, e então o pássaro lhe deu uma bicada no outro olho e o furou.
— Não enxergo mais — dizia a pobrezinha. — Meu marido, acompanhe-me!
E o pássaro, com mais duas bicadas, decepou-lhe as mãos.

Depois, voou até o teto do palácio de seu pai e de sua mãe, e voltou a ser cristão. Na corte, fizeram grandes festas, e a mãe lhe dizia:

— Fez bem em acabar com aquela mulher horrível!

Entretanto, a princesa andava devagar e dizia:

— O que será de mim, aleijada dos dois braços e cega dos dois olhos!

Então encontrou uma velhinha.

— O que tem, bela jovem?

A princesa lhe contou a sua história e a velhinha, que era Nossa Senhora, disse:

— Mergulhe os braços naquela pequena fonte. — Ela molhou os cotos, e suas mãos reapareceram.

— Agora, lave o rosto — disse Nossa Senhora. Lavou o rosto, e seus olhos ressurgiram.

— E fique com esta varinha. Terá tudo o que quiser.

A princesa pediu um belo palácio em frente ao do rei, e de repente ganhou um palácio todo de brilhantes por dentro e por fora, com uma galinha de ouro e todos os pintinhos caminhando pelos quartos, com muitos pássaros também de ouro voando sob os tetos, com camareiros e guardas vestidos de ouro; e ela ficava sentada numa poltrona com um baldaquino de véu na frente.

De manhã, o filho do rei, debruçando-se na janela, viu o palácio.

— Papai, papai — disse —, que maravilha de palácio! — E onde quer que olhasse só via animais de ouro caminhando e voando. — Que grandes senhores devem ser para mandar construir um palácio destes numa noite!

Naquele momento, a princesa ficou de pé e se mostrou entre os véus, e o filho do rei a viu.

— Papai, papai, que maravilha de jovem! Quero casar com ela!

— Deixe disso, sabe lá quem é! E havia de querer logo você! Nem sequer tente, pois ela não o quer.

Mas o filho do rei estava decidido e lhe mandou uma peça de cânhamo bordada a ouro. A bela vizinha a pegou e a jogou para a galinha e seus pintinhos. A camareira foi contar ao príncipe. O rei e a rainha lhe disseram:

— Ela não o quer, ouça o que lhe estamos dizendo!
— Pois eu a quero! — E lhe mandou um anel.

Ela o deu aos pássaros para que o bicassem. A camareira disse que não queria mais voltar àquele palácio porque tinha vergonha.

Então o príncipe, depois de muito pensar, mandou fazer um caixão, deitou-se dentro dele e mandou levá-lo até debaixo da janela da vizinha. A vizinha, ao vê-lo no caixão, desceu; quando se inclinou sobre o caixão, ele se ergueu e a reconheceu:

— Minha mulher! Como estou feliz por tê-la reencontrado! Por que não regressa ao nosso palácio?

A mulher o fitava com olhos duros.

— Não se lembra do que me fez?
— Eu estava sob o efeito de um encantamento, minha mulher.
— Mas, para salvá-lo, dancei com você durante três noites, e seus pais me bateram.
— Se você não agisse daquele modo, eu teria continuado serpente.
— E quando era um pássaro, ainda era serpente? Furou-me os olhos e decepou-me as mãos com bicadas!
— Se eu não agisse daquele modo, teria continuado pássaro, minha mulher.

Ela refletiu um pouco, depois disse:

— Se é assim, tem razão. Voltemos a ser marido e mulher.

O rei e a rainha, quando souberam de toda a história, pediram-lhe perdão, convidaram também o imperador seu pai e durante um mês inteiro tocaram e dançaram.

COLA PEIXE

Certa vez, em Messina, havia uma mulher que tinha um filho chamado Cola que passava o dia tomando banho de mar. A mãe o chamava da praia:

— Cola! Cola! Venha para cá, o que está fazendo? Será que virou peixe?

E ele nadava cada vez para mais longe. De tanto gritar, a pobre mãe ficava com dor de barriga. Certo dia, obrigou-a a gritar tanto que a pobrezinha lhe rogou uma praga:

— Cola! Que você se torne um peixe!

Vai ver que naquele dia as portas do Céu estavam abertas, e a praga da mãe atingiu o alvo: num instante, Cola se tornou metade homem e metade peixe, com os dedos grudados feito um pato e garganta de rã. Ele não voltou mais para a terra, e a mãe ficou tão desesperada que morreu depois de pouco tempo.

A notícia de que no mar de Messina havia um ser metade homem e metade peixe chegou até o rei; e o rei ordenou que todos os marinheiros que encontrassem Cola Peixe deviam lhe dizer que o rei desejava lhe falar.

Certo dia, um marinheiro, navegando em alto-mar, viu-o nadando por perto:

— Cola! — disse-lhe. — O rei de Messina quer lhe falar!

E Cola Peixe nadou depressa rumo ao palácio do rei.

Ao vê-lo, o rei recebeu-o amavelmente.

— Cola Peixe — disse-lhe —, você que é tão bom nadador deveria contornar toda a Sicília e saber me dizer onde o mar é mais fundo e o que se vê ali!

Cola Peixe obedeceu e se pôs a nadar em volta de toda a Sicília. Regressou após algum tempo. Contou que no fundo do mar vira montanhas, vales, cavernas e peixes de todas as espécies, e só sentira medo ao passar pelo Farol, pois ali não conseguira encontrar o fundo.

— E Messina se acha construída sobre o quê? — perguntou o rei. — Tem que descer para ver onde está assentada.

Cola mergulhou e ficou um dia inteiro sob a água. Voltou à tona e disse ao rei:

— Messina está construída sobre uma rocha, e essa rocha está assentada sobre três colunas: uma perfeita, uma lascada e uma quebrada.

Ó Messina, Messina,
Um dia será mesquinha!

O rei ficou muito atordoado e quis levar Cola Peixe a Nápoles para ver o fundo dos vulcões. Cola desceu e depois contou que encontrara primeiro água fria, a seguir água quente e que em certos pontos havia até nascentes de água doce. O rei não queria acreditar, e então Cola pediu duas garrafas e foi encher uma com água quente e outra com água doce.

Mas o rei estava com aquela ideia fixa que não lhe dava paz: no cabo do Farol o mar não tinha fundo. Levou Cola Peixe de volta a Messina e lhe disse:

— Cola, tem que me dizer, mais ou menos, qual é a profundidade do mar aqui no Farol.

Cola mergulhou e lá permaneceu dois dias; quando emergiu, disse que não vira o fundo, pois havia uma coluna de fumaça que saía de baixo de uma rocha e turvava a água.

O rei, que não aguentava mais de curiosidade, disse:

— Pule do alto da torre do Farol.

A torre se localizava bem na ponta do cabo e antigamente ficava alguém de guarda; e, quando a corrente puxava, tocava uma trombeta e içava uma bandeira para avisar os navios que passavam ao largo. Cola Peixe mergulhou lá de cima. O rei esperou um dia, esperou dois, esperou três, mas Cola não se fazia ver. Finalmente ressurgiu, mas estava pálido como um morto.

— O que aconteceu, Cola? — perguntou o rei.

— Estou morto de susto — disse ele. — Avistei um peixe que, só na boca, podia esconder um navio inteiro! Para não deixar que me engolisse tive que me esconder atrás de uma das três colunas que sustentam Messina!

O rei ficou ouvindo de boca aberta; mas aquela maldita curiosidade em saber qual a profundidade do Farol não lhe passara. E Cola:

— Não, Majestade, não mergulho mais, tenho medo.

Visto que não conseguia convencê-lo, o rei tirou a coroa da cabeça, repleta de pedras preciosas que ofuscavam o olhar, e a jogou no mar.

— Cola, vá buscá-la!
— O que fez, Majestade? A coroa do reino!
— Uma coroa que não tem igual no mundo — disse o rei. — Cola, você tem que ir pegá-la!
— Se é isso que deseja, Majestade — disse Cola —, descerei. Porém, o coração me diz que não voltarei. Dê-me uma porção de lentilhas. Se escapar, eu voltarei; mas, se as lentilhas vierem à tona, é sinal de que não volto mais.

Deram-lhe as lentilhas, e Cola desceu ao mar.

Espera que espera; depois de muito esperar, as lentilhas vieram à tona. Ainda se espera a volta de Cola Peixe.

GRÁTULA-BEDÁTULA

Era uma vez um mercador com três filhas mocinhas: a primeira, Rosa, a segunda, Joaninha e a terceira, Nineta, a mais linda das três.

Certo dia, surgiu uma grande oportunidade para o mercador e ele voltou para casa preocupado.

— O que tem, papai? — perguntaram as moças.
— Nada, minhas filhas: surgiu um bom negócio, e não posso levá-lo adiante para não deixá-las sozinhas.
— E isso o preocupa? — disse-lhe a mais velha. — O senhor

prepara os mantimentos para todo o período em que pensa ficar fora, manda tapar as portas com pedra e cal, com todas nós dentro de casa, e voltaremos a nos ver quando Deus quiser.

Assim fez o mercador: comprou mantimentos em quantidade e deu ordens a um de seus empregados para que, todas as manhãs, chamasse da rua a filha mais velha e lhe desse os recados. Despedindo-se, perguntou:

— Rosa, o que quer que lhe traga?

E ela:

— Um vestido da cor do céu.

— E você, Joaninha?

— Um vestido cor de diamante.

— E você, Nineta?

— Quero que o senhor me traga um belo ramo de tâmaras num vaso de prata. E, se não o trouxer, que o navio não possa ir nem para a frente nem para trás.

— Ah, desgraçada — disseram-lhe as irmãs —, não sabe que pode provocar um encantamento contra seu pai?

— Não — disse o mercador —, não se zanguem com ela, pois é pequena e se deve deixá-la falar.

O mercador partiu e desembarcou no lugar indicado. Fez aquele grande negócio e tratou de comprar o vestido para Rosa e o vestido para Joana, mas se esqueceu do ramo de tâmaras para Nineta. Quando embarca e se encontra no meio do mar, enfrenta uma terrível tempestade: raios, relâmpagos, trovões, água, vagalhões, e o navio não podia ir nem para a frente nem para trás.

O capitão se desesperava.

— Mas de onde saiu este temporal?

Então o mercador, que se lembrara do encantamento da filha, disse:

— Capitão, esqueci-me de atender a um pedido. Se quisermos nos salvar, temos que girar o leme.

O que aconteceu e o que não aconteceu, assim que giraram o leme, o tempo mudou, e de vento em popa regressaram ao porto. O mercador desceu, comprou o ramo de tâmaras, plantou-o num vaso de prata e voltou a bordo. Os marinheiros içaram as velas, e com três dias de viagem tranquila o navio chegou ao destino.

Nesse meio-tempo, enquanto o mercador estava viajando, as três moças permaneceram na casa com as portas tapadas. Não lhes faltava nada, tinham até um poço dentro do pátio, a fim de que sempre pudessem pegar água. Acontece que, certo dia, o dedal da irmã mais velha caiu no poço. E Nineta disse:

— Não se aflijam, irmãs: façam-me descer ao poço que pego o dedal.

— Descer ao poço: está brincando? — disse-lhe a mais velha.

— Sim, quero descer para pegá-lo.

E as irmãs a fizeram descer.

O dedal boiava na água e Nineta o pegou, porém, ao levantar a cabeça, viu um buraco na parede do poço, de onde saía luz. Tirou um tijolo e viu do outro lado um belo jardim, com todo o tipo de flores, árvores e frutos. Abriu uma passagem deslocando os tijolos e entrou no jardim, e lá as melhores flores e os melhores frutos eram todos para ela. Encheu o avental, apareceu no fundo do poço, repôs os tijolos no lugar, gritou para as irmãs:

— Puxem-me! — E subiu fresca como uma rosa.

As irmãs a viram sair da boca do poço com o avental cheio de jasmins e de cerejas.

— Onde encontrou tantas coisas lindas?

— Que lhes importa? Amanhã me fazem descer de novo e apanhamos o resto.

Aquele jardim era o jardim do reizinho de Portugal.

Quando viu seus canteiros saqueados, o reizinho começou a mandar relâmpagos e raios contra o pobre jardineiro.

— Não sei de nada, como é possível? — tentava dizer o jardineiro, mas o reizinho ordenou que ficasse mais atento dali em diante, senão pior para ele.

Na manhã seguinte, Nineta já estava pronta para descer ao jardim. Disse às irmãs:

— Moças, façam-me descer!

— Você viu passarinho verde ou bebeu?

337

— Não estou louca, nem bêbada: façam-me descer. — E foram obrigadas a fazê-la descer.

Deslocou os tijolos e desceu ao jardim: flores, frutos, um belo avental cheio e depois:

— Puxem-me para cima!

Mas, enquanto ia embora, o reizinho havia se debruçado na janela e a viu saltar para fora como uma lebre; correu para o jardim, porém ela já fugira. Chamou o jardineiro:

— Aquela moça, por onde ela passou?
— Que moça, Majestade?
— Aquela que colhe flores e frutos no meu jardim.
— Eu não vi nada, juro.
— Bem, amanhã, quem vai ficar de guarda sou eu.

De fato, na manhã seguinte, escondido atrás de uma sebe, viu a moça aparecer entre os tijolos, entrar, encher o avental de flores e frutos até o peito. Salta para fora e trata de agarrá-la, mas ela, ágil como um gato, salta para o buraco do muro, fecha-o com os tijolos e desaparece. O reizinho examina a parede por todos os lados, mas não consegue achar nenhum ponto em que os tijolos se movam. Espera o dia seguinte, espera outro dia, porém Nineta, assustada por ter sido descoberta, não desceu mais ao poço. O reizinho achou a moça bela como uma fada: não teve mais paz, caiu doente e nenhum dos médicos do reino sabia o que fazer. O rei consultou todos os médicos, sábios e filósofos. Fala um, fala outro, por fim deram a palavra a um Barbassábio.

— Majestade — disse o Barbassábio —, pergunte a seu filho se tem alguma simpatia por uma jovem. Pois então explica-se tudo.

O rei manda chamar o filho e lhe pergunta: o filho lhe conta tudo — que, se não se casar com aquela moça, não terá mais paz. O Barbassábio diz:

— Majestade, promova três dias de festas no palácio e divulgue um edital dizendo que todos os pais e mães de todas as condições tragam suas filhas, sob pena de perder a vida. — O rei aprovou e publicou o edital.

Entretanto, o mercador regressara da viagem, mandara destapar as portas e dera os vestidos a Rosa e a Joana, e a Nineta o ramo de tâmaras no vaso de prata. Rosa e Joana não viam a hora que houvesse um baile e se puseram a costurar seus vestidos. Nineta, ao contrário, estava fechada com seu ramo de tâmaras e não pensava nem em festas nem em bailes. O pai e as irmãs diziam que estava louca.

Quando o edital foi divulgado, o mercador foi para casa e contou às filhas.

— Que maravilha! Que maravilha! — disseram Rosa e Joana. Mas Nineta deu de ombros e disse:

— Vão vocês, pois não tenho vontade de ir.

— Nada disso, minha filha — disse o pai —, há uma pena de morte e com a morte não se brinca.

— E o que eu tenho a ver com isso? Quem vai saber que tem três filhas? Faça de conta que tem duas.

E: "Claro que vai!", e: "Claro que não vou", na noite do primeiro baile Nineta ficou em casa.

Assim que as irmãs saíram, Nineta se dirigiu ao seu ramo de tâmaras e lhe disse:

> *Grátula-Bedátula,**
> *Suba e vista Nina.*
> *Torne-a mais linda do que quando pequenina.*

Ao som daquelas palavras, do ramo de tâmaras saiu uma fada, depois outra fada, e tantas outras fadas ainda. E todas traziam vestidos e joias sem igual. Puseram-se ao redor de Nina e começaram a lavá-la, fazer-lhe tranças, vesti-la: num instante, tinham-na vestido completamente, com seus colares, seus brilhantes e suas pedras preciosas. Quando se transformou numa peça de ouro da cabeça aos pés, entrou na carruagem, foi ao palácio, subiu as escadas e deixou todos de boca aberta.

---

* Em siciliano: *Gràttula*: tâmara; *Beddàttula*: contração de *bedda gràttula*: bela tâmara.

O reizinho a viu e a reconheceu; logo correu para contar ao rei. Depois se aproximou dela, fez-lhe uma reverência e lhe perguntou:
— Como vai, senhora?
— Sempre bem, no inverno e no verão.
— Como se chama?
— Mantenho o mesmo nome de sempre.
— E onde mora?
— Na casa que tem porta.
— Em que rua?
— No *vanedda** da poeira.
— Senhora, assim me mata!
— À vontade!

E assim, conversando gentilmente, dançaram a noite inteira, até o reizinho ficar sem fôlego, enquanto ela estava sempre fresca como uma rosa. Terminado o baile, o rei, preocupado com o filho, sem se fazer notar, deu ordens a seus criados para que seguissem a senhora e vissem onde morava. Ela subiu na carruagem, porém, quando percebeu que estava sendo seguida, soltou as tranças e caíram na rua pérolas e pedras preciosas. Os criados, como galinhas sobre comida, lançaram-se sobre as pérolas, e adeus, senhora! Mandou chicotear os cavalos e desapareceu.

Chegou em casa antes das irmãs; disse:

> *Grátula-Bedátula,*
> *Desça e que Nina se transforme.*
> *E ao que era antes torne.*

E se achou despida e vestida com a habitual roupa de casa. As irmãs regressaram:
— Nineta, Nineta, se soubesse que festa linda. Havia uma senhora linda que se parecia um pouco com você. Se não soubéssemos que estava aqui, pensaríamos que era você...

---

* *Vanedda*: beco.

— Sim, fiquei aqui com minhas tâmaras...
— Mas amanhã à noite você tem que ir...

Nesse meio-tempo, os criados do rei voltaram ao palácio de mãos vazias. E o rei:

— Almas infiéis! Por um punhado de moedas desobedecem às ordens! Se amanhã à noite não a seguirem até sua casa, pior para vocês.

Nem na noite seguinte Nineta quis ir ao baile com as irmãs.

— Está ficando louca com seu ramo de tâmaras! Vamos!
— E foram embora.

Nineta se voltou depressa para o ramo:

Grátula-Bedátula,
Suba e vista Nina.
Torne-a mais linda do que quando pequenina.

E as fadas lhe fizeram tranças, vestiram-na com roupas de gala, cobriram-na de joias.

No palácio, todos a observavam com olhos compridos, especialmente as irmãs e o pai. O reizinho logo se aproximou.

— Senhora, como vai?
— Sempre bem, no inverno e no verão.
— Como se chama?
— Mantenho o mesmo nome de sempre. — E assim por diante.

O reizinho não se zangava e a convidou para dançar. Dançaram a noite inteira.

— Nossa Senhora! — dizia uma irmã à outra —, aquela senhora é a Nineta perfeita!

Enquanto o reizinho a acompanhava até a carruagem, o rei fez sinal aos criados. Quando se viu seguida, Nineta jogou um punhado de moedas de ouro: mas dessa vez atirou-as na cara dos criados, amassando o nariz de um, tapando o olho de outro; assim os fez perder a pista da carruagem e os obrigou a voltar ao palácio como cães surrados, de tal modo que até o rei ficou com pena. Mas disse:

— Amanhã é o último baile: seja como for, é preciso saber alguma coisa.

Entretanto, Nineta dizia ao seu ramo:

Grátula-Bedátula,
Desça e que Nina se transforme.
E ao que era antes torne.

Num piscar de olhos já mudara de roupa e as irmãs, ao chegar, disseram-lhe de novo que se parecia demais com aquela senhora tão bem vestida e cheia de joias.

Na terceira noite, tudo como antes. Nina foi ao palácio mais linda e resplandecente do que nunca. O reizinho dançou durante mais tempo ainda com ela e se derretia de amor como uma vela.

Numa determinada hora, Nineta quis ir embora, mas foi chamada à presença do rei. Muito trêmula, vai e lhe faz uma reverência.

— Moça — diz o rei —, zombou de mim por duas noites, na terceira não vai conseguir.

— Mas o que foi que eu fiz, Majestade?

— Fez com que meu filho morresse de amores por você. Não pense que vai fugir.

— E que sentença me espera?

— A sentença de se tornar esposa do reizinho.

— Majestade, não sou dona do meu nariz: tenho pai e duas irmãs maiores.

— Chamem o pai.

O pobre mercador, quando se viu chamado pelo rei, pensou: "Chamado de rei, boa coisa não há de ser",* e ficou arrepiado, pois não tinha a consciência muito limpa. Mas o rei perdoou todas as faltas dele e lhe pediu a mão de Nineta para seu filho. No dia seguinte, abriram a capela real para o casamento do reizinho e de Nineta.

---

* "*Chiamata di re, tanto buona non è*": provérbio siciliano.

Eles ficaram felizes e contentes
E nós aqui, sempre batendo os dentes.

DESVENTURA

Conta-se que, certa vez, havia sete filhas, todas mulheres, filhas de um rei e de uma rainha. O pai entrou em guerra; perdeu, levaram-lhe o trono e foi feito prisioneiro. Preso o rei, a família atravessou maus tempos: para economizar, a rainha deixou o palácio; viram-se forçadas a morar num casebre; tudo dava errado; encontravam o que comer por milagre. Um belo dia, passou um vendedor de frutas; a rainha o chama para comprar alguns figos; enquanto está comprando os figos, passa uma velha e lhe pede esmola.

— Ah, Mãe do céu! — diz a rainha —, se pudesse, eu lhe faria mais que caridade: mas também sou pobre, não posso.

— E como é que ficou tão pobre? — pergunta-lhe a velha.

— Não sabe? Sou a rainha da Espanha, caída em desgraça por causa da guerra que fizeram contra meu marido!

— Coitadinha, tem razão. Mas sabe a causa pela qual tudo anda ao contrário para vocês? Têm em casa uma filha que é deveras desventurada e, enquanto a mantiverem em casa, não poderão viver bem.

— Então, teria que mandar uma filha minha embora de casa?

— Sim, senhora.

— E quem é essa filha desventurada?

— A que dorme com as mãos cruzadas. Esta noite, vá observá-las com a vela enquanto dormem: a que encontrar com as mãos cruzadas, tem que mandá-la embora. Só assim hão de recuperar os reinos perdidos.

À meia-noite a rainha pega a vela e passa diante das camas das sete filhas. Todas dormem: umas com as mãos unidas, outras com as mãos sob a face, e outras ainda com as mãos sob o travesseiro. Chegou à última, que era a caçula: e a encontrou dormindo com as mãos cruzadas.

— Ah, minha filha! Logo você tenho que mandar embora!

Enquanto dizia isso, a filha menor acorda e vê a mãe com a vela na mão e os olhos lacrimejantes.

— Mamãe, o que tem?

— Nada, minha filha. Apareceu uma velha, assim e assim, e me disse que só viverei bem quando mandar embora de casa a filha desventurada que dorme com as mãos cruzadas... E essa desventurada é você!

— E por isso está chorando? — disse a filha. — Agora mesmo me visto e vou embora. — Vestiu-se, fez uma trouxa com suas coisas e se foi.

Anda que anda, chegou a um ermo onde só havia uma casa. Aproximou-se, ouviu o rumor de um tear e viu mulheres tecendo.

— Quer entrar? — disse uma das tecelãs.

— Sim, senhora.

— Como se chama?

— Desventura.

— E quer trabalhar para nós?

— Sim, senhora.

E se pôs a varrer e a fazer os serviços da casa. À noite, as mulheres lhe disseram:

— Ouça, Desventura: vamos sair à noite e a fecharemos por fora, depois você se fechará por dentro. Quando voltarmos, abriremos por fora e você abrirá por dentro. E tem que vigiar para que não nos roubem a seda, os galões e a tela que tecemos. — E se foram.

Deu meia-noite e Desventura ouviu um barulho de tesoura; foi até o tear com uma vela e viu uma mulher cortando toda a tela de ouro do tear com a tesoura: e compreendeu que era sua Má Sorte que a seguira até ali. De manhã, regressaram as patroas: abriram por fora e ela por dentro. E assim que entraram viram no chão aquele estrago.

— Ah, sem-vergonha! Esta é a recompensa por tê-la hospedado? Vá embora! Fora! — E a expulsaram com um pontapé.

Desventura caminhou pelo campo. Antes de entrar numa aldeia, parou em frente a uma loja de pão, legumes, vinho e outras coisas. Pediu caridade; e a dona da loja lhe deu pão em quantidade e um copo de vinho. O marido regressou, compadeceu-se dela e disse que a acolheria também naquela noite e a deixaria dormir na loja, no meio dos sacos. Os proprietários dormiam no andar de cima e à noite ouviram um barulho e se levantaram: os tonéis estavam destampados e o vinho corria pela casa. O marido, perante tal desastre, procurou a moça e a achou sobre os sacos lamentando-se como num sonho.

— Sem-vergonha! Só você pode ter feito isso! — E começou a espancá-la com uma barra; depois a expulsou.

Sem saber aonde ir bater, Desventura saiu correndo a chorar. Durante o dia, encontrou uma mulher lavando roupa no campo.

— O que está olhando?
— Estou perdida.
— E sabe lavar roupa?
— Sim, senhora.
— Então fique para lavar roupa comigo; eu ensaboo e você enxágua.

Desventura começou a enxaguar a roupa e a estendê-la. À medida que secava, ela a recolhia. A seguir, pôs-se a remendar, engomar e, por fim, a passá-la.

É preciso saber que toda essa roupa era do reizinho. Quando o reizinho viu a roupa, pareceu-lhe uma coisa realmente linda.

— Dona Francisca — disse —, nunca lavou tão bem minha roupa! Desta vez merece uma gorjeta. — E lhe deu dez onças.

Com aquelas dez onças, dona Francisca comprou roupas novas para Desventura, comprou um saco de farinha, fez pão e, junto com os pães, assou duas roscas, cheias de anis e gergelim, que diziam: coma-me, coma-me. Disse a Desventura:

— Com estas duas roscas, vá até a praia e chame minha Sorte, assim: "Aaah! Sorte de dona Franciscaaa", três vezes. Na terceira vez, aparecerá a minha Sorte, você vai lhe dar uma rosca e vai cumprimentá-la em meu nome. Depois, peça-lhe para lhe mostrar onde está a sua Sorte, e faça o mesmo com ela.

Devagarinho, Desventura foi até a praia.

— Aaah! Sorte de dona Franciscaaa! Aaah! Sorte de dona Franciscaaa! Aaah! Sorte de dona Franciscaaa! — E a Sorte de dona Francisca apareceu. Desventura cumpriu sua missão e deu lhe a rosca. Depois lhe disse:

— Sorte de dona Francisca, Vossa Senhoria quer me fazer a caridade de me mostrar onde está a minha Sorte?

— Ouça: siga esta *trazzera*,* caminhe um pouco e encontrará um forno; perto do *scopazzo*** há uma bruxa velha, trate-a bem, dê-lhe a rosca: é a sua Sorte. Ela vai recusá-la, vai ser grossa com você: você a deixará e virá embora.

Desventura foi até o forno, encontrou a velha e quase lhe deu nojo ao ver o quanto era suja, remelenta e fedorenta.

— Querida Sorte, queira aceitar — falou oferecendo-lhe a rosca.

E a velha:

— Vá embora, vá embora! Quem lhe pediu pão? — E lhe virou as costas. Desventura deixou a rosca ali e voltou para a casa de dona Francisca.

No dia seguinte era segunda-feira, dia de lavar roupa: dona Francisca punha a roupa de molho e depois a ensaboava; Desventura a esfregava e a enxaguava; mais tarde, quando estava seca, remendava-a e passava-a. Uma vez passada a roupa, dona Francisca a colocou num cesto e a levou ao palácio. Assim que a viu, o reizinho disse:

— Dona Francisca, você não me engana; jamais lavou minha roupa assim. — E lhe deu dez onças de gorjeta.

Dona Francisca comprou mais farinha, fez outras duas roscas e mandou Desventura levá-las às suas Sortes.

Na vez seguinte, o reizinho, que estava para casar e fazia

---

* *Trazzèra* (dialeto siciliano): "quase *tracciera*, atalho para tropeiros".
** *Scupazzu* (dialeto siciliano): "a fossa do varredouro".

questão de que toda a roupa estivesse bem lavada, deu a dona Francisca uma gorjeta de vinte onças. E dessa vez dona Francisca não comprou apenas farinha para dois pães, mas para a Sorte de Desventura comprou uma linda roupa com crinolina, saia, lenços finos e um pente, pomada para os cabelos e outras miudezas.

Desventura foi até o forno.

— Querida Sorte, aqui está a rosca.

A Sorte, que estava se amansando, veio pegar o pão resmungando; então Desventura pulou em cima dela, agarrou-a e se pôs a lavá-la com esponja e sabão, penteou-a e a vestiu da cabeça aos pés. A Sorte, depois de se agitar como uma serpente, quando se viu limpa e perfumada daquele jeito, mudou da água para o vinho.

— Ouça, Desventura — disse —, pelo bem que me fez, dou-lhe de presente este *marzapanetto** — E lhe deu uma caixinha pequena como as de fósforos.

Desventura voou até a casa de dona Francisca e abriu a caixinha. Dentro dela havia um pedaço de galão longo de um palmo. Ficaram um tanto decepcionadas.

— Oh! Que desperdício! — disseram e guardaram o galão no fundo de uma cômoda.

Na semana seguinte, quando dona Francisca levou a roupa ao palácio, encontrou o reizinho de cara amarrada. A lavadeira já tinha intimidade com o reizinho e lhe perguntou:

— O que tem, reizinho?

— Ora, o que tenho! Acontece que vou casar e agora se descobre que o vestido de noiva de minha futura esposa ainda precisa de um palmo de galão, e no reino inteiro não se encontra galão igual a esse.

— Espere, Majestade — disse dona Francisca. Correu até sua casa, procurou na cômoda e levou aquele pedaço de galão ao rei. Confrontaram-no com o do vestido de noiva: era idêntico.

O reizinho disse:

---

* *Marzapaneddu* (dialeto siciliano): diminutivo de *marzapani*, "caixinha".

— Por me ter tirado de tamanha confusão, quero lhe pagar este galão a peso de ouro.

Pega uma balança: de um lado põe o galão e, do outro, o ouro. Porém, o ouro não bastava. Torna a experimentar com uma balança romana: o mesmo resultado.

— Dona Francisca — disse à lavadeira —, diga-me a verdade. Como é que um pedaço de galão pesa tanto? De quem é?

Dona Francisca foi obrigada a contar tudo e o reizinho quis ver Desventura. A lavadeira vestiu a moça direitinho (pouco a pouco haviam juntado alguma coisa) e a levou ao palácio. Desventura entrou no aposento real e fez uma elegante reverência; era filha de reinante e certamente não lhe faltava educação. O reizinho a cumprimentou, mandou que se sentasse e depois lhe perguntou:

— Mas quem é você?

E Desventura então:

— Sou a filha caçula do rei da Espanha, aquele que foi expulso do trono e feito prisioneiro. A minha falta de sorte me fez vagar pelo mundo enfrentando grosserias, desprezo e pancadas. — E lhe contou tudo.

O reizinho, como primeira medida, mandou chamar as tecelãs de quem a Má Sorte cortara sedas e galões.

— De quanto foi o prejuízo?

— Duzentas onças.

— Aqui estão as duzentas onças. Saibam que esta pobre jovem a quem espancaram é filha de reinante. Fiquem avisadas. Adiante!

E mandou chamar os proprietários da loja onde a Má Sorte furara os tonéis.

— E vocês, que prejuízo tiveram?

— Trezentas onças...

— Aqui estão as trezentas onças. Mas da próxima vez, antes de darem pancadas numa filha de reinante, pensem duas vezes. Fora!

Desfez o noivado e se casou com Desventura. Como dama de companhia dela, contratou dona Francisca.

Deixemos os noivos contentes e felizes, e falemos da mãe de Desventura. Após a partida da filha, a roda começou a girar a seu favor: e certo dia seu irmão e seus sobrinhos chegaram à frente de uma poderosa armada e reconquistaram o reino. A rainha e suas filhas tornaram a se instalar no seu velho palácio e recuperaram todas as comodidades; mas havia sempre aquela preocupação com a filha caçula, da qual não sabiam mais absolutamente nada. Nesse ínterim, o reizinho, sabendo que a mãe de Desventura recuperara seu reino, enviou embaixadores para lhe dizer que sua filha havia casado com ele. Toda contente, a mãe partiu em viagem com cavaleiros e damas da corte. Com cavaleiros e damas da corte a filha também foi ao encontro dela. Encontraram-se na fronteira e se abraçaram durante horas, com as seis irmãs ao redor, muito comovidas, e um grande festejo nos dois reinos.

A COBRA PEPINA

Era uma vez um mercador com cinco filhos: quatro mulheres e um homem. O homem era o mais velho, um belo jovem, chamado Baldeleon. De rico que era, o mercador mudou de sorte e ficou na miséria. Agora, sobrevivia de esmolas e, sem mais, o que lhe acontece? Sua mulher se põe a esperar outro filho. Vendo tanta desgraça, Baldeleon beijou a mão do pai e da mãe e embarcou para a França. Era um jovem instruído e, assim que chegou a Paris de França, instalou-se no palácio real, onde fez carreira até se tornar capitão-general.

Entretanto, em casa, a mulher do mercador disse ao marido:
— A criança está para nascer e não temos enxoval. Vamos vender a mesa de jantar, que é a única coisa que nos resta, e façamos o enxoval.

Passam os compradores de velharias pela rua, eles os chamam e lhes vendem a mesa. Assim, o mercador pôde comprar o necessário, a criança nasceu, e era uma menina, de beleza sem-par, tão linda que pai e mãe, logo que a viram, puseram-se a chorar:

— Filha, em que miséria você nasceu!

A menina cresce, cresce e, por volta dos quinze ou dezesseis meses, começava a andar sozinha e brincava na palha onde dormiam seu pai e sua mãe. Brincando na palha, um dia se põe a dizer:

— Mamãe, mamãe, bonito, bonito! — Tinha as mãos cheias de moedas de ouro.

A mãe tinha a impressão de sonhar. Tirou-as da mão da menina, guardou-as no peito, pediu emprestada uma crinolina e correu ao *Vucciria*.* Compra isso, compra aquilo, aplacou a vontade de fazer compras e, finalmente, ao meio-dia puderam comer de tudo.

— Mas me conte, Pepina, onde achou aquelas lindas coisinhas brilhantes? — perguntou o pai à menina.

E ela:

— Aqui, papai! — E lhe mostra um buraco debaixo da palha: havia uma jarra cheia de moedas. Bastava enfiar a mão dentro dela e se obtinham moedas.

Assim, a família pôde começar a erguer a cabeça e a retornar à situação de antigamente. Quando a menina completou quatro anos, seu pai disse à mulher:

— Minha mulher, creio que chegou a hora de encantar Pepina, bonita ela é, moedas nós temos; por que não haveríamos de encantá-la?

Para encantar as crianças, naquele tempo, ia-se até Mezzomonreale,** onde moravam quatro fadas irmãs. Levaram Pepina numa carruagem e a apresentaram às quatro irmãs. As fadas explicaram tudo o que se devia preparar e marcaram o encontro para domingo, quando passariam pela casa do mercador e ali fariam tudo.

---

* *Vucciria*: mercado público de Palermo.
** *Menzumurriali*: "Mezzo Monreale, fora da Porta Nova, em Palermo, na metade do caminho que conduz a Monreale".

Domingo, pontuais, as quatro irmãs desceram a Palermo e encontraram tudo preparado: lavaram as mãos, amassaram um pouco de farinha de Maiorca, fizeram quatro belos pastéis e os mandaram enfornar.

A mulher do padeiro, passado algum tempo, sente sair do forno um perfume que era uma delícia. Não conseguiu resistir à gula, retirou um dos pastéis e o comeu. Depois amassou outro de qualquer jeito, com farinha comum e água apanhada no fosso onde lavava a vassoura do forno. Deu-lhe uma forma qualquer e o misturou com os outros três.

Quando os pastéis chegaram à casa do mercador, a primeira fada cortou um:

— O encanto que lhe dou, bela jovem, é que todas as vezes que escovar os cabelos cairão pérolas e pedras preciosas.

— E eu — disse a segunda cortando outro pastel —, o encanto que lhe ofereço é torná-la ainda mais bonita do que já é.

A terceira se levanta.

— E eu, o encanto que lhe dou é que todos os frutos fora de estação que desejar surgirão logo diante de você.

A quarta se levanta e, apenas havia dito: "O encanto que...", quando, enfiando a faca no pastel, que era aquele amassado com a cinza da vassoura do forno, a cinza esguichou e atingiu um de seus olhos:

— Ai! Que dor! — exclamou a fada. — Eis o encanto que lhe dou: que, ao ver o sol, torne-se uma cobra preta! — E as quatro irmãs desapareceram.

O pai e a mãe desataram a chorar: a filha deles não poderia mais ver o sol!

Deixemo-los e passemos a Baldeleon, que, na França, contava vantagens sobre as grandes riquezas de sua casa, bem sabendo que lá não havia mais nem uma moeda furada. Mas, à custa de muito blefar, acabara respeitado por todos, pois é sabido que, como diz o provérbio:

Quem vai para longe do torrão natal
Finge-se de conde, duque e marechal.

O rei da França foi tomado pela curiosidade de conferir se todas aquelas riquezas de Baldeleon existiam de fato: e mandou a Palermo um cavaleiro, explicando-lhe bem tudo o que devia observar e contar. O cavaleiro chegou a Palermo, procurou o pai de Baldeleon e lhe indicaram um magnífico palácio, cheio de guardas. Entrou: havia aposentos de ouro puro, camareiros e criados que não acabavam mais. O mercador recebeu o cavaleiro com grande cerimônia, convidou-o para comer e, depois do pôr do sol, mandou chamar Pepina. Ao vê-la, o cavaleiro ficou fascinado: jamais vira uma moça tão bonita. Retornou à França e contou tudo ao rei.

O rei chamou Baldeleon:

— Baldeleon, vá a Palermo, corra até sua casa e traga-me sua irmã Pepina, pois quero me casar com ela.

Baldeleon, que nem ao menos sabia ter uma irmã, entendeu pouco de toda aquela conversa, mas obedeceu ao rei e partiu. Convém saber que, em Paris de França, Baldeleon estabelecera relações com uma moça. E essa moça também quis viajar com ele para Palermo.

Chegando a Palermo, Baldeleon encontrou a família desfrutando de grande fortuna, apresentou-se, conheceu a irmã e lhe anunciou que o rei da França queria casar com ela. Ficaram todos contentes, mas a moça que viera com Baldeleon da França, quando viu Pepina, foi tomada por uma grande inveja e se pôs na cabeça que a faria cair em desgraça para que ela própria se tornasse rainha.

Depois de alguns dias, Baldeleon devia embarcar com Pepina.

— Sua bênção, papai.

— Adeus, meu filho. Adeus, Pepina.

— Adeus, mamãe, adeus, irmãzinhas. — E partiram.

Para chegar a Paris de França, viaja-se primeiro por mar e depois por terra. Baldeleon fechou Pepina, bem trancadinha, na embarcação e não a deixou ver nem um raio de sol. E a amiga de Baldeleon lhe fazia companhia. Quando a embarcação alcançou o porto, ele mandou desembarcar a irmã numa liteira totalmente fechada junto com a amiga. E a invejosa se consumia de raiva, pensando que se aproximavam de Paris e que, uma vez lá na corte, Pepina se tornaria rainha e ela não passaria de mulher de general.

Começou a dizer:

— Pepina, aqui está sufocante: vamos abrir!

— Por caridade, minha irmã, assim me destrói!

Deixou passar algum tempo e depois:

— Pepina, estou me sufocando!

— Não, tenha paciência...

E ainda:

— Pepina, eu vou morrer.

— Mesmo que você morresse, sabe que não posso abrir!

— Ah, é assim? — E a amiga pegou um canivete e rasgou o couro da liteira: passou um raio de sol, bateu direto em Pepina e ela se tornou cobra, uma cobra preta que deslizou pelo pó da estrada e desapareceu na sebe do jardim do rei, que estava próximo.

Ao ver a liteira chegar vazia, Baldeleon deu um grito:

— Pobre da minha irmã! E pobre de mim! Que vou fazer agora, com o rei querendo minha irmã?

— Está com medo de quê? — disse a amiga. — Diga-lhe que sou eu sua irmã e fica tudo certo. — E Baldeleon acabou concordando.

O rei, quando a viu, torceu um pouco o nariz.

— Seria esta a beleza sem igual? Mas não tem jeito: palavra de rei é palavra de rei. Tenho que me casar com ela.

E se casou com ela e ficaram juntos. Mas Baldeleon não tinha paz: aquela traidora lhe fizera perder a irmã e depois o trocara pelo rei! A nova rainha sabia que Baldeleon jamais a perdoaria e começou a maquinar contra ele para eliminá-lo também.

Disse ao rei:

— Majestade, estou doente e desejo figos frescos.

Estavam fora da estação e o rei disse:

— E onde os encontrarei?

— Há um jeito — insistiu ela —, diga a Baldeleon e Baldeleon os encontra.

— Baldeleon!
— Majestade.
— Vá colher quatro figos para a rainha.
— Figos frescos nesta época, Majestade?
— Não me interessa a época. Eu disse figos frescos e figos frescos devem ser. Senão perde a sua cabeça.

Aflito e desconsolado, Baldeleon desceu ao jardim e rompeu em lágrimas. E eis que, da relva do canteiro, sai uma cobra preta e lhe diz:

— O que tem?
— Minha irmã! — disse Baldeleon. — Também eu sou vítima de uma grande desventura! — E lhe falou da ordem do rei.
— Se é só isso — respondeu a cobra —, tenho um dom que me permite fazer surgirem frutas fora da estação. Quer figos frescos? Tome! — E apareceu uma linda cestinha cheia de figos frescos maduros.

Baldeleon subiu depressa até o rei e os deu a ele. A rainha comeu todos, que a envenenem! Após três dias, tinha vontade de damascos. A cobra Pepina fez aparecerem damascos.

A seguir, deu-lhe vontade de cerejas; e Pepina: cerejas. Chegou a vez das peras. Porém, tínhamos nos esquecido de dizer que o encantamento funcionava para os figos, funcionava para os damascos, funcionava para as cerejas, mas não funcionava para as peras.

Baldeleon foi condenado à morte. Pediu uma graça: que seu túmulo fosse feito no jardim real.

— Que lhe seja concedido — disse o rei.

E Baldeleon foi enforcado e sepultado. A rainha finalmente respirou.

Certa noite, a mulher do jardineiro acordou e ouviu uma voz no jardim que dizia:

> *Ai de mim, irmãozinho, ai, Baldeleon,*
> *Sepulto entre as negras verduras*
> *Enquanto a autora de suas desventuras*
> *Banca a rainha ao lado do seu patrão.*

A mulher acordou o marido. Debruçaram-se na janela em silêncio e viram uma sombra negra que serpenteava para fora do túmulo do general enforcado.

De manhã, o jardineiro, fazendo como de costume um maço de flores para o rei, encontrou os canteiros salpicados de pérolas e pedras preciosas, e as levou ao rei, que se admirou muito.

Na noite seguinte, o jardineiro se emboscou com a espingarda. E, à meia-noite, viu uma sombra surgir perto do túmulo e dizer:

Ai de mim, irmãozinho, ai, Baldeleon,
Sepulto entre as negras verduras
Enquanto a autora de suas desventuras
Banca a rainha ao lado do seu patrão.

O jardineiro fez pontaria e estava para disparar quando a sombra disse:

— Abaixe a espingarda! Sou carne batizada e crismada como você. Aproxime-se e me observe. — E, assim falando, ergueu o véu, e apareceu um rosto de beleza sem igual. Depois, começou a soltar as tranças e de seus cabelos caíam pérolas e pedras preciosas. — Vá contar ao rei — disse a mocinha — e diga-lhe que amanhã à noite o espero aqui. — O céu clareava, e a mocinha se transformou em cobra e se foi deslizando.

Na noite seguinte, à mesma hora, a sombra acabara de aparecer e tinha dito:

Ai de mim, irmãozinho, ai, Baldeleon,

quando o rei se colocou ao lado dela. A mocinha ergueu o véu e, enquanto o rei a observava abobalhado, contou-lhe a sua história.

— Diga-me, o que posso fazer para libertá-la? — perguntou-lhe o rei.

— Eis o que pode fazer: parta amanhã com um cavalo que corra como o vento, galope até o rio Jordão, desça na sua margem, encontre as quatro fadas que lá se banham, uma com uma fita verde na trança, outra com uma fita vermelha, a terceira com uma fita azul-celeste e a quarta com uma fita branca. Pegue os vestidos delas, que estão na margem, elas vão exigi-los de volta, mas você não os entregará, entende? Então a primeira jogará a fita verde, a segunda, a fita vermelha, e mais a terceira, a fita azul-celeste, mas, só quando a quarta houver lançado a fita branca e depois sua trança, é que você lhes devolverá os vestidos, pois então o meu feitiço será quebrado.

O rei não quis saber de mais nada. Partiu de madrugada e deixou o reino. Caminha que caminha, após trinta dias e trinta noites alcançou o rio Jordão, encontrou as fadas e fez tudo aquilo que a verdadeira irmã de Baldeleon lhe dissera. Assim que teve nas mãos a fita branca e a trança, disse:

— Agora, deixo-as e me vou, mas não duvidem de que saberei recompensá-las.

De novo no reino, correu depressa para o jardim, chamou a cobra e tocou nela com a trança. E logo Pepina voltou a ser a mais linda mocinha já vista. Pendurou a trança na cabeça e dali em diante não teve mais nada a temer.

O rei chamou o jardineiro e lhe disse:

— Agora ouça o que deve fazer. Prepare um grande navio, embarque a irmã de Baldeleon e parta de noite. Passados alguns dias, regresse ao porto, içando bandeira estrangeira. Depois deixe por minha conta.

O jardineiro cumpriu tudo nos mínimos detalhes e, após três dias, girou o leme e içou bandeira inglesa. Do palácio real se via o mar; o rei se debruça na janela e diz à rainha:

— Que navio é esse? Olhe! Pertence a um dos meus parentes. Vamos ao encontro dele.

A rainha, sempre pronta para se exibir, vestiu-se num piscar de olhos. Subindo a bordo, deparou com Pepina. "Se não soubesse que a irmã de Baldeleon se tornou uma cobra preta", pensou, "diria que esta é ela..."

Depois de muitas cerimônias, desceram à terra com a recém-chegada, elogiando muito sua beleza.

— Diga-me — disse o rei à rainha —, quem fizesse mal a uma criatura como esta, que castigo mereceria?

— Oh — respondeu a rainha —, e quem acha que seria tão perverso a ponto de fazer mal a esta joia?

— Mas, se acontecesse, o que mereceria?

— Mereceria ser jogado por esta janela e depois queimado!

— E assim será! — disse depressa o rei. — Esta mulher é a irmã de Baldeleon com quem me teria casado e que você, invejosa, transformou em cobra preta para ficar no lugar dela. O ardil que me preparou e os sofrimentos que causou a esta pobrezinha, agora os pagará todos juntos: a pena foi dada por você mesma. Ei! Soldados do palácio! Agarrem esta perversa, joguem-na pela janela e depois, depressa, queimem-na!

Dito e feito, a mentirosa foi jogada pela janela e queimada junto ao palácio. O rei pediu perdão à irmã de Baldeleon por ter mandado enforcar seu irmão inocente. Ela respondeu:

— Não pensemos no passado. Melhor: vamos ao jardim ver o que se pode fazer.

Foram até o túmulo e ergueram a lápide. O corpo de Baldeleon se achava quase intacto. Pepina usou um pincelzinho para passar unguento no pescoço dele, e Baldeleon começou a gemer, depois a se mexer, em seguida a esfregar os olhos como se estivesse acordando e por fim se levantou. Não se pode descrever a cena. Abraçaram-se, beijaram-se, o rei mandou realizar grandes festas, mandou chamar o mercador e sua mulher, e desposou Pepina com magníficas pompas.

DONO DE GRÃOS-DE-BICO E FAVAS

Era uma vez, em Palermo, um certo dom João Misirante que ao meio-dia sonhava com o almoço, à tarde, com o jantar, e durante a noite sonhava com os dois. Um dia, com a fome que lhe furava as tripas, saiu porta afora. "Ó minha Sorte!", dizia consigo mesmo, "como me abandonou assim?" Andando, viu uma fava no chão. Inclinou-se para recolhê-la. Sentou-se num marco de pedra e começou a conjeturar olhando para a fava. "Que linda fava! Agora vou plantá-la num vaso e vai brotar uma faveira, com muitas vagens. Porei as vagens para secar; depois plantarei as favas num alguidar e terei muitas outras vagens... Daqui a três anos, alugo uma horta, planto as favas e verão quantas outras surgirão. No quarto ano, alugo um armazém e me transformo num grande negociante..."

Nesse meio-tempo, recomeçara a caminhar e havia superado a Porta Sant'Antonino. Havia uma série de armazéns e, diante de uma porta, estava sentada uma mulher.

— Boa mulher, estes armazéns estão para alugar?

— Sim, senhor — respondeu-lhe a mulher —, quem é o interessado?

— Meu patrão — informa ele. — Com quem se deve tratar?

— Com a senhora que fica no andar de cima.

Dom João Misirante se pôs a pensar e foi procurar um compadre dele.

— Por são João — pediu ao compadre —, não me diga que não. Empreste-me um terno seu por vinte e quatro horas.

— Claro que sim, compadre.

E dom João Misirante se vestiu como um senhor, incluindo luvas e relógio, depois foi ao barbeiro e, todo lustroso, saiu pela Porta Sant'Antonino. Guardara a fava no bolsinho do colete e, de vez em quando, dava-lhe uma olhada de esguelha. Viu a mulher, sempre sentada no mesmo lugar, e lhe disse:

— Boa mulher, foi à senhora que meu empregado perguntou sobre os armazéns para alugar?

— Sim, senhor: veio vê-los? Venha comigo, que o acompanho até onde está a esposa do meu patrão.

Dom João Misirante, todo empertigado, segue a mulher e se apresenta à proprietária dos armazéns. A senhora, vendo um cavalheiro de chapéu, luvas e corrente de ouro, acolheu-o efusivamente e começaram a conversar. No melhor da história, entrou uma bonita donzela. Dom João Misirante arregalou os olhos.

— Parente sua? — perguntou à senhora.

— É minha filha.

— Desimpedida?

— Sim, ainda desimpedida.

— Fico contente: também eu sou desimpedido.

Passado algum tempo, propõe:

— Creio que, fechado o contrato dos armazéns, deveríamos passar para o da filha. O que me diz disso, senhora?

E a senhora respondeu:

— Tudo pode acontecer...

Chegou o marido. Dom João se levantou, fez uma reverência:

— Sou proprietário de terras — disse — e gostaria de alugar seus treze armazéns para enchê-los de favas, grãos-de-bico e o resto da colheita. E, se não houver inconveniente, gostaria também de me casar com sua filha.

— Ah. E como se chama?

— Eu me chamo: "dom João Misirante, dono de grãos-de-bico e favas".

— Então, dom João, dê-me vinte e quatro horas e terá uma resposta.

À noite, a mãe chamou a filha num canto e lhe disse que dom João Misirante, dono de grãos-de-bico e favas, queria casar com ela. Toda feliz, a filha disse sim.

No dia seguinte, dom João voltou à casa do seu compadre e pediu emprestado outro terno; a primeira coisa que fez foi pôr a fava no bolsinho do novo colete. Dirigiu-se à casa dos proprietários dos armazéns e, quando obteve a resposta, ficou radiante.

— Então, gostaria de apressar as coisas — disse —, pois minhas inúmeras ocupações não me deixam perder tempo.

— Claro que sim, dom João — disseram os pais da moça —, aceitaria lavrar o contrato dentro de uma semana?

Naquele período, dom João continuou pedindo emprestados ternos diferentes e os sogros o imaginavam muito rico. Firmaram o contrato e o dote foi fixado em duas mil onças de moedas de ouro em espécie, lençóis e roupa branca. Ao ver tanto dinheiro pela frente, dom João se sentiu outro homem. Começou a gastar: presentes para a noiva e para ele ternos e tudo o que fosse preciso para fazer boa figura.

Passados oito dias do contrato, casou-se com um bonito terno e a fava no bolsinho do colete. Ofereceram festas e banquetes e dom João levava uma vida de barão. A sogra, vendo aquele desperdício que não tinha fim, começou a se preocupar:

— Dom João, quando vai levar minha filha para visitar seus feudos? É a época das colheitas.

Dom João começou a se atrapalhar: já não sabia que desculpa dar.

Desesperava-se e tirava do bolso seu amuleto:

— Minha Sorte — dizia —, tem que me ajudar de novo.

Mandou preparar uma bela liteira para a esposa e a sogra e disse:

— É hora de partir. Vamos em direção a Messina. Irei na frente a cavalo, e vocês me seguirão.

Dom João saiu a cavalo. Quando viu um lugar que lhe pareceu conveniente, chamou um camponês.

— Tome doze *tarí*:* assim que aparecer uma liteira com duas senhoras, se lhe perguntarem de quem são estas terras, deve lhes dizer: "De dom João Misirante, dono de grãos-de-bico e favas".

A liteira passou.

— Bom homem, de quem são todas estas lindas terras?

---

* *Tarí* (dialeto siciliano): "moeda antiga, equivalente a 42 centésimos de lira" (Pitrè).

— De dom João Misirante, dono de grãos-de-bico e favas.

Mãe e filha sorriram satisfeitas e continuaram a viagem.

Noutro feudo, sucedeu o mesmo; dom João ia na frente, regando o caminho com os habituais doze *tarí*, com a fava no bolsinho que era toda a sua fortuna.

Tendo chegado onde já não havia mais nada para ver, dom João disse consigo: "Agora procuro uma estalagem e espero por elas". Olha ao redor e vê um grande palácio, com uma donzela vestida de verde debruçada na janela.

— Psiu, psiu! — chamou a donzela e lhe fez sinal para subir.

Dom João subiu pelas escadarias quase receoso de sujá-las de tão limpas e brilhantes que estavam. A donzela foi ao seu encontro e, indicando com um gesto amplo os lampadários, os tapetes, as paredes de ouro puro, disse:

— Gosta do palácio?

— Imagine se não gosto! — disse dom João. — Eu até morto me sentiria bem aqui dentro...

— Suba, suba. — E lhe fez passar pelos quartos: por toda a parte havia joias, pedras preciosas, tecidos finos, coisas com que dom João jamais sonhara.

— Está vendo tudo isso? É seu. Saiba conservá-lo. Eis aqui a papelada. É um presente que lhe dou. Sou a fava que recolheu e conservou no bolsinho. Agora vou indo.

Dom João estava a ponto de se lançar aos pés dela e lhe falar de toda a sua gratidão, mas a donzela vestida de verde desaparecera: sumira debaixo de seus olhos. Contudo, o belo palácio lá estava e era seu, dele mesmo, dom João Misirante.

Tão logo a sogra viu o palácio:

— Ah, minha filha, que grande sorte você teve! Dom João, caro filho, possuía um palácio tão lindo e não nos tinha dito!

— Eh! Queria lhes fazer uma surpresa... — E as levou para visitar o palácio, e era a primeira vez que o via também ele, e lhes mostrou as joias e a papelada dos feudos, e depois um subterrâneo cheio de ouro e de prata com uma pá fincada no meio, depois as estrebarias com todas as carruagens, e por fim passaram em revista os lacaios e toda a criadagem.

Escreveram ao sogro para que vendesse tudo e viesse também ele para o palácio, e dom João mandou uma gorjeta também para aquela boa mulher que encontrara sentada em frente aos armazéns.

O SULTÃO COM SARNA

Um pescador tinha um filho ainda pequeno que, quando o via entrar na barca, dizia:

— Papai, leve-me com você.

E o pescador:

— Não, pois pode haver uma tempestade.

E se o tempo estava bom:

— Não, pois pode aparecer o tubarão.

E se não era a época dos tubarões:

— Não, pois a barca pode afundar.

Assim, conseguiu convencê-lo até os nove anos, mas naquela idade não houve mais jeito. Teve de levá-lo junto para pescar no meio do mar.

No meio do mar, o pescador lançou as redes, e o menino, uma linha. O pai puxou a rede e não havia nem mesmo um peixinho, o menino puxou a linha e nela estava pendurado um peixe enorme.

— Papai, quero entregá-lo ao rei pessoalmente.

Voltaram para a praia, o menino pôs roupa de domingo, colocou o peixe numa cesta sobre um fundo de algas verdes e foi até o rei.

O rei viu o peixe e estalou a língua.

— Ei! — chamou um camareiro. — Ei! Dê cinquenta onças para aquele pescadorzinho! — E perguntou a ele: — Como se chama?

— Eu me chamo Piduzu, Majestade — disse o pescadorzinho.

— E então, Piduzu, quer ficar no palácio real?
— Quem me dera! — respondeu o menino.

E assim, com o consentimento do pai, Piduzu foi criado no palácio, vestido de sedas finas e com mestres e professores. Tornou-se instruído, cresceu e não o chamavam mais de Piduzu, mas de "o cavaleiro dom Piduzu".

No palácio, crescia também a filha do rei, que se chamava Pepina e gostava de Piduzu como de seus próprios olhos. Aos dezessete anos, apresentou-se um filho de rei para pedi-la em casamento. O pai, que estava interessado, tentou convencê-la a aceitar. Mas Pepina tinha Piduzu no coração e disse a seu pai que ou se casaria com Piduzu ou não se casaria com mais ninguém. O rei se irritou, chamou Piduzu:

— Minha filha perdeu a cabeça por você e isso não tem cabimento: é preciso que você vá embora do palácio.

— Majestade — falou dom Piduzu —, quer dizer que está me mandando embora?

— Lamento — disse o rei —, considerava-o como filho. Mas não tenha medo, não afastarei minha mão de sua cabeça. — Assim, dom Piduzu saiu pelo mundo, e a rainhazinha foi encerrada num mosteiro, vamos imaginá-lo como o de Santa Catarina.

Dom Piduzu foi se hospedar numa estalagem. Sua janela dava para um poço de luz* e sobre esse poço de luz se abria uma janelinha do mosteiro. Pepina se debruçou na janelinha. Assim que se viram, por meio de gestos e frases, começaram a se consolar. Pepina, na sua cela do mosteiro, encontrou um livro de encantamentos, escondido por uma monja que se tornara bruxa, e o passou para dom Piduzu pela janela.

No dia seguinte, o rei foi visitar a filha e pediu permissão à madre superiora para falar com ela e, como era rei, deram-lhe permissão. A rainhazinha disse ao pai:

— Ouça, papai, vamos resolver esta história. O reizinho tem um brigue; o senhor dá um brigue a dom Piduzu. E que partam

---

* *Puzzu di lumi* (dialeto siciliano): "poço que dá luz nas casas".

cada um por sua conta. Quem regressar com os presentes mais bonitos será meu marido.

— Gosto da ideia — disse o rei. — Assim será.

E, tendo chamado os dois pretendentes ao palácio, explicou o plano da filha. Ambos ficaram contentes: o reizinho por saber que dom Piduzu não possuía nem um centavo; dom Piduzu porque se sentia seguro com o livro de encantamentos.

Assim, levantaram âncora e partiram. Ao largo, dom Piduzu abriu o livro e lá estava escrito: "Amanhã, atraque à primeira terra que avistar; desça com toda a equipagem e com uma estaca". No dia seguinte, foi avistada uma ilha; dom Piduzu e a equipagem desembarcaram carregando uma estaca. Em terra, abriu o livro. Estava escrito: "Justamente no meio, encontrará um alçapão, depois outro e outro ainda; erga-os com a estaca e desça". Assim fez: achou o alçapão no meio da ilha, ergueu-o usando a vara como alavanca; sob o alçapão havia outro, e embaixo um terceiro. Suspenso o último, viu-se uma escada. Dom Piduzu desceu e se viu numa galeria toda de ouro puro: paredes, portas, pavimento, teto, tudo de ouro, e uma mesa preparada para vinte e quatro pessoas, com colheres, saleiros e castiçais de ouro. Dom Piduzu consultou o livro. Estava escrito: "Pegue tudo". Chamou a equipagem e deu ordens de levar tudo para bordo. Levaram doze dias carregando. Havia vinte e quatro estátuas de ouro tão pesadas que só conseguiam carregar duas por dia. No livro estava escrito: "Deixe os alçapões como os encontrou". Assim fez, e o brigue levantou âncora.

"Ice as velas e prossiga sua viagem", dizia o livro. Navegaram um mês inteiro, porém os marinheiros começaram a se cansar.

— Capitão, para onde está nos conduzindo?

— Adiante, rapazes, pois dentro em pouco chegaremos a Palermo.

Abria o livro todos os dias, mas nele não havia nada escrito. Finalmente, achou: "Amanhã verá uma ilha: desembarque". Em terra, o livro dizia de novo: "No meio há um alçapão; erga-o; depois mais dois, depois uma escada; desça e tudo o que encontrar é seu". Desta vez dom Piduzu achou uma caverna com presuntos e queijos-cavalos pendurados, rodeados por montes de jarras. Dom Piduzu leu o livro: "Não coma nada, pegue a terceira jarra à esquerda, há um bálsamo que cura qualquer doença". E dom Piduzu levou a jarra para bordo. A bordo abriu o livro: "Regresse", estava escrito.

— Finalmente! — gritaram todos.

Mas na viagem de volta, enquanto navegavam e só viam céu e mar, céu e mar, eis que se alinham no horizonte os navios dos corsários turcos. Houve combate e toda a equipagem foi aprisionada e levada para a Turquia. Dom Piduzu e o piloto foram conduzidos até Balalicchi. Balalicchi perguntou ao *catrai*:*

— Estes de onde são?

— Sicilianos, Majestade — disse o *catrai*.

— Sicilianos! Deus me livre! — disse Balalicchi. — Prendam-nos! Mantenham-nos a pão e água, façam-nos trabalhar carregando pedras!

Assim, dom Piduzu e o piloto iniciaram aquela dura vida, e dom Piduzu só pensava na sua rainhazinha, que o aguardava com os presentes.

Convém saber que Balalicchi pegara sarna. Estava infestado da cabeça aos pés e não encontrava remédio para curá-la. Quando dom Piduzu, por meio das conversas dos demais prisioneiros, veio a saber disso, declarou aos guardas que ele, em troca da liberdade, curaria Balalicchi.

Balalicchi ficou sabendo disso e chamou o siciliano.

— Tudo o que quiser, desde que me cure da sarna.

Dom Piduzu não se contentou com a palavra: quis tudo no papel e a permissão para retornar à sua embarcação. A embarcação tinha sido levada para a praia; não haviam tirado nada de bordo, pois eram corsários honrados. Dom Piduzu pegou uma garrafa, do bálsamo daquela jarra, voltou até Balalicchi, fez com que se deitasse e depois, com um pincel, começou a untar

---

* "A narradora diz que *Balalicchi* é um rei dos turcos. *Catrai* ou *catraju*, intérprete."

o couro cabeludo, o rosto e o pescoço dele. Antes de anoitecer Balalicchi começou a mudar de pele como uma serpente e, debaixo da pele sarnenta, tinha outra inteiramente lisa e rosada. No dia seguinte dom Piduzu untou o peito, a barriga e as costas dele, e à noite mudou de pele. No terceiro dia untou as pernas e os braços, e Balalicchi já estava curado. E dom Piduzu zarpou com sua equipagem.

Desembarcou em Palermo e logo estava na carruagem para ir ao encontro de Pepina, que não cabia em si de alegria. O rei lhe perguntou como fora a viagem.

— Deus sabe como foi, Majestade — disse dom Piduzu —, agora, gostaria que preparassem uma galeria para colocar os meus presentes. É verdade que são coisas insignificantes, mas já que estão aqui...

E mandou descarregar todas as coisas de ouro que tinha. Durante um mês não fizeram outra coisa. Estando as coisas em ordem, disse ao rei:

— Majestade, amanhã estarei pronto; se quiser, veja primeiro o que trouxe o reizinho, e depois minhas coisas.

No dia seguinte o rei foi ver os presentes do reizinho: enfeites, objetos de toalete, coisas lindas, sim, nada a comentar. O rei o elogiou muito. Depois, foram juntos ver as coisas de dom Piduzu; tão logo se encontrou perante tamanho esplendor, o reizinho não se conteve:

— Ah! — virou-se, pôs-se a correr, desceu as escadarias pulando quatro degraus de cada vez, embarcou em seu navio, e ninguém o viu mais.

A multidão gritou:

— Viva dom Piduzu! — E o rei o abraçou.

— Foram juntos buscar Pepina em Santa Catarina e depois de três dias os noivos se casaram.

Dom Piduzu mandou procurar seu pai e sua mãe, dos quais não sabia mais nada. Pobrezinhos! Continuavam descalços. Mandou-os vestir como pai e mãe de reizinho que eram e os instalou no palácio.

Todos ficaram felizes e contentes
E nós continuamos a bater os dentes.

ALECRINA

Era uma vez um rei e uma rainha que não tinham filhos. Passeando na horta, a rainha viu um pé de alecrim rodeado de mudinhas. E disse:

— Dê uma olhada: aquele ali é apenas um pé de alecrim e tem tantos filhos, e eu que sou rainha não tenho nem mesmo um!

Passado algum tempo, a rainha também se tornou mãe. Mas não teve um filho, e sim um pé de alecrim. Colocou-o num bonito vaso e o regava com leite.

Um sobrinho, que era rei da Espanha, veio visitá-la e perguntou:

— Majestade tia, que planta é esta?

A tia lhe respondeu:

— Majestade sobrinho, é minha filha, e a rego com leite quatro vezes por dia.

O sobrinho gostou tanto da planta que pensou em raptá-la. Pegou-a com vaso e tudo, e a levou para a sua embarcação, comprou uma cabra leiteira e mandou levantar âncora. Navegando, ordenhava a cabra e dava leite ao pé de alecrim quatro vezes por dia. Assim que desembarcou em sua cidade, mandou plantá-lo no seu jardim.

Esse jovem rei da Espanha tinha uma grande paixão por flauta e, todos os dias, andava pelo jardim tocando flauta e dançando. Tocava flauta e dançava, quando, do meio da folhagem do alecrim, apareceu uma linda mocinha de cabelos compridos que se pôs a dançar ao lado dele.

— De onde vem? — perguntou-lhe ele.

— Do alecrim — respondeu ela.

E, terminada a dança, retornou à folhagem do alecrim e não se deixou mais ver. Daquele dia em diante, o rei despachava às pressas os negócios do Estado e ia para o jardim com a flauta, tocava e a linda mocinha saía do meio das folhas, e juntos dançavam e conversavam de mãos dadas.

No melhor do namoro, o rei recebeu uma declaração de guerra e teve de partir. Disse à mocinha:

— Minha Alecrina, não saia da sua planta enquanto eu não voltar. Quando voltar, tocarei três notas na flauta e então você sairá.

Chamou o jardineiro e lhe disse que o pé de alecrim precisava ser regado com leite quatro vezes por dia; e, se na volta o encontrasse murcho, mandaria decapitá-lo. E partiu.

É preciso saber que o rei tinha três irmãs, moças curiosas que havia um bom tempo se perguntavam o que andaria fazendo o irmão horas seguidas no jardim com a flauta. Assim que ele partiu para a guerra, foram vasculhar seu quarto e encontraram a flauta. Pegaram-na e foram até o jardim. A mais velha tentou tocá-la e saiu uma nota, a segunda a tirou da mão dela, soprou e emitiu outra nota, e a caçula, por sua vez, tocou uma nota ela também. Ouvindo as três notas e pensando que o rei tivesse regressado, Alecrina pulou para fora das folhas. As irmãs:

— Ah! Agora entendemos por que nosso irmão não saía mais do jardim! — E, malvadas como eram, agarraram a mocinha e bateram nela quanto puderam. Aquela infeliz, mais morta que viva, correu para seu alecrim e desapareceu.

Quando o jardineiro veio, encontrou a planta meio murcha, com as folhas amareladas e pendentes.

— Ai, pobre de mim! O que vou fazer quando o rei vier!

Correu até sua casa e disse à mulher:

— Adeus, tenho que fugir, você passa a regar o alecrim com leite. — E fugiu.

O jardineiro caminhou pelo campo a mais não poder. Quando anoiteceu, estava num bosque. Com medo dos bichos, trepou numa árvore. À meia-noite, sob aquela árvore, haviam marcado encontro uma Mamãe-Dragona e um Mamo-Dragão. E o jardineiro, escondido em cima da árvore, arrepiava-se ouvindo-os bufar.

— Quais são as novidades? — perguntou Mamãe-Dragona ao Mamo-Dragão.

— E quais queria que fossem?

— Você nunca me conta nada de novo!

— Ah, sim, o pé de alecrim do rei murchou.

— E como isso aconteceu?

— Aconteceu assim: agora que o rei está na guerra, as irmãs começaram a tocar a flauta e, do alecrim saiu a moça encantada, e as irmãs a deixaram mais morta que viva de tantas pancadas. Assim, a planta está murchando.

— E não há meio de salvá-la?

— Até que haveria...

— E por que não me conta?

— Bem, não é coisa que se diga: as árvores têm olhos e ouvidos.

— Deixe disso; quem é que nos ouviria no meio do bosque?

— Então vou lhe contar este segredo: seria preciso pegar o sangue da minha garganta e a gordura do seu cangote, fervê-los juntos numa panela, e untar todo o pé de alecrim. A planta vai secar completamente, mas a moça sairá dela sã e salva.

O jardineiro ouvira toda a conversa com o coração nas mãos. Assim que o Mamo-Dragão e a Mamãe-Dragona adormeceram e ele os ouviu roncar, arrancou um galho nodoso, pulou no chão e com dois golpes certeiros os mandou para o outro mundo. Depois, retirou o sangue da garganta do Mamo-Dragão, a gordura do cangote da Mamãe-Dragona e correu para casa. Acordou a mulher e:

— Rápido, ferva estas coisas! — E untou o alecrim raminho por raminho. A moça saiu e o alecrim secou. O jardineiro pegou a moça pela mão e a levou para sua casa, colocou-a na cama e lhe deu um bom caldo de sopa.

O rei volta da guerra e, antes de mais nada, vai até o jardim com a flauta. Toca três notas, toca outras três, e haja fôlego

369

para assoviar! Aproxima-se do alecrim e o encontra sequinho, sem uma única folha.

Furioso como uma fera, correu à casa do jardineiro.

— Hoje mesmo será decapitado, desgraçado!

— Majestade, acalme-se, entre um instante em minha casa e lhe mostro uma coisa maravilhosa!

— Coisa maravilhosa um corno! Você será decapitado!

— Primeiro entre, depois faça o que quiser comigo!

O rei entrou e encontrou Alecrina deitada, pois ainda estava em convalescença. Ela ergueu a cabeça e lhe disse, com lágrimas nos olhos:

— Suas irmãs me espancaram, e o pobre Jardineiro salvou minha vida!

O rei estava transbordando de felicidade por ter reencontrado Alecrina, com ódio das irmãs, muito agradecido ao jardineiro. Tão logo a moça se restabeleceu, quis casar com ela, e escreveu ao rei seu tio que o alecrim que ele roubara havia se transformado numa lindíssima jovem e o convidava, e também à rainha, para o dia do casamento. O rei e a rainha, que estavam desesperados por não saber nada da planta, quando o embaixador levou aquela carta para eles e souberam que a planta era na realidade uma linda moça, filha deles, ficaram como loucos de alegria. Partiram imediatamente e, bum! bum!, dispararam muitas salvas de canhão ao chegar ao porto, e Alecrina já estava lá esperando pelos pais. Celebrou-se o casamento e foi feito um banquete com uma mesa do tamanho da Espanha.

DIABOCOXO

Diabocoxo estava em Casacalda.* Os homens morriam, iam direitinho para Casacalda e encontravam Diabocoxo que perguntava:

— Ei, amigos, que bons ventos os trazem? Por que estão todos aqui embaixo?

E os mortos:

— Por causa das mulheres.

Diabocoxo, de tanto ouvir a mesma resposta, ficou com uma grande curiosidade no corpo, e depois com uma vontade enorme de satisfazê-la: a curiosidade de saber como funcionava esse negócio com as mulheres.

Vestiu-se de cavaleiro e se dirigiu a Palermo. Havia uma moça num balcão, gostou dela; e se pôs a passear ali embaixo. Passeia que passeia, quanto mais passeava mais gostava dela; e mandou pedi-la em casamento. Não queria dote, ela podia vir apenas com a roupa do corpo, mas com uma condição: tudo o que desejasse teria de pedir enquanto fosse noiva, porque depois de casar, muito cuidado, pois ele não pretendia ouvi-la pedir mais nada.

A moça aceitou o pacto, e o cavaleiro lhe fez as roupas, tantas que teria o que vestir para toda a vida. Casaram-se e uma noite saíram juntos pela primeira vez para ir ao teatro. No teatro, é sabido como as mulheres fazem: começou a olhar para o vestido da marquesa, para as joias da condessa, viu a baronesa com um chapéu diferente dos trezentos chapéus que ela possuía, e começou a ser consumida pela vontade de ter um igual. Porém, havia o pacto de não exigir mais nada do marido; e a esposa começou a ficar amuada. O marido percebeu:

— Rosinha, o que é? Há alguma coisa errada?

— Não, não, nada...

— Mas você não está bem.

---

* *A casa cauda* (dialeto siciliano): "na casa quente, no inferno".

— É sério, não tenho nada.

— Se tem alguma coisa, é melhor me dizer.

— Então, se quer mesmo saber, é uma injustiça que a baronesa tenha um chapéu diferente dos meus e que eu não possa pedir um a você, eis o que eu tenho!

Diabocoxo pulou em cima dela como um foguete:

— Aaah! Então é verdade que os homens vão todos para o inferno por culpa de vocês, mulheres! Agora entendo.

Abandonou-a em pleno teatro e foi embora.

Foi para Casacalda e estava ali com um compadre dele, contando tudo o que lhe acontecera ao se casar. E o compadre disse que também gostaria de experimentar um casamento, mas queria que fosse com a filha de um rei, para ver se também com os reis acontecia a mesma coisa.

— Então experimente, meu compadre! — disse Diabocoxo. — Sabe o que podemos fazer? Eu encarno na filha do rei da Espanha. A filha do rei da Espanha, com um diabo encarnado nela, cai doente; o rei lança um edital: "Quem curar minha real filha, terá como prêmio sua real mão". Você aparece vestido de médico; assim que eu ouvir sua voz, saio do corpo dela, ela se cura e você a desposa e passa a ser rei. Que tal a ideia, compadre?

Assim fizeram, e tudo correu conforme o previsto, até que o diabo compadre foi junto da rainhazinha doente. Tendo ficado só, começou a dizer em voz baixa:

— Compadre Diabocoxo! Ei, compadre! Aqui estou: pode sair e deixá-la livre! Ei, Diabocoxo, não está me ouvindo?

Contudo, é sempre melhor não confiar em promessas de diabos. De fato, ouviu-se a voz do Diabocoxo:

— Quê? O que é? Ah, sim, sim, estava tão bem... Mas, afinal, por que teria que sair? Quem está bem não se mexe...

— Compadre, mas o que combinamos, e então? Quer brincar? O rei manda cortar a cabeça de quem fracassa! Ei, compadre!

— Sim, estou bem aqui! E você acha que vou sair?

— Mas como? E eu morro?

— Ah, não me diga! Deixe estar! Chega, daqui não saio nem a bala!

O pobre compadre lhe implorava, esconjurava-o: mas não havia jeito. Agora o prazo estabelecido estava para findar; o falso médico foi até o rei e lhe disse:

— Majestade, para curar sua filha só me falta uma coisa: que mande disparar os canhões de suas fragatas.

O rei foi à janela.

— Fragatas, fogo!

E os canhões das fragatas:

— Bum! Bum! Bum!

Diabocoxo, que, de dentro do corpo da rainhazinha, não enxergava nada, perguntou:

— Compadre, o que são todos esses canhonaços?

— Um navio está entrando no porto e dispara algumas salvas.

— E quem está chegando?

O compadre foi à janela.

— Oh! É sua mulher que está chegando!

— Minha mulher! — espantou-se Diabocoxo. — Minha mulher! Eu vou fugir! Vou fugir depressa! Não quero sentir nem o cheiro dela!

Da boca da rainhazinha saiu uma flecha de fogo, e nessa flecha Diabocoxo sumiu; no mesmo instante, a rainhazinha se sentiu curada.

— Majestade! Está curada, Majestade! — chamou o compadre.

— Bravo! — exclamou o rei —, a mão e a coroa são suas.

E assim começaram os problemas para o diabo compadre.

E quem disse e quem mandou dizer
De morte ruim não venha a morrer.

A MOÇA-POMBA

Era uma vez um rapazinho, desesperado como um cão. Certo dia, coitadinho, não tendo o que comer, foi sentar na praia para ver se maquinava algo para não ficar em jejum. Depois de um bom tempo ali sentado, viu aparecer um Grego-Levante* que lhe perguntou:

— O que tem, meu rapaz, que está tão preocupado?
— Como queria que estivesse? — respondeu o rapazinho. — Estou morrendo de fome; não tenho nem o que comer nem do que ter esperança.
— Oh, meu filho, anime-se; venha comigo que lhe darei de comer e dinheiro, e tudo aquilo que você quiser.
— E o que devo fazer? — disse o rapazinho.
— Nada. Comigo só é preciso trabalhar uma vez por ano.

O pobre rapazinho sentiu o coração amolecer, coitadinho. Fizeram o contrato; o tempo passava e o rapazinho não tinha nada para fazer. Certa vez, o Grego-Levante o chamou e disse:

— Sele dois cavalos, pois devemos partir.

O rapazinho os preparou e partiram. Anda que anda, chegaram ao sopé de uma alta montanha. O Grego-Levante disse:

— Agora você tem que ir até lá em cima.
— E como é que eu faço? — disse o rapazinho.
— Deixe isso por minha conta.
— E se eu não quiser subir?
— Combinamos que você tinha que trabalhar uma vez por ano. Queira ou não, essa vez chegou. Você tem que ir lá em cima e jogar para mim todas as pedras que estão lá.

---

* *Grecu-livanti*: um grego do Levante, tradição siciliana. "Pegue-se este nome, e depois um grego qualquer, como elemento para assustar as crianças. ("Si passa lu Grecu-livanti e ti vidi, ti pigghia" [Se passa o Grego-Levante e o vê, leva-o embora].) As crianças acreditam que o Grego-Levante vai agarrá-las e escondê-las nas suas características calças largas" (Pitrè).

Dito isso, pegou um cavalo, matou-o, tirou a pele dele e mandou o rapazinho entrar na pele. Nesse ínterim, uma águia que voava no céu viu a pele de cavalo, mergulhou, pegou-a com suas garras e a suspendeu no céu com o rapazinho dentro. A águia pousou no pico da montanha e o rapazinho saltou para fora da pele.

— Jogue as pedras para mim! — berrou lá de baixo o Grego-Levante.

O rapazinho olhou ao redor: mais que pedras! Eram brilhantes, diamantes e barras de ouro, grandes como árvores! Olhou para baixo, e lá estava o Grego-Levante parecendo uma formiga e gritando:

— Vamos, aqui embaixo, jogue as pedras!

O rapazinho pensou: "Agora, se lhe atiro as pedras, ele me larga aqui em cima e não posso mais descer. É melhor guardar as pedras comigo e tratar de sair da armadilha sozinho".

Explorou bem o pico da montanha e viu uma espécie de boca de poço. Ergueu a tampa, desceu e se achou num belíssimo palácio. Era o palácio do mago Savínio.

— O que está procurando na minha montanha? — disse o mago assim que o viu. — Eu o asso e o devoro! Veio me roubar as pedras para aquele bandido do Grego-Levante. Todo ano ele faz essa brincadeira comigo, e todo ano devoro um de seus empregados!

O pobre rapazinho, todo trêmulo, lançou-se aos pés dele e lhe jurou que não tinha nenhuma pedra.

— Se for verdade — disse o mago Savínio —, será poupado. — Subiu, contou as pedras e viu que não faltava nenhuma. — Bem — disse o mago —, falou a verdade. Vou contratá-lo. Tenho doze cavalos. Todas as manhãs, vai dar noventa e nove pauladas em cada cavalo: mas preste atenção, quero ouvir os golpes daqui. Entendeu?

De manhã, o rapazinho foi para a estrebaria com um grande bastão, porém tinha pena dos cavalos e não sabia como fazer. Então, um cavalo se virou e lhe falou:

— Não nos maltrate, já fomos homens como você e fomos

transformados em cavalos pelo mago Savínio. Dê as pancadas no chão e relincharemos como se estivéssemos apanhando.

O rapazinho seguiu o conselho, e o mago ouvia o golpe de bastão e os relinchos, e ficava satisfeito.

— Ouça — disse um dia um daqueles cavalos ao rapazinho —, quer ficar rico? Vá ao jardim; encontrará um belo tanque. Todas as manhãs, doze pombas vão beber ali, enfiam-se na água e saem doze moças lindas como o Sol, que penduram suas vestes de pomba numa árvore e ficam brincando. Você só precisa ficar escondido entre as árvores e, quando elas estiverem no auge da brincadeira, agarre a roupa da mais bonita de todas e a esconda no peito. Ela lhe dirá: "Dê-me a roupa! Dê-me a roupa!". Mas você não a devolverá de jeito nenhum, preste atenção, senão ela volta a ser pomba e vai embora com as outras.

O rapazinho fez como o cavalo lhe dissera: agachou-se num ponto onde não podia ser visto e aguardou o amanhecer. Com as primeiras luzes, ouviu um adejar cada vez mais forte: pôs a cabeça para fora e viu um bando de pombas. Encolhendo-se ainda mais, disse consigo: "Quieto, pois são elas!". Chegando à fonte, as pombas beberam e depois mergulharam na água; quando afloraram de novo eram doze moças lindas que pareciam anjos descidos do céu, e começaram a brincar entre elas, correndo e fingindo-se de doidas.

O rapazinho, quando se apresentou o momento, saiu de mansinho, esticou uma das mãos, agarrou uma roupa e a ocultou sob o casaco. Então todas as moças voltaram a ser pombas e sumiram voando pelo ar. Apenas uma não achou sua roupa de pomba e permaneceu sozinha na frente dele, e só sabia dizer:

— Dê-me a roupa! Dê-me a roupa!

O rapazinho fugiu e a moça corria atrás dele. Finalmente, depois de ter percorrido uma longa estrada (que lhe fora indicada pelo cavalo), chegou a sua casa e apresentou a moça à mãe:

— Minha mãe, esta é minha noiva: fique atenta para que ela não saia!

Antes de fugir da montanha, enchera os bolsos de pedras preciosas. E, mal chegou em casa, tratou de ir vendê-las. A moça ficou sozinha com a sogra. E durante o dia inteiro só fazia atordoá-la, dizendo-lhe:

— Dê-me a roupa! Dê-me a roupa!

Até que a mulher não aguentou:

— Nossa Senhora! Esta parece um guizo pendurado no ouvido. Vamos ver se encontro essa roupa!

Imaginou que o filho pudesse tê-la guardado na gaveta de arca. Procurou e de fato encontrou uma bela roupa de pomba.

— Será que é esta, minha filha?

Ainda não a tinha retirado dali, e a moça já a havia agarrado; cobriu-se com ela, voltou a ser pomba e alçou voo.

Com esse golpe, a velha ficou mais morta que viva.

— Como vou fazer agora que meu filho vem? O que lhe digo, quando não achar mais a sua noiva?

Exatamente naquele instante ouviu a campainha, e era o filho, que, não encontrando mais sua mulher, inchou de raiva como uma bexiga.

— Oh, mamãe, que traição! — gritou. Depois, quando sua raiva diminuiu, disse: — Mamãe, dê-me sua santa bênção que vou procurá-la. — Pôs um pedaço de pão na sacola e partiu.

Atravessando um bosque, encontrou três bandidos que discutiam. Chamaram-no e lhe disseram:

— Você que é forasteiro, atue como juiz. Roubamos três objetos e agora discutimos para dividi-los. Diga-nos como devemos fazer.

— Que objetos são?

— Uma bolsa que cada vez que é aberta está cheia de moedas, um par de botas que o fazem andar mais que o vento e uma capa que, ao ser colocada, torna invisível quem a usa.

O rapazinho disse:

— Deixem-me verificar se é verdade o que estão dizendo. — Calçou as botas, pegou a bolsa e se cobriu com a capa. — Estão me vendo? — perguntou.

— Não! — responderam os bandidos.

— Então não me verão mais. — Fugiu com as botas que corriam como o vento e chegou ao pico da montanha do mago Savínio.

Escondeu-se de novo perto do tanque e viu as pombas que vinham beber, e a sua no meio delas. Pulou e levou a roupa dela pendurada na árvore.

— Dê-me a roupa! Dê-me a roupa! — ela recomeçou a gritar. Mas dessa vez o rapazinho foi rápido e ateou fogo na roupa.

— Sim — disse a moça —, agora ficarei com você e serei sua mulher, mas antes tem que ir cortar a cabeça do mago Savínio e tem que transformar novamente em homens os doze cavalos que estão na estrebaria. Basta que arranque três pelos da crina de cada um.

O rapazinho, com a capa que o tornava invisível, cortou a cabeça do mago, depois libertou os doze cavaleiros transformados em cavalos, pegou todas as pedras preciosas e voltou para casa com a mocinha que era a filha do rei da Espanha.

JESUS E SÃO PEDRO NA SICÍLIA

AS PEDRAS EM PÃO

Quando o Mestre andava pelo mundo com os treze apóstolos, certa vez se encontraram famintos em meio ao campo e não tinham mais pão. O Mestre disse:

— Carreguem uma pedra cada um.

Os apóstolos pegaram uma pedra cada um, e Pedro escolheu uma bem pequenina. E retomaram o caminho, todos dobrados pelo peso, exceto Pedro, que caminhava ligeiro. Chegaram a uma aldeia, tentaram comprar pão, mas não havia.

— Então — disse o Mestre —, vou benzê-las, e as pedras se tornarão pães.

Assim fez, e todos os apóstolos ganharam pães grandes para comer, mas Pedro, que levara aquela pedrinha, viu-se com um pãozinho na mão e sentiu o coração se despedaçar.

— Mestre, e eu, o que como?

— Eh, irmão, por que escolheu uma pedrinha? Os outros que carregaram peso ganharam pão em abundância.

Retomaram o caminho, e o Mestre, uma vez mais, disse-lhes que carregassem uma pedra. Dessa vez, Pedro, astuto, pegou uma pedra que mal conseguia levantar e assim andava, dando os passos com esforço, enquanto os outros caminhavam com pedras leves. E o Senhor disse aos apóstolos:

— Rapazes, agora vamos dar umas risadas à custa de Pedro.

Chegaram a uma aldeia, cheia de padarias que desenfornavam pão justo naquele momento. Os apóstolos jogaram fora suas pedras. Apareceu são Pedro, dobrado em dois sob a pedra, e, ao ver todo aquele pão, ficou com tanta raiva que não quis nem mesmo provar um pedaço.

A VELHA DO FORNO

Caminhando, encontraram alguém. Pedro seguia na frente e lhe disse:

— Veja que o Senhor está chegando, peça-Lhe uma graça.

Aquele homem foi até o Senhor e Lhe disse:

— Mestre, meu pai se encontra doente de velhice! Faça com que se cure, Senhor!

— O mal da velhice não pode ser curado por nenhum médico! Mas ouça: se puser seu pai no forno, ele voltará a ser criança!

Dito e feito, o homem pôs o velho pai no forno e o retirou transformado num mocinho.

Esse método agradou muito a Pedro. "Agora", disse consigo, "quero tentar fazer algum velho se tornar criança." Justamente nesse instante, encontrou um que ia ao encontro do Mestre, pois sua mãe estava no fim da vida e a desejava curada. Pedro disse:

— A quem procura?

— Procuro o Mestre, porque minha mãe, mulher de idade, está doente e só o Mestre pode lhe devolver a saúde.

— Muito bem! O Mestre ainda não chegou, mas aqui está Pedro, o que dá no mesmo. Sabe o que deve fazer? Mande esquentar o forno, ponha sua mãe dentro dele e vai ver que ela se curará.

Aquele pobrezinho, que sabia ser são Pedro benquisto pelo Senhor, acreditou. Foi para casa e depressa pôs sua mãe no forno bem quente. O que queriam que acontecesse? A velhinha virou um pedaço de carvão.

— Ah! — gritou o filho. — Que santo o quê! Minha mãe, obrigou-me a queimá-la! Desgraçado que sou!

Correu até Pedro e encontrou o Mestre. Quando ouviu o caso, o Senhor se pôs a rir a mais não poder.

— Ah, Pedro... O que fez...?

Pedro tratava de se desculpar, mas aquele pobre filho punha o céu abaixo com seus berros:

— Quero minha mãe! Devolvam-me minha mãe!

Então o Mestre foi à casa da morta e com uma bênção ressuscitou a velha e de velha fez com que se tornasse jovem. E salvou Pedro de receber o que merecia.

UMA LEGENDA QUE OS LADRÕES CONTAM

Conta-se e reconta-se que, no tempo em que o Mestre caminhava com os apóstolos, fez-se noite quando se achavam num campo.

— Pedro, como faremos esta noite? — disse o Mestre.

— Lá embaixo há uma propriedade. Venham comigo — disse Pedro.

Lentamente, um após outro, chegaram ao rancho.

— *Deo gratias* e viva Maria! Poderiam nos dar abrigo por esta noite? Somos pobres peregrinos cansados e mortos de fome!

Deo gratias e viva Maria! — disseram o *curatolo** e seus pastores, mas nem ao menos se mexeram: estavam estendendo o macarrão na travessa e pensaram que, se oferecessem comida a treze pessoas, ficariam eles em jejum. — Lá está o palheiro — disseram —, vão dormir lá.

O pobre Mestre e os apóstolos se encolheram e foram dormir, todos caladinhos.

Haviam acabado de pegar no sono quando ouviram um grande barulho, um bando de ladrões que chegava.

— *Atterra, atterra, Giorgio!*** — E imprecações, rumor de pancadas, passos de correria do *curatolo* e dos empregados que fugiam campo afora.

Quando os ladrões ficaram senhores do campo, roubaram o que puderam. Depois, foram ver o palheiro.

— Alto lá! Quem está aí?

— Treze pobres peregrinos, cansados e esfomeados — disse Pedro.

— Se é assim, venham. Há macarrão na travessa, pronto para comer. Empanturrem-se à custa daquela gente, pois nós temos que seguir nosso caminho!

Aqueles pobrezinhos, famintos como estavam, não os deixaram falar duas vezes. Correram para a cozinha e:

— Benditos ladrões! — disse Pedro —, que pensam nos pobres famintos mais do que os ricos.

— Benditos ladrões! — disseram os apóstolos e jantaram como senhores.

A MORTE NO FRASCO

Havia um estalajadeiro rico e generoso que pôs uma tabuleta do lado de fora: "Quem entra na minha estalagem come de

---

* *Curatulu* (dialeto siciliano): administrador, feitor.
** *Atterra, atterra, Giorgi*: "É o grito habitual de quem rouba, especialmente nas passagens das estradas ou no campo" (Pitrè).

graça". As pessoas se aglomeravam da manhã à noite, e ele dava de comer a todos de graça.

Certa vez, aconteceu de passar por aquela aldeia o Mestre, com seus doze apóstolos. Leram a tabuleta, e são Tomé disse:

— Mestre, se não vejo com meus olhos e não toco com minhas mãos, não acredito. Entremos nesta estalagem.

E Jesus e os apóstolos entraram. Comeram, beberam e o estalajadeiro os tratou como senhores. Antes de ir embora, são Tomé lhe disse:

— Bom homem, por que não pede uma graça ao Mestre?

Então o estalajadeiro disse a Jesus:

— Mestre, aqui no pomar, tenho uma figueira da qual jamais consigo comer um figo. Logo que amadurecem, os rapazes trepam na árvore e comem todos. Agora, gostaria que me concedesse a graça de que quem subisse na árvore, não pudesse descer sem minha permissão.

— Que lhe seja concedida! — disse o Senhor e benzeu a árvore.

No dia seguinte, o primeiro que apareceu para roubar figos ficou pendurado na árvore por uma das mãos; o segundo ficou dependurado por um pé; o terceiro não conseguia tirar a cabeça de uma bifurcação de galhos. O estalajadeiro, quando os viu, fez-lhes um grande sermão e depois os deixou descer. Os mocinhos da região, ao saber das virtudes daquela árvore, mantiveram-se à distância; e o estalajadeiro pôde comer seus figos em santa paz.

Passaram-se anos e anos. A árvore estava velha e não dava mais frutos. O estalajadeiro chamou um lenhador e o mandou derrubar a figueira. A seguir lhe disse:

— Seria capaz de me fazer um grande frasco com o tronco desta árvore?

E o lenhador lhe fez o frasco. Esse frasco conservava a virtude da árvore, ou seja, quem entrava nele não podia sair sem a permissão do estalajadeiro.

Também o estalajadeiro ficara velho, e um dia a Morte veio buscá-lo. Ele disse:

— Por favor. Podemos ir. Contudo, ouça uma coisa, Morte, antes deve me fazer um favor. Tenho este frasco cheio de vinho, mas há uma mosca dentro dele e tenho nojo de bebê-lo. Entre nele para retirar a mosca, assim poderia beber um gole antes de ir embora com você.

A Morte disse:

— Se é só isso! — E entrou no frasco.

Então o estalajadeiro colocou a rolha no frasco e falou:

— Agora está aí e aí ficará.

Com a Morte fechada e tampada, não morria mais ninguém no mundo. E por toda a parte se via gente com a barba branca até os pés. Os apóstolos, vendo aquilo, começaram a pôr a pulga atrás da orelha do Mestre, até que o Mestre se decidisse a ir falar com o estalajadeiro.

— Meu caro — falou-lhe —, acha que é coisa que se faça, manter a Morte presa durante tantos anos? E esses pobres velhos decrépitos que têm que seguir vivendo sem nunca poder morrer?

— Mestre — disse o estalajadeiro —, quer que liberte a Morte? Prometa-me que me mandará para o Paraíso, e eu destampo o frasco.

O Senhor refletiu um pouco. "O que faço? Se não lhe concedo a graça, quem sabe quantas complicações não me aparecerão!" E lhe disse:

— Que lhe seja concedido!

Então o frasco foi aberto e a Morte foi libertada. O estalajadeiro foi mantido vivo ainda alguns anos para merecer o Paraíso, e depois a Morte voltou para buscá-lo.

A MÃE DE SÃO PEDRO

Conta-se que a mãe de são Pedro era uma terrível avarenta, miserável a mais não poder. Jamais dava esmolas, jamais gastava um grão de trigo com o próximo. Certo dia, estava descascando os alhos-porros e passou uma pobre.

— Faz-me uma caridade, mulher devota?

— Sim... todos têm que vir pedir logo aqui... Bem, basta, leve isso! — E lhe deu uma folha de alho-porro.

Quando o Senhor a chamou para a outra vida, mandou-a para o Inferno. O chefe do Paraíso era são Pedro e, estando sentado à porta, ouviu uma voz:

— Pedro! Ai! Veja como estou assando! Meu filho, vá até o Mestre, fale com Ele, faça-me sair desta desgraça!

São Pedro foi até o Senhor.

— Mestre — disse-lhe —, minha mãe está no Inferno. Pede a graça de sair.

O Senhor respondeu:

— Bonito! Sua mãe nunca fez um naco de bem na vida dela! Tudo o que pode pôr na balança é uma folha de alho-porro. Experimente: dê-lhe esta folha de alho-porro para que se agarre e a puxe para o Paraíso.

Um anjo desceu lhe oferecendo a folha.

— Agarre-se aqui! — E a mãe de são Pedro se agarrou.

Estava a ponto de ser puxada do Inferno, quando todas as pobres almas que estavam com ela, ao vê-la subir, penduraram-se na barra de sua roupa. E assim o anjo, ao mesmo tempo que a puxava, puxava todos os outros. Porém, aquela egoísta berrava:

— Não! Vocês não! Vão! Só eu! Só eu! Vocês também tiveram um filho santo como eu? — Começou a dar pontapés, a sacudir a roupa.

Tanto se agitou para fazê-los cair, que a folha de alho-porro se rompeu e a mãe de são Pedro se precipitou no fundo do Inferno.

O RELÓGIO DO BARBEIRO

Conta-se e reconta-se, senhores, que existia um barbeiro; e esse barbeiro tinha um relógio que havia séculos e séculos andava sem que ninguém lhe desse corda, e não parava nunca, não se cansava nunca e não errava nunca a hora, nem por um minuto. O barbeiro lhe dera corda só uma vez, e dali em diante: tique-taque, tique-taque, tique-taque...

O barbeiro era velho, tão velho que nem sabia as centenas de anos que tinha e quantos tipos de religiões vira. Todos os compatriotas se dirigiam a ele, à sua loja, para perguntar ao relógio as coisas que necessitavam saber.

Aparecia o pequeno camponês, cansado e amargo, que necessitava de água para o período da semeadura; e via as portas do céu ainda fechadas.

— Diga-me, relógio, quando vai chover?

E o relógio:

> *Tique-taque, tique-taque, tique-taque,*
> *Enquanto for vermelho eu,*
> *A água não vem, o céu é meu,*
> *E troando e trovejando*
> *Se não chove já, choverá noutro ano.*

Aparecia o velhinho, apoiado em seu bastão, com a asma acabando com ele, e perguntava:

— Relógio, relógio, há bastante óleo na minha lâmpada?

E o relógio, depressa:

> *Tique-taque, tique-taque, tique-taque,*
> *Dos sessenta aos setenta,*
> *Queima o óleo da luz amarelenta,*
> *Quando os setenta vão-se embora,*
> *Mal se acende o pavio, e a luz gora.*

Aparecia o jovem apaixonado, todo enfatuado, de crista levantada.

— Diga-me, relógio, no reino do amor existe alguém que navega mais feliz que eu?

Tique-taque, tique-taque, tique-taque,

faz o relógio,

Se o reinante não tem juízo
Do trono passa ao prejuízo,
Hoje faz tanta pose
E amanhã já é mariposa.

Aparece o malandrinho de primeira, o chefe da Camorra das Vigárias, todo boné e topete,* todo botões e anéis, e diz, entre os dentes:**

— Digo a você, relógio, quantos poderosos existem que podem escapar desta mão? Fale, pois lhe arrebento a corrente!

E o relógio mais entre dentes que ele:

Tique-taque, tique-taque, tique-taque,
Quem corre descalço na arapuca
Cedo ou tarde ali deixa a nuca.

Depois aparece o infeliz, aflito, faminto, seminu, doente da cabeça aos pés.

— Ó relógio, ó relógio, quando terminarão estas desgraças? Diga-me, por caridade, esta morte, quando chega?

E o relógio, como de costume:

---

* *Tuttu giummu e cioffi*; *giummu*: "borla do boné"; *cioffi*: "cachos (de cabelos) em geral, usados bem compridos pelos camorristas" (Pitrè).

** *Cu tutta mastica*: "aquele jeito dos malandros de falar mastigando as palavras, ou seja, pronunciando-as devagar, com vibração e com cara feia: de onde o adjetivo *masticusu*, que tem *màstica*" (Pitrè).

> *Tique-taque, tique-taque, tique-taque,*
> *Aos infelizes, aos desgraçados*
> *É comum mais dias serem destinados.*

E, assim, todo tipo de gente ia ver esse relógio maravilhoso, e todos conversavam com ele, e a todos ele dava resposta. Era esse relógio quem sabia dizer quando se produziam os frutos, quando chegava o inverno e quando chegava o verão, a que horas o dia começava e a que horas o dia acabava, e quantos anos as pessoas tinham, em resumo, era um relógio sem-par, um relógio-máquina* e não havia nada que ele não soubesse. Todo mundo gostaria de tê-lo em casa, mas ninguém podia tê-lo porque era encantado, e por isso se consumiam inutilmente. Porém, todos, querendo ou não, às escondidas ou em público, deviam louvar o velho mestre barbeiro que soubera fazer aquele engenhoso relógio e o fizera andar para sempre, sem que ninguém pudesse quebrá-lo ou conservá-lo, exceto o Mestre que o havia feito.

A IRMÃ DO CONDE

Conta-se e reconta-se que havia um conde rico como o mar e esse conde tinha uma irmã bonita como o sol e a lua, que tinha dezoito anos. Por ciúmes dessa irmã, ele a mantinha sempre fechada a sete chaves, numa ala de seu palácio; assim, ninguém jamais a vira nem a conhecera. A linda condessinha, que já não aguentava ficar ali trancada, à noite, bem devagarinho, começou a cavar a parede do seu aposento, sob um quadro. O palácio do conde tinha paredes geminadas com o palácio do reizinho, e o

---

* *Un ròggiu-màchina*: "Chama-se de *màchina*, na Sicília, qualquer coisa feita com grande engenho e artifício, e que é perfeita em todas as suas partes" (Pitrè).

buraco naquela parede dava nos aposentos do reizinho, sob outro quadro, portanto não era visto.

Certa noite, a condessinha deslocou um pouco o quadro e olhou o quarto do reizinho. Viu um precioso candelabro aceso e lhe disse:

> *Lâmpada de ouro, lâmpada de prata,*
> *O que faz seu reizinho, dorme e vigia?*

E o candelabro respondeu:

> *Entre, senhora, entre sossegada.*
> *O reizinho dorme, não fique assustada.*

Ela entrou e foi deitar ao lado do reizinho. O reizinho acorda, abraça-a, beija-a e lhe diz:

> *Senhora, onde mora, de onde vem?*
> *De que lugar provém?*

E ela, fazendo sua boquinha de ouro sorrir, respondia:

> *Reizinho, para que perguntar, para que olhar?*
> *Melhor é silenciar e amar.*

Quando o reizinho despertou e não viu mais aquela linda deusa a seu lado, vestiu-se num relâmpago e convocou o Conselho.

— Conselho! Conselho! — Apresentou-se o Conselho e o reizinho lhes explicou a situação. — O que devo fazer para fazê-la ficar comigo?

— Sagrada Coroa — disse o Conselho —, quando for abraçá-la, amarre os cabelos dela a um de seus braços. Assim, quando ela quiser ir embora, será acordado de todo modo.

Veio a noite e a condessinha perguntou:

> *Lâmpada de ouro, lâmpada de prata,*
> *Que faz seu reizinho, dorme ou vigia?*

E o candelabro:

> *Entre, senhora, entre sossegada.*
> *O reizinho dorme, não fique assustada.*

Ela entra e se enfia debaixo das cobertas.

> *— Senhora, onde mora, de onde vem?*
> *De que lugar provém?*
> *— Reizinho, para que perguntar, para que olhar?*
> *Melhor é silenciar e amar.*

Assim adormeceram e o reizinho amarrara a seu braço os belos cabelos da condessinha. A condessinha pega uma tesoura, corta os cabelos e se vai. O reizinho acorda.
— Conselho! Conselho! A deusa me deixou os cabelos e desapareceu!
O Conselho responde:
— Sagrada Coroa, ate ao seu pescoço a corrente de ouro dela.
Na noite seguinte, a condessinha voltou a se apresentar:

> *Lâmpada de ouro, lâmpada de prata,*
> *O que faz seu reizinho, dorme ou vigia?*

E o candelabro respondeu:

> *Entre, senhora, entre sossegada.*
> *O reizinho dorme, não fique assustada.*

O reizinho, quando a teve nos braços, tornou a lhe perguntar:

> *Senhora, onde mora, de onde vem?*
> *De que lugar provém?*

E ela, como de costume, respondeu:

> *Reizinho, para que perguntar, para que olhar?*
> *Melhor é silenciar e amar.*

O reizinho passou em volta do seu pescoço a corrente dela, mas, assim que adormeceu, ela cortou a corrente e sumiu. De manhã:

— Conselho! Conselho! — E relatou a história.

E o Conselho:

— Sagrada Coroa, pegue uma bacia com água de açafrão e a coloque sob a cama. Assim que ela tirar a camisola, deixe-a de molho no açafrão... Assim, quando a vestir para ir embora, deixará vestígios por onde passar.

À noite o reizinho preparou a bacia com o açafrão e se deitou. À meia-noite ela disse ao candelabro:

> *Lâmpada de ouro, lâmpada de prata,*
> *O que faz seu reizinho, dorme ou vigia?*

E o candelabro respondeu:

> *Entre, senhora, entre sossegada.*
> *O reizinho dorme, não fique assustada.*

O reizinho, ao despertar, fez-lhe a pergunta habitual:

> *Senhora, onde mora, de onde vem?*
> *De que lugar provém?*

E ela lhe deu a resposta habitual:

> *Reizinho, para que perguntar, para que olhar?*
> *Melhor é silenciar e amar.*

Quando o reizinho mergulhou no sono, ela se levantou quietinha, fez menção de sair, mas encontrou a camisola de molho no açafrão. Sem dizer nada, torce e espreme bem a camisola, até ela ficar bem limpa, e foge sem deixar vestígios.

Daquela noite em diante, o reizinho esperou em vão por sua deusa e ficou desesperado. Mas uma manhã, depois de nove meses, assim que acordou encontrou deitado a seu lado um lindo menino que parecia um anjo. Vestiu-se num relâmpago e gritou:

— Conselho! Conselho! — E mostrou o menino ao Conselho dizendo: — Este é meu filho. Como farei para reconhecer sua mãe?

E o Conselho respondeu:

— Sagrada Coroa, faça de conta que ele morreu, coloque-o no meio da igreja e dê ordens para que todas as mulheres da cidade venham chorá-lo. Quem o chorar mais que todas, será a mãe dele.

Assim fez o reizinho. Apareciam todos os tipos de mulheres; diziam:

— Filho! Filho! — E partiam como haviam chegado.

Por fim, apareceu a condessinha e, com as lágrimas escorrendo, pôs-se a arrancar os cabelos e a gritar:

> *Ó filho! filho!*
> *Por ter muitas belezas*
> *Cortei minhas tranças negras,*
> *Por ser muito exuberante*
> *Cortei minha corrente,*
> *Por ter fugido em vão*
> *Tenho a camisola de açafrão.*

O reizinho, o Conselho e todos se puseram a gritar:

— Esta é a mãe! Esta é a mãe!

Naquele momento, adiantou-se um homem com o sabre desembainhado. Era o conde, que apontou a espada para a irmã. Mas o reizinho se colocou no meio e disse:

Pare, conde, vergonha não é não,
Mulher de rei e conde por irmão!

E se casaram naquela mesma igreja.

O CASAMENTO DE UMA RAINHA COM UM BANDIDO

Conta-se que era uma vez um rei e uma rainha. Tinham uma filha e queriam casá-la. O rei mandou afixar um edital segundo o qual todos os reinantes e possuidores de títulos deviam comparecer ao palácio real para serem examinados. Todos compareceram e o rei, de braço dado com sua filha, assistia ao desfile. O primeiro que agradasse à sua filha lhe seria dado como esposo. Primeiro, desfilaram todos os reis, depois os príncipes, a seguir os barões, os cavaleiros e os professores. A filha do rei não encontrou nenhum rei que lhe agradasse e tampouco um príncipe. Desfilaram os barões e nem mesmo eles lhe agradavam. Com os cavaleiros foi a mesma coisa. Passaram os professores e ela apontou o dedo para um deles:

— Meu pai, meu esposo será aquele.

Era um professor forasteiro, que ninguém conhecia. O rei dera sua palavra e teve de casá-la com o professor. Depois do casamento, o esposo quis viajar logo. A esposa se despediu do pai e da mãe, e partiram, seguidos pela tropa. Depois de ter marchado meia jornada, os soldados disseram ao esposo:

— Alteza, é hora de almoçar.

E ele:

— A esta hora não se almoça.

Depois de outro trecho percorrido, fizeram-lhe a mesma proposta. E ele respondeu de novo:

— A esta hora não se almoça.

Os soldados, que não aguentavam mais, disseram-lhe:

— Então, vão para aquele lugar, o senhor e sua régia esposa.

E ele:

— Vão vocês e todo o estado-maior. — Os soldados deram meia-volta e o casal prosseguiu sozinho.

Chegaram a um lugar solitário, cheio de plantas selvagens e penhascos.

— Chegamos em casa — disse o esposo.

— Como? Aqui não há nenhuma casa! — exclamou a filha do rei, que começava a ficar com medo.

O esposo bateu três vezes seu bastão, e se abriu uma caverna subterrânea.

— Entre.

Mas a esposa disse:

— Estou com medo.

— Entre ou acabo com você!

A esposa entrou. A caverna estava cheia de mortos. Mortos jovens e velhos, jogados uns sobre os outros, em pilhas.

— Está vendo estes mortos? — disse o esposo. — Seu trabalho é este: pegue-os um por um e coloque-os em pé, alinhados contra a parede. Todas as noites levo um carro cheio.

Assim, a filha do rei começou sua vida de casada. Erguia os mortos da pilha e os colocava em pé, apoiados na parede, de modo que ocupassem menos espaço e coubessem mais deles. E todas as noites chegava o marido com um carro cheio de mortos frescos. Era um trabalho duro, pois os mortos, além de tudo, pesavam. E ela nunca podia sair da caverna porque inclusive desaparecera a abertura.

A filha do rei levara consigo alguma mobília, e no meio desta havia uma velha cômoda, presente de uma tia que era meio fada. Tendo a esposa aberto uma gaveta da cômoda, esta falou e disse:

— Ordene, patroazinha!

E ela, depressa:

— Ordeno que me leve já para a casa de meu pai e de minha mãe.

Então, da cômoda saiu uma pomba branca, que disse:

— Escreva uma carta a seu pai e a coloque em meu bico.

Assim fez a esposa, e a pomba a levou ao rei e aguardou a resposta. O rei escreveu:

"Filha, informe-se sem demora sobre como sair da sua caverna e confie em minha ajuda".

Quando a pomba entregou à jovem a resposta do pai, ela decidiu ser amigável com o marido naquela noite, para fazê-lo revelar o segredo. De manhã, acordou como se estivesse sonhando.

— Sabe o que sonhava? — disse. — Que tinha saído da caverna.

— É, você não quer mais nada? — disse o marido.

— Por quê? O que é preciso? — falou ela com ar inocente.

— Bem, para começar, é preciso um setemesinho como eu que bata o bastão três vezes na rocha para que a caverna se abra.

Tão logo a pomba transmitiu ao rei o segredo do setemesinho, o rei espalhou os soldados pelas cidades e campos para achar um setemesinho. Uma lavadeira que punha as roupas para secar, vendo aquele movimento de tropas, pensou: "Aqui me roubam os lençóis", e começou a tirá-los depressa dos varais.

— Não tenha medo, pois não viemos para roubar — disse-lhe um cabo de esquadra. — Estamos à procura de um setemesinho, não importa sua origem, porque o rei o quer.

— Oh — disse a lavadeira —, tenho justamente um filho setemesinho. — Foi até sua casa e o apresentou aos soldados. O setemesinho, muito frágil, pôs-se com o rei à frente dos soldados para ir libertar a rainhazinha. Bateu o bastão três vezes na rocha, abriu-se a caverna, a rainhazinha já estava pronta à espera deles e foi embora com o pai, o setemesinho e os soldados.

No caminho, viram uma velha numa horta.

— Vovó — disseram-lhe —, se passar um homem e perguntar por nós, não nos viu nem de raspão!

— Como? — falou a velha —, querem uvas passas e laranjas de recordação?

— Perfeito — disseram eles —, a senhora é exatamente quem procurávamos.

Dali a pouco, passou o bandido, que encontrara a caverna aberta e a mulher desaparecida.

— Viu uma mulher com a tropa? — perguntou à velha.

— O quê? Quer uma cebola para a sopa?

— Que cebola o quê! Um setemesinho e o rei junto com a filha.

— Ah! Cem gramas de salsinha e ervilha!

— Não: a filha do rei com soldados!

— Não, não, pepinos salgados!

O bandido deu de ombros e se foi.

— Mas, senhor, por que se ofendeu? — dizia-lhe a velha atrás dele. — Ninguém nunca me falou em pepinos salgados!

A rainhazinha, a salvo na casa de seu pai, voltou a casar pouco depois com o rei da Sibéria. Seu primeiro esposo bandido, porém, continuava a seguir sua pista e arquitetou um plano. Vestiu-se de santo e fez com que o colocassem num quadro. Era um quadro grande com uma grossa moldura fechada com três ferrolhos, e dentro dele estava o bandido em pé, parecendo um santo, atrás de um vidro espesso. O quadro foi oferecido ao rei da Sibéria, que o achou tão bonito que parecia de verdade e o comprou para colocá-lo na cabeceira da cama. Quando não havia ninguém no aposento, o bandido saiu do quadro e pôs um papel enfeitiçado debaixo do travesseiro do rei. A rainha, quando viu à cabeceira aquele quadro de santo, teve um sobressalto, pois achou o santo parecido com seu primeiro marido bandido. Mas o rei a repreendeu, pois não devia ter receio de um quadro de santo.

Foram dormir. Assim que adormeceram, o bandido abriu o primeiro cadeado para sair. A rainha acordou com o barulho do cadeado e deu um beliscão no marido, para que apurasse o ouvido também ele, mas o rei dormia, pois o encantamento daquele papel era que quem o tivesse debaixo do travesseiro dormia e não conseguia acordar. O bandido abriu o segundo cadeado: o rei não acordava e a rainha estava gelada de medo. Abriu o terceiro cadeado, saiu e disse à rainha:

— Agora lhe corto a cabeça, ajeite o pescoço no travesseiro.

A rainha, para manter o pescoço bem alto, pegou também o travesseiro do marido e, ao fazê-lo, o papel enfeitiçado foi para o chão. O rei acordou no mesmo instante, tocou a trompa que trazia pendurada no pescoço noite e dia, como fazem os reis, e todos os soldados acorreram. Viram o bandido, mataram-no e assim tudo terminou.

PELO MUNDO AFORA

Era uma vez uma mãe viúva com duas filhas e um filho que se chamava Pepi e não sabia como arranjar um pedaço de pão. A mãe e as irmãs fiavam e Pepi disse:

— Mãe, sabe o que vou fazer? Peço-lhe permissão e saio pelo mundo afora.

Caminhando, viu uma propriedade, perguntou:

— Precisam de um rapazinho?

Responderam-lhe:

— Ei, ei! Cães, cães! — E mandaram os cães latindo para cima dele.

Pepi se foi e já escurecia quando encontrou outra propriedade.

— Viva Maria!

— E viva Maria! O que deseja?

— Se precisarem de um rapazinho...

— Oh — diz —, sim, sente-se, sente-se: parece que o boiadeiro vai embora. Espere que vou perguntar ao patrão.

E foi lá em cima perguntar ao patrão, que lhe disse:

— Sim, dê-lhe de comer e, quando eu descer, conversaremos.

Assim, puseram diante dele um pão e um prato de ricota, e ele se pôs a comer. Enquanto o patrão descia, apareceu o boiadeiro.

— É verdade que vai embora? — disse o patrão.

— Sim, senhor — confirmou o boiadeiro.

Então o patrão disse a Pepi:

— Amanhã cedo você vai cuidar dos bois, mas ouça, meu filho: se quiser ficar aqui, só recebe a comida e nada mais.

— De acordo — disse Pepi. — Seja o que Deus quiser.

Passou a noite e de manhã pegou o pão, um pouco de queijo e foi cuidar dos bois. Pepi ficava o dia inteiro com os bois e, à noite, voltava para casa. O Carnaval estava próximo, e Pepi voltava para casa bastante amuado.

O feitor lhe dizia:

— Pepi!

— Sim!

— O que você tem?

— Nada!

De manhã, saía com os bois, sempre de tromba, quando encontrou o patrão.

— Pepi.

— Sim!

— O que você tem?

— Nada!

— Nada, Pepi? Por que não me diz?

— O que posso lhe dizer? O Carnaval está chegando e nem desta vez vai me dar um pouco de dinheiro para festejar com minha mãe e as irmãs?

— Ih! Você pode me falar de tudo, menos de dinheiro: se quiser pão, à vontade, mas dinheiro não.

— E se tiver que comprar um pouco de carne, como faço?

— Fizemos o acordo antes: não sei o que lhe dizer.

Amanhecia e lá ia Pepi com seus santos bois. E se sentou, sempre melancólico. Ouviu chamar:

— Pepi?

Virou-se para todos os lados; pensou: "É a apreensão que trago no coração que me faz ouvir o que não existe".

Porém, ouviu chamar de novo:

— Pepi! Pepi!

— Mas quem é que está me chamando?

Um boi se virou:

— Sou eu.

— Como? Você fala?

— Claro que falo. Por que anda tão amuado?

— Como poderia estar? O Carnaval está chegando e o patrão não me dá nada.

— Escute como deve lhe falar, Pepi, hoje à noite, quando voltar. Deve lhe dizer: "Não me dá nem mesmo o boi velho?". O patrão não pode nem me ver, pois jamais gostei de trabalhar, e me dará a você. Entendeu?

À noite, Pepi voltou para casa com uma tromba que não tinha tamanho e o patrão lhe disse:

— Pepi, o que tem, sempre com essa tromba?

— Tenho uma coisa para lhe dizer: não quer me dar nem mesmo o boi velho, que tem mais anos do que a coruja? Pelo menos, quando chegar em casa, mato-o e ponho de molho aquela carne dura.

— Pegue-o — disse o patrão. — Dou-lhe de presente também um pedaço de corda para levá-lo embora.

No dia seguinte, assim que amanheceu, Pepi pegou o boi, uma sacola, oito pães, pôs o gorro na cabeça e foi para a aldeia. Num planalto, dois ginetes chegaram a galope:

— O touro! O touro! Cuidado, cuidado! Vem aí um touro que acaba com você!

O boi, baixinho:

— Diga-lhes, Pepi: "Se o pego, vocês o dão para mim?".

Pepi o disse, e eles:

— Quem dera! Mas não consegue, aquele mata a você e ao boi de uma só vez.

O boi lhe disse:

— Pepi, fique atrás de mim e não tenha medo.

Chegou o touro com as narinas abertas, focinho a focinho com o boi velho, e começaram a trocar empurrões, e o boi velho era tão duro que, depois de algum tempo, o touro ficou atordoado.

— Pepi, pegue-o — disse o boi velho — e o amarre em

meus chifres. — Pepi amarrou o touro, cumprimentou os ginetes e seguiu adiante.

Tendo chegado a uma aldeia de passagem, ouviu um pregão:

"Quem for capaz de arar e concluir num dia uma *salma** de terra, recebe a filha do rei como esposa; se for casado, dois tômolos de moedas de ouro; se não conseguir, será decapitado".

Pepi levou os bois ao estábulo e foi se apresentar ao rei. As sentinelas não queriam deixá-lo passar, pois estava todo esfarrapado, mas o rei em pessoa se debruçou no balcão e o mandou passar.

Subiu e disse:

— Aos pés de Vossa Majestade.

— O que deseja?

— Ouvi o pregão, tenho dois bois e gostaria de tentar trabalhar aquela *salma* de terra.

— Mas entendeu bem todo o pregão?

— Entendi: se não for bem-sucedido, cortam-me a cabeça. Majestade, precisa me dar o arado e um pouco de feno, porque, como estou de passagem, não tenho nada.

— Leve os bois para a minha estrebaria — disse o rei — e dê comida a eles.

Pepi foi pegar os bois e os levou até lá; e o boi velho lhe disse:

— Meia *manna*** de feno para mim e uma *manna* para o touro.

De manhã, Pepi pegou o arado, quatro *manne* de feno e lá se foi. Fez com que lhe indicassem o local, emparelhou os bois e se pôs a arar.

Os conselheiros observavam do balcão em frente e disseram ao rei:

— Majestade, o que está fazendo? Não vê que aquele su-

---

* *Salma*: medida que, na Sicília, equivale a dezessete metros quadrados. (N. T.)

** *Manna* (dialeto siciliano): feixe de feno.

jeito está acabando de arar? Quer dar sua filha àquele aldeão grosseiro?

O rei disse:

— E vocês o que me aconselham?

— Ao meio-dia, mande-lhe uma galinha ao forno, aipo bem tenro e uma garrafa de vinho com ópio...

Mandaram uma criada levar a comida a Pepi.

— Venha comer senão esfria!

Só lhe faltava arar um triângulo de terra do tamanho de um chapéu de padre. Foi comer e deu meia *manna* de feno ao boi velho e uma *manna* ao touro. Depois, pôs-se a saborear a franga e a beber vinho. Bebeu tudo, comeu toda a galinha e se pôs a dormir. O boi velho comeu seu feno, esperou que o touro acabasse o dele e deixou que Pepi dormisse. Quando o touro também terminou de comer, começou a sacudir Pepi com a pata.

— Ah... ah... — fazia Pepi em pleno sono.

— Levante-se — dizia o boi —, levante-se senão vai ficar sem cabeça!

Levantou-se, lavou o rosto, emparelhou os bois e, mais dormindo que acordado, acabou de lavrar o pedacinho de terra e se pôs a reexaminá-lo.

— O ópio era pouco: desgraça! — disseram os conselheiros do balcão.

Pepi trabalhava com o máximo de afinco e às dez da noite havia terminado; voltou ao palácio, deu feno aos bois e subiu até o rei:

— Papai, sua bênção.

— Oh. Acabou? O que deseja: dois tômolos de moedas de ouro?

— Majestade, sendo solteiro, o que faço com as moedas de ouro? Agora, estou precisando é de mulher.

Pegaram-no, lavaram-no da cabeça aos pés e o vestiram de príncipe. Até um relógio lhe puseram. E ele casou.

O boi velho lhe disse:

— Agora que se casou, tem que me matar, colocar todos os meus ossos num cesto e ir plantá-los um por um na terra que arou; tem que deixar de fora só uma pata e tem que colocá-la dentro do seu colchão. Tem que dizer ao cozinheiro que pode preparar minha carne como quiser: igual a carne de coelho, lebre, frango, peru, capado e também de peixe.

Assim, Pepi matou o boi velho. O rei não queria, pois também se afeiçoara ao animal, mas Pepi disse:

— Não, papai, vamos matá-lo, assim não será preciso comprar carne para o banquete de casamento. — E ordenou ao cozinheiro que preparasse a carne do boi como a carne de vários tipos de animais.

Fizeram uma grande mesa; começaram a trazer os pratos, e todos estavam contentes:

— Esta é lebre... Aqui é coelho... Bichinho tenro, este... Ótima carne!

À noite, logo que a esposa adormeceu, Pepi enfiou a pata do boi debaixo do colchão, pôs nas costas o cesto de ossos, foi semear os ossos conforme as regras e voltou para a cama sem que sua mulher percebesse nada. A mulher acorda depois de algum tempo e diz:

— Oh, o que é mesmo que sonhei? Parecia estar vendo tantas cerejas, maçãs que me vinham à boca: e tantas rosas, tantos jasmins... Tenho a impressão de ainda tê-los diante dos olhos...
— Estende uma das mãos e colhe uma maçã.

— Não é sonho, não é sonho: isso é maçã em que se pode tocar!

E o marido responde:

— Não é sonho, não é sonho; são cerejas que já estão na minha boca! — E estendia a mão e colhia cerejas.

O rei apareceu para desejar bom-dia e encontrou o quarto cheio de flores e frutos fora de estação. Pôs-se a comer também ele.

Os conselheiros se debruçaram no balcão e o olhar deles caiu sobre a terra que Pepi lavrara: estava cheia de árvores de todas as espécies. Chamaram o rei:

— Observe Vossa Majestade: não são árvores lá na terra arada por Pepi?

O rei aguçava a vista:

— Claro: não é ilusão! Vamos lá ver. — E se puseram na carruagem.

Lá chegando, encontraram laranjeiras, limoeiros, ameixeiras, cerejeiras, videiras, pereiras, todas as árvores carregadas de frutos. O rei colheu algumas frutas e voltou para casa contente.

É preciso saber que o rei tinha mais duas filhas, casadas com filhos de príncipes. E essas filhas começaram a perguntar à irmã:

— Mas foi seu marido que fez todas essas coisas?

— E eu é que sei? — respondeu ela.

— Boba, pergunte-lhe como é que faz.

— Sim, esta noite eu pergunto.

— Ótimo, e depois conte logo para nós.

À noite, na cama, a esposa começou a lhe fazer perguntas, e ele, para que o deixasse dormir, abriu-se com ela. Na manhã seguinte, ela contou tudo às irmãs, e as irmãs aos maridos. Quando se achavam todos reunidos com o rei, os cunhados disseram:

— Vamos fazer uma aposta, cunhado Pepi?

— Qual?

— De que somos capazes de dizer como conseguiu fazer crescer todas aquelas árvores.

— Apostemos.

— Então: você, todas as coisas que conseguiu aqui, e nós tudo aquilo que possuímos.

Foram a um tabelião e lavraram o contrato.

Então os cunhados lhe disseram tudo. Pepi, que confiava na sua mulher, pensou: "E quem lhes terá dito? O Sol?".

Deu a eles todas as suas coisas e voltou a ser um morto de fome como antes. Pôs-se em marcha, com sua sacola, vestido de aldeão, e chegou a uma cabana. Bateu.

— Quem é?

— Sou eu, pai eremita.

— E o que está procurando?

— Saberia me dizer onde o Sol desponta?

— Ih, filho, é melhor dormir aqui esta noite e, amanhã cedo, vou mandá-lo até outro eremita que é mais velho que eu.

Ao amanhecer, o eremita lhe deu um pão e Pepi se despediu dele: anda que anda, chegou a outra cabana, onde havia um eremita com a barba branca até os joelhos.

— Reverendo pai, seja bendito.
— O que deseja, o que deseja?
— Sabe me dizer onde o Sol desponta?
— Ih, filho, caminhe até encontrar outro mais velho que eu.

Pepi, educadamente, pediu licença, andou até outra cabana e beijou a mão do eremita.

— Grande pai, seja bendito...
— O que está procurando?
— Sabe me dizer onde o Sol desponta?
— Ih! filho... Bem... talvez você chegue lá. Ouça, pegue este alfinete. Caminhe: ouvirá um leão rugir; grite: "Compadre leão, seu compadre eremita manda cumprimentá-lo e lhe envia o alfinete para tirar o espinho da pata, e em troca deve me fazer falar com o Sol".

Assim fez Pepi e tirou o espinho do leão, que disse:

— Ah, devolveu-me a vida!
— Agora, deve me fazer falar com o Sol.

O leão o guiou até onde havia um mar extenso com água negra.

— Aqui aparece o Sol, mas antes do Sol aparece uma serpente, e você deve lhe dizer: "Comadre serpente, seu compadre leão manda cumprimentá-la, e em troca deve me fazer falar com o Sol".

O leão se foi e Pepi viu a água se agitar: apareceu a serpente, e Pepi lhe disse, palavra por palavra, o que lhe ensinara o leão. A serpente disse:

— Rápido, atire-se na água e se enfie debaixo de minhas asas, caso contrário os raios do Sol o queimarão.

Pepi se pôs debaixo de uma asa. O Sol despontou e a serpente disse:

— Pepi, diga ao Sol o que tem para lhe dizer antes que ele se vá.

E Pepi:

— Ó Sol traidor, só você podia me enganar, e não devia tê-lo feito, traidor!

E o Sol:

— Eu? Não fui eu que o enganei. Sabe quem foi? Sua mulher, a quem confiou o segredo.

— Então, desculpe, Sol — disse Pepi. — Mas há um favor que somente você pode me fazer, meu Sol: teria que se pôr à meia-noite e meia, assim recupero minhas coisas.

— Fique tranquilo, pois lhe faço esse favor de bom grado.

Pepi agradeceu a todos e se despediu. Voltou para casa, a mulher havia preparado um caldo para ele; alimentou-se e se sentou um pouco para tomar fresco. Passaram seus cunhados de filhos de príncipes.

— Cunhados — disse ele —, agora façamos outra aposta.

— E o que poderia apostar? Ficou sem nada.

— Bem, eu aposto minha cabeça, e vocês, as minhas coisas.

— Certo, então você, a cabeça; nós, suas coisas e também as nossas. Mas qual é a aposta?

Então Pepi disse:

— Quando o Sol se põe?

— Bem, ficou louco, não sabe nem ao menos quando o Sol se põe — disseram entre eles os cunhados. E para ele: — Mas o que é isso? Ele se põe às nove e meia!

— Pois eu digo que se põe à meia-noite e meia.

Foram lavrar o contrato e se puseram a olhar para o Sol. Às nove e meia, o Sol estava para mergulhar, quando Pepi o adverte:

— Ó Sol, é esta a palavra que me deu?

Então o Sol se lembrou e, em vez se pôr, foi ficando, foi ficando, até meia-noite e meia.

— Não lhes tinha dito? — falou Pepi.

— Tem razão — reconheceram os dois cunhados e lhe entregaram logo as suas coisas e também as deles.

— Pois bem — disse Pepi —, quero lhes mostrar o coração de um aldeão. — (Eles o chamavam sempre de aldeão.) Pega as coisas deles e lhes restitui. — Peguem, pois não quero as coisas dos outros, quero as minhas.

Pepi retomou a vida de antes com sua mulher; o rei quis abraçá-lo, tirou a coroa e a colocou na cabeça de Pepi. É claro que os cunhados espumavam, mas não os deixavam perceber. No dia seguinte, fez-se uma magnífica mesa com todos os parentes: divertiram-se, saía um prato e chegava outro, e no final serviram café, sorvetes e cassata. E assim Pepi, de boiadeiro morto de fome, transformou-se em reizinho.

UM NAVIO CARREGADO DE...

Marido e mulher tinham um filho e eram muito devotos de são Miguel Arcanjo: todos os anos celebravam seu dia. O marido morreu, e a mulher, com o pouco de dinheiro que lhe restava, todos os anos seguia festejando são Miguel Arcanjo. Chegou o ano em que não sabia mais o que vender para fazer essa festa, então pegou o menino e foi vendê-lo ao rei.

— Majestade — disse ao rei —, quer comprar este meu menino? Talvez por doze tarís, por aquilo que quiser me dar, basta que possa fazer a festa para são Miguel Arcanjo.

O rei lhe deu cem onças e ficou com o menino. Depois pensou: "Vejam só, essa mulher, para fazer a festa para são Miguel Arcanjo, vende seu filho, e eu que sou rei não faço nada para ele". Então, mandou construir uma capela, comprou uma estátua de são Miguel Arcanjo e fez uma festa para ele; mas, feita a festa, colocou um véu sobre a estátua e não pensou mais nisso.

O menino, que se chamava Pepi, crescia no palácio e brincava com a filha do rei, que era da mesma idade. Assim, cresceram juntos dia a dia e, quando estavam crescidos, se apaixonaram, até que os conselheiros disseram ao rei:

— Majestade, o que está havendo? Será que pretende entregar sua filha àquele coitado?

O rei disse:

— E o que posso fazer? Posso mandá-lo embora?

— Faça como nós dizemos — disseram os conselheiros —, mande-o fazer negócios com um navio, o mais velho e arruinado que houver. Faça com que o deixem sozinho no meio do mar; assim ele se afoga e fica tudo resolvido.

O rei gostou da ideia e disse a Pepi:

— Ouça, você deve ir fazer negócios. Tem três dias para carregar seu navio.

O moço passava a noite pensando no que devia levar no navio para fazer bons negócios; na primeira noite, não lhe veio nada à cabeça, nem na segunda, e na terceira, pensa que pensa, pôs-se a chamar são Miguel Arcanjo. São Miguel Arcanjo apareceu e lhe disse:

— Não perca o ânimo: diga ao rei que carregue o navio de sal.

Na manhã seguinte, Pepi se levantou todo contente. O rei perguntou:

— Então, Pepi, o que decidiu?

E ele:

— Queira Vossa Majestade ordenar que carreguem um navio de sal para mim.

Os conselheiros se alegraram:

— Ótimo; com essa carga, o navio afundará logo!

O navio carregado de sal partiu e levava amarrada atrás outra embarcação menor.

— Para que serve aquilo? — perguntou Pepi ao comandante.

E o comandante respondeu:

— Eh, é coisa minha.

De fato, tendo chegado ao meio do mar, o comandante desceu à embarcação e disse:

— Boa tarde. — E deixou Pepi sozinho.

O mar estava agitado, o navio fazia água e não tardaria a naufragar. Pepi começou a chamar:

— Santa Mãe! Senhor! São Miguel Arcanjo, ajudem-me!
— E de repente surgiu um navio todo de ouro, com são Miguel

Arcanjo no comando. Jogaram-lhe uma corda e Pepi amarrou seu navio ao de são Miguel Arcanjo, que andava sobre o mar como um raio, até que entraram num porto.

— Vêm em missão de paz ou de guerra? — perguntaram no porto.

— De paz! — disse Pepi, e o deixaram desembarcar.

O rei daquele lugar quis convidar Pepi e seu companheiro (não sabia que era são Miguel) para comer.

— Atenção — disse são Miguel a Pepi —, pois neste lugar não sabem o que é sal. — E Pepi levou um saquinho consigo.

À mesa com o rei, começaram a comer, e tudo era insosso como palha. Pepi disse:

— Majestade, por que comem assim?

E o rei:

— É assim que costumamos comer.

Então Pepi serviu um pouco de sal no prato de todos os comensais:

— Majestade, experimente agora e veja o que acha.

O rei comeu algumas colheradas e disse:

— Ah, ótimo! Ótimo! Vocês têm muito desta coisa?

— Um navio cheio.

— E por quanto a estão vendendo?

— Seu peso equivalente em ouro.

— Então eu compro tudo.

— Negócio fechado.

Depois do almoço, mandaram descarregar e pesar todo o sal. Na balança, de um lado punham sal e do outro ouro.

Assim, Pepi encheu o navio de ouro e, depois de mandar consertar as avarias, lançou-se de novo ao mar.

A filha do rei passava os dias no balcão, escrutando o mar com binóculos, aguardando o retorno de seu Pepi. E, quando viu o navio, correu até seu pai:

— Papai, Pepi está de volta! Papai, Pepi está de volta!

Quando a embarcação entrou no porto, e Pepi, tendo beijado a mão do rei, começou a mandar descarregar ouro a mais não poder, os conselheiros ficaram verdes. Disseram ao rei:

— Majestade, estamos num beco sem saída.
E o rei:
— E o que posso fazer?
E os conselheiros:
— Mandá-lo noutra viagem.

Então o rei, passados poucos dias, disse-lhe para pensar num novo carregamento, pois teria de partir de novo. Pepi refletiu, depois chamou são Miguel. E são Miguel lhe disse:

— Carregue um navio de gatos.

O rei, para dar os gatos a Pepi, publicou um edital: "Todos aqueles que possuem gatos devem levá-los ao palácio real, e o rei os comprará."

Assim, o navio foi carregado e saiu miando pelos mares.

Tendo chegado mais longe que da primeira vez, o comandante disse:

— Boa tarde. — E se foi.

O navio começou a afundar, e Pepi chamou são Miguel Arcanjo. Surgiu o navio de ouro e, como um raio, conduziu-o até um porto desconhecido. Chegou uma embaixada ao porto para perguntar se vinham em missão de paz ou de guerra.

— De paz! — disse, e o rei logo o convidou para almoçar.

À mesa, perto de cada prato, havia uma vassoura.

— Para que servem?

E o rei:

— Verão logo mais.

Serviram as iguarias, e logo apareceu uma grande quantidade de ratos, que subiam pelas mesas e buscavam a comida nos pratos; cada comensal, com sua vassoura, devia expulsá-los, mas era inútil porque voltavam, e eram tantos que não dava para se defender deles.

Então são Miguel disse a Pepi:

— Abra o saco que trouxemos. — Pepi desamarrou o saco e libertou quatro gatos, que saltaram no meio dos ratos e fizeram uma carnificina.

O rei, todo contente:

— Oh, que lindos animaizinhos! — exclamou. — Tem muitos destes?

— Um navio cheio.

— E são caros?

— O equivalente de seu peso em ouro.

— Negócio fechado.

O rei comprou todos, e, na balança, de um lado punham gatos e de outro ouro. Assim, tendo consertado o navio, Pepi voltou carregado de ouro também dessa vez.

No porto, quando chegou, a filha do rei dançava de alegria, os carregadores desembarcavam ouro, ouro e mais ouro, o rei estava perplexo e os conselheiros mais verdes que antes. E disseram ao rei:

— Se não conseguiu duas vezes, conseguirá na terceira. Deixemos que descanse uma semana e depois partirá de novo.

Dessa vez, quando Pepi o chamou, são Miguel disse:

— Diga que carreguem o navio de favas.

Quando o navio carregado de favas estava para naufragar, apareceu o habitual navio de ouro, e Pepi, junto com são Miguel, desembarcou num porto.

O rei daquela cidade era uma rainha, e convidou ambos para almoçar. Depois de comer, a rainha puxou as cartas e disse:

— Vamos jogar uma partida? — E se puseram a jogar. A rainha era uma grande jogadora, e todos os homens que perdiam eram encarcerados no fundo de um subterrâneo.

Mas são Miguel Arcanjo não podia perder, e a rainha percebeu que, se continuasse a jogar, ela perderia todas as suas posses.

Então disse:

— Declaro-lhes guerra.

Marcaram a hora da guerra, e a rainha alinhou todos os seus soldados. São Miguel e Pepi eram dois solitários com suas espadas contra todos e se lançaram ao assalto. Mas são Miguel fez com que surgisse uma rajada de vento e apareceu uma grande poeira que anuviou os olhos dos soldados. Ninguém via mais nada, e são Miguel Arcanjo alcançou a rainha e lhe cortou o pescoço com a espada.

Quando a grande poeira baixou e todos viram a cabeça da rainha separada do corpo, alegraram-se, pois era uma rainha que ninguém podia suportar, e disseram a são Miguel:

— Queremos Vossa Senhoria como rei, Vossa Senhoria.

São Miguel disse:

— Sou rei de outro lugar. Escolham um rei de vocês.

Fizeram uma gaiola de ferro para a cabeça da rainha e a penduraram numa esquina; e são Miguel e Pepi desceram ao subterrâneo para libertar os prisioneiros. Estava cheio de gente mofada, esfomeada e os mortos junto com os vivos. Pepi começou a distribuir grandes porções de favas tiradas de um saco, e eles comiam como se fossem animais. Assim os alimentaram, mandaram preparar um caldo de favas e depois os mandaram cada um para sua casa.

Naquela cidade, jamais tinham visto favas, e Pepi as vendeu a peso de ouro. Depois, com o navio carregado de ouro e uma escolta de soldados sob suas ordens, içou velas rumo à sua cidade e disparou uma salva de canhões para anunciar sua chegada.

Desta vez entrou no porto também o navio de ouro, e o rei acolheu são Miguel Arcanjo. Durante a refeição, são Miguel disse ao rei:

— Majestade, e senhor tem uma estátua para quem, certa vez, fez uma festa e que depois abandonou às teias de aranha. Por quê? Quem sabe lhe faltam moedas?

O rei disse:

— Ah, sim, é são Miguel Arcanjo, não havia mais pensado nisso.

E são Miguel:

— Vamos vê-lo.

Chegaram à capela, e a estátua estava toda mofada. O forasteiro disse:

— Sou são Miguel Arcanjo e lhe peço, Majestade, explicações sobre o tratamento que me dispensou.

O rei se pôs de joelhos e disse:

— Perdoe-me, diga-me o que posso fazer pelo senhor! A mais linda festa!

O santo disse:

— Fará a festa de casamento de sua filha e de Pepi, pois aqueles dois jovens têm de se casar.

Assim, Pepi casou com a filha do rei e também ele se tornou rei.

O FILHO DO REI NO GALINHEIRO

Conta-se que havia um remendão com três filhas: Pepa, Nina e Núncia. Eram paupérrimos, e o remendão andava pelos campos consertando sapatos, mas não conseguia uma moeda. A mulher, ao vê-lo voltar de mãos vazias:

— Infeliz! — dizia-lhe —, o que vou pôr na panela hoje?

E ele, cansado, disse à filha Núncia, que era a caçula:

— Escute, quer vir comigo procurar o que pôr na sopa?

E saíram pelos campos, para colher hortaliças para a sopa. Foram longe e, procurando hortaliças, Núncia encontrou uma cabeça de erva-doce tão grande que, por mais que puxasse, não conseguia desenraizá-la e teve de chamar seu pai.

— Senhor pai! Senhor pai! Venha ver o que encontrei! Não consigo arrancá-la!

Também o pai se pôs a puxá-la e, puxa que puxa, a erva-doce foi desenraizada, e embaixo apareceu um alçapão aberto. Do alçapão surgiu um lindo jovem.

— Bela moça — disse —, o que estão procurando?

— E o que queria que procurássemos? Estamos mortos de fome e colhemos alguma coisa para a sopa.

— Se são pobres, posso fazê-los enriquecer — disse o jovem ao remendão. — Deixe-me sua filha, e eu lhe dou um saco de dinheiro.

Aquele pobre pai falou:
— Como? Deixar-lhe minha filha? — Mas o jovem tanto fez que o persuadiu, pegou o dinheiro e deixou Núncia, que desceu para debaixo da terra com aquele jovem.

Debaixo da terra, havia uma casa tão luxuosa que a moça pensou ter chegado ao Paraíso. Começou uma vida que poderia ser dita bem feliz, não fosse o fato de que Núncia não sabia mais nada de seu pai nem de suas irmãs.

Entretanto, o remendão tinha frango e carne de boi para comer todos os dias e passava bem. Certo dia, Pepa e Nina lhe disseram:
— Papai, quer nos levar para encontrar nossa irmã?

Foram ao lugar onde haviam encontrado a erva-doce, bateram no alçapão e o jovem os fez entrar. Núncia ficou muito contente em rever as irmãs e as levou para visitar a casa toda. Só não quis abrir um quarto:
— Por quê? O que há lá dentro? — perguntaram as irmãs, cheias de curiosidade.
— Não sei, pois nunca entrei lá. Meu marido me proibiu.

Depois foi se pentear e as irmãs quiseram ajudá-la. Soltaram-lhe a trança e no meio da trança acharam uma chave atada.
— Esta — disse Pepa a Nina, baixinho — deve ser a chave do aposento que não nos deixou ver! — E, fingindo penteá-la, desamarraram a chave; depois, quietinhas, foram abrir o aposento.

No aposento havia muitas mulheres: umas bordavam, algumas costuravam e outras cortavam. E cantavam:

Fazemos fralda e cueiro
Para o filho do rei que já já abre o berreiro.

— Ah! Nossa irmã espera uma criança e não nos havia dito! — exclamaram as irmãs.

Mas, nesse instante, as mulheres do aposento, percebendo que as observavam, de bonitas que eram ficaram amarelas, horríveis e se transformaram em lagartos e lagartixas. Pepa e Nina fugiram.

Núncia viu as duas transtornadas.

— O que têm vocês, minhas irmãs?

— Nada, queríamos cumprimentá-la porque já vamos embora.

— Tão cedo?

— Sim, temos que voltar para casa.

— Mas o que aconteceu?

— Bem, pegamos a chave que você tinha na trança, abrimos aquela porta...

— Ah, minhas irmãs! Isso vai ser minha ruína!

De fato, as mulheres do aposento, que eram todas fadas, foram até o jovem, que era prisioneiro delas ali, debaixo da terra, e lhe disseram:

— Sabe de uma coisa? Tem que expulsar sua mulher. Depressa.

— E por quê? — disse ele com lágrimas nos olhos.

— Tem que expulsá-la depressa. Ordens são ordens, entendeu?

E aquele pobre esposo teve de ir até ela, com o coração se despedaçando, e lhe dizer:

— Você tem que sair depressa desta casa, ordem das fadas, senão estou perdido!

— Minhas irmãs me arruinaram! — disse ela rompendo em soluços. — E para onde é que eu vou?

— Tome este novelo — disse-lhe ele. — Amarre uma ponta na maçaneta da porta e o faça rolar pelo chão. Pare onde acabar o novelo.

Desesperada, Núncia obedeceu: o novelo, rola que rola, anda que anda, não acabava mais. Ela chegou embaixo do balcão de um belíssimo palácio e lá o novelo acabou. Era o palácio do rei Cristal.

Núncia chamou e as camareiras apareceram.

— Por caridade — disse ela —, abriguem-me por esta noite, pois não sei onde me refugiar e estou esperando um filho! — Porque, nesse meio-tempo, percebera que estava esperando um filho.

As camareiras foram falar com o rei Cristal e a rainha, e eles responderam que não abririam a casa deles para quem quer que fosse. Convém saber que o filho deles fora levado pelas fadas muitos anos antes e nunca mais tinham sabido nada dele, por isso desconfiavam muito de mulheres forasteiras.

A pobrezinha disse:

— Quem sabe no galinheiro, por uma noite!

As camareiras, comovidas, tanto insistiram com o rei e a rainha que conseguiram alojá-la no galinheiro e levaram um pouco de pão para ela, pois estava morrendo de fome. Queriam saber sua história, mas ela sacudia a cabeça e não parava de repetir:

— Ah, se vocês soubessem! Ah, se vocês soubessem!

Nessa mesma noite, teve um lindo menino, e uma camareira foi depressa contar à rainha:

— Majestade, que lindo menino teve a forasteira! Parece muito com seu filho!

Entretanto, as fadas disseram ao jovem, que continuava debaixo da terra:

— Sabe que sua mulher teve um lindo menino? Quer ir conhecê-lo esta noite?

— Quem me dera. Vocês me levam?

Nessa noite, ouviu-se bater à porta do galinheiro.

— Quem é?

— Abra, sou eu, o pai do seu menino.

E Núncia viu entrar seu esposo, que era o filho do rei raptado pelas fadas e que agora as fadas acompanhavam para ver seu filho. Entrou, com todas as fadas atrás, e o galinheiro se atapetou de ouro, a cama de palha ganhou uma colcha bordada a ouro, o berço do menino se tornou de ouro, e tudo resplandecia tanto que parecia ser dia, e tocava uma música, e as fadas cantavam e dançavam, e o reizinho ninava o menino e dizia:

> *Se meu pai soubesse*
> *Que você é filho do filho dele,*
> *Com faixas de ouro seria enrolado,*
> *Em berços de ouro seria ninado,*

Estaria com você noite e dia,
Dorme, dorme, de rei, cria.

E as fadas, dançando, debruçavam-se na janela e cantavam:

Os galos ainda não cantam,
O relógio ainda não soa,
Não é hora, não é hora.

Deixemo-los e vamos até a rainha. Apresenta-se uma camareira e lhe diz:

— Senhora rainha, imagine! Estão acontecendo coisas nunca vistas para a forasteira! Não é mais um galinheiro, é tudo luz como o Paraíso, ouve-se cantar, uma voz que parece com a de seu filho. Ouça, ouça!

A rainha foi até a porta do galinheiro e ficou escutando; mas naquele instante um galo cantou, e não se ouviu mais nada e não se viu mais luz na porta.

De manhã, a rainha decidiu levar o café pessoalmente para a forasteira.

— Poderia me dizer quem esteve aqui durante a noite?

E ela:

— Bem, não posso lhe dizer, mas, mesmo que pudesse, o que lhe diria? Soubesse eu quem era!

E a rainha:

— E quem pode ser? E se fosse meu filho? — E tanto disse, e tanto fez, que a forasteira lhe contou toda a sua história, desde o princípio: que ela estava em busca de hortaliças... e todo o resto.

— Então você é a mulher de meu filho? — falou a rainha, aos beijos e abraços. E lhe disse: — Esta noite, pergunte a ele o que é necessário para libertá-lo.

À noite, à mesma hora, as fadas se reuniram com o filho do rei. As fadas se puseram a dançar, e ele a ninar seu filho, sempre cantando:

> *Se meu pai soubesse*
> *Que você é filho do filho dele,*
> *Com faixas de ouro seria enrolado,*
> *Em berços de ouro seria ninado,*
> *Estaria com você noite e dia,*
> *Dorme, dorme, de rei, cria.*

Enquanto as fadas dançavam, a esposa disse ao marido:
— Diga-me o que é necessário para libertá-lo!
Ele respondeu:
— É necessário que os galos não cantem, que o relógio não soe, nem os sinos, e com um tecido azul-celeste bordado com a lua e as estrelas, parecendo a noite, cubra-se a estrada para que não se veja a chegada do dia. Quando o sol estiver alto, retira-se o tecido e as fadas se transformam em lagartos e lagartixas e somem.

Na manhã seguinte, o rei mandou gritar um pregão:
"Nem sinos nem relógio hão de soar, e todos os galos hão de ser mortos."

Tudo foi preparado e, à noite, na hora habitual, as fadas se puseram a dançar e a tocar, e ele cantava:

> *Se meu pai soubesse*
> *Que você é filho do filho dele,*
> *Com faixas de ouro seria enrolado,*
> *Em berços de ouro seria ninado,*
> *Estaria com você noite e dia,*
> *Dorme, dorme, de rei, cria.*

E as fadas se debruçavam na janela, cantando:

> *Os galos ainda não cantam,*
> *O relógio ainda não soa,*
> *Não é hora, não é hora.*

Fizeram uma noitada de danças e cantos, e continuavam sempre a se debruçar na janela, e vendo que era noite, repetiam:

> *Os galos ainda não cantam,*
> *O relógio ainda não soa,*
> *Não é hora, não é hora.*

Quando o sol atingiu o meio do céu, o tecido foi retirado; uma se transformou em cobra, outra em lagarto, e todas sumiram.

O filho do rei e sua mulher abraçaram o rei e a rainha.

> *Eles ficaram felizes, exultantes,*
> *E nós aqui, sem nada como antes.*

A LINGUAGEM DOS ANIMAIS E A MULHER CURIOSA

Era uma vez um jovem casado que, não conseguindo sobreviver em sua terra, emigrou para outra região e se colocou a serviço de um padre. Certo dia, trabalhando no campo, encontrou um grande cogumelo e o levou para seu patrão. E o padre lhe disse:

— Amanhã, volte ao mesmo lugar, cave onde estava o cogumelo e me traga o que achar.

O camponês cavou e encontrou duas víboras. Matou-as e as levou para o patrão. Nesse dia, tinham levado algumas enguias para o padre e, assim, ele disse à criada:

— Dê de comer àquele jovem, pegue as duas enguias mais finas e frite para ele.

A criada se enganou: fritou as víboras e as serviu ao camponês. O camponês as comeu e gostou delas.

Tendo acabado de comer, o camponês viu que estavam por ali a gata e o cão do padre, e ouviu que falavam. O cão dizia:

— Tenho que receber mais carne que você.

E a gata:

— Não, sou eu que devo receber mais.

— Eu saio com o dono — dizia o cão —, e você fica em casa. Portanto, eu é que tenho que comer mais.

— Sair com o dono é sua obrigação — dizia a gata —, assim como a minha é permanecer em casa.

O camponês percebeu que, tendo comido as duas víboras, adquirira a virtude de compreender a linguagem dos animais.

Desceu até a estrebaria para dar cevada às mulas, e as mulas falavam entre elas.

— A mim — dizia a mula-madrinha —, devem me dar mais cevada que para você, pois eu o levo montado.

E a outra mula dizia:

— O que der para você tem que dar para mim, pois eu levo a carga.

O camponês, ouvindo essa conversa, dividiu a cevada em partes iguais.

— Está vendo que ele divide certo, conforme eu dizia? — disse a segunda mula.

O camponês tornou a subir, e a gata foi ao encontro dele e lhe falou:

— Escute — disse —, sei que você compreende quando falamos. Tenha cuidado, porque o patrão procurou as víboras e a criada lhe disse que, por engano, deu-as para você comer, e agora o patrão quer saber se você adquiriu a virtude de ouvir os animais falarem, pois ele leu isso num livro de encantamento, e vai lhe perguntar, e você deve lhe responder que não, e ele vai insistir, e você deve sempre dizer que não, porque, se lhe disser a verdade, você morre e a virtude passa para o patrão.

O camponês, assim avisado, não quis dizer nada ao padre, por mais perguntas que este lhe fizesse. Até que o padre se cansou e o mandou embora. Pelo caminho, deparou com um rebanho. Os pastores estavam desesperados, porque todas as noites sumia alguma ovelha deles.

— Quanto me dá se pararem de sumir? — perguntou o camponês.

O feitor respondeu:

— Quando virmos que não somem mais, nós lhe damos uma jumenta e uma mula jovem.

O camponês ficou com o rebanho e, à noite, deitou-se do lado de fora, no paiol. À meia-noite ouviu falar; eram os lobos chamando os cães:

— Ó compadre Vito!*

E os cães respondiam:

— Ó compadre Cola!

— Podemos ir pegar ovelhas?

— Não, não podem — respondiam os cães —, há um pastor dormindo fora.

Assim, durante oito dias, o camponês dormiu fora e ouvia os cães avisando os lobos para que não se aproximassem; assim, de manhã, nunca faltavam ovelhas. Quando chegou ao nono dia, mandou matar os cães traidores e pôs de guarda novos cães. À noite, os lobos gritaram de novo:

— Ó compadre Vito, podemos ir?

E os novos cães responderam:

— Sim, venham, seus amigos foram mortos, nós vamos latir e para vocês haverá pólvora e balas.

Ao amanhecer, os pastores deram ao camponês uma jumenta e uma mula jovem, e ele partiu. Chegando em casa, a mulher lhe perguntou de quem eram aqueles dois animais.

— São nossos — disse ele.

— E como os conseguiu?

Mas o marido não lhe explicou nada e permaneceu quieto. Numa aldeia vizinha, havia uma feira; o camponês decidiu

---

* "Recorde-se que são Vito é o protetor dos cães" (Pitrè).

ir até lá com a mulher. Montaram os dois na jumenta, e a mula seguia atrás:

— Mamãe, espere-me! — dizia a mula.

E a mais velha:

— Vamos, ande, pois você está leve e eu tenho duas pessoas na garupa!

Ao ouvir essa conversa, o camponês caiu na risada.

A mulher, curiosa, disse-lhe:

— Por que está rindo?

E o marido:

— Por nada. À toa.

— Diga-me logo por que está rindo, senão desço e volto para casa.

E o marido:

— Está bem, quando chegarmos ao Santo, eu lhe direi.

Chegaram ao Santo, e a mulher recomeçou:

— Agora tem que me dizer por que estava rindo. Hein, por que estava rindo?

E ele:

— Eu lhe direi quando voltarmos para casa.

Então a mulher não quis mais ir à feira para voltar imediatamente para casa. E uma vez em casa:

— Agora me diga.

— Vá chamar o confessor — disse o marido — e depois lhe digo.

A mulher, muito ansiosa, põe o véu, vai chamar o confessor e o leva para casa às pressas.

O marido esperava o confessor e pensava: "Agora tenho que contar, e morrerei. Triste destino! Mas antes vou me confessar e comungar, assim morrerei em paz".

E, remoendo esses pensamentos tristes, jogava um pouco de farelo para as galinhas. As galinhas se amontoavam para bicar o farelo, mas o galo, com um salto e um bater de asas, estava em cima delas e as expulsava. O camponês perguntou ao galo:

— Por que não deixa as galinhas comerem?

E o galo:

— As galinhas têm que fazer o que eu quero, embora sejam muitas; não como você, que tem apenas uma mulher e se rebaixa a fazer o que ela quer, e agora vai lhe dizer que entende a nossa linguagem e morrerá.

O camponês refletiu, depois disse ao galo:

— Você tem mais juízo que eu.

Pegou o cinto, molhou-o, certificou-se de que estava bem flexível e se pôs a esperar. A mulher volta e avisa:

— O confessor já está vindo: diga-me por que estava rindo.

O marido pega o cinto e tome couro, até deixá-la mais morta que viva. O padre chega:

— Quem quer se confessar?

— Minha mulher.

O padre compreendeu e foi embora. Passado algum tempo, a mulher voltou a si, e o marido lhe disse:

— Entendeu o que tinha para lhe dizer, mulher?

E ela:

— Não quero saber de mais nada.

E a partir daquele dia deixou de ser curiosa.

O BEZERRINHO COM CHIFRES DE OURO

Conta-se que havia um marido e uma mulher que tinham dois filhos, um menino e uma menina. A mulher morreu, e o marido se casou pela segunda vez; e a nova mulher tinha uma filha cega de um olho.

O marido era camponês e foi trabalhar num feudo. A mulher não podia nem ver os filhos do marido; preparou o pão e mandou que o levassem ao pai; mas, para que se perdessem, mandou-os para outro feudo, na direção oposta. Eles chegaram a uma montanha e começaram a chamar o pai:

— Papai! Papai! — Porém, só o eco lhes respondia.

Perderam-se e assim caminharam ao acaso pelo campo, e o irmãozinho sentiu sede. Encontraram uma fonte e ele queria beber; mas a irmãzinha, que era encantada e conhecia as virtudes da fonte, perguntou:

> *Nascente, nascente,*
> *Quem beber da sua água*
> *Ficará diferente?*

E a fonte respondeu:

> *Quem da minha água beber*
> *Burrinho há de se fazer.*

O irmãozinho controlou a sede e seguiram adiante. Encontraram outra fonte e o irmãozinho queria se atirar nela para beber. Mas a irmãzinha perguntou:

> *Nascente, nascente,*
> *Quem beber da sua água*
> *Ficará diferente?*

E a fonte respondeu:

> *Quem da minha água beber*
> *Um grande lobo há de se fazer.*

O irmãozinho não bebeu e seguiram adiante. Encontraram outra fonte ainda, e a irmãzinha:

> *Nascente, nascente,*
> *Quem beber da sua água*
> *Ficará diferente?*

A fonte respondeu:

Quem da minha água beber
Bezerrinho há de se fazer.

A irmã não queria deixar o irmãozinho beber, mas ele estava com tanta sede que disse:

— Entre morrer de sede e me tornar um bezerrinho, prefiro me tornar um bezerrinho. — E bebeu a água vorazmente.

Num piscar de olhos se transformou num bezerrinho com chifres de ouro.

E a irmãzinha retomou a estrada junto com o irmão transformado em um bezerro com chifres de ouro. Assim chegaram à praia. Na praia, havia uma bela casinha, que era a casa de veraneio do filho do rei. O filho do rei estava na janela e viu a linda moça que caminhava pela praia com um bezerrinho; disse:

— Suba aqui comigo.

— Subo — disse ela —, se deixar que meu bezerrinho vá comigo.

— Por que faz tanta questão? — perguntou o filho do rei.

— Afeiçoei-me a ele por tê-lo criado com minhas mãos e não quero deixá-lo nem mesmo por um minuto.

O reizinho se apaixonou pela moça e se casou com ela, e assim viviam, com o bezerrinho dos chifres de ouro sempre junto.

Nesse meio-tempo o pai, que voltara para casa e não encontrara mais seus filhos, sofria muito. Certo dia, para se distrair, foi colher erva-doce. Chegou à praia e viu a casinha do reizinho. Sua filha estava na janela: ela o reconheceu, mas ele não.

— Suba, bom homem — disse ela, e o pai subiu. — Não me conhece? — disse-lhe.

— Para ser franco, não me parece um rosto estranho.

— Sou sua filha!

Lançaram-se nos braços um do outro; ela lhe disse que o irmão se tornara um bezerrinho, mas que ela casara com o filho do rei, e o pai ficou muito contente em saber que a filha que acreditava perdida havia feito um casamento tão bom e que também seu filho continuava vivo, embora tão mudado.

— Agora, meu pai, esvazie este saco de erva-doce, que vou enchê-lo de dinheiro.

— Oh, quem sabe como ficará satisfeita sua madrasta — disse o pai.

— Por que não lhe diz para vir morar aqui, junto com sua filha cega de um olho? — disse a filha.

O pai disse que sim e regressou a casa.

— Quem lhe deu este dinheiro? — perguntou-lhe a mulher, bastante atordoada ao vê-lo abrir o saco.

— Minha mulher! Saiba que encontrei minha filha e que é mulher de um reizinho e nos quer a todos em sua casa: eu, você e sua filha cega de um olho.

Ao escutar que a enteada ainda estava viva, a mulher se sentiu devorar pela raiva, mas disse:

— Que boa notícia! Não vejo a hora de vê-la.

Assim, enquanto o marido havia ficado para cuidar de seus negócios, a mulher e a filha cega de um olho chegaram à casinha do reizinho. O reizinho não estava e, tão logo se viu sozinha com a enteada, a madrasta a agarrou e a atirou pela janela que dava para o mar. Depois vestiu a filha cega de um olho com as roupas da meia-irmã e lhe disse:

— Quando o reizinho voltar, ponha-se a chorar e lhe diga: "O bezerrinho dos chifres de ouro me furou um olho e fiquei cega!". — E, depois de tê-la instruído dessa maneira, regressou a casa, deixando-a ali sozinha.

O reizinho voltou e a encontrou deitada, chorando.

— Por que está chorando? — perguntou-lhe pensando que ela fosse a sua mulher.

— O bezerrinho me deixou cega de um olho com uma chifrada! Ai! Ai!

Depressa, o rei gritou:

— Chamem o açougueiro para matar o bezerro!

O bezerrinho, ao ouvir tais palavras, correu, debruçou-se na janela que dava para o mar e disse:

> *Ó minha irmãzinha, sou o seu irmão!*
> *Já estão afiando o facão,*
> *Preparam-se para colher*
> *Meu sangue que vai correr!*

E do mar se ouviu uma voz dizendo:

> *Suas lágrimas correm em vão,*
> *Estou bem na boca do tubarão!*

O açougueiro, ouvindo isso, não teve coragem de matar o bezerrinho e foi falar com o reizinho:

— Majestade, venha ouvir o que diz o bezerrinho.

O reizinho se aproximou e ouviu:

> *Ó minha irmãzinha, sou o seu irmão!*
> *Já estão afiando o facão,*
> *Preparam-se para colher*
> *Meu sangue que vai correr!*

E do mar lhe respondeu aquela voz:

> *Suas lágrimas correm em vão,*
> *Estou bem na boca do tubarão!*

O reizinho chamou logo dois marinheiros para pescarem o tubarão. Pescaram-no, abriram-lhe a boca e surgiu a sua esposa sã e salva!

A madrasta e a meia-irmã de um olho foram encarceradas. Para o bezerrinho chamaram uma fada, que o transformou num belo rapaz, pois nesse meio-tempo havia crescido.

A VELHA DA HORTA

Era uma vez uma horta de couves. Era um ano de carestia, e duas mulheres saíram em busca de alguma coisa para comer.

— Comadre — disse uma —, vamos àquela horta colher couves.

E a outra:

— Mas haverá alguém!

A primeira foi ver:

— Não há ninguém! Vamos!

Entraram na horta e colheram duas grandes braçadas de couves. Levaram tudo para casa, fizeram um bom jantar e, no dia seguinte, voltaram para pegar outras duas braçadas.

A horta era de uma velha. A velha regressou e viu que lhe tinham roubado couves. "Já cuido disso", disse consigo. "Pego um cão e o amarro na porta."

As comadres, quando viram o cão:

— Não, desta vez não vou lá colher couves — disse uma.

E a outra:

— Deixe disso, pegamos um pedaço de pão duro, jogamos para o cão e assim podemos fazer o que quisermos.

Compraram o pão e, antes que o cão fizesse "Au!", atiraram-lhe o pão. O cão se lançou sobre o pão e ficou quieto. As comadres roubaram as couves e se foram.

Apareceu a velha e viu aquele estrago.

— Ah! Então você deixou que colhessem as couves debaixo do seu nariz! Não é bom para ficar de guarda! Fora! — E pôs um gato de guarda. — Quando fizer "Miau! Miau!" darei um salto e surpreenderei os ladrões!

As comadres chegaram para pegar couves e viram o gato. Pegaram um pedaço de pulmão e, antes que o gato tivesse feito "Miau!", atiraram-lhe o pulmão e o gato ficou quieto. Colheram as couves, foram embora e só quando terminou de comer o pulmão é que o gato fez "Miau!". A velha apareceu, não viu mais nem couves nem ladrões. E brigou com o gato.

— Agora, quem ponho lá? O galo! Desta vez os ladrões não me escapam.

As duas comadres. Uma:

— Nossa Senhora, desta vez não vou lá! É o galo!

E a outra:

— Vamos jogar comida para ele, e não cantará.

Enquanto o galo bicava a comida, fizeram uma limpeza na horta. O galo terminou a comida e então cantou: "Cocorocó!". A velha aparece, vê as couves arrancadas, pega o galo e torce o pescoço dele. Depois diz a um aldeão:

— Cave uma cova do meu tamanho! — Deitou-se na cova e mandou que a enterrassem, deixando só uma orelha para fora da terra.

De manhã cedo, chegam as comadres, examinam a horta inteira e não veem vivalma. A velha mandara cavar a cova no caminho por onde as comadres passariam. Na ida, não perceberam nada; na volta, carregadas de couves, a primeira comadre viu a orelha saindo da terra e disse:

— Ó comadre, veja que lindo cogumelo! — Inclinou-se e se pôs a puxar o cogumelo. Puxa, puxa, puxa; mais um puxão e a velha pulou para fora.

— Ah! — berrou a velha. — Foram vocês que me colheram as couves? Esperem que já lhes mostro. — E agarrou a comadre que a puxara pela orelha. A outra, pernas para que te quero, e fugiu.

A velha segurava a comadre entre suas garras:

— Agora vou comê-la viva de uma vez só!

E a comadre lhe disse:

— Espere: estou para ter um filho; se me salvar a vida, prometo que, homem ou mulher, quando ele fizer dezesseis anos eu o darei para você. Aceita?

— Aceito! — disse a velha. — Colha todas as couves que quiser e suma; mas não se esqueça da promessa.

Mais morta que viva, a comadre voltou para casa.

— Ah, comadre, você teve a sorte de fugir, mas eu fiquei em maus lençóis e prometi à velha que o filho ou a filha que eu tiver, darei a ela aos dezesseis anos!

Passados dois meses, a comadre deu à luz uma menininha.

— Ah, pobre da minha filha! — dizia-lhe a mãe. — Eu a amamento, eu a crio, e vai acabar sendo devorada! — E chorava.

Quando a moça estava para completar dezesseis anos, indo comprar óleo para a mãe, encontrou a velha.

— E você, mocinha, é filha de quem?

— De dona Sabeda.

— Ficou grande e bonita... deve ser saborosa... — E a acariciava. — Pegue este figo, leve-o para a sua mãe e lhe diga isto: "E a promessa?".

A moça foi até sua mãe e lhe contou tudo.

— ...E me falou para lhe dizer: "E a promessa?".

— A promessa? — disse a mãe e rompeu em pranto.

— Por que está chorando, Vossa Senhoria minha mãe?

Porém, a mãe não lhe respondia: depois de ter chorado por um bom tempo, disse:

— Se encontrar a velha, diga-lhe: "Ainda sou criança".

Mas a mocinha já tinha dezesseis anos e se envergonhava de dizer que era criança. Assim, quando a velha tornou a encontrá-la e perguntou: "O que disse sua mãe?", ela respondeu:

— Já sou grandinha...

— Então venha com sua vovó que lhe dará de presente tantas coisas lindas — disse a velha e agarrou a moça.

Levou-a para sua casa e a encerrou numa capoeira de frangos, e lhe dava de comer para engordá-la. Passado algum tempo, queria ver se estava gorda e lhe disse:

— Venha, mostre-me seu dedinho.

A moça pegou um ratinho que fizera seu ninho na capoeira e, em vez de lhe mostrar o dedo, mostrou o rabo do rato.

— Eh, está magra, ainda está magra, minha pequena. Coma, coma.

Porém, passado mais um tempo, não resistia à vontade de comê-la e a fez sair da capoeira.

— Ah, agora sim, está bem gorda. Vamos esquentar o forno, pois quero fazer o pão.

Fizeram o pão. A moça esquentou o forno, varreu-o e o preparou para poder assar.

— Agora, enforne o pão.

— Não sei enfornar o pão, vovó. Sei fazer tudo, menos enfornar o pão.

— Já lhe mostro. Passe-me o pão.

A moça lhe passava o pão e a velha o enfornava.

— Agora, pegue a laje para fechar o forno.

— E como faço para levantar a laje, vovó?

— Eu a levanto! — disse a velha.

Assim que a velha se inclinou, a moça a pegou pelas pernas e a jogou dentro do forno. Depois pegou a laje e fechou o forno com a velha lá dentro.

Correu imediatamente para chamar a mãe e se tornaram donas da horta e das couves.

A RAINHAZINHA COM CHIFRES

Diz-se que existia um pai com três filhos que possuía apenas uma casa. Vendeu-se a casa, com o trato de que três tijolos no meio de uma parede continuassem sendo dele. Quando estava para morrer, queria fazer um testamento; e os vizinhos lhe diziam:

— Mas que herança quer deixar se não possui mais nada?

E os filhos não queriam sequer chamar o tabelião. Mas o tabelião veio do mesmo jeito e o moribundo lhe ditou este testamento:

— Para meu filho mais velho, o primeiro tijolo, para o do meio, o segundo, e para o caçula, o terceiro.

Os três filhos, desregrados, depois da morte do pai conheceram a fome e o mais velho disse:

— Nesta aldeia não posso mais viver; vou arrancar o tijolo que meu pai me deixou e sair pelo mundo.

A dona da casa, quando ele foi retirar o tijolo, disse-lhe que, se ele o deixasse onde estava e não lhe estragasse a parede, ela lhe pagava, mas ele replicou:

— Não, senhora, meu pai me deixou o tijolo; vou retirá-lo e levá-lo.

Tirou o tijolo e achou uma bolsa minúscula, pegou o tijolo e a bolsa, e partiu.

No caminho, sentiu fome e puxou a bolsa.

— Ó bolsa, dê-me dois *grani*,* que compro pão! — Abriu a bolsa e encontrou dois *grani*.

— Ó bolsa, agora me dê cem onças! — E na bolsa havia cem onças.

Assim continuou enquanto teve vontade. Logo ficou tão rico a ponto de mandar construir um palácio em frente ao do rei. Ele se debruçava na janela do seu palácio, e na janela do palácio do rei se debruçava a filha do rei. Começaram a namorar, e tanto fez que ficou amigo do rei, visitando-o em casa. A rainhazinha, vendo-o mais rico do que seu pai, disse-lhe:

— Caso com você só se me disser de onde vem todo esse dinheiro.

E ele, um grande tonto, abriu-se com ela e lhe mostrou a bolsa. Ela finge desinteresse, dá ópio para ele beber e coloca uma bolsa igual no lugar daquela. Quando o coitado se deu conta, teve de começar a vender as coisas para viver, até que ficou muito pobre, não tendo nem mesmo onde cair morto.

Entretanto, chegou-lhe a notícia de que seu irmão do meio estava rico. Foi procurá-lo, abraçou-o e o beijou, lamentou-se da sua negra desventura e lhe perguntou de que modo havia enriquecido. O irmão lhe contou que, não tendo mais um centavo, fora retirar o tijolo que tinha herdado e embaixo dele

---

* *Granu* ou *guranu* (dialeto siciliano): "grão, espécie de moeda antiga equivalente a dois centésimos de lira" (Pitrè).

encontrara uma capa. Vestiu a capa, e na rua as pessoas não o viam. Entrou numa taberna, meio morto de fome como estava, pegou um pão, foi embora sem que ninguém o visse; foi roubar no prateiro e fez o mesmo com o merceeiro, com o mensageiro do rei, até se tornar muito rico.

— Já que é assim, caro irmão — disse o mais velho —, faça-me um favor: empreste-me essa capa porque preciso, depois a restituo. — E o irmão, que gostava dele, emprestou-a.

Saiu com a capa e ninguém o via. Começou depressa a trabalhar, roubando ainda mais que seu irmão tudo o que lhe aparecia. Quando estava bem reabastecido, regressou à casa do rei. A rainhazinha, vendo-o ainda mais rico que antes, recomeçou:

— Mas de onde tira tanto dinheiro? Se me disser, casamos logo.

E ele, ingênuo, contou-lhe tudo outra vez e lhe mostrou a capa. Ela o fez beber de novo vinho com ópio e trocou a capa por outra. Ao acordar, ele se cobriu com a capa, acreditando não estar sendo visto, e começou a circular pelo palácio em busca de sua bolsa. Mas os guardas o viram, tomaram-no por um ladrão e o expulsaram com pancadas.

O coitado não sabia mais o que fazer e pensou em voltar à aldeia para conseguir um pedaço de pão trabalhando. Mas na aldeia soube que seu irmão caçula era um grande ricaço: morava num lindo palácio, com muitos criados. Disse consigo mesmo: "Agora vou visitar meu irmão caçula, que decerto não vai me mandar embora", e assim fez.

O irmão caçula o imaginava morto, fez-lhe grandes festas e lhe contou como enriquecera.

— Escute só, sabe que nosso pai me havia deixado o último tijolo e, num dia em que estava desesperado, retirei-o para vendê-lo. Sob o tijolo encontrei um chifre; assim que o vi, tive vontade de tocá-lo e, mal soprei nele, saíram montes de soldados e disseram: "General, às suas ordens!". Então parei de soprar e os soldados se recolheram. Tendo entendido como funcionava, passei a percorrer aldeias e cidades com meus soldados, travando batalhas e guerras, e juntando todo o dinheiro que podia. Quando reuni o suficiente para a vida inteira, voltei para cá e construí este palácio.

O irmão, depois de ouvir esse relato, pediu-lhe o favor de emprestar o chifre, que devolveria quando não lhe servisse mais. Com o chifre, foi para uma cidade famosa pela sua riqueza, tocou e começaram a sair soldados. Quando havia enchido a planície, ordenou que saqueassem a cidade. Os soldados não o deixaram falar duas vezes e voltaram carregados de ouro, prata e todo tipo de riquezas. E, assim, ele se reapresentou à rainhazinha mais rico que antes.

Mas se dera mal duas vezes e se deu mal também na terceira: explicou-lhe o segredo, e ela colocou ópio no vinho e trocou o chifre. Quando ele despertou, o rei e a rainha o expulsaram com maus modos porque se embriagara, e ele se foi todo magoado e partiu para outra aldeia com suas riquezas.

Num bosque, surgiram doze ladrões e quiseram roubá-lo. Ele soprou no chifre, pensando que sairiam soldados para defendê-lo, mas em vez disso arrebentou os pulmões soprando enquanto os ladrões o espoliaram, encheram-lhe de bordoadas para ensiná-lo a ser menos presunçoso e o deixaram no chão, mais morto que vivo, ainda soprando no chifre. Então entendeu que aquele não era mais o chifre encantado e, pensando que se arruinara e a seus irmãos, resolveu se atirar num precipício.

Procurou um precipício adequado, caminhou até o musgo da borda e se lançou. Porém, a meia altura, sobressaía uma figueira e ele ficou preso nos galhos. Era uma planta carregada de figos pretos; pensou: "Pelo menos que morra de barriga cheia", e se pôs a se fartar.

Comeu dez figos, comeu vinte figos, comeu trinta figos e descobriu que ele havia produzido mais galhos que a árvore. Porque lhe nasceu um monte de chifres, um para cada figo que havia comido, na cabeça, no rosto, no nariz. Como se já não bastasse o seu desespero, agora lhe acontecia de se achar tão monstruoso; e estava mais decidido a se matar do que antes.

Atirou-se da figueira, no precipício, mas, com todos aqueles chifres, espetou-se noutra figueira cem palmos abaixo. Estava ainda mais carregada de figos que a anterior, mas de figos brancos. "Mais chifres do que já tenho não podem me nascer; e, morrer por morrer, é melhor que me farte", e começou a comer figos brancos. Comera só três e percebeu que tinha três chifres a menos: continuou e viu que cada figo branco que comia era um chifre que sumia. Comeu-os até que todos os chifres desaparecessem e ficou mais liso e certinho que antes.

Quando se viu sem chifres, desceu da figueira branca e trepou precipício acima até a outra figueira: colheu uma boa porção de figos pretos e foi para a cidade. Disfarçado de camponês, com os figos numa cesta, foi até o palácio real. Era fruta fora de estação; a sentinela logo o chamou e o fez subir. O rei comprou todo o cesto dele e ele se despediu beijando-lhe os joelhos.

Ao meio-dia, o rei e a família se puseram a comer figos; agradaram principalmente à rainhazinha, que se empanturrou deles. Estavam tão entusiasmados que não levantavam os olhos do prato e, quando os levantaram, viram-se cheios de chifres. A rainhazinha, então, era uma floresta. Ficaram assustados, chamaram todos os cirurgiões da cidade, mas eles não entendiam nada do assunto. Então o rei fez um pregão anunciando que a quem os libertasse daqueles chifres ele daria tudo o que lhe pedisse.

Quando o vendedor de figos ouviu o pregão, foi até a figueira branca e colheu um bom cesto de figos. Disfarçou-se de cirurgião e foi até o rei.

— Real Majestade, salvarei a todos e retirarei os chifres.

Ao ouvir isso, a rainhazinha apressou-se a dizer:

— Majestade, faça com que ele retire primeiro os meus. — E o rei consentiu.

O cirurgião fez com que o trancassem num aposento com a rainhazinha e tirou o disfarce.

— Reconhece-me ou não? Ouça o que lhe digo: se me devolver a bolsa que gera moedas, a capa que torna invisível e o chifre que produz soldados, retiro-lhe todos os chifres, caso contrário farei com que lhe cresçam outros chifres.

A rainhazinha, que não aguentava mais aqueles chifres e

que sabia que aquele jovem sempre tinha objetos encantados, acreditou nele.

— Se lhe restituir tudo — disse ela — deve me arrancar os chifres e depois casar comigo. — E, dizendo isso, entregou-lhe bolsa, manto e chifre.

Ele a fez comer tantos figos brancos quantos chifres trazia, e a fez voltar a ser como antes; depois fez o mesmo com o rei e a rainha e com todos os que tinham chifres no palácio real. O rei lhe concedeu a rainhazinha como esposa e se casaram. A capa e o chifre foram restituídos aos irmãos, e ele conservou a bolsa cospedinheiro e permaneceu genro do rei pelo resto da vida. O rei morreu depois de um ano, e ele e sua mulher se tornaram rei e rainha.

YUFÁ

YUFÁ E A ESTÁTUA DE GESSO

Era uma vez uma mãe que tinha um filho tonto, preguiçoso e malandro. Chamava-se Yufá. A mãe, que era pobre, tinha um pedaço de tecido e disse a Yufá:

— Pegue este tecido e vá vendê-lo; contudo, se aparecer um tagarela, não o dê a ele: dê a alguém que fale pouco.

Yufá pega o tecido e começa a gritar pela aldeia:

— Quem quer comprar o tecido? Quem quer comprar o tecido?

Uma mulher o para e lhe diz:

— Deixe-me vê-lo. — Examina o tecido e depois pergunta: — Quanto quer por ele?

— Você fala demais — diz Yufá —, e minha mãe não quer vendê-lo aos tagarelas. — E vai embora.

Encontrou um camponês:

— Quanto custa?

— Dez escudos.
— Não: é demais!
— Fala, fala: não lhe dou.

Assim, todos aqueles que o chamavam ou se aproximavam dele lhe pareciam falar demais e não quis vendê-lo a ninguém. Anda daqui, anda de lá, entrou num pátio. No meio do pátio, havia uma estátua de gesso, e Yufá lhe disse:

— Quer comprar o tecido? — Esperou um pouco, depois repetiu: — Quer comprar o tecido? — Visto que não recebia nenhuma resposta: — Ah, finalmente achei alguém que fala pouco! Agora, sim, venderei o tecido para você. — E cobriu a estátua com o tecido. — São dez escudos. Certo? Então amanhã venho pegar o dinheiro. — E se foi.

Assim que o viu, a mãe perguntou pelo tecido.

— Eu o vendi.
— E as moedas?
— Vou pegá-las amanhã.
— Mas é gente de confiança?
— É uma mulher exatamente como você queria: imagine que não me disse nem uma palavra.

De manhã, foi atrás das moedas. Encontrou a estátua, mas o tecido desaparecera. Yufá disse:

— Pague-o. — E, menos resposta recebia, mais se enfurecia. —Você pegou o tecido, não? E não quer me dar as moedas? Então vou lhe mostrar! — Pegou uma enxada e deu uma pancada na estátua que a reduziu a um monte de cacos. Dentro da estátua havia uma panela cheia de moedas de ouro. Colocou-a no saco e foi até sua mãe.

— Mamãe, ela não queria me dar o dinheiro, dei-lhe uma surra e ela me deu isto.

A mãe, que era esperta, disse-lhe:

— Dê-me aqui, e não conte isso para ninguém.

YUFÁ, A LUA, OS LADRÕES E OS GUARDAS

Certa manhã, Yufá saiu à procura de verduras e, antes que retornasse à aldeia, já era noite. Quando ele caminhava, a lua estava meio encoberta pelas nuvens, e ora aparecia ora desaparecia. Yufá se sentou numa pedra e observava o movimento de aparecer e desaparecer da lua, e ora lhe dizia: "Saia, saia", ora: "Esconda-se, esconda-se", e não parava de repetir: "Saia! Esconda-se!".

Ali perto, numa baixada, havia dois ladrões que esquartejavam um bezerro roubado e, quando escutaram: "Saia!" e "Esconda-se!", ficaram com medo de que fosse a lei. Pularam para fora e fugiram; e deixaram a carne ali mesmo.

Yufá, ouvindo os ladrões correrem, vai ver o que se passa e acha o bezerro esquartejado. Pega a faca e começa a cortar carne ele também; enche o saco que trazia e vai embora.

Chegando em casa:

— Mamãe, abre?

— Isso é hora de voltar? — fala a mãe.

— Escureceu enquanto transportava a carne e amanhã a senhora tem que vender tudo, pois preciso das moedas.

E sua mãe:

— Amanhã, você volta para o campo e eu vendo a carne.

Na noite seguinte, quando Yufá voltou, perguntou à mãe:

— Vendeu a carne?

— Sim. Forneci fiado para as moscas.

— E quando nos pagam?

— Quando puderem.

Durante oito dias, Yufá esperou que as moscas lhe trouxessem o dinheiro. Como não o traziam, foi até o juiz.

— Senhor juiz, quero que seja feita justiça. Vendi carne fiado para as moscas e não me pagaram.

O juiz lhe disse:

— Conforme a sentença, assim que vir uma, está autorizado a matá-la.

Justamente naquele instante, pousou uma mosca no nariz do juiz, e Yufá deu-lhe um soco esmagador.

YUFÁ E O GORRO VERMELHO

Yufá não gostava muito de trabalhar. Comia e logo ia para a rua vagabundear. Sua mãe sempre lhe dizia:

— Yufá, assim você não vai para a frente! Por que ao menos não tenta fazer alguma coisa? Come, bebe e sai a passeio! Agora basta: ou ganha alguma coisa, ou o mando para o olho da rua.

Yufá foi até a Càssaro* para ganhar alguma coisa. Pegou uma coisa com um mercador, outra com um outro, até ficar completamente vestido. E a todos dizia:

— Faça fiado, que lhe pago um dia desses.

Por fim, pegou também um lindo gorro vermelho.

Quando se viu novo em folha, disse:

— Ah, consegui, minha mãe não vai mais me dizer que sou um vagabundo! — Mas depois, lembrando que teria de pagar os mercadores, decidiu se fingir de morto.

Atirou-se na cama:

— Estou morrendo! Estou morrendo! Morri! — E se pôs as mãos em cruz e esticou os pés.

A mãe se pôs a arrancar os cabelos:

— Filho! Filho! Que desgraça! Meu filho!

Os gritos atraíram gente, puseram-se todos a lamentar a pobre mulher. A notícia se espalhou e também os mercadores foram ver o morto.

— Pobre Yufá — diziam —, devia-me — (digamos) — seis tarís por uma calça... Perdoo-lhe a dívida e paz para a sua alma!
— E todos iam e perdoavam as suas dívidas.

O dono do gorro vermelho, ao contrário, não engolia aquilo:

— Não perdoo a dívida do gorro. — Foi ver o morto e o encontrou com o gorro novo flamejante na cabeça. Teve uma ideia. Quando os coveiros pegaram Yufá e o levaram à igreja para enterrá-lo, foi atrás deles, escondeu-se na igreja e ficou esperando a noite.

A noite veio, e entraram na igreja ladrões que tinham de di-

---

* *Càssaru*: "rua principal de Palermo".

vidir um saquinho de dinheiro roubado. Yufá estava imóvel em seu esquife e o homem do gorro estava escondido atrás da porta. Os ladrões entornam o saco de dinheiro, tudo em moedas de prata e de ouro, e fazem montinhos, um para cada um. Estava sobrando uma moeda de doze tarís e não se sabia a quem pertencia.

— Para não brigarmos entre nós — disse um dos ladrões —, vamos fazer assim: aqui há um morto, será o alvo em que vamos atirar a moeda. Quem o acertar na boca, fica com ela.

— Boa ideia! — aprovaram todos.

E se puseram em posição de atirar. Yufá, ouvindo aquilo, ficou em pé no meio do esquife e com um vozeirão gritou:

— Mortos! Ressuscitem todos!

Os ladrões deixam o dinheiro e fogem.

Yufá, assim que se viu sozinho, correu até os montinhos, mas naquele momento pulou para fora também o homem do gorro, ele também com as mãos abertas sobre o dinheiro. Dividiram-no e sobrou apenas uma moeda de cinco granis.

Yufá diz:

— Esta fica comigo.

— Não: comigo.

E Yufá:

— Cabe a mim!

— Suma, porque é minha!

Yufá pega um apagador de velas e o ergue contra o homem do gorro, gritando:

— Aqui os cinco granis! Quero os cinco granis!

Os ladrões, de mansinho, estavam rondando a igreja para ver o que faziam os mortos: doía a todos abandonar tanto dinheiro. Encostam o ouvido na porta e escutam aquela grande discussão por causa de cinco granis.

— Pobres de nós! — dizem —, quantos serão esses mortos saídos dos túmulos? Deu apenas uma moeda de cinco granis para cada um, e ainda o dinheiro nem é suficiente para eles! — E pernas, para que te quero!

Yufá e o homem do gorro voltaram para casa cada um com um belo saquinho de dinheiro, e Yufá com cinco granis a mais.

YUFÁ E O ODRE

A mãe de Yufá, vendo que daquele filho não dava para fazer grande coisa, levou-o para ser empregado de um taberneiro. O taberneiro lhe disse:

— Yufá, vá até o mar e lave este odre para mim, mas direito, senão apanha.

Yufá foi até o mar com o odre. E lá, lava que lava, continuou lavando-o a manhã inteira. Depois disse consigo: "Agora como faço para saber se está bem lavado: a quem pergunto?". Na praia não havia ninguém, porém no meio do mar se deslocava um navio que acabara de zarpar. Yufá puxa um lenço e começa a fazer sinais desesperados, gritando:

— Ei, vocês! Venham aqui! Venham aqui!

O comandante diz:

— Mandam-nos sinais da praia. Vamos acostar, quem sabe o que querem nos dizer: talvez tenhamos esquecido algo... — Chegam à praia com uma chalupa e encontram Yufá. — Qual é o problema? — pergunta o comandante.

— Diga-me, Vossa Senhoria: o odre está bem lavado?

O comandante virou uma fera: com um salto, pegou um bastão e deu quantas pancadas podia em Yufá.

E Yufá, chorando:

— Mas o que devia dizer?

— Deve dizer: "Senhor, ajude-os a correr!". Assim descontaremos o tempo que nos fez perder.

Yufá pôs o odre nas costas quentes das pancadas e saiu pelo campo, repetindo alto:

— Senhor, ajude-os a correr, Senhor, ajude-os a correr.

Encontra um caçador que fazia mira em dois coelhos. E Yufá:

— Senhor, ajude-os a correr, Senhor, ajude-os a correr...
— Os coelhos saltaram e sumiram.

O caçador:

— Ah, filho de um cão! Era só você que me faltava! — E lhe dá com a coronha da espingarda na cabeça.

E Yufá, chorando:

— Mas o que devia dizer?
— Deve dizer: "Senhor, ajude a matá-los!".
Yufá, com o odre nas costas, foi embora repetindo:
— Senhor, ajude a matá-los...
E quem encontra? Dois que se engalfinhavam. E Yufá:
— Senhor, ajude a matá-los...
Ao ouvir isso, os dois contendores se separam e pulam em cima de Yufá:
— Ah, infame! Vem atiçar a briga! — E de comum acordo começam a espancar Yufá.
Assim que conseguiu falar, Yufá, soluçando, perguntou:
— Mas o que devo dizer?
— O que deve dizer? Deve dizer: "Senhor, ajude a separá-los!".
— Então, Senhor, ajude a separá-los, Senhor, ajude a separá-los... — começou Yufá retomando seu caminho. Havia um casal saindo da igreja; tinham acabado de se casar. Mal ouviram: "Senhor, ajude a separá-los", o marido dá um pulo, tira o cinto e tome pancada em Yufá, gritando-lhe:
— Ave de mau agouro! Quer que me separe de minha mulher!
Yufá, não aguentando mais, caiu como um morto. E, quando foram levantá-lo e ele abriu os olhos, perguntaram-lhe:
— Mas o que lhe veio à cabeça para dizer isso ao casal?
E ele:
— Mas o que devia dizer?
— Devia dizer: "Senhor, ajude-os a rir! Senhor, ajude-os a rir!".

Yufá recuperou o odre e se foi, repetindo aquela frase. Mas numa casa achava-se estendido um morto, com velas e parentes chorando ao redor. Quando ouviram Yufá passar dizendo: "Senhor, ajude-os a rir", saiu um homem com um bastão e tudo o que Yufá ainda não recebera, ele levou ali mesmo.

Então Yufá entendeu que era melhor ficar calado e correr para a taberna. Mas o taberneiro, que o mandara lavar o odre de manhã cedo e o via retornar ao anoitecer, também tinha sua cota de pancadas para lhe dar. E depois o despediu.

COMAM, MINHAS ROUPINHAS!

Yufá, tonto como era, não lograva obter nenhum convite ou um gesto de acolhida. Certa vez foi até uma fazenda para ver se lhe davam alguma coisa, mas como o viram tão mal-ajambrado, soltaram os cães atrás dele. Então sua mãe arranjou para ele um lindo casacão, uma calça e um jaleco de veludo. Vestido como um cavaleiro, Yufá retornou à mesma propriedade. Acolheram-no muito bem e o convidaram para comer com eles, e ali cobriram-no de elogios. Quando lhe trouxeram a comida, Yufá com uma das mãos a levava à boca e com a outra a punha nos bolsos, bolsinhos, no chapéu e dizia:

— Comam, comam, minhas roupinhas, pois vocês é que foram convidadas, não eu!

YUFÁ, PUXE A PORTA!

Yufá tinha de ir ao campo com sua mãe. A mãe saiu de casa antes e disse:

— Yufá, puxe a porta!

Yufá se pôs a puxar, a puxar, até que a porta se soltou das dobradiças. Ele a colocou no ombro e foi atrás da sua mãe. Depois de andarem um pouco, começou a dizer:

— Mamãe, está pesada! Mamãe, está pesada!

A mãe se virou:

— E o que tem que está pesada? — E viu que trazia a porta da casa nas costas.

Com aquela carga, se atrasaram, veio a noite, que os apanhou longe de casa, e com medo dos bandidos mãe e filho subiram numa árvore. E Yufá sempre com a porta nas costas.

Debaixo daquela árvore, à meia-noite, eis que aparecem os bandidos para dividir o dinheiro. Yufá e a mãe prenderam a respiração.

Passado algum tempo, Yufá começa a dizer baixinho:

— Mãe, preciso fazer xixi.

— O quê?
— Não aguento mais.
— Segure.
— Não aguento mais.
— Segure.
— Não aguento.
— Então faça.

E Yufá fez. Os bandidos, quando sentiram cair água, disseram:
— Olhem, de repente começou a chover!

Passado algum tempo, Yufá disse de novo baixinho:
— Mamãe, tenho de fazer aquela outra coisa.
— Segure.
— Não aguento mais.
— Segure.
— Não aguento.
— Então faça!

E Yufá fez. Os bandidos sentiram aquilo caindo em cima deles e disseram:
— O que é isso? Agora cai do céu? Ou são os pássaros?

Depois, Yufá, que estava o tempo todo com a porta nas costas, começou a dizer baixinho:
— Mamãe, está pesada.
— Espere.
— Mas está pesada!
— Já falei para esperar!
— Não aguento mais. — E deixou cair a porta, que foi direto em cima dos bandidos.

Tentem agarrar os bandidos! Pernas, para que te quero...

Mãe e filho desceram da árvore e acharam um belo saco de moedas de ouro que os bandidos estavam dividindo. Levaram o saco para casa e a mãe lhe disse:
— Não conte esta história a ninguém, senão a lei manda nós dois para a cadeia.

A seguir, ela foi comprar passas e figos secos, subiu no telhado e, assim que Yufá saiu de casa, começou a lhe jogar porções de uvas e figos na cabeça. Yufá se protegeu.

— Mamãe! — chamou dentro de casa.

E a mãe, do telhado:

— O que quer?

— Temos passas e figos!

— Vê-se que hoje chove passas e figos, o que quer que lhe diga?

Quando Yufá se foi, a mãe retirou as moedas de ouro do saco e colocou pregos enferrujados no lugar. Passada uma semana, Yufá foi procurar no saco e achou pregos. Começou a gritar com a mãe:

— Dê-me o dinheiro que é meu, senão vou ao juiz!

Mas a mãe dizia:

— Que dinheiro? — E fingia não escutá-lo.

Yufá foi até o juiz.

— Excelência, eu tinha um saco de moedas de ouro e minha mãe as trocou por pregos enferrujados.

— Moedas de ouro? E quando é que você teve moedas de ouro?

— Sim, sim, foi no dia em que choviam passas e figos secos.

E o juiz mandou interná-lo no manicômio.

O HOMEM QUE ROUBOU AOS BANDIDOS

Seis bandidos muito temidos e poderosos, vivendo de rapinas, roubando e assassinando sempre, moravam numa casa num monte, na qual havia um aposento cheio de dinheiro. Todas as vezes que saíam, escondiam a chave da casa embaixo de uma pedra.

Certo dia, um camponês e seu filho que procuravam lenha veem os bandidos saírem e se esconderem; e assim viram onde deixavam a chave. Quando os bandidos já estavam longe, os dois pegaram a chave embaixo da pedra, abriram e encheram os bolsos de moedas; depois fecharam, recolocaram a chave no lugar e foram para a aldeia muito contentes.

No dia seguinte, pai e filho roubaram de novo aos bandidos, e um dia depois outra vez: no terceiro dia, mal abriu a porta, o filho caiu num poço cheio de lama que os bandidos haviam cavado de propósito junto à soleira. O pai tentou tirar o filho, mas não conseguia. Tinha medo de que os bandidos chegassem e de que, encontrando o filho, o reconhecessem também. Então, cortou a cabeça do filho e a levou para casa.

Quando os bandidos voltaram, encontraram um morto no poço, mas não podiam saber quem era, pois estava sem cabeça. E resolveram pendurá-lo numa árvore seca no alto do monte, deixando alguém de guarda para ver quem ia chorá-lo. O pai queria o cadáver do filho e foi pedir conselhos a uma *mainarscia** que lhe disse o que devia fazer.

Vai durante a noite, chega quase debaixo da árvore seca e se esconde; e outro filho dele se esconde do outro lado do monte e bate com duas tabuinhas, imitando o barulho de dois carneiros que se chifram. O bandido que montava guarda ao morto não havia comido nada o dia inteiro e, ao ouvir aqueles golpes, vai ver se pega aqueles carneiros para assá-los. O pai do morto, assim que o bandido se afasta, retira o filho da árvore e o leva embora correndo.

Os bandidos, sabendo do acontecido, queriam vingar-se a todo custo do companheiro do morto, mas não conseguiam descobri-lo. Certo dia, passado muito tempo, desceram à aldeia a negócios e ficaram sabendo que um homem do lugar enriquecera recentemente, e era exatamente o pai do morto. Os bandidos logo encomendaram a um tanoeiro seis tonéis grandes com tampa e entraram cada um num tonel, todos armados. Depois mandaram o tanoeiro, com a desculpa de que não havia espaço na oficina, à casa do homem que enriquecera, o qual morava ali

---

* *Mainarscia* (dialeto sardo): maga, bruxa.

perto, para lhe pedir que guardasse os tonéis até que o dono viesse retirá-los. O rico disse que sim e mandou pôr os tonéis na adega. À noite, antes de ir dormir, uma criada vai pegar vinho e ouve falar naqueles tonéis.

— E então, é ou não é hora de sair para matar o dono da casa? — diziam.

Ao ouvir isso, a criada subiu tremendo. Acorda o patrão e lhe conta tudo. O patrão chama os *barracelli** e os carabineiros e descem à adega para prender os bandidos, e alguns foram presos e outros foram mortos. E assim acabou a vida deles: e o homem que roubara aos bandidos ficou rico e viveu tranquilo em sua casa.

SANTO ANTÔNIO DÁ O FOGO AOS HOMENS

Houve um tempo, no mundo, em que não existia o fogo. Os homens sentiam frio e foram até santo Antônio, que estava no deserto, implorar-lhe que fizesse alguma coisa por eles, pois não aguentavam mais viver com aquele frio. Santo Antônio ficou com pena deles e, como o fogo se achava no Inferno, decidiu ir buscá-lo.

Antes de se tornar santo, santo Antônio trabalhara como guardador de porcos, e um dos leitões de sua manada não quisera abandoná-lo e o seguia sempre. Assim, santo Antônio, com seu leitão e seu bastão de férula, apresentou-se à porta do Inferno e bateu:

— Abram para mim, que tenho frio e quero me esquentar!

---

* *Barracello*: "Guarda armada da Sardenha. *Compagnie dei b.*, sociedade para assegurar a tutela da propriedade agrícola, surgida na Sardenha por volta de 1650 e ainda hoje existente" (*Dizionario enciclopedico italiano*).

Os diabos, da porta, viram logo que aquele não era um pecador, mas um santo, e disseram:

— Não, não! Nós o reconhecemos! Não abrimos para você!

— Abram para mim! Tenho frio! — insistia santo Antônio, e o porco afocinhava a porta.

— O porco é claro que deixamos entrar, mas você não! — disseram os diabos, e abriram uma fresta, suficiente para que o porco entrasse.

O porco de santo Antônio, assim que se viu no Inferno, começou a correr e a fuçar por todos os lados, armando uma confusão terrível. Os diabos tinham de correr atrás dele e recolher tições, apanhar pedaços de cortiça, levantar tridentes que ele derrubava, pôr no lugar forcados e instrumentos de tortura. Não aguentavam mais, porém não conseguiam agarrar o porco nem expulsá-lo.

Acabaram apelando para o santo, que ficara do lado de fora da porta:

— Aquele seu porco maldito põe tudo em polvorosa! Venha pegá-lo.

Santo Antônio entrou no Inferno, tocou o porco com seu bastão e ele ficou quieto imediatamente.

— Visto que estou aqui — disse santo Antônio —, vou me sentar um instante para me aquecer. — E se sentou num saco de cortiça, justamente na passagem, esticando as mãos para o fogo.

De vez em quando, passava na frente dele um diabo correndo para contar a Lúcifer sobre alguma alma deste mundo que ele fizera cair em pecado. E santo Antônio dava-lhe uma pancada nas costas com seu bastão de férula.

— Não gostamos dessas brincadeiras — disseram os diabos. — Abaixe o bastão.

Santo Antônio pousou o bastão ao seu lado, com a ponta no chão, inclinado, e o primeiro diabo que passou correndo a gritar: "Lúcifer! Mais uma alma!" tropeçou e deu com a cara no chão.

— Basta! Já encheu a paciência com este bastão! — disseram os diabos. — Vamos queimá-lo já. — Pegaram-no e meteram a ponta dele nas chamas.

Naquele momento, o porco recomeçou a revirar tudo: montes de lenha, ganchos, tochas.

— Se quiserem que o acalme — disse santo Antônio —, terão que me devolver o bastão. — Devolveram-no a ele e o porco ficou quieto imediatamente.

Mas o bastão era de férula, e a madeira de férula tem o miolo poroso, e se uma centelha ou um carvão penetra nela, continua queimando escondido, sem que se veja de fora. Assim, os diabos não se deram conta de que santo Antônio tinha o fogo no bastão. E santo Antônio, depois de ter pregado aos diabos, com seu bastão e seu leitão, foi embora, e os diabos suspiraram aliviados.

Assim que se viu ao ar livre, santo Antônio ergueu o bastão com a ponta que protegia a chama e a girou, fazendo voar centelhas, como se estivesse dando a bênção.

E cantou:

> *Fogo, fogo,*
> *Sempre e logo,*
> *Para todo o mundo*
> *Fogo fecundo!*

A partir daquele momento, para grande alegria dos homens, houve fogo na terra. E santo Antônio voltou ao seu deserto para meditar.

MARÇO E O PASTOR

Era uma vez um pastor que tinha mais ovelhas e carneiros do que os grãos de areia que existem à beira-mar. Apesar disso, estava sempre preocupado, com medo de que morresse algum deles. O inverno era longo, e o pastor só fazia suplicar aos meses:

— Dezembro, seja propício para mim! Janeiro, não mate

meus animais com o gelo! Fevereiro, se for bom comigo, sempre lhe tributarei homenagens!

Os meses ficavam ouvindo as preces do pastor e, sensíveis como são a todo ato de homenagem, atendiam-nas. Não mandaram nem chuva nem granizo, tampouco doenças para o rebanho, e as ovelhas e os carneiros continuaram pastando todo o inverno, e não pegaram nem mesmo um resfriado.

Passou também Março, que é o mês de caráter mais difícil; e correu tudo bem. Chegou o último dia do mês, e o pastor já não tinha mais medo de nada; agora era Abril, a primavera, e o rebanho estava salvo. Deixou de lado seu habitual tom suplicante e começou a zombar e a bancar o fanfarrão:

— Ó Março! Ó Março! Você que é o terror dos rebanhos, em quem pensa que mete medo? Ah, Ah, Março, eu não o temo mais! Estamos na primavera, não pode mais me fazer mal, Março de meia-pataca, pode ir exatamente para aquele lugar!

Escutando aquele ingrato que ousava falar com ele daquela forma, Março sentiu o sangue ferver. Zangado, correu à casa de seu primo Abril e lhe disse:

> *Ó Abril, meu irmão,*
> *Empreste-me três de seus dias*
> *Para punir o fanfarrão*
> *Que há de pagar tanta aleivosia.*

Abril, que era afeiçoado a seu irmão Março, emprestou-lhe três dias. Antes de mais nada, Março deu uma volta por todo o mundo, reuniu os ventos, as tempestades e as pestes que estavam em circulação e descarregou tudo sobre o rebanho daquele pastor. No primeiro dia, morreram os carneiros e as ovelhas que não se achavam em perfeito estado. O segundo dia coube aos cordeiros. No terceiro dia, não restou um único animal vivo em todo o rebanho, e ao pastor só restaram os olhos para chorar.

PULE NO SACO!

Nas montanhas do Niolo, nuas e tristes, há muito tempo vivia um pai com doze filhos. Era época de carestia, e o pai disse:

— Filhos, não tenho pão para lhes dar, saiam pelo mundo, pois decerto poderão viver melhor que nesta casa.

Os onze filhos maiores já se dispunham a partir, quando o décimo segundo, o caçula, que era coxo, pôs-se a chorar.

— E eu, coxo, como farei para ganhar a vida?

E o pai:

— Meu filho, não chore, irá junto com seus onze irmãos e o que eles encontrarem será também seu.

Assim, os doze prometeram não se deixar nunca e partiram. Caminharam um dia, dois dias, e o coxinho ficava sempre para trás. No terceiro dia, o maior disse:

— Este nosso irmãozinho Francisco, que fica sempre para trás, é um grande estorvo para nós! Vamos deixá-lo pelo caminho: será melhor também para ele, pois encontrará alguma alma boa que se compadecerá dele.

Assim, não pararam mais para esperá-lo e seguiram seu caminho, pedindo esmolas a todos que encontravam, até entrar em Bonifácio.

Em Bonifácio havia uma barca atracada no molhe.

— E se subíssemos na barca e fôssemos à Sardenha? — disse o maior. — Talvez lá exista menos fome que entre nós!

Os irmãos subiram na barca e zarparam. Quando atingiram o meio do estreito, levantou-se uma borrasca tão forte que a barca se fez em mil pedaços contra as rochas e os onze irmãos se afogaram.

Entretanto, Francisco, o coxinho, morto de cansaço e desesperado, não encontrando mais os irmãos, havia gritado, chorado e depois adormecera à beira da estrada. A fada daquele lugar, do alto de uma árvore, tinha visto e ouvido tudo. Assim que Francisco adormeceu, desceu da árvore, foi colher certas ervas que ela conhecia bem, fez um emplastro, colocou-o sobre a perna aleijada, e a perna aleijada sarou imediatamente. Em seguida, ela assumiu o aspecto de uma pobre velhinha e se sentou num feixe de lenha, aguardando que Francisco acordasse.

Francisco acordou, levantou-se, preparou-se para retomar o caminho coxeando e percebeu que não mancava mais, podia caminhar como os outros. Viu a velhinha sentada ali e lhe perguntou:

— Senhora, por acaso viu um médico?
— Um médico? E para que quer um médico?
— Quero lhe agradecer. Sim, deve ter passado um grande médico que curou minha perna aleijada enquanto eu dormia.
— Quem curou sua perna aleijada fui eu — disse a velhinha.
— Porque conheço todas as ervas, e também a erva que cura pernas aleijadas.

Francisco, todo contente, pulou no colo da velhinha e lhe beijou as faces. — Como posso lhe provar meu reconhecimento, vovó? Dê-me este feixe de lenha que o carrego para a senhora.

Inclinou-se para erguer o feixe de lenha, mas, quando se levantou, no lugar da velha estava a mais bela jovem que se possa imaginar, toda reluzente de diamantes, com cabelos louros que lhe cobriam as costas, a roupa de seda turquesa bordada a ouro e duas estrelas de pedras preciosas sobre as botinhas. Francisco, de boca aberta, caiu aos pés da fada.

— Levante-se — disse ela. — Vi que não é ingrato e vou ajudá-lo. Diga dois desejos e eu os atenderei imediatamente. Saiba que sou a rainha das fadas do lago de Creno.

O moço refletiu um pouco e depois respondeu:
— Desejo um saco no qual entre tudo o que eu ordenar.
— E um saco como esse terá. Resta-lhe ainda um desejo.
— Desejo um bastão que faça tudo o que eu lhe ordenar.
A fada disse:
— E um bastão como esse terá. — E desapareceu. Aos pés de Francisco havia um saco e um bastão.

Todo feliz, o moço quis fazer um teste. Já que estava com fome, gritou:

— Que uma perdiz assada entre no saco! — E, pam!, uma perdiz assadinha voou para dentro do saco. — Que entre pão! — E, pam!, um pão entrou no saco. — Que entre um frasco de vinho! — E, pam!, o frasco de vinho. Francisco teve uma refeição senhoril.

Depois retomou seu caminho, sem mancar mais, e no dia seguinte encontrou-se em Mariana.* Em Mariana se reuniam os maiores jogadores da Córsega e do continente. Francisco estava sem um centavo e ordenou:

— Cem mil escudos no saco! — E o saco se encheu de escudos. Num relâmpago, espalhou-se em Mariana o boato de que chegara o príncipe de São Francisco, famoso por suas riquezas.

É bom saber que naquele tempo o Diabo privilegiava a cidade de Mariana. Sob a forma de um belo rapaz, vencia a todos nas cartas e, quando os jogadores ficavam sem um centavo, comprava as almas deles. Tendo ficado sabendo daquele rico forasteiro que se fazia chamar príncipe de São Francisco, o Diabo, disfarçado, foi logo encontrá-lo.

— Senhor príncipe, perdoe-me se me atrevo a me apresentar diante do senhor, mas sua fama de jogador é tão grande que não resisti ao desejo de vir visitá-lo.

— Está me confundindo — disse Francisco. — Para ser franco, não sei jogar nenhum jogo, ou melhor, jamais tive entre as mãos um maço de cartas. Porém, talvez para aprender, gostaria de disputar algumas partidas com o senhor e estou certo de que, com sua escola, não tardarei em me especializar.

O Diabo ficou tão satisfeito com a visita que, ao se despedir, distraiu-se e, fazendo uma reverência, esticou uma perna e deixou ver o pé de bode. "Ah, ah!", disse consigo Francisco. "Aqui temos tio Satanás, que veio me visitar. Ótimo! Há de encontrar carne para seus dentes!" E, tendo ficado sozinho, encomendou ao saco um bom jantar.

No dia seguinte, Francisco foi à casa de jogo. Havia um gran-

---

* Antiga cidade da Córsega, hoje desaparecida, na foz do Golo.

de tumulto e todos se aglomeravam num ponto. Francisco se aproximou e viu no chão o corpo de um jovem com o peito ensanguentado.

— É um jogador que perdeu toda a sua fortuna — explicaram-lhe — e acaba de enterrar um punhal no coração.

Todos os jogadores tinham o rosto triste. Só um, no meio deles, ria consigo mesmo, percebeu Francisco. E Francisco reconheceu o Diabo que fora visitá-lo.

— Rápido! — disse o Diabo. — Vamos levar embora este desgraçado e recomecemos o jogo! — E todos retomaram as cartas.

Francisco, que não sabia nem mesmo segurar as cartas, naquele dia, perdeu tudo o que trazia. No segundo dia, já aprendera o jogar um pouco e perdeu ainda mais que no primeiro. No terceiro dia, estava ficando esperto e perdeu tanto que todos o imaginavam arruinado. Mas para ele não era nada, pois lhe bastava dar uma ordem ao saco e encontrava dentro dele todo o ouro de que precisava.

Perdeu tanto que o Diabo disse a si mesmo: "Agora, nem que fosse o homem mais rico do mundo, certamente está na lona". Chamou-o à parte e lhe disse:

— Senhor príncipe, não saberia lhe dizer quanto me dói a falta de sorte que se abateu sobre o senhor. Mas tenho uma boa notícia para lhe dar: se me der atenção, posso fazê-lo recuperar a metade do que perdeu!

— E como?

O Diabo olhou ao redor, depois lhe sussurrou:

— Venda-me a sua alma!

— Ah, é? — gritou Francisco. — É esse o conselho que me dá, Satanás? Pois então, pule no saco!

O Diabo gargalhou e começou a fugir, mas não havia jeito: entrou de cabeça para baixo na boca escancarada do saco. Francisco fechou o saco e disse ao bastão:

— Bata aqui em cima!

E o bastão, tome porrada! O Diabo, dentro do saco, se agitava, chorava, xingava.

— Deixe-me sair! Pare, senão eu morro!

— Ah, é? Morre? E pensa que isso seria um mal? — E o bastão, tome porrada!

Depois de três horas daquela tempestade:

— Já chega — disse Francisco —, ao menos por hoje.

— O que deseja para me devolver a liberdade? — perguntou o Diabo com um fio de voz.

— Ouça bem: se quer a liberdade, deve ressuscitar imediatamente todos aqueles que morreram por sua culpa na casa de jogo!

— Eu lhe juro! — disse o Diabo.

— Então saia: mas lembre-se de que posso voltar a prendê-lo quando quiser.

O Diabo tratou de manter a palavra; desapareceu sob a terra, e dali a pouco, das entranhas da terra, pulou uma multidão de jovens pálidos, com olhos febris.

— Meus amigos — disse Francisco a eles —, vocês se arruinaram no jogo e pelo desespero se mataram. Agora tive a oportunidade de ressuscitá-los, mas outra vez não sei se conseguirei. Digam-me, se os deixar vivos, prometem não jogar mais?

— Sim, sim, juramos!

— Bem, então eis mil escudos para cada um. Vão e ganhem o pão trabalhando.

Os jovens ressuscitados partiram felizes; alguns retornaram às famílias enlutadas e outros saíram pelo mundo porque sua má conduta anterior fizera os pais morrerem de desgosto.

Também Francisco se lembrou do seu velho pai. Pôs-se a caminho para voltar à sua aldeia, porém na estrada encontrou um moço que torcia as mãos de desespero.

— Como é, rapaz, sua profissão é a de fabricante de caretas? — perguntou Francisco, que estava alegre. — A quanto vende a dúzia?

— Não tenho vontade de rir, senhor — respondeu o moço.

— Qual é o problema?

— Meu pai trabalha como lenhador e é o único que sustenta a família. Esta manhã, caiu do alto de um castanheiro e quebrou um braço. Corri à cidade para chamar o médico; mas o médico sabe que somos pobres e não quis se incomodar.

— Só isso? Fique tranquilo. Cuidarei do caso.

— O senhor é médico?

— Não, vou convencer aquele mesmo a vir. Como ele se chama?

— Doutor Pancrácio.

— Bem! Doutor Pancrácio, pule no saco! — E no saco mergulhou de cabeça para baixo um médico, com todos os seus instrumentos.

— Bastão, bata aqui em cima! — E o bastão começou a sua dança.

— Socorro! Piedade!

— Promete curar o lenhador de graça?

— Prometo tudo o que quiser.

— Então, saia do saco. — E o médico correu para a cabeceira do lenhador.

Francisco retomou o caminho e passados alguns dias chegou à sua aldeia, onde se passava mais fome que antes. À custa de ordenar: "Um frango no espeto pule no saco!", "Um frasco de vinho pule no saco!", Francisco conseguiu abrir uma estalagem onde todos saciavam o apetite sem pagar um centavo.

E assim continuou enquanto durou a carestia. Quando veio a fartura, Francisco não quis dar mais nada a ninguém, porque seria uma forma de encorajar a preguiça.

Acham que agora ele era feliz? Nada disso! Era infeliz por não saber mais nada dos seus onze irmãos; já lhes perdoara a má ação de tê-lo abandonado sozinho e coxo. E assim fez uma tentativa:

— João, meu irmão, pule no saco!

Algo se mexeu dentro do saco. Francisco abriu e olhou: era um monte de ossos.

— Paulo, meu irmão, pule no saco!

Outro monte de ossos.

— Pedro, meu irmão, pule no saco! — E continuou a chamá-los até o décimo primeiro e, todas as vezes, ai, ai, só encontrava um amontoado de ossos meio avermelhados. Não havia dúvida: seus irmãos estavam todos mortos havia algum tempo.

Francisco estava triste. Também seu pai morreu sozinho. E também para ele chegou a velhice.

O único desejo que tinha, antes de morrer, era rever a fada do lago de Creno que o tornara tão afortunado. Assim, pôs-se a caminho e chegou ao lugar onde a encontrara pela primeira vez. Pôs-se a esperá-la, mas espera que espera, a fada não aparecia.

— Onde está, boa rainha? — suplicava ele. — Apresente-se uma vez mais! Não quero morrer sem tornar a vê-la!

Descera a noite. Da fada não havia nem sinal. Ao contrário, por aquela estrada, passou a Morte. Numa das mãos tinha uma bandeira negra, e na outra a foice. Aproximou-se de Francisco:

— Eh, velho, ainda não está cansado da vida? Não percorreu montes e vales suficientes? Não é hora de fazer como todos e vir comigo?

— Ó Morte! — respondeu o velho Francisco —, eu a bendigo! Sim, já vi o suficiente deste mundo, e também de tudo o que o mundo contém; saciei-me de todas as coisas. Mas, antes de ir com você, preciso dizer adeus a uma pessoa. Dê-me um dia de prazo.

— É melhor fazer suas orações, se não quiser morrer como um sarraceno, e depois trate de me seguir.

— Suplico-lhe, espere até amanhã, até o galo cantar.
— Não.
— Uma hora, por favor.
— Nem ao menos um minuto.
— Então, já que é tão cruel, pule no saco!

A Morte tremeu, todos os seus ossos se chocaram uns contra os outros, mas não pôde evitar de pular no saco.

No mesmo instante, apareceu a rainha das fadas, resplandecente e jovem como daquela vez.

— Fada — disse Francisco —, agradeço-lhe! — E para a Morte: — Salte para fora do saco e espere por mim!

— Você não abusou do poder que lhe dei, Francisco — disse a fada. — O saco e o bastão lhe serviram para fazer o bem. Quero recompensá-lo. Diga-me o que deseja.

— Não desejo mais nada.
— Quer ser *caporale*?*
— Não.
— Quer ser rei?
— Não quero mais nada.
— Velho, quer a saúde, a juventude?
— Eu a vi. Morro contente.
— Adeus, Francisco. Antes, queime o saco e o bastão. — E a fada desapareceu.

O bom Francisco acendeu uma grande fogueira, esquentou por um momento os membros gelados, atirou nas chamas o saco e o bastão para que ninguém fizesse mau uso deles.

A Morte estava ali, atrás de uma moita.

— Cocorocó! Cocorocó! — cantou o primeiro galo.

Francisco não ouviu. A idade o tornara surdo.

— É o galo! — disse a Morte e golpeou o velho com a foice, e desapareceu levando com ela seu cadáver.

* "Não se sabe com precisão quem foram os *caporali* nem a que período remonta sua origem. Talvez fossem os chefes que as diversas *Pievi* [paróquias] da ilha haviam escolhido e que em tempos de confusão e anarquia deviam defender os camponeses contra uma multidão de pequenos tiranos que assolava o país. Os *caporali* tornaram-se em seguida uma espécie de segunda nobreza da ilha e sentiram-se tão poderosos que, por sua vez, começaram a saquear e a impor tributos aos pobres. Filippini, historiador do século XVI, refere-se a eles como um dos flagelos da Córsega e diz que em seu tempo se acusava a maior parte deles de serem os autores das desgraças públicas" (Ortoli).

NOTAS

ADVERTÊNCIA ÀS NOTAS DAS FÁBULAS

Nas notas de cada fábula, indiquei o volume (livro ou manuscrito) do qual extraí a versão por mim adotada. Dados bibliográficos completos das fontes mais importantes encontram-se na bibliografia.

Nas notas encontram-se os seguintes dados: o título da versão original que adotei (em dialeto quando dele disponho), o lugar onde a versão foi registrada (se for o caso, também a data, mas em geral ela é usada como referência da data de publicação do livro do qual foi extraída) e, em todos os casos possíveis, o nome e a profissão de quem a narrou. Enfim, aviso quando a versão adotada por mim não havia sido publicada em dialeto.

No corpo da nota informo sobre as mudanças por mim inseridas no texto original e faço referências à difusão do "tipo" e seu êxito literário.

Recomendo as notas da edição completa destas *Fiabe italiane* (Einaudi, 1956; última edição, 1967) para listas mais detalhadas de variantes e cotejos dos "tipos" e "motivos" de cada fábula nas diferentes regiões italianas.

JOÃOZINHO SEM MEDO

(*Giovannin senza paura*) (pp. 57-9). Começo a antologia com uma fábula da qual, à diferença de todas as demais, não cito a versão que adotei, porque se pode dizer que é encontrada em toda a Itália Central e setentrional em versões muito semelhantes, e segui livremente a tradição comum. Não apenas por isso prefiro colocá-la em primeiro lugar, mas também por ser uma das mais simples e, para mim, uma das mais bonitas. O discurso não tem falhas, como seu imperturbável protagonista; distingue-se das inúmeras "histórias de terror", baseadas em mortos e espíritos, por demonstrar em relação ao sobrenatural uma firmeza tranquila que considera tudo possível, sem sujeitar-se ao desconhecido. Em geral, a tradição italiana segue um esquema narrativo que me parece destacar-se muito daquele — mais difundido na Europa — da "História de alguém que saiu à procura do medo" dos Grimm. Tudo indica que este tipo tenha origem europeia; não é encontrado na Ásia. O sumiço do homem, pedaço por pedaço, não existe na tradição; foi introduzido por mim, em simetria com o aparecimento de cada parte do corpo. O final com a sombra, retirei de uma versão sienense (De Gubernatis), e é apenas uma simplificação do final mais conhecido: Joãozinho recebe um pouco de unguento para colar as cabeças cortadas; ele corta a sua e a coloca ao contrário; vê o próprio traseiro e fica tão aterrorizado que morre.

CORPO SEM ALMA

(*Corpo-senza-l'anima*) (pp. 59-63). Extraída de "Corps sans âme", Riviera lígure, Arzene (talvez Arzeno d'Oneglia?) (publicada em francês por Andrews, *Contes ligures*). Este Joanorzim lígure distingue-se dos companheiros heróis libertadores de princesas por uma metódica prudência e até desconfiança (é um dos poucos que, ao receber um dom mágico, antes de acreditar nele sente necessidade de testá-lo), filho digno daquela mãe que, antes de deixá-lo sair pelo mundo, queria que demonstrasse tanta firmeza a ponto de derrubar árvores a pontapés. Fui fiel ao texto, tratando de dar-lhe um ritmo.

O PASTOR QUE NÃO CRESCIA NUNCA

(*Il pastore che non cresceva mai*) (pp. 63-7). Extraída de "A bela Bargaglina de tre meje chi canta", Péntema (Torriglia, Gênova), contada pela camponesa Maria Banchero (in *Due fole nel dialetto del contado genovese*, coletadas por P. E. Guarnerio, Gênova, 1892).

Característica desta variante genovesa da muito difundida fábula das "três laranjas" são os encontros com criaturas que parecem surgir dos quadros de Jerônimo Bosch: minúsculas moças que se balançam em cascas de noz ou de ovo.

NARIZ DE PRATA

(*Il naso d'argento*) (pp. 67-72). Extraída de "Il diavolo dal naso d'argento", da região das Langhe (publicado em italiano por Carraroli).

No Piemonte, Barba-Azul é Nariz de Prata; suas vítimas não são as esposas, mas moças que vão trabalhar para ele, e a história não se baseia nas crônicas de cruéis arbítrios feudais como acontece em Perrault, mas nas lendas religiosas medievais: Barba-Azul é o Diabo, e o aposento das moças trucidadas é o Inferno. O nariz de prata, só encontrei nesta versão resumida em italiano por Carraroli, mas o Barba-Azul-Diabo, as flores na cabeça e as matreirices a fim de voltar para casa são encontradas em toda a Itália setentrional (segundo a tradição nórdica da qual parece derivar; cf. também Grimm), e incorporei a enxuta versão piemontesa a uma bolonhesa (Coronedi, "La fola del Diavel") e uma veneziana (Bernoni, "El Diavolo").

A BARBA DO CONDE

(*La barba del conte*) (pp. 72-9). Coletada por Giovanni Arpino em julho de 1956, em Bra (contada por Caterina Asteggiano, velha de asilo, e por Luigi Berzia), em Guarene (contada por Doro Palladino, camponês), em Narzole (contada por Annetta Taricco, doméstica) e em Pocapaglia.

Esta longa narrativa que o amigo escritor Giovanni Arpino transcreveu e unificou a partir de versões diferentes com variantes e acréscimos de Bra e arredores, não creio que possa ser definida como fábula, e sim como lenda local, muito tardia, em parte (no que concerne, por exemplo, aos detalhes geográficos) não anterior ao século XIX, com elementos heterogêneos: explicação de uma superstição local (os grampos da *Masca Micillina* [Masca Marcial], lenda camponesa antifeudal, da qual existem muitos exemplos nas regiões setentrionais, curiosa estrutura de conto policial à Sherlock Holmes, tudo enriquecido com divagações não indispensáveis à história (como a viagem da África até a aldeia — que Arpino me afirmou existir também como narração autônoma — e todas as referências às peripécias passadas e futuras de Masino, que nos fazem pensar tratar-se de uma parte de algum "ciclo de Masino", herói esperto e vagamundo de uma aldeia cujos habitantes têm fama de serem tontos e lerdos), com partes em verso (das quais apresentamos só o trecho que conseguimos traduzir com alguma eficácia), com imagens grotescas que parecem constituir elementos fixos da tradição como o saquinho sob o rabo das galinhas, os bois tão magros que eram lavados com um ancinho, o conde com a barba penteada por quatro soldados etc.

A MENINA VENDIDA COM AS PERAS

(*La bambina venduta con le pere*) (pp. 79-82). Extraída de Comparetti, "Margheritina", Monferrato (publicada em italiano; texto manuscrito em dialeto: "Mirgaritinnha", Ferraro). Mudei de nome de Margaridinha para Perinha [Perina] e inventei o motivo da pereira e da velhota (no original, as ajudas mágicas vêm do filho do rei, que está encantado) para criar uma continuidade sobre o tema da comunhão pera-menina.

O PRÍNCIPE-CANÁRIO

(*Il principe canarino*) (pp. 82-9). Extraída de "'L canarin", Turim (publicada por Giuseppe Rua in *Archivio per lo studio delle tradizione popolari*, VI [1887], 401).

Esta fábula turinense, com seu pateticismo de balada, desenvolve um motivo de tradição medieval também literária. (Porém, o lai de Maria de França, "Yonec", é muito diferente: a história de um adultério.) De minha lavra introduzi: a roupa amarela e as polainas do príncipe; a descrição da metamorfose com o bater de asas; as informações das bruxas [*masche*] que andaram pelo mundo; e algumas malícias estilísticas.

Na Itália, de uma provável tradição renascentista, chegou até Basile, que dela extraiu o belíssimo *cunto* do príncipe Verde-Prado (II, 2). Contudo, a versão literária mais popular também entre nós talvez seja a de Madame D'Aulnoy, "L'oiseau bleu" (1702).

OS BIELLENSES, GENTE DURA

(*I biellesi, gente dura*) (pp. 89-90). Extraída de "Il Buon Dio, il contadino e la rana", Valdengo (publicada em italiano por Verginia Majoli Faccio, *L 'incantesimo della mezzanotte* [*Il biellese nelle sue leggende*], Milão, 1941).
Existe também em Trieste, atribuída aos friulanos.

A LINGUAGEM DOS ANIMAIS

(*Il linguaggio degli animali*) (pp. 90-4). Extraída de "Bobo", Mântua (publicada em italiano por Visentini, *Fiabe mantovane*).

O homem que entende a linguagem dos animais será papa: é uma velha tradição europeia, registrada inclusive pelos Grimm, com certo sabor medieval, de teologia meio satânica e de ciência dos "bestiários". A descoberta da ordem desnaturada do pai por meio do rinchar dos cavalos e a oferta de vida por parte do cão são minhas contribuições ao tema.

Existe tal e qual também na região de Monferrato (Comparetti). Esta lenda tem elementos comuns com outra que teve sucesso nas coletâneas de narrativas religiosas da Idade Média, tanto católicas quanto judaicas: sobre um menino que, compreendendo a linguagem dos pássaros, ouve a profecia de que seus pais se humilharão diante dele e, por ter dito isso a eles, é expulso de casa e vagueia pelo mundo até se tornar rei ou papa. A lenda (que guarda algo do episódio bíblico de José) foi atribuída aos papas Silvestre II e Inocêncio III; Afanasiev transcreve uma versão russa (*A linguagem dos pássaros*); foi coletada também na Sicília, por Cocchiara (em Reitano di Messina, inédita).

AS TRÊS CASINHAS

(*Le tre casette*) (pp. 94-8). Extraída de "Il lupo", Mântua (publicada em italiano por Visentini).

Trata-se da conhecidíssima fábula dos três porquinhos, que nesta versão mantuana adquire uma graça nova, com as três irmãzinhas construindo as casinhas, em vez dos três animais.

A TERRA ONDE NÃO SE MORRE NUNCA

(*Il paese dove non si muore mai*) (pp. 98-101). Extraída de "Una leggenda della Morte", Verona (publicada por Arrigo Balladoro in *Lares*, I [1912], fasc. II-III, pp. 223-6).

Dentre as tantas fábulas ou lendas sobre vitória temporária contra a morte, esta se distingue por um acento gótico: os velhos e suas condenações, os ossos pelo chão, a carroça, com sapatos furados. E ainda paisagens mudadas após centenas de anos e o estranhamento do homem que retorna à terra natal depois de várias gerações. Acrescentei apenas o comprimento da barba dos velhos.

AS TRÊS VELHAS

(*Le tre vecchie*) (pp. 101-5). Extraída de "Le tre vecie", Veneza (Bernoni, *Fiabe e novelle popolari veneziane*).

No *Pentamerone*, Basile (I, 10) transmitiu a esta história toda a sua paixão pelo horrendo. No texto veneziano que adotei, a velha põe na boca *confetura de bon odor* e cospe numa das mãos do jovem que passa; troquei a cuspidela pelo lenço que ela deixa cair.

O PRÍNCIPE-CARANGUEJO

(*Il principe granchio*) (pp. 106-10). Extraída de "El granzio", Veneza (Bernoni).

Fábula particularmente rara, numa versão original, toda aquática, com o complicado labirinto de canais subterrâneos, a personagem da moça corajosa e nadadora, a cena de balé do pequeno concerto nas rochas com as oito damas de companhia. Minhas intervenções no texto limitam-se a uma especificação maior da personagem da princesa, atenta observadora dos costumes dos peixes; dos canais subaquáticos, um tanto confusos no texto; do funcionamento do envoltório do caranguejo; e a uma coreografia acentuada das damas de companhia nas rochas.

Encontro referência de uma variante montanhesa no Trentino: "No Val di Primiero existe a história de um camarão sob cuja forma se escondia um príncipe encantado. Uma princesa trata de libertá-lo e vai até a praia montada num fio de feno. Encanta com a música a fada das águas e todos os peixes, e dela arranca o cravo que trazia na testa e no qual se encontrava a virtude dos encantos. Os outros peixes voltam a ser homens como antes, e o camarão casa com ela" (Angela Nardo Cibele, *Zoologia popolare veneta*, Palermo, 1887).

O MENINO NO SACO

(*Il bambino nel sacco*) (pp. 110-4). Extraída de "Pierissùt", Cedarchis (Udine) (Gortavi, *Tradizioni popolari friulane*).

A propósito das características canibalescas e coprolálicas da fábula infantil, cf. tudo o que disse na introdução. Tentei apresentar aqui um exemplo típico, com toda a liberdade com que me senti autorizado a trabalhar, dada a grosseria dos textos. Os nomes Pierino Pierone [Pedrinho Pedrão] e Strega Bistrega [bruxa Bruxonilda] são meus, inspirados na *Margarite Margariton* dos versos friulanos. Seguindo a linha destes, decidi fazer falar em chave de lenga-lenga todas as personagens. De minha lavra é também o trecho da codorna e do caçador (no texto: o menino grita e é libertado por rapazes que jogavam bolinha de gude), e a escada de janelas (no texto, a bruxa tenta subir pela chaminé fazendo uma escada com colher, garfo e faca). A história do menino no saco se encontra difundida em toda a Europa.

A CAMISA DO HOMEM FELIZ

(*La camicia dell'uomo contento*) (pp. 115-7). Extraída de "Cui isel contènt in chist mont?", Cormons (Udine), contada em 1912 por Orsola Minèn, dona de casa, instrução primária (Zorzùt).

Narrativa com origem literária ilustre. Atribuída a Alexandre Magno, figura no *Pseudo-Callisthenes* e dali passou para lendas latinas medievais e para contos orientais. Foi recontada no *Pecorone* e numa novela de Casti (I, 2). Tornou-se depois um dos famosos "contos populares luqueses" de Nieri.

UMA NOITE NO PARAÍSO

(*Una notte in Paradiso*) (pp. 117-9). Extraída de "Une gnot in Paradîs" (Udine), contada em 1913 por Giovanni Minén, de 68 anos, organista paroquial (Zorzùt). Esta lenda segue os grandes motivos medievais: a Morte, o Além, o Tempo; mas aqui — contada por um contemporâneo nosso —, em meio ao antigo temor, dá um ar de sua graça a História, com aquela aldeia que se transforma em cidade moderna: *tranvais, tonòbui, raoplans...*

As primeiras versões literárias são do início do século XVIII; sua difusão está ligada às coletâneas de *exempla* para uso do clero. Às vezes apresenta elementos comuns com a lenda de Dom Juan.

JESUS E SÃO PEDRO NO FRIUL

(*Gesú e San Pietro in Friuli*) (pp. 120-9). O ciclo de legendas populares sobre Jesus e os apóstolos que andam pelo mundo acha-se difundido por toda a Itália. E, quase sempre, estas narrações breves estão centradas na personagem de são Pedro, santo com o qual o povo tem particular familiaridade. A tradição popular faz de Pedro um homem preguiçoso, guloso, mentiroso, que opõe continuamente sua lógica elementar à fé pregada pelo Senhor e que os milagres misericordiosos do Senhor fazem sempre ficar com cara de tacho. Pedro, nessa espécie de evangelho do vulgo, é o humano contraposto ao divino, e sua relação com Jesus assemelha-se um pouco à de Sancho Pança com o *hidalgo*. (Mais respeitosamente, no *Novellino*, são Pedro é substituído por um jogral; cf. *Codice panciatichiano-palatino*, CXIII, *Qui conta come Domenedio s'acompagnioe con un giulare*.) Encontrei o maior número de legendas deste ciclo reunidas no Friul e na Sicília. Registro aqui uma seleção das friulanas e mais adiante uma seleção das sicilianas; mas quase todas são comuns a ambas as regiões, bem como a todo o mundo cristão, ao lado de outro vasto ciclo de legendas e historietas: as do Além, em que são Pedro se apresenta em seu cargo de porteiro do Paraíso. O que fez com que eu me detivesse na tradição friulana não foi apenas a riqueza do material coletado (já em meados do século XIX por Caterina Percoto, depois por Gortani e Zorzùt, o qual publicou um repertório copiosíssimo a respeito), mas também a harmonização desses relatos com a paisagem áspera que está sempre presente ou subentendida na narrativa oral friulana, e ainda aquela religiosidade montanhesa moralista, escabrosa, muito concreta, sem misticismo, mas frequentemente dotada de uma sutil delicadeza. Tentei recriar um andamento de narrativa popular, em vez do modo literário moderno, dialogado e por vezes demasiado "poético" de Zorzùt.

"Como são Pedro acompanhou o Senhor", extraída de "Zimût che san Peri al è lât cul Signòr", Cormons (Udine), contada em 1909 por Caterina Braida, viúva de Minèn, quarenta anos, dona de casa (Zorzùt).

"O coração da lebre", extraída de "La corodele tradîs san Peri", Cormons (Udine), contada em 1913 por Giovanni Minèn, 68 anos, organista paroquial (Zorzùt).

"A hospitalidade", extraída de "L'ospitalitàt", de Carnia (Gortani).

"O trigo sarraceno", extraída de "Il prin sarasin", do Friul (in *Scritti friulani* de Caterina Percoto, com um estudo de Bindo Chiurlo, Udine-Tolmezzo, 1929). (Percoto publicou-o pela primeira vez na *Ricamatrice* de Lampugnani, Milão, 1º de setembro de 1865, p. 223.) "Fora do Friul (e também nas regiões eslavas e alemãs)", observa Chiurlo, "o *frumento* substitui o *sarraceno*, não sem prejuízo da logicidade artística."

O ANEL MÁGICO

(*L'anello mágico*) (pp. 129-34). Extraída de "L' anello", do Trentino (publicada em alemão por Schneller).

Muitos motivos da tradição (que é de origem asiática) estão aqui entretecidos com um ar de improvisação, como tentando suprir o andamento um tanto desordenado com uma insistência em cláusulas moralizantes.

O BRAÇO DE MORTO

(*Il braccio di morto*) (pp. 135-9). Extraída de "Il braccio di morto", do Trentino (publicada em alemão por Schneller).

História montanhesa macabra, com a riqueza gótica de detalhes fantasiosos que a veia macabra carrega consigo e que eu, naturalmente, fui levado a reforçar, acrescentando a minha parte.

A CIÊNCIA DA PREGUIÇA

(*La scienza della fiacca*) (pp. 139-40). Extraída de "Figo càschime in boca!", Trieste (Pinguentini, *Fiabe in dialetto triestino*).

Facécia proverbial triestina que se liga a um antigo tema novelesco — o concurso da preguiça —, e à tradição de zombaria dos hábitos indolentes do Levante. Com meios mínimos, aquele pomar sob o sol à sombra das figueiras, aquelas almofadas, aquela lentidão, evoca-se uma paisagem inteira.

BELA TESTA

(*Bella Fronte*) (pp. 141-5). Extraída de "Biela Fronte", Rovigno d'Istria (Ive).

O morto agradecido é motivo de diversas lendas medievais, dentre as quais a "Histoire de Jean de Calais", que passou a fazer parte da tradição narrativa de muitos países banhados por mar, enriquecendo-se com as travessias entre os turcos, infalíveis nos relatos marinhescos do Adriático.

LUNA

(*Giricoccola*) (pp. 145-8). Extraída de "La fola d'Ziricochel", Bolonha (Coronedi-Berti). O passar da lua no céu dá a esta Cinderela ou Branca de Neve bolonhesa uma suavidade suspirosa.

O CORCUNDA SAPATIM

(*Il gobbo Tabagnino*) (pp. 149-56). Extraída de "Le fola dèl Gob Tabagnein", Bolonha (Coronedi-Berti).

Conhecida em toda a Itália (como de resto em toda a Europa, especialmente no Norte), esta fábula dos roubos sucessivos na casa do Ogro retoma o tema do "Corvetto" do *Pentamerone* (III, 7). Mas a tradição popular é mais rica e engenhosa do que aparece na versão de Basile e se desdobra em astúcias para vencer as provas.

O OGRO COM PENAS

(*L'Orco con le penne*) (pp. 157-62). Extraída de "Il Diavolo fra i frati", Fabbriche (Garfagnana Estense), relatada por Rosina Casini (Pitrè, *Novelle popolari toscane*).

Assim como existem fábulas sombrias, há outras generosas, quase independentemente daquilo que contam, pelo ritmo que lhes imprime o narrador. Essa curiosa e veloz fábula toscana é o triunfo do homem prestativo, que sabe que tudo o que se pode fazer pelos outros é pouco e não vale a pena dar tanta importância a isso. A denominação "Ogro com penas" é minha: o texto fala de um "bicho" não bem definido (cujas características são, aliás, aquelas comuns ao ogro). Também o final com o Ogro permanecendo na barca é meu, contudo me parece não arbitrário (confronte-se uma fábula análoga dos Grimm).

BELINDA E O MONSTRO

(*Bellinda e il Mostro*) (pp. 162-70). Extraída de "Bellindia", Montale Pistoiense, narrada por Luisa, viúva de Ginanni (Nerucci, *Sessanta novelle popolari montalesi*).

Para dar a versão mais rica possível desta famosíssima fábula, integrei à montalesa uma versão romanesca, muito similar (de Zanazzo, "Bbellinda e er Mostro"), e ainda acrescentei um motivo de uma terceira versão, abruzense: a árvore do choro e do riso (extraída de De Nino, "Bellindia", de Valle Peligna).

A RAINHA MARMOTA

(*La regina Marmotta*) (pp. 170-8). Extraída de "La regina Marmotta", Montale Pistoiense, contada por Pietro di Canestrino, operário (Nerucci).

Sobre o estilo com que esta fábula foi narrada na antologia de Nerucci, já falei na introdução.

O FILHO DO MERCADOR DE MILÃO

(*Il fíblio del mercante di Milano*) (pp. 178-90). Extraída de "Il figliuolo del mercante di Milano", Montale Pistoiense, contada por Ferdinando Giovannini, alfaiate (Nerucci).

Na introdução, usei este conto como exemplo de maneira pela qual no livro de Nerucci se assiste à passagem da fábula à novela de aventuras, ou melhor, ao romance burguês de aventuras. Resta ainda observar o fato de que esta é uma das raras fábulas sem final feliz, fato que se pode explicar como uma adequação aos modos das narrativas romanescas modernas. (Mas é preciso relembrar também o esquema das fábulas de desejos satisfeitos, que em geral terminam com a perda de riquezas ganhas por meios mágicos.)

A primeira parte, a do enigma, tem existência própria (além da literatura medieval e da tradição popular europeia), em muitas regiões da Itália, com as mesmas ou com semelhantes esquisitices enigmáticas, que às vezes são também encontradas isoladas da fábula, nas tradições dos enigmas. Adotei uma versão luquese no que se refere aos versos do enigma.

O PALÁCIO DOS MACACOS

(*Il palazzo delle scimmie*) (pp. 191-4). Extraída de "La novella delle scimmie", Montale Pistoiense, contada por Ferdinando Giovannini, alfaiate (Nerucci).

A disseminada situação fabulística do príncipe que se casa com um animal é aqui levada às últimas consequências, com a transformação de todo um povo em macacos, com efeitos grotescos de pantomima que acentuei um pouco detendo-me na descrição dos macacos na cidade e de suas transformações.

O PALÁCIO ENCANTADO

(*Il palazzo incantato*) (pp. 195-202). Extraída de "Fiordinando", contada por Giovanni Becheroni, camponês (Nerucci).

Uma das mais belas fábulas sobre o palácio encantado, a qual pode ser definida como uma variante do tipo Amor e Psique, com a noiva invisível perdida e reconquistada pelo noivo, em vez do noivo invisível perdido e reconquistado pela noiva. O aspecto sugestivo desta versão montalesa é dado pela personagem do príncipe solitário e imerso nos livros, característica que tratei de acentuar representando-o como caçador inábil e relacionando à caça desastrada a perseguição da lebre que o introduz no palácio (no que se refere a isso, segui uma versão monferrina, publicada por Comparetti: "Il palazzo incantato"; no texto de Nerucci, o guardador do palácio é um não bem definido "monstro"). Muitas vezes, o enredo é fantasiosamente incoerente, como no estranho modo de se comportar daquele eremita; para a maldade do hospedeiro que põe ópio no vinho, a qual não é explicada no texto de Nerucci, apresentei como justificativa as pretensões de sua filha em relação a Flordinando, conforme a versão monferrina.

CABEÇA DE BÚFALA

(*Testa di bufala*) (pp. 202-9). Extraída de "Testa di bufala", Montale Pistoiense, contada por Luisa, viúva de Ginanni (Nerucci).

Uma das mais sugestivas e misteriosas versões de uma fábula dentre as mais sugestivas e misteriosas daquelas difundidas na Itália. Surge com detalhes diferentes mas com o enredo substancialmente idêntico, desde a versão narrada no *Pentamerone* (I, 8).

O ser sobrenatural que educa a protagonista pode ser uma grande lagarta (Basile), uma serpente, um dragão a serviço das fadas, um monstro, um ogro, uma ogra, uma velhinha, uma mulher com cabeça de bezerro ou alguém de quem só se veem as mãos. A culpa que provoca a transformação do rosto da moça é em geral a ingratidão, o partir sem agradecer; outras vezes é o esquecimento de um objeto; mais frequentemente, a ingratidão e o esquecimento se apresentam juntos; raramente a culpa é a curiosidade (a habitual porta proibida). A vingança do ser sobrenatural se manifesta com uma transformação do rosto da protagonista: numa cabeça de búfala, de cabra, de bode, de gato, ou de asno; ou com o crescimento da barba, ou de uma pele de ovelha no colo; ou simplesmente com o tornar-se feia; ou até mesmo com o ficar sem cabeça.

A FILHA DO SOL

(*La figlia del Sole*) (pp. 209-14). Extraída de "Il Sole", Pisa, contada por uma velha do povo (Comparetti, *Novelline popolari italiane*).

O mito de Dânae encontra-se bem vivo no folclore italiano e serve em geral como introdução às aventuras da filha nascida do Sol (uma fábula que, acredito, pode se considerar realmente "italiana" ou quase: de fato, é encontrada na Itália, Espanha e Grécia), cruas histórias de magia, cheias de mutilações e autoeliminações. O campo de favas não se encontra no texto pisano, mas numa outra fábula danaica, de Rufina (Florença) ("Faina", publicada por Pitrè). As magias estão todas no texto, exceto a passagem através da parede e a caminhada pela teia de aranha, invenções minhas.

O FLORENTINO

(*Il fiorentino*) (pp. 214-7). Extraída de "Il fiorentino", Pisa, contada pela mesma velha da fábula precedente (Comparetti).

Esta é a história de Ulisses e Polifemo, traduzida em novela aldeã toscana, com o feitor e o pároco, com a sátira municipal, com o florentino que sofre por não poder bancar o fanfarrão, e a pequena moral plena de prudência de não se sair de casa. Acentuei bastante a sátira de caracteres, conforme me parece devia existir no espírito da história. Inclusive a última frase foi acrescentada por mim.

O final com o anel e o dedo cortado existe também em narrativas abruzenses inspiradas em Polifemo que seguem com certa fidelidade o mito homérico.

O PRESENTE DO VENTO DO NORTE

(*Il regalo del vento tramontano*) (pp. 217-21). Extraída de "Geppone", Mugello (Comparetti).

A fábula, conhecidíssima em toda a Europa e na Ásia, dos dons mágicos, propiciadores de comida e riquezas, subtraídos sucessivamente ao legítimo proprietário e readquiridos depois por meio de outro dom mágico que distribui bordoadas, passou, nesta variante toscana, por um fraco vento de rebelião camponesa. Apenas um vento fraco, não um vento do Norte como aquele que Geppone identifica como única razão de suas desgraças e ao mesmo tempo como único socorro possível: de fato, o proprietário prior não é nunca julgado explicitamente por ser ladrão, e o camponês atribui a culpa de suas desgraças somente ao vento ou à mulher linguaruda; mas a submissão acaba por explodir numa animada sessão de pancadas.

A MOÇA-MAÇÃ

(*La regazza mela*) (pp. 222-4). Extraída de "La mela", Florença, contada por Raffaella Dreini (Pitrè).

Raffaella Dreini é a melhor contadora de histórias dentre aquelas com quem trabalhou o colaborador de Pitrè, Giovanni Siciliano, em 1876. O segredo do relato está (como dizia na introdução) na aproximação-metáfora: a imagem de frescor da maçã e da moça. (É de uma sugestão quase surrealista aquela maçã apunhalada que perde sangue.) Quanto aos reis que possuem casas vizinhas, falei na introdução sobre o modo de os contadores toscanos encararem os reis.

Encontra seu mais famoso modelo literário, como também a "Rosmarina" siciliana, na *Mortella* de Basile (I, 2).

SALSINHA

(*Prezzemolina*) (pp. 224-9). Extraída de "La Prezzemolina", Florença (Imbriani, *La novellaja fiorentina*).

Uma fábula cheia de motivos bastante conhecidos, solucionados de modo um tanto simples, porém contada com alegria e velocidade, toda à base de diálogos, e com aquela alegre figura de Mimo, primo das fadas.

É uma das mais famosas fábulas italianas, transcrita por Basile (II, 1, "Petrosinella"), e com difusão europeia.

O PÁSSARO BEM VERDE

(*L'uccel bel-verde*) (pp. 230-40). Extraída de "L'uccellino che parla", Florença, e de outras versões (Imbriani). Nesta fábula tão difundida em toda a Itália integrei a versão de Imbriani com detalhes retirados de muitas outras versões, de modo a produzir um texto que fosse o mais rico possível. A fábula existe em toda a Europa (ver a versão dançante, agilíssima, dos Grimm) e também na Ásia ocidental (aonde, porém, segundo os estudiosos, teria chegado a partir da Europa; ver, muito semelhante à nossa tradição, o último relato da versão Galland das *Mil e uma noites*: "Histoire de deux soeurs jalouses de leur cadette"). A primeira versão literária é a novela de "Ancillotto, rei de Provino", in Straparola (IV, 3), bastante semelhante à tradição oral como chegou até nós. "La princesse Belle-Étoile et le prince Cheri", de madame D'Aulnoy, se inspira na novela das "Piacevoli notti". Gozzi fez dela uma de suas fábulas teatrais mais carregadas de polêmica ("L'Augellino-Bel-Verde"), adaptando-lhe a trama como continuação do "Amore delle tre melarance".

GRÃOZINHO E O BOI

(*Cecino e il bue*) (pp. 240-4). Extraída de "Cecino", Florença (Pitrè).

Apresenta um estilo um tanto diferente do habitual. (E não só esta versão, mas também as demais, tanto italianas quanto estrangeiras): parece um desenho infantil, com homens minúsculos e vacas imensas, tendo figuras uma dentro da outra, sem perspectiva. Comum a todas as versões é essa dimensão extremamente tosca, que tratei de manter na minha elaboração. Afastei-me da versão florentina apenas no início, preferindo as versões que consideram a transformação dos grãos-de-bico em filhos como uma maldição em vez de uma graça, o que me parece mais "verossímil"; e no final, suprimindo o afogamento de Grãozinho numa poça de lama, pois creio ser melhor concluir deste modo. Mantive o tom um pouco escatológico que é característico das narrativas infantis.

A ÁGUA NA CESTINHA

(*L'acqua nel cestello*) (pp. 245-8). Extraída de "Il cestello", Jesi (Ancona) (Comparetti).

Esta é uma das versões que melhor corresponde à tradição popular mais difundida da fábula das duas irmãs ou meias-irmãs, uma gentil e outra grosseira, com seres sobrenaturais cheios de miséria e imundícies humanas. Tal tema deu margem para que Basile se divertisse com suas barrocas imagens de feiura (especialmente com Cicella e Grannizia, III, 10; e uma segunda vez com Marziella e Puccia, IV, 7, com o motivo da noiva trocada).

CATORZE

(*Quattordici*) (pp. 248-50). Extraída de "Quattordici", San Paolo di Jesi (Ancona) (Gianandrea, *Novelline e fiabe popolari marchigiane*).

O pequeno lavrador fortíssimo é o herói dessa tosca epopeia camponesa, uma espécie de "trabalhos de Hércules" braçais. O herói não dispõe de nenhuma ajuda sobrenatural, contando apenas com a força dos próprios braços. Quem determina as ações não é um rei, mas um agricultor-patrão, que pretende desfazer-se dele por uma bem compreensível preocupação salarial. As ações culminam com uma descida ao inferno por meio da qual o herói alcança sua libertação. Contaminei a fábula marquejana com uma análoga dos Abruzos (de Finamore): "La stòrije de Quattròrece", Casoli (Chieti).

JOÃO BEM FORTE QUE A QUINHENTOS DEU A MORTE

(*Giuanni Benforte che a cinquecento diede la morte*) (pp. 251-4). Extraída de "Giuanni Ben forte, che a cinquecento diede la morte", San Paolo di Jesi (Ancona) (Gianandrea).

A fanfarronice de força e astúcia do pequeno contra o grande é eterno mote narrativo desde Davi até Chaplin. A versão que adotei apresenta a agilidade e a ironia exigidas pelo tema. A morte do gigante era um tanto banal no texto das Marcas (uma caixa de ferro que funcionava como armadilha); tratei de substituí-la pela engenhosa solução das tripas de uma versão bolonhesa (Coronedi-Berti: "La fola d'Zan fort"), colocando lobos onde se fala de leões para não perder aquele tom de fidelidade regional. (As últimas linhas são de novo das Marcas.)

Uma versão literária muito citada é a das *Annotazioni al Malmantile*, mas parece que tem origem oriental (conhece-se uma versão literária chinesa de Po Yu King de 492 d.C.). Entre Ásia e Europa, os estudiosos contam 350 variantes. Grimm inclui "Il prode piccolo sarto" e Afanasiev, "Foma Berennikov".

GALO-CRISTAL

(*Gallo cristallo*) (pp. 254-6). Extraída de "Le nozze de Treddici", Jesi (Ancona) (Gianandrea).
As fábulas com vários animais juntos são sempre muito divertidas. Esta, mais que fábula, é uma lenga-lenga, muito engraçada por causa daquela carta seguidamente consultada com bastante atenção.

O SOLDADO NAPOLITANO

(*Il soldato napoletano*) (pp. 257-63). Extraída de "Li tre sordati", Roma (Zanazzo, *Novelle, favole, leggende romanesche*).
O clima de bravata e recíproca derrisão soldadesca dá um toque moderno a esta fábula romanesca. O terceiro soldado, ridicularizado pelos outros por ser napolitano, está no original; acrescentei a caracterização dos outros dois como romano e florentino para acentuar esse ar de provocações de quartel e também seguindo o exemplo de uma fábula calabresa (in Di Francia) que, embora substancialmente diversa, possui alguns pontos de contato com esta.
Este tipo é — segundo Stith Thompson — bastante raro. Encontra-se espalhado em várias partes da Europa; contudo, não encontrei outras versões italianas.

BELMEL E BELSOL

(*Belmiele e Belsole*) (pp. 263-7). Extraída de "Bel Miele e Bel Sole", Roma (Zanazzo).
Trata-se de um dos tipos mais difusos na Itália e, para dar-lhe uma versão mais rica, integrei a versão romanesca com uma florentina (de Imbriani: "Oraggio e Bianchinetta"): a fuga final da ama e da filha é minha (no lugar da habitual "camisola de piche").
Já Basile registra duas versões, a das "Due pizzelle" (IV, 7, que começa como "L'acqua nel cestello" e similares) e a de "Ninnillo e Nennella" (V, 8, com início baseado no tipo de "Hänsel e Gretel").

CHICO PEDROSO

(*Cicco Petrillo*) (pp. 267-9). Extraída de "Cicco Petrillo" (Zanazzo).
Esta historieta sobre a estupidez sem fim dos homens é a mesma por toda a parte: variam apenas as exemplificações sobre a estupidez. Preferi a desenvolta versão romana, servindo-me para as exemplificações também de outras versões tridentinas, venezianas, toscanas e sicilianas.

O AMOR DAS TRÊS ROMÃS

(*L'amore delle tre melagrane* — *Bianca-come-il-latte-rossa-come-il-sangue*) (pp. 270-5). Extraída de "Lu cunde de la Brutta Saracine", Montenerodomo (Chieti), contada pela jovem analfabeta Domenica Rossi (Finamore, *Tradizioni popolari abruzzesi*).

Para esta, que parece ser uma das poucas fábulas que podem ser consideradas de fato "italianas", remeto ao que dizia na introdução. De qualquer forma, foi na Itália que surgiu a primeira versão literária: "I tre cedri" de Basile (V, 9), com aquele enredo de metamorfoses que parece um emaranhado barroco. Pouco sensível a tais harmonias, Carlo Gozzi, apresentando-a sob as máscaras do seu "Amore delle tre melarance", declarou tê-la selecionado, dentre as várias do *Pentamerone*, justamente como "a mais vil entre as fábulas que se contam aos jovens". As inúmeras versões populares são em grande parte fiéis à tradição que inspirou Basile. Na versão dos Abruzos que adotei, os frutos que continham as três lindas moças eram uma noz, uma avelã, uma castanha; noutras regiões, os frutos são melancias, ou cidras, ou laranjas, ou maçãs, ou romãs, ou *melangole* (que significa "laranja" em alguns lugares e "laranja amarga" em outros). Decidi-me pelas romãs, como numa versão pisana (de Comparetti: "I melagrani"), porque elas já apareciam no final dessa versão abruzense como metamorfose da pomba (esta última parte da fábula, que encontro em diversas versões meridionais, não se acha incluída no *cunto* de Basile), e, assim, quis introduzir um ciclo de transformações que se encerrasse conforme começara. Quanto aos pequenos versos intercalados no texto, inspirei-me em várias versões, sobretudo numa de Avellino; porém, os primeiros ("Rapazinho dos lábios de ouro") são originários da Úmbria, de Spoleto.

JOSÉ PERALTA QUE, QUANDO NÃO ARAVA, TOCAVA FLAUTA

(*Giuseppe Ciufolo che se non zappava suonava lo zufolo*) (pp. 275-7). Extraída de "Giuseppe Ciúfolo", Sulmona (L'Aquila) (publicada em italiano) (Denino, *Uso e costumi abruzzesi*).

A lenda medieval do morto agradecido, que aparece num poema francês do século XIII, "Richars li biaus", e depois na novela de mestre Dianese (*Novellino*, 154), e depois na de Bertuccio da Trino, de Straparola (XI, 2), é aqui contada com um lavrador no lugar do nobre protagonista, proezas agrícolas em vez de cavaleirescas, um mendigo em vez do misterioso cavaleiro ajudante.

CORCUNDA, MANCA E DE PESCOÇO TORTO

(*Gobba, zoppa e collotorto*) (pp. 278-9). Extraída de "La vendetta", Acciano, Beffi, Campana, Fagnano, Goriano Valle, Molina, Santa Maria del Ponte e outros (L'Aquila) (publicada em italiano) (De Nino).

Esta fábula, tão exata, racional e moral a ponto de parecer criação literária, provavelmente só foi recolhida na região dos Abruzos. Caso raro no folclore, a bruxa ou maga malvada que no final é condenada à "camisola de piche" salva-se, e o narrador parece torcer por ela. Somente acentuei o tom literário do início.

A FALSA AVÓ

(*La finta nonna*) (pp. 279-81). Extraída de "L'orca", San Sebastiano, Scano, Sulmona (L'Aquila) (publicada em italiano) (De Nino).

Pode ser considerada uma das poucas versões populares do "Chapeuzinho Vermelho" recolhidas na Itália. Apresenta todas as características que distinguem na tradição popular as fábulas para crianças: crueldade truculenta, menção às necessidades corporais e perguntas e respostas à maneira das lenga-lengas. Detalhe realista: a casa é uma verdadeira casa de camponeses, com uma única cama e com a estrebaria no rés do chão.

O OFÍCIO DE FRANCISQUINHO

(*L'arte de Franceschiello*) (pp. 282-6). Extraída de "Frangeschjelle", San Eusanio del Sangro (Chieti), contada por um homem do povo, analfabeto (Finamore).

Trata-se de uma das tantas *novelline* de apostas com ladrões, difundidas por toda a Europa. Aqui, adquire as cores do mundo dos bandidos da *arte unuratamènde*, do roubo de gado, dos bens de mão-morta.

CRIC, CROC E MÃO DE GANCHO

(*Cricche, Crocche e Manico d'Uncino*) (pp. 286-8). Extraída de "Cricche, Crocche e Manecancine", Avellino (Amalfi, *Sedici conti in dialetto di Avelino*). Cric e Croc como nomes de ladrões famosos são encontrados também no Monferrato.

A PRIMEIRA ESPADA E A ÚLTIMA VASSOURA

(*La prima spada e l'ultima scopa*) (pp. 289-94). Extraída de "Cunto d'le duie mercante". Nápoles. Publicada por Vincenzo della Sala, in *Giambattista Basile*, a. 1 (1883), nº 1, pp. 2-3.

A moça que se disfarça de homem é um motivo fabular muito difundido na Itália Central e meridional. Esta versão napolitana (que ampliei e interpolei com outras) une-se ao *cunto* da "Serva d'aglie" de Basile (III, 6) tanto pelo ambiente burguês quanto pelo fato de que ter só filhas é considerado uma desonra.

OS CINCO DESEMBESTADOS

(*I cinque scapestrati*) (pp. 294-301). Extraída de "Lu cantu de li persi", Maglie (Lecce). (Pellizzari, *Fiabe e canzoni popolari del contado di Maglie in Terra d'Otranto*). Aqui, a fábula se transforma em narrativa picaresca e história de fanfarrices, e se carrega de modos de dizer fabulares (aquele *Mbe'sai ce nc'è de nou?* com que o rapaz de Maglie começa a conversa com os compadres), e da abstrata geografia da fábula passa-se a contar vantagem regional e nacional (*lu Majese, lu Talianu*). Mas a pérola da narração é aquela corrida *a cu passa fuscennu*, uma corrida a pé regional que culmina no salto do jogo de carniça, *a scancapirite* [do tipo "espanta espíritos"] com a princesa *vistuta da ballarina, comu le zzumpanzarti cu ll'anche de fore*. Sobre as origens do motivo da corrida para casar com a princesa, ver O *ramo de ouro*, de Frazer, cap. XIV.

A história dos companheiros extraordinários é contada por Basile num *cunto* assaz alegre (III, 8) que é semelhante a este até no nome dos compadres, com a corrida a pé e tudo o mais.

EIRO-EIRO, BURRO MEU, FAÇA DINHEIRO

(*Ari-ari, ciuco mio, butta canari*) (pp. 301-6). Extraída de "Lu cuntu de lu Nanni Orcu", condado de Maglie (Terra d'Otranto) (Pellizzari). Trata-se de uma das mais alegres versões italianas deste conto tão difundido (o "Cunto dell'Huerco", o primeiro do *Pentamerone*) com seu sabor de fome, de engodos de hospedaria, de brigas de família.

As fábulas dos dons mágicos (em geral três, dois dos quais são uma toalha que prepara a mesa e um burrinho "caga-dinheiro") encontram-se tanto na Europa quanto na Ásia. Podemos classificá-las conforme o método pelo qual, após o roubo, volta-se a possuí-los: ou com um bastão que dá pancadas sozinho, ou com um instrumento musical que obriga todo mundo a dançar, ou com figos encantados que fazem crescer chifres — ou um rabo, ou um nariz — na princesa que surrupiou os dons, e outros figos encantados que a curam.

LEOMBRUNO

(*Liombruno*) (pp. 307-16). Extraída de "Lionbruno", da província de Potenza (publicada em italiano por Comparetti).

Um cantar cavaleiresco toscano, transplantado na Lucânia, adquiriu um pouco da profunda religiosidade daquela região. A "Bellissima istoria di Liombruno", cantar em versos do final do século XIV, é uma história completa de destino humano, segundo as tradições do romance medieval: o nascimento predestinado por um voto ao diabo, a salvação por parte de uma fada, a educação amorosa e cavaleiresca, o retorno a casa e o benefício aos pais, o torneio do cavaleiro desconhecido, a "glória", a perda da amada, e depois uma série de motivos puramente fabulares, como os sete sapatos de ferro, os três objetos encantados disputados pelos ladrões, a casa dos ventos.

OS TRÊS ÓRFÃOS

(*I tre orfani*) (pp. 316-9). Extraída de Lomb, 41, "I tre orffani", Tiriolo (Catanzaro), narrada por Domenico Colacino.

Uma alegoria religiosa de estranha beleza, com a arcana simplicidade de um *rebus*. Frequentemente, as fábulas calabresas apresentam motivos cristãos, porém quase sempre como contaminação de um antigo contexto mágico e pagão. Aqui, de fábula mágica temos apenas o ritmo, e tudo converge na disposição de símbolos litúrgicos. Contudo, observe-se que o início é marcado por uma notação realista, a oferta matutina de trabalho por parte do peão recém-chegado, com dois tristes versos: *Cu vô garzuni/Cà vogghiu patrune!* [Quem quer empregado/Pois eu quero patrão].

Encontrei uma versão um pouco diferente em Cerdeña (Lor. 4).

O REIZINHO FEITO À MÃO

(*Il reuccio fatto a mano*) (pp. 319-25). Extraída de "Re Pipi", Palmi (Reggio di Calabria), contada por Concetta Basile (Di Francia, *Fiabe e novelle calabresi*); "La Turca Cane e llu rre fattu a manu", Feroleto Antico (Catanzaro), contada por Maria Muraca (Lombardi Satriani).

Trata-se do *cunto* de Pinto Smalto in *Basile* (V,3). Existe também nos Abruzos e na Sicília, com o título que dei à minha transcrição.

O REI-SERPENTE

(*Il re serpente*) (pp. 325-32). Extraída de "U figghiu serpenti", Palmi (Reggio di Calabria), contada pela irmã de Di Francia, Teresa (Di Franci).

Toda elaborada com motivos muito conhecidos, esta fábula é caracterizada por detalhes animalescos cujo gosto não saberia definir se predominantemente gótico ou oriental; desde o início, com aquele desfile de lagartos e serpentes pelo campo perante a rainha, até o final, com aquele palácio encantado descrito com extraordinário cuidado, com animais de ouro que o habitam. Acrescentei à versão calabresa a transformação da serpente em homem depois de se despojar de sete peles, como em várias outras versões (toscana, beneventana, siciliana e também uma monferrina que se refere a um dragão).

COLA PEIXE

(*Cola Pesce*) (pp. 333-5). Extraída de *Lu Piscicola*, Palermo, contada por um marinheiro da região de "Virgem Maria", situada ao pé do Pellegrino (in Giuseppe Pitrè, *Studi di leggende popolari in Sicilia e Nuova raccolta di leggende siciliane* [v. XXII da "Biblioteca delle tradizioni popolari siciliane" organizada por Giuseppe Pitrè], Turim, 1904).

Trata-se da mais bonita das dezessete versões sicilianas da famosa lenda de Cola Peixe, publicadas por Pitrè como apêndice de um estudo aprofundado. Entre os estudiosos de Cola Peixe inclui-se Benedetto Croce, que escreveu, baseando-se numa tradição napolitana, um artigo ("La leggenda di Niccolò Pesce", in *Giambattista Basile*, III, 1885, nº 7; publicado depois em separado, Nápoles, 1885) ao qual se seguiram polêmicas e aprofundamentos por parte de Arturo Graf e de Pitrè. A primeira menção literária da lenda encontra-se num poeta provençal do século XII, Raimon Jordan. Um rico repertório de versões literárias acha-se no estudo citado de Pitrè; vale lembrar a narração em versos latinos no *Urania* de Gioviano Pontano; e a balada de Schiller, *Der Taucher*. Sobre Cola Peixe e Benedetto Croce, cf., a bela página de Carlo Levi (*L'orologio*, pp. 343 ss.).

GRÁTULA-BEDÁTULA

(*Gràttula-Beddàtula*) (pp. 335-43). Extraída de "Gràttula-beddàttula", Palermo, contada por Agatuzza Messia, de setenta anos, costureira de acolchoados para o inverno, no Borgo, largo Celso nero, nº 8 (Pitrè, *Fiabe, novelle e racconti siciliani*).

De todas as variantes italianas da famosa "Cinderela" ("Cenerentola"), a mais colorida e mediterrânea é essa fábula das tâmaras, contada pela grande narradora analfabeta, a palermitana Agatuzza Messia. Aqui não existe sinal do moralismo patético da irmã enjeitada como em Perrault e em Grimm: tudo se transforma num puro jogo de maravilhosas fantasias.

DESVENTURA

(*Sfortuna*) (pp. 343-9). Extraída de "Sfurtuna", Palermo, contada por Agatuzza Messia (Pitrè).

Uma das mais apaixonantes fábulas meridionais é esta da moça perseguida pela má sorte, que traz desventura para ela própria e para os demais. Contra o hábito de tratar de forma hostil a pessoa portadora de desgraças, aqui ela é vista com profunda piedade, no contexto de um culto individual da Sorte, à qual são tributadas oferendas votivas e imploradas graças. Os homens acham-se prisioneiros da caprichosa psicologia das Sortes: com poucas pinceladas, Messia traça magistralmente o caráter da Sorte má e demente da protagonista. Porém, as personagens mais belas de Messia constroem-se em tipos como a lavadeira caridosa, mestra do culto das Sortes, olhada com tão sólida simpatia. (Se esta esconde do reizinho a existência de Desventura, ela o faz para protegê-la de insídias, não por desejar-lhe mal.) Observe-se como o costumeiro caráter genérico das fábulas cede lugar à precisão linguística e técnica quando Messia fala das ações da lavadeira.

A COBRA PEPINA

(*La serpe Pippina*) (pp. 349-57). Extraída de "Burdilluni", Palermo, contada por Agatuzza Messia (Pitrè).

DONO DE GRÃOS-DE-BICO E FAVAS

(*Padron di ceci e fave*) (pp. 358-62). Extraída de "Don Giovanni Misiranti", Palermo, contada por Agatuzza Messia (Pitrè).

É a história do Gato de Botas, mas sem gato, nem raposa, nem outros animais que sugiram truques para alardear riquezas. Aqui, os truques, é o coitado que os inventa livremente, criando fantasias sobre uma fava encontrada no chão. Só no final é que a fava se transforma numa fada (mas é uma intervenção sobrenatural que poderia não existir) e o sonho de riqueza fácil do coitado se torna realidade miraculosa. Ao passo que, nas fábulas do gato, pobreza virtuosa e astúcia aventureira atuam por meio de duas pessoas distintas, aqui, coexistem numa única personagem, certamente menos simpática, que representa o triunfo do blefe, o sonho de um mundo pobre e privado de perspectivas.

O SULTÃO COM SARNA

(*Il Balalicchi con la rogna*) (pp. 362-7). Extraída de "Lu piscaturi", Palermo, contada por Agatuzza Messia (Pitrè).

Não se trata de uma fábula, mas de uma narrativa de aventuras, com certa aproximação geográfica e sobretudo com a noção das diversidades das civilizações, das relações com o mundo muçulmano, noção que distingue uma parte da narrativa oral, especialmente a meridional. Aqui, Messia, que jamais pôs os pés num navio, exibe suas fantasias marinhescas.

ALECRINA

(*Rosmarina*) (pp. 367-70). Extraída de "Rosmarina", Palermo, contada por "uma mulher na casa do professor Carmelo Pardi" (Pitrè).

Mais uma fábula sobre a mulher-planta. Essa repete "La mortella", um dos mais belos *cunti* de Basile (I, 2) com alguns detalhes a mais: a rega com leite, o príncipe que toca *lu friscalettu*. A dança da moça ao som do *friscalettu* é o único acréscimo que fiz, mas um ritmo de dança já está no texto palermitano.

DIABOCOXO

(*Diavolozoppo*) (pp. 371-3). Extraída de "Lu diavulu Zuppiddu", Palermo, contada por Giovanni Patuano, cego (Pitrè).

"Belfagor" de Maquiavel é tradição popular, como demonstra também sua presença em Straparola (II, 4). Desse "Diavulu Zuppiddu" palermitano decidi fazer uma tradução mais estilizada, que acentua a agilidade rudimentar da versão oral.

A MOÇA-POMBA

(*La ragazza colomba*), (pp. 374-8). Extraída de "Dammi lu velu!", Palermo, contada por uma mulher "da qual não me lembro o nome" (Pitrè).

A moça-cisne ou moça-pomba de quem o herói leva as roupas de pássaro, obrigando-a a permanecer mulher, é um motivo de difusão mundial, sendo que, frequentemente, se combina com o motivo do empregado de um mago que deve subir à montanha de pedras preciosas. Adotei a versão palermitana com o "picciottu dispiratu comu un cani" que procura trabalho e a figura do Grego-Levante, afastando-me depois para fazer o rapaz escalar a montanha (em vez de usar um cavalo alado) dentro de uma pele de cavalo transportada por uma águia como noutras versões e para o episódio final da capa que torna invisível, motivo extremamente difundido, mas que confere maior completitude ao enredo.

JESUS E SÃO PEDRO NA SICÍLIA

(*Gesù e san Pietro in Sicilia*) (pp. 378-84). Dou continuidade à série "*Gesù e san Pietro in Friuli*" com outra pequena seleção de legendas do mesmo tipo, escolhidas entre o material siciliano. Também aqui, são Pedro aparece com as características já assinaladas na nota à coleta friulana: preguiçoso, guloso, *lagnusu* [choramingão].

"As pedras em pão" e "A velha do forno", extraídas de "Lu Signuri, s. Pietru e li apostuli", Bagheria (Palermo), contada por um certo Gargano (Pitrè).

"Uma legenda que os ladrões contam", extraída de "San Petru e li latri", Borgetto (Pitrè).

Pitrè comenta: "Essa fábula é tradicional entre os ladrões, que afirmam terem sido abençoados por Jesus Cristo. Ao enviar-me do município de Santa Ninfa a versão que incluo entre as *Varianti e riscontri*, o egrégio cavaleiro Antonino Destefani-Perez me escrevia que, tendo um seu tio sido uma vez sequestrado por ladrões, à noite eles tentavam persuadi-lo de que, afinal de contas, não eram aqueles desgraçados que o mundo acusava. '*Nui*', diziam, '*semu biniditti di Diu, e lu dicinu li Vancelii di la Missa*' [Nós somos abençoados por Deus e quem o diz são os Evangelhos da Missa]; e como prova narravam essa historieta".

"A morte no frasco", extraída de "Accaciúni", Palermo, contada por Gioacchino Ferrara, camareiro na casa dos Siciliano (Pitrè).

Uma das inúmeras fábulas da morte posta em xeque, no quadro da tradição popular dos encontros com Jesus e os apóstolos. No texto, o estalajadeiro é chamado com o estranho nome de Accaciúni, isto é, *cagione*, *causa* [causa]. E a história termina com o provérbio "*Nuncc'è morti senza Accaciúni*" ("Não existe morte sem causa").

"A mãe de são Pedro", extraída de "Lu porru di s. Petru", Palermo, contada por Agatuzza Messia (Pitrè).

Uma famosíssima legenda popular, difundida em grande parte da Europa (a mais antiga versão literária conhecida parece ser um poemeto alemão do século XV).

O RELÓGIO DO BARBEIRO

(*L'orologio del barbiere*) (pp. 385-7). Extraída de "Lu ròggiu di lu varveri", Borgetto, contada por Rosa Amari (Pitrè).

"Quem não vê sem sombra de dúvida que este admirável relógio é o Sol? — comenta o benemérito coletor Salomone-Marino. — E o Mestre que o fez, o velho que obtém louvores de todos pela sublime obra, não é Deus? São as obras Dele que nos revelam Sua existência. Em sua modesta simplicidade, quão sábio é este conto!" Modesta simplicidade? Mesmo sem me incluir entre aqueles que afirmam o primado da poesia oral e não culta em relação à literária, gostaria de sublinhar que aqui deparamos com um alto exemplo de poesia alegórica. E, mais do que pela simbologia — a qual também me parece interessante, com aquela importância cultural e oracular do Sol —, pela grande sabedoria poética de fazer interagir espaço metafísico e comédia humana numa construção tão exata e harmônica, com uma linguagem tão densa de invenções, de nobreza, de caracterização. Trata-se de uma pequena obra-prima, esta de Rosa Amari, que decidi aqui apresentar, embora consciente de que a tradução, de um texto que se apoia não na narrativa, mas na palavra (e nas rústicas ressonâncias daqueles versos, "quase todos provérbios", conforme comenta Pitrè), o faz perder muito de seu sabor. E isso ocorre especialmente na série dos pequenos retratos: "lu vidda neddu, stancu e amaru... lu picciottu spasimanti, tuttu fanaticu e 'nghirriusu... lu malantrinu di prima caràta, lu capu camurrista di li Vicarii, tutti giumma e cioffi, tutta buttuna e aneddi... l'affrittu puvureddu, dijunu, nudu, malatu di la testa a li pedi..." [o pequeno camponês, cansado e amargo... o jovem apaixonado, todo enfatuado, de crista levantada... o malandrinho de primeira, o chefe da Camorra das Vigárias, todo botões e anéis... o infeliz, aflito, faminto, seminu, doente da cabeça aos pés...].

A IRMÃ DO CONDE

(*La sorella del conte*) (pp. 387-92). Extraída de "La soru di lu conti", Borgetto (Palermo), contada por Francesca Leto (Pitrè).

A mais bela fábula de amor italiana, na mais bela versão popular, com uma textura tão delicada e comovedora que dá vontade de transcrevê-la inteiramente em dialeto, e uma perfeita simplicidade de movimentos (aquela camisola tirada e que se faz escorregar). "...Ed idda, facennu ridiri dda vuccuzza d'oru, arrispunniu: 'Riuzzu, chi diciti, chi spijati? Zittítivi, e guditi'. Quannu lu Riuzzu s'arrispigghiau, e nun si vitti cchiú a lu latu dda bella Dia, si vesti 'ntra un lampu, e chiama: 'Cunsigghiu! Cunsigghiu!' Veni lu Consigghiu, e lu Riuzzu cci cunta lu statu di li cosi..." [E ela, fazendo sua boquinha de ouro sorrir, respondia: "Reizinho, para que perguntar, para que olhar? Melhor é silenciar e amar!". Quando o reizinho despertou e não viu mais aquela linda deusa a seu lado, vestiu-se num relâmpago e convocou o Conselho: "Conselho! Conselho!". Apresentou-se o Conselho, e o reizinho lhes explicou a situação].

O CASAMENTO DE UMA RAINHA COM UM BANDIDO

(*Le nozze d'una regina e d'un brigante*) (pp. 392-6). Extraída de "Lu spunsaliziu di 'na riggina c'un latru", Polizzi-Generosa (Palermo) (Pitrè).

No tema muito difundido do casamento com o bandido inserem-se alguns belos detalhes burlescos de tradição local: o esposo *profissuri*, o *figghiu Settimu*, a velha surda. Traduzi *Settimu* como "setemesinho", atribuindo-lhe também o *phisique du rôle*, mas na realidade Settimu, explica Pitrè, "é o nome que o baixo vulgo costuma dar ao sétimo filho que nasce numa família. As virtudes desse sétimo são extraordinárias, bastando dizer que as pessoas atacadas por febres intermitentes e rebeldes, para curar-se, só precisam procurar um sétimo qualquer, surpreendê-lo e dizer-lhe de repente: *Settimu di Maria, fammi passari lu friddu a mia!*" [Sétimo de Maria, faça passar minha febre!].

PELO MUNDO AFORA

(*Sperso per il mondo*) (pp. 396-405). Extraída de "Peppi, spersu pri lu munnu", Salaparuta (Palermo), contada por Antonio Loria (Pitrè).

Trata-se de um dos maiores monumentos da narrativa popular italiana. O repertório fabulístico tradicional é reduzido ao mundo da experiência real do camponês: a busca de trabalho de propriedade em propriedade, os contratos de servidão, a solidariedade do velho animal e a necessidade do seu sacrifício, sem uma palavra de lamento ou de piedade. E o pregão para ganhar a princesa, da antiga usança cavaleiresca, rebaixa-se a uma prova de força camponesa, não é mais um combate equestre, mas uma determinada superfície a ser arada; e os milagres não poderiam ser diferentes de plantas que crescem depressa, frutos fora da estação ou então da jornada que se prolonga, por intervenção do Sol, senhor onipotente e amigo.

Não encontrei nas antologias italianas nenhuma correspondência precisa com a fábula em seu conjunto. Parece que o tipo se acha difundido em toda a Europa e também na Índia. O motivo do animal (em geral vaca ou cabra) que ajuda a superar provas e se faz sacrificar a fim de que seus ossos realizem mágicas é frequente em fábulas com protagonistas femininas, seja do tipo das duas meias-irmãs ou do tipo da Cinderela.

UM NAVIO CARREGADO DE...

(*Un bastimento carico di...*) (pp. 405-11). Extraída de "S. Micheli Arcangilu e un so'divotu", Salaparuta (Palermo), contada por Calogero Fasulo (Pitrè).

O lugar cheio de ratos onde um mercador faz fortuna com gatos encontra-se também numa novela contada por Piovano Arlotto (Facezia 70). O lugar sem gatos, um lugar sem galos e outro sem falcões acham-se num conto de 1535 de Nicolas de Troyes, do qual parece derivar aquele, muito espirituoso, dos Grimm, "Os três irmãos afortunados" (70). Um lugar sem sal encontra-se em "Il mercante di sale" de Montale Pistoiense (Nerucci).

O FILHO DO REI NO GALINHEIRO

(*Il figlio del re nel pollaio*) (pp. 411-7). Extraída de "Lu re d'animmulu", Salaparuta (Palermo), contada por Rosa Cascio La Giucca (Pitrè).

Tem parentesco com a mais ilustre de todas as fábulas, "Amor e Psique", isto é, a primeira narrativa decididamente fabulística da qual chegou até nós uma versão escrita no *Asno de ouro* de Apuleio (século II d.C), de que os estudiosos contam 61 variantes orais italianas. Basile tem dois *cunti* desse tipo (II, 9, e V, 4).

A LINGUAGEM DOS ANIMAIS E A MULHER CURIOSA

(*Il linguaggio degli animali e la moglie curiosa*) (pp. 417-21). Extraída de "La muglieri curiusa", Cianciana (Agrigento), contada por Rosario di Liberto, trabalhador nas minas de enxofre (Pitrè).

Antiga fábula oriental (a "História do boi e do burro com o camponês" das *Mil e uma noites*, a que a personagem da mulher curiosa dá sabor de anedota camponesa. Foi posteriormente incluída nas *Gesta Romanorum* e dali nas antologias de *novelline*. Nesta versão, são notáveis os chamados entre lobos e cães durante a noite, com aquela espécie de *omertà* mafiosa: "O cumpari Vitu!", "O cumpari Cola".

O BEZERRINHO COM CHIFRES DE OURO

(*Il vittelino con le corna d'oro*) (pp. 421-5). Extraída de "La parrasta", Casteltermini (Agrigento), contada por Gnura Vincenza Giuliano, tecelã (Pitrè).

Desta fábula de difusão europeia só encontrei versões infantis e rudimentares. Integrei aqui e ali (por exemplo, nos versos) outras versões com o texto siciliano; e mudei o final demasiado truculento.

A VELHA DA HORTA

(*La vecchia dell'orto*) (pp. 426-9). Extraída de "La vecchia di l'ortu", Vallelunga (Caltanissetta), contada por Elisabetta Sanfratello (Pitrè).

De todas as variantes de "Salsinha", esta siciliana apresenta o início mais curioso, com aquela orelha-cogumelo, e por isso foi incluída, não obstante o pobre desenvolvimento da historieta infantil. (É narrada por Sanfratello, sobre a qual Pitrè escreve: "A *sancta simplicitas* dos pobres de espírito é um dote particular dela, razão pela qual sua narrativa se faz ingênua".) A moça que se envergonha de dizer: "Ainda sou criança" é um acréscimo meu.

A RAINHAZINHA COM CHIFRES

(*La reginotta con le corna*) (pp. 429-34). Extraída de "La vurza, lu firriolu e lu cornu'nfatatu", Màngano (região de Acireale) (Pitrè).

Chegou até nós também num cantar do século XV, "Istoria di tre giovani disperati e di tre fate", mas só nesta versão siciliana encontro o exórdio dos três tijolos e daquela tentativa do suicídio feita de saltos de uma figueira para outra, em suspensão numa *timpa*. O cantar possui, além da versão popular, a partida de xadrez da rainhazinha e o modo sempre diferente pelo qual ela se apropria dos três objetos; aqui, o narrador foi mais apressado e genérico, recorrendo ao habitual vinho misturado com ópio.

YUFÁ

(*Giufà*) (pp. 434-43). Extraída de Pitrè. O grande ciclo do tonto, embora não seja uma fábula, é demasiado importante na narrativa popular inclusive italiana para ficar de fora. Provém do mundo árabe e é justo que seja a Sicília a representá-lo, pois deve tê-lo aprendido diretamente dos árabes. A origem árabe encontra-se também no nome da personagem: Giufà [Yufá] (às vezes *Giucà*, mesmo nas regiões de dialeto albanês), o tonto para quem tudo acaba dando certo.

Além da tradição siciliana de Yufá, tomei em consideração o quase homônimo *Giucca*, toscano, e *Er matto*, romano. Recordem-se ainda "o louco", mantuano, *Tonin mato*, triestino, *El stupido*, dálmata, *Turlulú*, tridentino.

"Yufá e a estátua de gesso", extraída de "Giufà e la statua di ghissu", Casteltermini (Agrigento), contada por Giuseppe Lo Duca.

Uma das mais difundidas e perfeitas histórias de tontos, com grandes achados teatrais: o de falar pouco e o do diálogo com a estátua.

Existe em quase todos os ciclos citados e já constava da novela de Vardiello de Basile (I, 4).

"Yufá, a lua, os ladrões e os guardas", extraída de "Giufà e lu judici", idem.

Notável pela volta noturna pelos campos e aquele esconde-esconde com a lua ao ritmo sonolento dos passos.

A anedota da mosca tem uma história própria. (Cf. a historieta toscana "La frittatina", Imbriani).

"Yufá e o gorro vermelho", extraída de "Giufà e chiddu di la birritta", Palermo, contada por Rosa Brusca.

Uma das mais sicilianas, com a *birritta russa* ("ca a ssi tempi tutti javanu cu li birritti", comenta a narradora: "Ora lu chiú tintu mastru va cu tumminu o

483

puru cu lu cacciottu", agora o mais modesto trabalhador anda de cartola ou de chapéu-coco) e com o lamento da mãe: "Figghioli! Figghioli! chi focu granni!".

Imbriani anota em seus cotejos com Pitrè: "Trata-se da novela que se lê em 23 oitavas na terceira Jornada da *Villeggiatura in Portici* do barão Michele Zezza".

"Yufá e o odre", extraída de "Giufà e la ventri lavata", Palermo, contada por um operário da Fundição Oretea.

É semelhante à história do "vagamundo" em Grimm e a do "idiota doutor" em Afanasiev. Na Itália, encontramos aquela versão úmbria do *tonto* (*Rivista delle tradizioni popolari*, I, 353), a sienense de Fignuccio (Temistocle Gradi), em que o tipo do camponês deficiente se destaca dos outros: tudo o que lhe dizem, repete, repete para si mesmo, e as pessoas dizem que traz desventura, e a abruzense de Merluno, que foi publicada por Gabriele d'Annunzio (talvez tirando-a de Finamore) na *Cronaca Bizantina* (a. VI, nº 5).

"Comam, minhas roupinhas!", extraída de "Mandati, rubbiceddi mei!", Palermo, contada por Francesca Amato.

Pitrè anota: "Foi narrado na presença de Dante; cf. G. Sercambi, *Novelle* IX; *De bonis mortibus*; Papanti, *Dante nella tradizione* etc. Cf. Innocenzo III, *De contemptione mundi*, liv. II, c. 39".

"Yufá, puxe a porta!", extraída de "Giufà, tirati la porta!", Palermo, contada por Rosa Brusca, e de "Cunti di Giufà", Trapani, contada por Nicasio Catanzaro, apelidado de Baddazza.

A mais famosa história de tonto, que aqui atribuo a Yufá, se bem que apenas a primeira parte (a porta puxada ao sair) e a última (a da chuva de passas e figos, que também se encontra no final do *Vardiello* em Basile, I, 4) estejam presentes nas histórias do Yufá de Pitrè. O episódio dos bandidos debaixo da árvore encontra-se muito difundido em toda a Itália.

O HOMEM QUE ROUBOU AOS BANDIDOS

(*L'uomo che rubò ai banditi*) (pp. 443-5). Extraída de "I se bandidusu", Oristano, contada em 1874 por uma tal de Beppa Rosa Massa di Santa Giusta (in Pietro Lutzu, *Due novelline popolari sarde* [*dialetto campidanese*] *quale contributo alle leggende del tesoro di Rampsinite re di Egitto*, Sassari, 1900).

Não é, para dizer a verdade, do tipo "Ramsés" como acreditou Lutzu, mas do tipo "Ali Babá"; embora nos agradasse reconhecer, transportada para uma pedregosa paisagem sarda, a antiquíssima história de um faraó e o tesouro dos reis substituído por um casebre de bandidos, e as maquinações para ali penetrar com uma chave debaixo de uma porta. Mas, qualquer que seja a origem, todos os detalhes aqui são invenções recentes, de um realismo profundo; o decapitado pendurado numa árvore seca, os conselhos da *maianarscia*, os encontrões dos carneiros em algum lugar da montanha. Também o final, que é mais fiel a "Ali Babá", assume cores de história autóctone; aquele desenho de aldeia com o tanoeiro e a casa do camponês enriquecido não se sabe como, e o aparecimento final dos *barracelli* e dos carabineiros (*is cavalligerisi*).

SANTO ANTÔNIO DÁ O FOGO AOS HOMENS

(*Sant'Antonio da il fuoco agli uominî*) (pp. 445-7) Extraída de "Sant Antòn e su voju", Nughedu S. Nicolò (Sassari), contada por Adelasia Floris; e de Filippo Valla, "Sant'Antonio abate va all'Inferno", Ozieri (Sassari) (in *Rivista delle tradizioni popolari*, I [1894], 499, publicada em italiano in Bottiglioni, *Leggende e tradizioni in Sardegna*).

Santo Antônio na Sardenha faz o papel de Prometeu. O fogo é coisa infernal, mas quem o rouba e o entrega aos homens é um santo, um santo astuto, e sua conquista está cheia de alegria. "Muito perto de Nughedu", anota Bottiglioni, "fica a igrejinha de sant'Antonio do fogo, na qual se faz a festa todo ano." E Valla escreve sobre as grandes fogueiras que se acendem nas regiões do Nuoro e Sassari para o 17 de janeiro (entre as madeiras utilizadas nas fogueiras, inclui-se a cortiça que, segundo a tradição sarda, alimenta o fogo do inferno). Tanto a transcrição dialetal de Bottiglioni quanto a redação em italiano de Valla são curtíssimas e muito rudimentares. Tratei de dar um pouco de andamento narrativo à história e de relevo à astúcia do santo, partindo de uma referência de Valla ao porco que põe o inferno em polvorosa (esse inferno estranhamente bem-ordenado). A cantiga final é composta de palavras em parte incompreensíveis para os próprios sardos e sobre as quais são levantadas diversas hipóteses ("Fogu, fogu/ Peri su logu/ Peri su mundu/ Fogu cecundu").

A mesma tradição ainda está viva na Lucânia, como relata Carlo Levi em *L'orologio*.

MARÇO E O PASTOR

(*Marzo e il pastore*) (pp. 447-8). Extraída de "Le berger et le mois de Mars", Olmiccia (Córsega), contada, em 1882, por A. Joseph Ortoli (publicada em francês com os versinhos em dialeto corso in Ortoli, *Les contes populaires de l'île de Corse*).

"Março e o pastor", o conhecidíssimo apólogo da região de Lucca, transcrito por Nieri, baseia-se nos enganos do pastor que vai para o monte quando diz que vai para a planície e vice-versa: entre o pastor e o mês se estabelecem relações burlescas, de provocação camponesa. Aqui, ao contrário, são relações semelhantes às de um culto religioso; o pastor implora aos meses e, na ocasião em que desafia ou blasfema contra um deles, este reage como uma divindade enfurecida. Na esteira de uma tradução francesa, criei livremente, no que concerne ao tom e à escolha das expressões.

PULE NO SACO!

(*Salta nel mio sacco*) (pp. 449-56). Extraída de "Saute en mon sac!", Porto-Vecchio (Córsega), contada por Madame Marini em 1881 (publicada em francês por Ortoli).

Uma das muitas variantes do antiquíssimo tema que, aqui, as denominações de lugar transformam quase em lenda local. No texto havia uma passagem que saltei, por me parecer retórica e fora de tom: Francisco exprimia um último desejo à fada: "Quero que a Córsega seja feliz e que não veja mais as rapinas dos sarracenos". Outra mudança minha: o Diabo não pedia explicitamente a venda da alma, mas procurava convencer Francisco a seduzir uma moça. No final, o texto é um tanto obscuro. Não se fala da libertação da Morte, depois de entrar no saco; atrás da moita aparece o Diabo; nada antecede o canto do galo. Ajustei um pouco as coisas, alimentando o clima obscuramente alegórico. Em princípio, na primeira aparição da fada, colocá-la em cima de uma árvore é de meu arbítrio.

Com esta fábula sábia e estoica quis que o livro se encerrasse.

BIBLIOGRAFIA

AMALFI, Gaetano. *XVI conti in dialeto di Avellino*. Nápoles, 1893.

ANDERSON, Walter, org. *Novelline popolari sammarinesi*. Publicadas e anotadas pelo organizador. [3 fasc.] Tartu (Dorpat), 1927, 1929, 1933.

ANDREWS, James Bruyn, org. *Contes ligures, traditions de la Rivière*. Coletadas entre Menton e Gênova pelo organizador. Paris, 1892.

Archivio per lo studio dette tradizioni popolari, revista trimestral, dirigida por G. Pitrè e S. Salomone-Marino. Palermo; Turim, 1882-1906 [*Arch.*].

BABUDRI, F. *Fonti vive dei Veneto-Giuliani*. Milão, Trevisini, s. d. [In "Canti, novelle e tradizioni delle regioni d'Italia", coleção dirigida por Luigi Sorrento].

BAGLI, Giuseppe Gaspare, org. *Saggio di novelle e fiabe in dialetto romagnolo*. Bolonha, 1887.

BALDINI, Antonio. *La strada delle meraviglie*. Milão; Roma, Mondadori, 1923. [Volume da pequena biblioteca infantil "La Lampada", contendo nove fábulas "reunidas por uma moça do interior toscano, perto de Bibbiena", transcritas "do modo mais fiel possível".]

BALLADORO, A. *Folk-lore veronese: novelline*. Verona; Pádua, 1900.

BERNONI, Giuseppe, org. *Fiabe e novelle popolari veneziane*. Veneza, 1873.

_____ *Tradizioni popolari veneziane*. Veneza, 1875.

_____ *Fiabe popolari veneziane*. Veneza, 1893.

BOLOGNINI, Nepomuceno. "Fiabe e leggende della Valle di Rendena nel Trentino". Ensaio, extraído do *Annuario* da Sociedade dos Alpinistas Tridentinos, Rovereto, 1881.

BOTTIGLIONI, Gino. *Leggende e tradizioni di Sardegna* (textos dialetais com grafia fonética). Genebra, 1922 [v. V, série II da "Biblioteca dell'*Archivium Romanicum*", dirigida por Giulio Bertoni].

CARLOTTI, Domenico. *Racconti e leggende di Cirnu bella*. Livorno, 1930. [Em dialeto corso.]

CARRAROLI, D. *Leggende, novelle e fiabe piemontesi*. Extraído do *Arch*. v. XXIII. Turim, 1906.

CASTELLI, Raffaele. *Leggende bibliche e religiose di Sicilia*. Extraído do *Arch.*, v. XXIII. Turim, 1906.

COMPARETTI, Domenico. *Novelline popolari italiane*. Publicadas e ilustradas por D. Comparetti, v. I (os volumes seguintes nunca foram editados). Turim, 1875 [v. VI dos *Canti e racconti del popolo italiano* publicados sob a responsabilidade de Domenico Comparetti e Alessandro d'Ancona].

CONTI, Oreste. *Letteratura popolare capracottese*. Com prefácio de Francesco d'Ovidio, 2ª ed. Nápoles, 1911.

CORAZZINI, Francesco. *I componimenti minori della letteratura popolare italiana nei principali dialetti* ou *Saggio di letteratura dialettale comparata*. Benevento,

1877. [Contém *novelline* toscanas, venezianas, beneventanas, bolonhesas, bergamascas e vicentinas.]

CORONEDI-BERTI, Carolina, org. *Novelle popolari bolognesi*. Bolonha, 1874.

_____ *Al sgugiol di ragazú*. Contos populares bolonheses publicados pela organizadora. Bolonha, 1883.

D'AMATO, A. *Cunti irpini*. [Manuscrito no Museu Pitrè, Palermo. Sete breves *novelline* em dialeto irpino com tradução.]

DE GUBERNATIS, Alessandro, org. *Le tradizioni popolari di S. Stefano di Calcinaia*. Com preâmbulo de Angelo de Gubernatis. Roma, 1894.

DE NINO, Antonio, org. *Usi e costumi abruzzesi*, v. III: *Fiabe*, descritas pelo organizador. Florença, 1883.

DI FRANCIA, Letterio. *Fiabe e novelle calabresi*. Turim, *Pallante*, fasc. 3-4, dez. 1929, e fasc. 7-8, out. 1931.

FARINETTI, Clotilde. *Vita e pensiero del Piemonte*. Milão Trevisini, s. d. [in "Canti, novelle e tradizioni delle regioni d'Italia"].

FERRARO, Giuseppe, org. Mss. 131-40 do Museu de Artes e Tradições Populares de Roma. Contos populares monferrinos [127 contos; texto e tradução], 1869.

FINAMORE, Gennaro, org. *Tradizioni popolari abruzzesi*, v. I, *Novelle*, primeira parte, Lanciano, 1882; segunda parte, Lanciano, 1885.

FORSTER, Riccardo. *Fiabe popolari dalmate*. Extraído do *Arch.*, X. Palermo, 1891.

GARGIOLLI, Carlo. [Opúsculo para matrimônio Imbriani-Rosnati.] *Novelline e canti popolari delle Marche*, Fano, 1878. [Duas *novelline* coletadas por Gianandrea.]

Giambattista Basile, Arquivo de Literatura Popular, diretor: Luigi Molinaro del Chiaro, Nápoles [ano I, 1883].

GIANANDREA, Antonio, org. *Novelline e fiabe popolari marchigiane*. ["Biblioteca delle tradizioni popolari marchigiane"] Jesi, 1878.

GIANNINI, G. [Opúsculo para matrimônio Zenatti-Covacich, contendo quatro unidades.] *Novelline lucchesi*. 1888, s. l.

GIGLI, Giuseppe. *Superstizioni, pregiudizi e tradizioni in Terra d'Otranto*. Com um adendo de cantos e contos populares. Florença, 1893.

GONZENBACH, Laura, org. *Sicilianische Märchen aus dem Volksmund gesammelt*. Leipzig, 1870 [2 v.].

GORTANI, Luigi, org. *Tradizioni popolari friulane*, v. I. Udine, 1904.

GRADI, Temistocle (de Siena), org. *Saggio di letture varie per i giovani*. Turim, 1865.

GRISANTI, Cristoforo, org. *Usi, credenze, proverbi e racconti popolari di Isnello*. Palermo, 1899, 1909 [2 v.].

GUARNERIO, P. E. *Primo saggio di novelle popolari sarde*. [in *Arch.* II, pp. 18-35, 185-206, 481-502; III, 233-40].

IMBRIANI, Vittorio, org. *La novellaja fiorentina*. Fábulas e *novelline* estenografadas em Florença a partir da fala popular; reedição ampliada com muitas novelas inéditas, com numerosos cotejos e notas, nas quais se insere integralmente *La novellaja milanese* do mesmo coletor. Livorno, 1877.

IMBRIANI, Vittorio. *XII conti pomiglianesi*. Com variantes avelinenses, montalesas, banholenses, milanesas, toscanas, lecenses etc. Ilustrados por V. Imbriani. Nápoles, 1877.

IVE, Antonio, org. [Opúsculo para matrimônio Ive-Lorenzetto, contendo quatro fábulas istrianas.] Viena, 1877.

_____ *Fiabe popolari rovignesi*. Viena, 1878.

_____ *I dialetti ladino-veneti dell'Istria*. Estudo de Antonio Ive, professor da I. R. Universidade de Graz. Estrasburgo, 1900.

LA ROCCA, L. *Pisticci e i suoi canti*. Putignano (Bari), 1952.

LOMBARDI SATRIANI, Raffaele. *Racconti popolari calabresi*, v. I [não saíram outros volumes]. Nápoles, 1953. ["Biblioteca delle tradizioni popolari calabresi", org. R. Lombardi Satriani, v. VIII.]

LORIGA, Francesco, org. Ms. 59 do Museu de Artes e Tradições Populares de Roma. Novelas sardas coletadas pelo organizador. [Uma anotação de frontispício indica 36 novelas, mas só existem dez; creio que tenham sido coletadas em Porto Torres e constituem a melhor seleção sarda dentre aquelas existentes no museu, talvez provenientes dos papéis de Comparetti, aos quais remetia Ettore Pais.]

MANGO, Francesco, org. *Novelline popolari sarde*. Palermo, 1890. [*Curiosità popolari tradizionali*, publicadas sob a responsabilidade de Giuseppe Pitrè, v. IX.]

MARZOCCHI, Ciro, org. Ms. 57 do Museu de Artes e Tradições Populares de Roma. Cento e trinta *novelline* sienenses, coletadas pelo organizador e anotadas a lápis por Comparetti, com variantes e índice. [Em grande parte de Mucigliana, "fazenda próxima de Asciano, a dez milhas de Siena".]

MORANDI, org. Ms. 179 do Museu de Artes e Tradições Populares de Roma [sob outra catalogação, com outros papéis], cinco fábulas úmbrias.

NERUCCI, Gherardo, org. *Sessanta novelle popolari montalesi* (vizinhança de Pistoia). Florença, 1880.

NIERI, Idelfonso. *Cento racconti popolari lucchesi* e outros contos. Pietro Pancrazi, org. Florença, Le Monnier, 1950.

ORTOLI, J. B. Frédéric. *Les contes populaires de l'île de Corse*. Paris, 1883 [tomo XVI de *Les littératures populaires de toutes les Nations*].

PELIZZARI, Pietro, org. *Fiabe e canzoni popolari del contado di Maglie in Terra d'Otranto*. Primeiro fascículo [ignoro a existência de outros fascículos]. Maglie, 1881.

PINGUENTINI, Gianni, org. *Fiabe, leggende, novelle, storie paesane, storielle, barzellette in dialetto triestino*. Reunidas e cuidadosamente transcritas e anotadas pelo organizador. Trieste, 1955.

PITRÈ, Giuseppe, org. *Fiabe, novelle e racconti popolari siciliani*. [4 v.] Ilustradas pelo organizador. Palermo, 1875. ["Biblioteca delle tradizioni popolari siciliane", v. IV-VII.]

PITRÈ, Giuseppe. *Novelle popolari toscana*. Roma, 1941. ["Opere complete di Giuseppe Pitrè", edição nacional, v. XXX, 2 t.]

PRATI, Angelico. *Folklore trentino*. Milão, Trevisini, s. d. [in "Canti, novelle e tradizioni delle regioni d'Italia"].

PRATO, Stanislao, org. *Quattro novelline popolari livornesi*. Seguidas de variantes úmbrias, coletadas, publicadas e ilustradas com notas comparativas do organizador. Spoleto, 1880.

Rivista delle tradizioni popolari, dirigida por A. de Gubernatis. Roma [ano I, 1893-4].

SCHNELLER, Christian, org. *Märchen und Sagen aus Wälschtyrol*, ein Beitrag zur Deutschen Sagenkunde, gesamelt von C. Schneller, K. K. Gymnasial-Professor. Innsbruck, 1867.

TARGIONI-TOZZETTI, Giovanni, org. *Saggio di novelline, canti ed usanze popolari della Ciociana*. [V. X das "Curiosità popolari tradizionali".] [Coletadas em 1887, em Ceccano. na Ciociaria.]

TIRABOSCHI, Antonio, org. *Sei quadernetti manoscritti di fiabe in dialetto bergamasco*. Biblioteca Civica, Bérgamo. [As fábulas dos últimos cadernos não estão numeradas; transcrevo seus títulos.]

TOSCHI, Paolo. *Romagna solatia*. Milão, Trevisini, s. d. [in "Canti, novelle e tradizioni delle regioni d'Italia"].

VECCHI, Alberto. *Testa di capra*. Módena, 1955. [Livrete ilustrado para crianças das Editioni Paoline; contém quatro fábulas "registradas diretamente de viva voz da narração popular"; traduzidas em italiano mas com "nomes e algumas expressões próprias da língua apenínico-padana mantidos intactos".]

VISENTINI, Isaia, org. *Fiabe mantovane*. Turim, 1879 [v. VII dos "Canti e racconti del popolo italiano"].

VITALETTI, Guido. *Dolce terra di Marca*. Milão, Trevisini, s. d. [in "Canti, novelle e tradizioni delle regioni d'Italia"].

VOCINO, Michele, e ZINGARELLI, Nicola. *Apulia Fidelis*. Trevisini, Milão, s. d. [in "Canti, novelle e tradizioni delle regioni d'Italia"].

ZAGARIA, Riccardo. *Folklore andriese*. Com monumentos do dialeto de Andria. Martina Franca, 1913.

ZANAZZO, Giggi, org. *Novelle, favole e leggende romanesche*. Turim; Roma, 1907 [v. I das "Tradizioni popolari romane"].

ZORZÙT, Dolfo. *Sot la nape... (I racconti del popolo friulano)*. [3 v.] Udine, 1924, 1925, 1927.

ITALO CALVINO (1923-85) nasceu em Santiago de Las Vegas, Cuba, e foi para a Itália logo após o nascimento. Participou da resistência ao fascismo durante a guerra e foi membro do Partido Comunista até 1956. Publicou sua primeira obra, *A trilha dos ninhos de aranha*, em 1947.

OBRAS PUBLICADAS PELA COMPANHIA DAS LETRAS

Os amores difíceis
Assunto encerrado
O barão nas árvores
O caminho de San Giovanni
O castelo dos destinos cruzados
O cavaleiro inexistente
As cidades invisíveis
Coleção de areia
Contos fantásticos do século XIX (org.)
As cosmicômicas
O dia de um escrutinador
Eremita em Paris
A especulação imobiliária
Fábulas italianas

Um general na biblioteca
Marcovaldo ou As estações na cidade
Mundo escrito e mundo não escrito
Os nossos antepassados
Palomar
Perde quem fica zangado primeiro
Por que ler os clássicos
Se um viajante numa noite de inverno
*Seis propostas para o próximo milênio —
    Lições americanas*
Sob o sol-jaguar
Todas as cosmicômicas
A trilha dos ninhos de aranha
O visconde partido ao meio

COMPANHIA DE BOLSO

Jorge AMADO
Capitães da Areia
Mar morto

Carlos Drummond de ANDRADE
Sentimento do mundo

Hannah ARENDT
Homens em tempos sombrios
Origens do totalitarismo

Philippe ARIÈS, Roger CHARTIER (Orgs.)
História da vida privada 3 — Da Renascença ao Século das Luzes

Karen ARMSTRONG
Em nome de Deus
Uma história de Deus
Jerusalém

Paul AUSTER
O caderno vermelho

Ishmael BEAH
Muito longe de casa

Jurek BECKER
Jakob, o mentiroso

Marshall BERMAN
Tudo que é sólido desmancha no ar

Jean-Claude BERNARDET
Cinema brasileiro: propostas para uma história

Harold BLOOM
Abaixo as verdades sagradas

David Eliot BRODY, Arnold R. BRODY
As sete maiores descobertas científicas da história

Bill BUFORD
Entre os vândalos

Jacob BURCKHARDT
A cultura do Renascimento na Itália

Peter BURKE
Cultura popular na Idade Moderna

Italo CALVINO
Os amores difíceis
O barão nas árvores
O cavaleiro inexistente
Fábulas italianas
Um general na biblioteca
Os nossos antepassados
Por que ler os clássicos
O visconde partido ao meio

Elias CANETTI
A consciência das palavras
O jogo dos olhos
A língua absolvida
Uma luz em meu ouvido

Bernardo CARVALHO
Nove noites

Jorge G. CASTAÑEDA
Che Guevara: a vida em vermelho

Ruy CASTRO
Chega de saudade
Mau humor

Louis-Ferdinand CÉLINE
Viagem ao fim da noite

Sidney CHALHOUB
Visões da liberdade

Jung CHANG
Cisnes selvagens

John CHEEVER
A crônica dos Wapshot

Catherine CLÉMENT
A viagem de Théo

J. M. COETZEE
Infância
Juventude

Joseph CONRAD
Coração das trevas
Nostromo

Mia COUTO
Terra sonâmbula

Alfred W. CROSBY
Imperialismo ecológico

Robert DARNTON
O beijo de Lamourette

Charles DARWIN
A expressão das emoções no homem e nos animais

Jean DELUMEAU
História do medo no Ocidente

Georges DUBY
Damas do século XII
História da vida privada 2 — Da Europa feudal à Renascença (Org.)
Idade Média, idade dos homens

Mário FAUSTINO
O homem e sua hora

Meyer FRIEDMAN, Gerald W. FRIEDLAND
As dez maiores descobertas da medicina

Jostein GAARDER
O dia do Curinga
Maya
Vita brevis

Jostein GAARDER, Victor HELLERN, Henry NOTAKER
O livro das religiões

Fernando GABEIRA
O que é isso, companheiro?

Luiz Alfredo GARCIA-ROZA
O silêncio da chuva

Eduardo GIANNETTI
Auto-engano
Vícios privados, benefícios públicos?

Edward GIBBON
Declínio e queda do Império Romano

Carlo GINZBURG
Os andarilhos do bem
História noturna
O queijo e os vermes

Marcelo GLEISER
A dança do Universo
O fim da Terra e do Céu

Tomás Antônio GONZAGA
Cartas chilenas

Philip GOUREVITCH
Gostaríamos de informá-lo de que amanhã seremos mortos com nossas famílias

Milton HATOUM
A cidade ilhada
Cinzas do Norte
Dois irmãos
Relato de um certo Oriente
Um solitário à espreita

Patricia HIGHSMITH
Ripley debaixo d'água
O talentoso Ripley

Eric HOBSBAWM
O novo século
Sobre história

Albert HOURANI
Uma história dos povos árabes

Henry JAMES
Os espólios de Poynton
Retrato de uma senhora

P. D. JAMES
Uma certa justiça

Ismail KADARÉ
Abril despedaçado

Franz KAFKA
O castelo
O processo

John KEEGAN
Uma história da guerra

Amyr KLINK
Cem dias entre céu e mar

Jon KRAKAUER
No ar rarefeito

Milan KUNDERA
A arte do romance
A brincadeira
A identidade
A ignorância
A insustentável leveza do ser
A lentidão
O livro do riso e do esquecimento
Risíveis amores
A valsa dos adeuses
A vida está em outro lugar

Danuza LEÃO
Na sala com Danuza

Primo LEVI
A trégua

Alan LIGHTMAN
Sonhos de Einstein

Gilles LIPOVETSKY
O império do efêmero

Claudio MAGRIS
Danúbio

Naguib MAHFOUZ
Noites das mil e uma noites

Norman MAILER (JORNALISMO LITERÁRIO)
A luta

Janet MALCOLM (JORNALISMO LITERÁRIO)
O jornalista e o assassino
A mulher calada

Javier MARÍAS
Coração tão branco

Ian McEWAN
O jardim de cimento
Sábado

Heitor MEGALE (Org.)
A demanda do Santo Graal

Evaldo Cabral de MELLO
O negócio do Brasil
O nome e o sangue

Luiz Alberto MENDES
Memórias de um sobrevivente

Jack MILES
Deus: uma biografia

Vinicius de MORAES
Antologia poética
Livro de sonetos
Nova antologia poética
Orfeu da Conceição

Fernando MORAIS
Olga

Toni MORRISON
Jazz

V. S. NAIPAUL
Uma casa para o sr. Biswas

Friedrich NIETZSCHE
Além do bem e do mal
Ecce homo
A gaia ciência
Genealogia da moral
Humano, demasiado humano
O nascimento da tragédia

Adauto NOVAES (Org.)
Ética
Os sentidos da paixão

Michael ONDAATJE
O paciente inglês

Malika OUFKIR, Michèle FITOUSSI
Eu, Malika Oufkir, prisioneira do rei

Amós OZ
A caixa-preta
O mesmo mar

José Paulo PAES (Org.)
Poesia erótica em tradução

Orhan PAMUK
Meu nome é Vermelho

Georges PEREC
A vida: modo de usar

Michelle PERROT *(Org.)*
História da vida privada 4 — Da Revolução Francesa à Primeira Guerra

Fernando PESSOA
Livro do desassossego
Poesia completa de Alberto Caeiro
Poesia completa de Álvaro de Campos
Poesia completa de Ricardo Reis

Ricardo PIGLIA
Respiração artificial

Décio PIGNATARI (Org.)
Retrato do amor quando jovem

Edgar Allan POE
Histórias extraordinárias

Antoine PROST, Gérard VINCENT (Orgs.)
História da vida privada 5 — Da Primeira Guerra a nossos dias

David REMNICK (JORNALISMO LITERÁRIO)
O rei do mundo

Darcy RIBEIRO
Confissões
O povo brasileiro

Edward RICE
Sir Richard Francis Burton

João do RIO
A alma encantadora das ruas

Philip ROTH
Adeus, Columbus
O avesso da vida
Casei com um comunista
O complexo de Portnoy
Complô contra a América
A marca humana
Pastoral americana

Elizabeth ROUDINESCO
Jacques Lacan

Arundhati ROY
O deus das pequenas coisas

Murilo RUBIÃO
Murilo Rubião — Obra completa

Salman RUSHDIE
Haroun e o Mar de histórias
Oriente, Ocidente
O último suspiro do mouro
Os versos satânicos

Oliver SACKS
Um antropólogo em Marte
Enxaqueca
Tio Tungstênio
Vendo vozes

Carl SAGAN
Bilhões e bilhões
Contato
O mundo assombrado pelos demônios

Edward W. SAID
Cultura e imperialismo
Orientalismo

José SARAMAGO
O Evangelho segundo Jesus Cristo
História do cerco de Lisboa
O homem duplicado
A jangada de pedra

Arthur SCHNITZLER
Breve romance de sonho

Moacyr SCLIAR
O centauro no jardim
A majestade do Xingu
A mulher que escreveu a Bíblia

Amartya SEN
Desenvolvimento como liberdade

Dava SOBEL
Longitude

Susan SONTAG
Doença como metáfora / AIDS e suas metáforas
A vontade radical

Jean STAROBINSKI
Jean-Jacques Rousseau
I. F. STONE
O julgamento de Sócrates
Keith THOMAS
O homem e o mundo natural
Drauzio VARELLA
Estação Carandiru John UPDIKE
As bruxas de Eastwick
Caetano VELOSO
Verdade tropical
Erico VERISSIMO
Caminhos cruzados
Clarissa
Incidente em Antares

Paul VEYNE (Org.)
História da vida privada 1 — Do Império Romano ao ano mil
XINRAN
As boas mulheres da China
Ian WATT
A ascensão do romance
Raymond WILLIAMS
O campo e a cidade
Edmund WILSON
Os manuscritos do mar Morto
Rumo à estação Finlândia
Edward O. WILSON
Diversidade da vida
Simon WINCHESTER
O professor e o louco

1ª edição Companhia das Letras [1992] 10 reimpressões
2ª edição Companhia das Letras [2003] 1 reimpressão
1ª edição Companhia de Bolso [2006] 7 reimpressões

Esta obra foi composta pela Verba Editorial em Janson Text
e impressa pela Gráfica Bartira em ofsete sobre
papel Pólen Soft da Suzano S.A.

A marca FSC® é a garantia de que a madeira utilizada na fabricação do papel deste livro provém de florestas que foram gerenciadas de maneira ambientalmente correta, socialmente justa e economicamente viável, além de outras fontes de origem controlada.